Chère Laurette

DU MÊME AUTEUR

Saga LE PETIT MONDE DE SAINT-ANSELME :

Tome I, *Le Petit monde de Saint-Anselme, chronique des années 30*, roman, Montréal, Guérin, 2003.
Tome II, *L'enracinement, chronique des années 50*, roman, Montréal, Guérin, 2004.
Tome III, *Le temps des épreuves, chronique des années 80*, roman, Montréal, Guérin, 2005.
Tome IV, *Les héritiers, chronique de l'an 2000*, roman, Montréal, Guérin, 2006.

Saga LA POUSSIÈRE DU TEMPS :

Tome I, *Rue de la Glacière*, roman, Montréal, Hurtubise HMH, 2005, format compact, 2008.
Tome II, *Rue Notre-Dame*, roman, Montréal, Hurtubise HMH, 2005, format compact, 2008.
Tome III, *Sur le boulevard*, roman, Montréal, Hurtubise HMH, 2006, format compact, 2008.
Tome IV, *Au bout de la route*, roman, Montréal, Hurtubise HMH, 2006, format compact, 2008.

Saga À L'OMBRE DU CLOCHER :

Tome I, *Les années folles*, roman, Montréal, Hurtubise HMH, 2006.
Tome II, *Le fils de Gabrielle*, roman, Montréal, Hurtubise HMH, 2007.
Tome III, *Les amours interdites*, roman, Montréal, Hurtubise HMH, 2007.
Tome IV, *Au rythme des saisons*, roman, Montréal, Hurtubise HMH, 2008.

Saga CHÈRE LAURETTE :

Tome I, *Des rêves plein la tête*, roman, Montréal, Hurtubise HMH, 2008.
Tome II, *À l'écoute du temps*, roman, Montréal, Hurtubise HMH, 2008.
Tome III, *Le retour*, roman, Montréal, Hurtubise HMH, 2009.

Michel David

Chère Laurette

Tome 4
La fuite du temps

Roman historique

Hurtubise

Catalogage avant publication de Bibliothèque et Archives nationales du Québec et Bibliothèque et Archives Canada

David, Michel, 1944-

Chère Laurette

Sommaire: t. 1. Des rêves plein la tête – t. 2. À l'écoute du temps – t. 3. Le retour. – t. 4 La fuite du temps.

ISBN 978-2-89647-098-3 (v. 1)
ISBN 978-2-89647-109-6 (v. 2)
ISBN 978-2-89647-172-0 (v. 3)
ISBN 978-2-89647-173-7 (v. 4)

I. Titre. II. Titre: Des rêves plein la tête. III. Titre: À l'écoute du temps. IV. Titre: Le retour. V. Titre: La fuite du temps.

PS8557.A797C43 2008 C843'.6 C2008-941259-1
PS9557.A797C43 2008

Les Éditions Hurtubise bénéficient du soutien financier des institutions suivantes pour leurs activités d'édition:

- Conseil des Arts du Canada;
- Gouvernement du Canada par l'entremise du Programme d'aide au développement de l'industrie de l'édition (PADIÉ);
- Société de développement des entreprises culturelles du Québec (SODEC);
- Gouvernement du Québec par l'entremise du programme de crédit d'impôt pour l'édition de livres.

Illustration de la couverture: Sybiline
Maquette de la couverture: Geai bleu graphique
Graphisme: René St-Amand
Mise en page: Andréa Joseph [pagexpress@videotron.ca]

ISBN: 978-2-89647-173-7

Dépôt légal: 2e trimestre 2009
Bibliothèque et Archives nationales du Québec
Bibliothèque et Archives du Canada

Diffusion-distribution au Canada:
Distribution HMH
1815, avenue De Lorimier
Montréal (Québec) H2K 3W6
Téléphone: 514-523-1523
Télécopieur: 514-523-9969
www.distributionhmh.com

Diffusion-distribution en Europe:
Librairie du Québec/DNM
30, rue Gay-Lussac
75005 Paris FRANCE
www.librairieduquebec.fr

Imprimé au Canada

www.editionshurtubise.com

Et tous les mots qu'on n'a pas su dire
Les pleurs et les rires
Et les noms des fleurs
Oubliés au grenier du cœur

Félix Leclerc
Au temps dire

Les principaux personnages

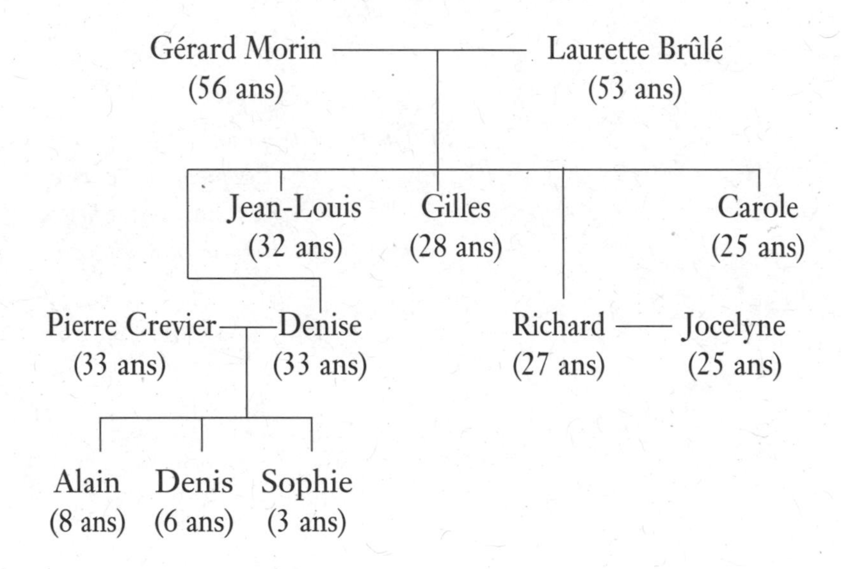

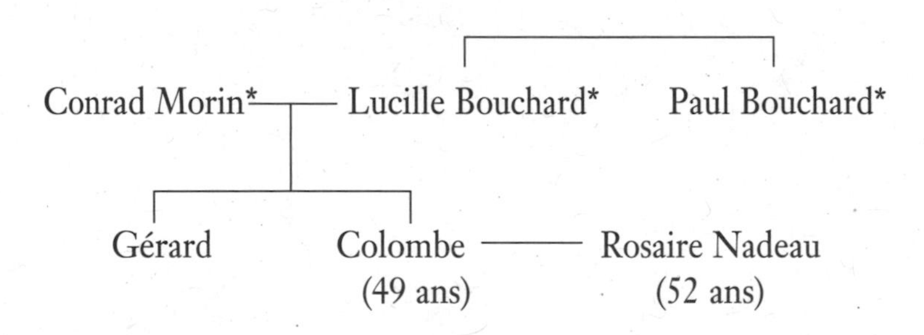

* Décédé.

LA FAMILLE BRÛLÉ

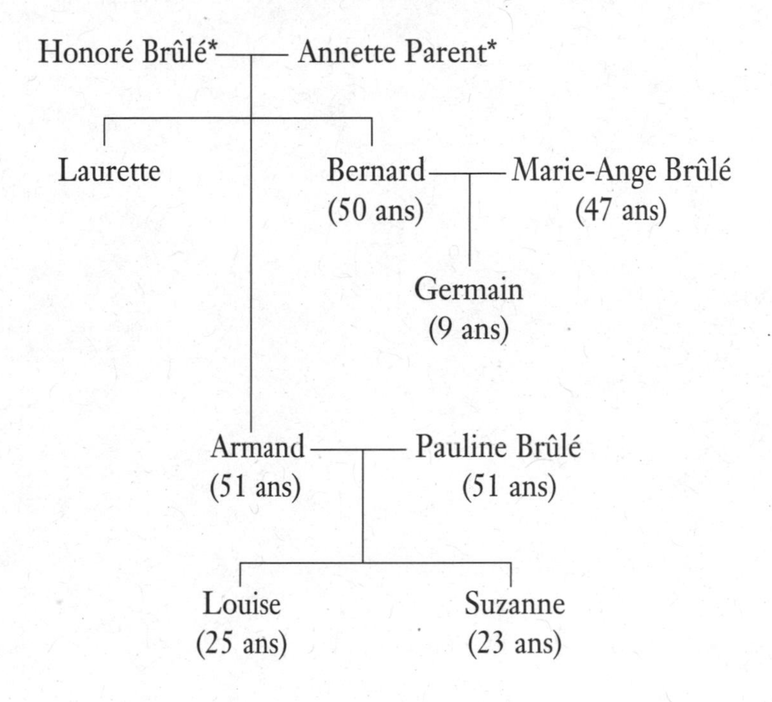

Chapitre 1

Le nid

En ce début de soirée de fin février 1966, la neige avait cessé, mais le mercure était descendu à -20 °F. La porte d'entrée s'ouvrit, laissant entrer un flot d'air glacial dans l'appartement. Il y eut un bruit de pieds frappant lourdement le paillasson après que la porte fut claquée.

— Maudit que je suis écœurée de geler ! se plaignit la jeune femme penchée dans le couloir pour retirer ses bottes couvertes de neige. En plus, ils sont même pas capables de nettoyer les trottoirs comme du monde.

Carole se releva, retira son manteau et le suspendit à un crochet fixé au mur derrière la porte. La svelte secrétaire de vingt-cinq ans avait un visage aux traits fins et volontaires encadré par une lourde masse de cheveux bruns.

— Essaye de pas mettre de neige partout sur mon plancher frais lavé, fit la voix de sa mère en provenance de la cuisine, à l'autre bout de l'appartement.

La jeune femme s'avança dans l'étroit couloir et pénétra dans la cuisine où ses parents étaient assis devant le téléviseur.

— Approche, lui ordonna sa mère en quittant sa chaise berçante pour se diriger vers le poêle. Ton souper est prêt. On t'a pas attendue pour manger.

— C'est pas grave, m'man, dit Carole sur un ton las.

— T'arrives ben tard, lui fit remarquer la femme âgée d'une cinquantaine d'années pendant qu'elle déposait devant sa cadette une assiette remplie de fèves au lard qu'elle avait gardée au chaud.

— Encore des bines, dit Carole en prenant un air dégoûté.

— C'est vendredi, ma fille, se contenta de lui faire remarquer la femme au tour de taille toujours aussi imposant. Mais j'ai fait un pudding au chômeur pour dessert. Je me suis arrangée pour que tes frères passent pas à travers tout le plat.

Avant de se mettre à manger sans grand appétit, la jeune fille tira de son sac à main déposé à ses pieds le montant de sa pension hebdomadaire qu'elle tendit sans un mot à sa mère. Cette dernière ne se donna même pas la peine de vérifier si la somme exacte y était. Elle déposa l'argent dans un verre placé sur la seconde tablette de l'armoire.

— As-tu fini plus tard que d'habitude ? demanda-t-elle à sa fille en retournant s'asseoir.

— Non. Après l'ouvrage, je suis allée boire un café avec Valérie. Elle voulait me parler.

La mère de famille fut tout de suite sur ses gardes. Elle se méfiait de cette compagne de travail depuis qu'elle avait appris que c'était cette Valérie qui avait présenté André Cyr à sa fille, au début de l'automne précédent.

Dès qu'elle l'avait vu, Laurette Morin avait éprouvé une antipathie naturelle pour ce garçon aux traits veules incapable de conserver un emploi régulier. Elle considérait l'ami de cœur de sa fille comme un grand flanc mou plus porté à jouer les incompris qu'à travailler.

— Qu'est-ce qu'elle peut ben trouver à cette espèce de grand tata juste bon à faire le jars ? répétait-elle à son mari.

Par conséquent, Laurette Morin en était venue à considérer Valérie Michaud comme l'unique responsable des amours de sa fille cadette.

— Qu'est-ce qu'elle avait tant à te dire ? demanda-t-elle, curieuse.

— Toutes sortes d'affaires, répondit la jeune fille, évasive.

— Quoi, par exemple ? insista sa mère, encore plus suspicieuse.

— Ben. Elle voulait surtout me dire que sa voisine lâchait son appartement au mois de mai.

— Pourquoi elle t'a dit ça ?

— Parce qu'elle sait que ça m'intéresse.

— Comment ça ? demanda Laurette en haussant la voix.

Gérard Morin se leva, éteignit le téléviseur et vint se rasseoir dans sa chaise berçante. Il prit *La Presse* déposée sur l'appui-fenêtre et se mit à lire comme si ce que les deux femmes disaient ne le concernait pas.

— Si vous voulez le savoir, m'man, elle m'a dit ça parce que je lui ai déjà dit que j'haïrais pas ça aller rester toute seule en appartement.

— T'es pas sérieuse, Carole ? lui demanda sa mère en se levant.

— Ben oui, m'man. Il me semble que j'aimerais ça. C'est pas un crime.

— C'est ça, maudite sans-cœur ! s'écria Laurette. Tu serais prête à nous laisser tout seuls, ton père et moi.

— Exagérez pas, m'man, dit Carole sur un ton excédé. Vous seriez pas tout seuls. Vous auriez encore Jean-Louis et Gilles dans la maison.

— Parle donc pas pour rien dire ! s'emporta sa mère. Tu sais ben que Jean-Louis cherche à partir, lui aussi, et que ton frère Gilles se marie cet été.

— Oui, mais c'est pas encore fait.

— À part ça, ça va avoir l'air de quoi une fille pas mariée qui se loue un appartement toute seule ?

— Aujourd'hui, il y a ben des filles qui font ça, répliqua Carole en finissant de manger le contenu de son assiette.

— Des dévergondées, oui ! s'exclama Laurette, furieuse. Moi, en tout cas, je comprends pas pantoute pourquoi tu veux t'en aller d'ici dedans. T'es pas ben avec nous autres ? Ça te coûte presque rien de pension. Je fais ton lavage et ton repassage toutes les semaines. Quand t'arrives de travailler, t'as juste à t'asseoir pour manger…

— Ben oui, m'man. Je le sais.

— Bonyeu, c'est pas assez tranquille dans la maison ? Qu'est-ce que tu veux de plus ?

— Rien.

— Est-ce que c'est parce qu'on te charge trop cher de pension ?

— Ben non. C'est pas ça, répondit Carole, agacée par l'insistance de sa mère.

— Je sais pas si t'as calculé, mais ça te coûterait pas mal plus cher en appartement. Une fois ton loyer, ton chauffage et ton manger payés, il te resterait plus rien sur ta paye.

— Je le sais.

— Ça serait fini le temps où tu pouvais t'acheter du linge neuf presque toutes les semaines comme tu le fais depuis que tu travailles.

— Écoutez, m'man. Je suis pas encore partie, fit Carole, lasse de cette conversation. Tout ce que j'ai dit, c'est que j'aimerais ça essayer de vivre en appartement. Rien de plus. Il y a rien de décidé.

— Naturellement, toi, t'as rien à dire ! dit Laurette en se tournant vers son mari qui n'avait pas prononcé un seul mot depuis l'arrivée de sa fille.

L'homme de cinquante-six ans au front légèrement dégarni se contenta de lever les épaules en signe d'indifférence. Après avoir replacé ses lunettes à fine monture d'acier qui avaient glissé sur son nez, il replongea dans sa lecture.

Mécontente, sa femme lui jeta un regard furieux et reprit place dans sa chaise berçante placée près du poêle. Ses jambes la faisaient soudainement souffrir. Le visage fermé, elle regarda sa fille finir son repas. Quand cette dernière alla déposer sa vaisselle sale dans l'évier et se mit en devoir de la laver, sa mère se leva et s'empara d'un linge propre.

— Laissez faire, m'man. Je suis capable d'essuyer ma vaisselle.

Laurette ne répondit rien et fit comme si elle n'avait rien entendu.

— Il y a un film avec Fernandel au Canal 10, à soir, dit-elle sans s'adresser à personne en particulier dans la pièce.

— Je sors, à soir. J'ai besoin d'une nouvelle paire de souliers, laissa tomber la jeune fille.

— Si tu attendais demain, on pourrait aller magasiner ensemble, lui suggéra sa mère.

— Je veux me reposer demain.

— OK. En tout cas, pour à soir, on dirait ben que je vais être encore poignée pour regarder la télévision toute seule, fit Laurette sur un ton un peu pitoyable. Si encore on avait un salon pour regarder la télévision en paix…

— Cybole, Laurette, tu vas pas recommencer tes lamentations! l'interrompit son mari. Il y a deux ans, Gilles et Jean-Louis ont accepté de coucher dans la même chambre pour nous laisser un salon parce que t'arrêtais pas de te plaindre que dans la cuisine t'avais la télévision dans les jambes du matin au soir. Aussitôt que le salon a été organisé, t'as commencé à te plaindre que tu pouvais plus la regarder dans la journée et que tu gelais en avant. Fais-toi une idée, taboire!

— Maudit verrat ! C'est pas de ma faute si notre salon ressemble à un frigidaire. On gèle tout rond dans cet appartement-là.

Il y eut un bref silence dans la pièce avant que la mère de famille reprenne la parole.

— Si tu veux attendre encore une couple de mois, tu pourrais avoir les deux chambres d'en avant quand Gilles va être marié. Je suis sûre que ça ferait l'affaire de Jean-Louis de déménager dans ton ancienne chambre.

— Voyons, m'man. J'ai pas besoin pantoute de deux chambres. J'aime ben mieux garder ma chambre en arrière. Je suis habituée.

— Comme tu voudras, rétorqua sa mère, à bout de suggestions pour tenter de la retenir à la maison.

Carole disparut un instant dans sa chambre à coucher. Lorsqu'elle revint dans la cuisine, sa mère remarqua tout de suite qu'elle avait pris le temps de changer de chemisier et de se maquiller.

— Est-ce que tu vas magasiner toute seule ? lui demanda-t-elle, de nouveau soupçonneuse.

— Non. J'ai dit à Louise que je passerais la prendre après le souper. Elle veut aller s'acheter une robe.

La mère de famille parut soulagée d'apprendre que sa fille allait rencontrer sa cousine plutôt que son amoureux. Deux ans auparavant, Carole avait perdu de vue son amie inséparable, Mireille Bélanger. Cette dernière s'était mariée et était partie vivre avec son mari à Sherbrooke. Un peu désemparée, la jeune fille s'était mise à fréquenter de plus en plus assidûment sa cousine, la fille aînée d'Armand Brûlé. Au fil des mois, les deux jeunes filles étaient devenues des amies intimes.

— J'aime pas ben ça vous voir sortir toutes seules comme ça, le soir, lui fit tout de même remarquer Laurette.

— Inquiétez-vous pas, m'man. Mon oncle Armand est supposé venir nous conduire et il va même nous attendre pour nous ramener après.

Elle alla chausser ses bottes au bout du couloir.

— Essaye quand même de pas revenir trop tard, lui dit sa mère. Tu le sais que j'ai de la misère à dormir tant que t'es pas rentrée.

Carole ne répondit rien. Elle ouvrit la porte et quitta l'appartement de la rue Emmett.

Même sous la neige, les maisons plus que centenaires de la petite rue ne parvenaient pas à dissimuler leur délabrement. Au fil des ans, elles avaient continué à se détériorer, faute de soins de leur propriétaire, la Dominion Oilcloth. Les cinq immeubles en briques rouges de deux étages situés sur le côté nord de la rue paraissaient toujours aussi imposants face aux petites maisons à un étage du côté sud dont les portes ouvraient directement sur un trottoir inégal et mal déneigé. Un unique lampadaire éclairait chichement la rue qui s'ouvrait à l'est sur la minuscule rue Archambault et à l'ouest, sur Fullum.

Au coin de la rue, le restaurant-épicerie *Paré* était devenu, cinq ans auparavant, le dépanneur Lemieux. Cependant, le seul changement apporté par Gustave Lemieux, le nouveau propriétaire, avait consisté à cesser de servir des hot-dogs et des frites, au plus grand déplaisir de la majorité de ses clients.

— Calvaire, je peux pas continuer ! s'était exclamé le gros homme mal embouché. Les assurances me mangent tout rond si je continue cette affaire-là. Le gars de l'assurance s'imagine que je veux m'amuser à sacrer le feu dans la bâtisse avec de la graisse de patates frites.

Les habitants du quartier finirent par accepter sa décision et, durant la belle saison, les adolescents continuèrent à envahir les marches de l'escalier qui prenait naissance quelques pieds à droite de la porte du dépanneur.

Les Morin habitaient au rez-de-chaussée de l'avant-dernière maison du côté sud de la rue Emmett, au 2318, depuis trente-quatre ans. Ils y avaient élevé leurs cinq enfants.

L'appartement n'avait pratiquement pas changé depuis leur emménagement en novembre 1932. La vieille porte semi-vitrée à la peinture vert bouteille craquelée s'ouvrait encore sur un couloir étroit où, dans un renfoncement, l'antique fournaise avait cédé sa place à une fournaise à huile encore moins performante que la précédente. Les deux portes à gauche donnaient toujours sur une pièce double transformée en deux chambres à coucher occupées par Jean-Louis et Gilles. À droite, on retrouvait la chambre des parents et les toilettes. La cuisine, située à l'extrémité du couloir, était éclairée par une fenêtre et les carreaux d'une porte. La chambre de Carole était la seule autre pièce dont la fenêtre s'ouvrait sur le balcon arrière. Ces deux pièces auraient pu recevoir plus de lumière si l'escalier en bois conduisant chez les Beaulieu, à l'étage, ainsi que le hangar au toit de tôle rouillée n'avaient pas obstrué partiellement la vue. Enfin, la même clôture en bois, haute de quatre pieds, séparait encore la minuscule cour en terre battue des Morin de la vaste cour commune des vieilles maisons de la rue Notre-Dame dont on pouvait apercevoir les balcons enneigés.

— Allume donc la télévision pendant que je vais me chercher une veste, demanda Laurette à son mari en se dirigeant vers leur chambre à coucher.

Lorsqu'elle revint dans la pièce, elle jeta un coup d'œil à l'horloge murale pour s'assurer qu'elle n'allait pas rater le début du film. Elle fut rassurée en entendant la voix d'Anita Barrière vantant les aubaines que la Plaza Saint-

Hubert réservait à sa clientèle depuis quelques jours. Elle se versa un verre de Coke, s'alluma une cigarette et orienta sa chaise berçante vers le téléviseur.

— Il faudrait ben que je me décide à aller magasiner là une bonne fois, dit-elle à Gérard.

— Vas-y. Qu'est-ce qui t'en empêche? demanda ce dernier d'une voix indifférente.

— Rien. Ça se pourrait même que j'y aille demain. De toute façon, je trouve qu'il y a de moins en moins de monde sur Sainte-Catherine le samedi. C'est rendu plate. On dirait même, à cette heure, que le monde aime mieux aller magasiner dans les centres d'achats comme à la Place Ville-Marie. Moi, je comprends pas. Je trouve que ces magasins-là vendent leur stock deux fois plus cher.

Gérard replia enfin son journal et le déposa sur l'appui-fenêtre avant de s'allumer une cigarette à son tour. Il se tourna lui aussi vers le téléviseur, comme s'il s'apprêtait à regarder le film. Laurette ne fit aucun commentaire, heureuse d'avoir enfin de la compagnie pour regarder la télévision.

— C'est pas le *fun* de regarder un film drôle toute seule, disait-elle parfois. Quand tu ris toute seule, t'as l'air d'une maudite niaiseuse.

Une heure plus tard, la porte d'entrée s'ouvrit sur Jean-Louis qui s'empressa de la refermer avant d'allumer le plafonnier du couloir.

— C'est toi, Jean-Louis? demanda Laurette sans même quitter le petit écran des yeux.

— Oui, m'man.

Avec les années, le jeune homme de trente-deux ans s'était mis à ressembler de plus en plus à son père. De taille moyenne, il possédait la même chevelure châtain clair et les mêmes yeux bruns dans un visage aux traits très réguliers. S'il avait porté une mince moustache et arboré quelques rides, la ressemblance aurait été encore plus frappante.

Au demeurant, le fils aîné de Laurette n'avait pas beaucoup changé depuis le jour où il était revenu vivre à la maison, dix ans auparavant, après avoir été chassé de l'appartement qu'il partageait avec son ami, Jacques Cormier. Chômeur durant quelques mois, il avait occupé une demi-douzaine de petits boulots de commis et de vendeur avant d'être engagé à titre de caissier à la Banque d'Épargne, trois ans auparavant. Cet emploi assez mal payé lui avait tout de même redonné confiance en lui et permis de manipuler de l'argent, ce qu'il adorait par-dessus tout. Par ailleurs, le préféré de Laurette n'avait rien perdu de ses manières un peu précieuses et ses allures de dandy continuaient de susciter des remarques désobligeantes sur son passage.

Le plus étonnant était peut-être le fait qu'il n'ait jamais manifesté durant toutes ces années le moindre désir de quitter le nid familial une autre fois. Sa coûteuse mésaventure avec Cormier semblait lui avoir enlevé toute velléité de voler de ses propres ailes. C'était à se demander si son frère Richard n'avait pas raison.

— Jean-Louis, il reste juste dans les jupes de m'man parce que ça va lui coûter presque rien pour vivre. Comme ça, il va pouvoir grossir son magot, disait-il.

Jean-Louis se rendit dans la cuisine et fit bouillir l'eau dont il avait besoin pour se faire une tasse de café. Sa mère profita d'une pause publicitaire pour lui faire remarquer:

— T'arrives ben tard.

— Ma caisse balançait pas, laissa tomber son fils.

— Il me semble que ça t'arrive pas mal souvent, cette affaire-là, intervint son père en tournant la tête vers lui. T'as pas peur que ton gérant finisse par se plaindre?

— C'était pas de ma faute et il le sait, rétorqua le jeune homme en desserrant sa cravate. J'ai encore poigné un commis sans dessein qui a les deux pieds dans la même bottine. Il a fait une erreur en balançant le livret d'une cliente. Il a fallu vérifier toutes les transactions de la soirée avant de trouver ce que c'était. Tout le monde a été obligé de rester une demi-heure de plus pour découvrir ce qui m'empêchait de balancer.

— Les autres devaient être de bonne humeur d'être obligés de rester en plein vendredi soir, ajouta Laurette.

Jean-Louis ne répondit rien.

— Viens-tu regarder le film avec nous autres ? demanda sa mère. On regarde *Barnabé* avec Fernandel. Il est drôle à mort.

— Ça me tente pas à soir. Je suis fatigué. Je pense que je vais aller me mettre en pyjama et lire un bout de temps. J'espère juste que Gilles me réveillera pas quand il va rentrer.

— Ferme donc le rideau entre vos chambres, lui suggéra Laurette. Comme ça, s'il allume sa lumière en revenant de veiller, ça te réveillera pas.

— C'est pas la lumière qui me réveille, c'est le bruit.

Jean-Louis déposa le prix de sa pension hebdomadaire sur la table de cuisine avant de disparaître dans sa chambre qui, ce mois-là, était celle qui se trouvait pourvue d'une fenêtre.

L'entente imposée quelques années auparavant par sa mère tenait toujours. Le premier de chaque mois, les frères changeaient de chambre de manière à ce que chacun puisse profiter de la fenêtre donnant sur la rue Emmett. Inutile de dire que le caissier attendait avec impatience le mariage de son frère prévu pour le mois de juillet.

Il alluma sa lampe de chevet, endossa son pyjama et pêcha un vieux roman d'espionnage à la couverture écornée dans une boîte glissée sous son lit. Il s'agissait là de son unique centre d'intérêt auquel il consacrait d'ailleurs une bonne partie du peu d'argent de poche qu'il s'allouait chaque semaine. Il s'étendit sur son lit sans retirer le couvre-lit à motifs bleus et blancs, mais il n'ouvrit pas tout de suite le *IXE-13* qu'il avait pris sous son lit.

Sa chambre était vraiment le seul endroit où il pouvait se réfugier. Cela aurait encore été mieux si elle avait été dotée de quatre murs de manière à lui assurer une intimité plus complète.

Ce soir-là, il n'avait même pas le goût de lire tant il était fou d'une colère qu'il avait eu beaucoup de mal à dissimuler à ses parents. À la seule pensée de sa rencontre avec Léopold Lozeau, son gérant, il se sentait blêmir et serrait les poings de rage.

Pour son plus grand plaisir, le jeune homme avait été transféré à la succursale de la Banque d'Épargne située coin Dufresne et Sainte-Catherine au début de l'automne précédent. Lorsque cela s'était produit, il avait immédiatement calculé les économies que ce transfert allait lui faire réaliser. Dorénavant, il n'avait plus à payer de billets d'autobus pour aller à son travail. Il avait en outre la chance de pouvoir venir souper à la maison les jeudis et vendredis, soirs où la succursale rouvrait ses portes de sept heures à huit heures.

Cependant, ce plaisir avait été de courte durée. Ses nouveaux collègues de travail avaient vite remarqué ses manières un peu efféminées et s'étaient mis à le ridiculiser plus ou moins ouvertement. Si certains s'amusaient à se déhancher en marchant derrière lui, d'autres trouvaient encore plus drôle de casser le poignet lorsqu'ils s'adressaient à lui. Bref, il était devenu, au fil des dernières semaines, la tête de Turc de la plupart des employés de la succursale. Il avait beau faire semblant de les ignorer, ces gestes lui faisaient mal au cœur et lui donnaient des idées meurtrières qu'il se savait bien incapable de mener à terme.

Depuis le début du mois de janvier, il rêvait d'avoir la carrure de Gilles et le courage physique de Richard pour flanquer une raclée sanglante à Maurice Pronovost et à Paul Labrie, ses deux principaux tortionnaires. Huguette Bélanger, la comptable, aurait dû intervenir depuis longtemps pour faire cesser ce harcèlement, mais elle tenait trop à l'amitié de Labrie, le moniteur, pour s'en prendre à lui. Pronovost, à titre de commis, dépendait de Labrie. Si les trois autres caissiers de la succursale se cantonnaient dans une stricte neutralité, les commis, par contre, s'amusaient ferme à ses dépens avec la bénédiction du moniteur.

En fait, la colère rentrée de Jean-Louis avait une tout autre raison, ce vendredi soir là. À son retour au travail, après le souper, il avait appris que Michel Neveu, le plus jeune caissier de la succursale, quittait son poste le lundi suivant pour commencer une formation de moniteur au siège social de la rue Saint-Pierre. Il avait été furieux de constater qu'on l'avait laissé de côté pour préférer offrir de l'avancement à un jeune homme qui avait à peine une année et demie d'expérience à la banque.

Comment se faisait-il qu'il ait eu cette promotion ? Bien sûr, les deux autres caissières étaient plus âgées que Neveu et lui, mais, si on se fiait à la rumeur, elles se plaisaient dans le poste qu'elles occupaient depuis de nombreuses années et n'avaient jamais été intéressées à changer de place.

Jean-Louis Morin avait été tellement mortifié par cette nouvelle qu'il n'avait pas hésité à aller frapper à la porte du gérant, quelques minutes avant l'ouverture de la succursale à la clientèle. Il fallait qu'il soit vraiment bouleversé pour oser déranger un personnage tel que Léopold Lozeau. Le gros homme aux lunettes à monture de corne retranché dans son bureau vitré lui avait jeté un regard agacé quand il l'avait aperçu sur le pas de sa porte.

— Oui. Qu'est-ce qu'il y a? lui avait-il demandé abruptement. Faites ça vite. Les clients sont à la veille d'entrer.

Jean-Louis avait fait un énorme effort pour ne pas bafouiller, tant il se sentait mal à l'aise en présence de celui qui ne lui avait adressé la parole qu'en deux occasions depuis son arrivée à la succursale.

— J'ai appris que Neveu s'en allait suivre le cours de moniteur la semaine prochaine, monsieur Lozeau. Je me demandais pourquoi c'était pas moi. Je travaille à la banque depuis bien plus longtemps que lui.

— L'aviez-vous demandé? fit sèchement le gérant, en retirant ses lunettes.

— Oui, monsieur. Depuis longtemps.

— Il faut croire qu'on pense pas que vous ayez ce qu'il faut pour faire cette *job*-là.

Le jeune caissier se sentit rougir jusqu'à la racine des cheveux avant de demander d'une voix mal assurée:

— Qu'est-ce que Neveu a que j'ai pas, monsieur Lozeau?

— Le respect de ses collègues, monsieur Morin, répondit le gérant sur un ton cinglant. Je sais pas si vous vous en êtes rendu compte, mais vous êtes un caissier très moyen et, en plus, je doute que vous ayez un jour l'autorité nécessaire pour former les futurs caissiers et commis dans une succursale. C'est pour ça que madame Bélanger et moi, on vous a pas recommandé. À votre place, si je voulais avoir une promotion un jour, j'essaierais de faire en sorte de pas trop attirer l'attention de mes collègues. Ils ont l'air de vous trouver pas mal drôle.

— Bien, monsieur, avait balbutié un Jean-Louis qui n'avait jamais été aussi humilié de sa vie.

— Bon, allez maintenant vous occuper de votre caisse, lui avait ordonné Léopold Lozeau en regardant ostensiblement sa montre… et organisez-vous pour balancer à la fin de la soirée.

Le caissier était sorti du bureau sans s'apercevoir que Labrie adressait un clin d'œil de connivence et un sourire moqueur à Pronovost et à Huguette Bélanger, debout devant lui. Le moniteur alla ensuite déverrouiller les portes et un flot de clients s'engouffra dans la succursale pour prendre d'assaut les quatre caisses. Debout derrière le troisième guichet, Jean-Louis avait ouvert son encreur et signifié à son commis de venir s'installer à la machine comptable placée à sa droite.

Pendant l'heure suivante, il n'avait pas eu un seul instant de répit pour songer aux implications de la conversation qu'il venait d'avoir avec son patron. Comble de malheur, il avait fallu, en plus, que la somme dans sa caisse ne corresponde pas au total des transactions indiqué sur le ruban de la machine comptable à la fermeture des portes.

Contrairement à ce qu'il avait affirmé à ses parents, l'erreur venait de lui, et non de son commis. Mécontents, tous les employés, impatients de quitter la banque après une dure semaine, avaient dû repousser leur départ pour l'aider à trouver son erreur. C'était une règle incontournable à la Banque d'Épargne. Personne ne quittait à la fin de la journée tant que toutes les caisses ne balançaient pas.

Labrie ne s'était pas gêné pour venir le voir après que la première caissière eut trouvé l'erreur.

— À ta place, Morin, je penserais à aller m'acheter une paire de lunettes. Ça fait trois fois que tu nous obliges à rester après l'ouvrage ce mois-ci. On commence à être écœurés de voir que t'es pas capable de faire ta *job* comme du monde.

Jean-Louis avait eu une envie irrésistible de lui casser la figure. Paul Labrie avait sensiblement le même âge que lui, mais il était plus petit et arborait en permanence un air frondeur déplaisant.

— Maudite face de rat! avait-il murmuré en serrant les dents.

Pendant le trajet de retour à la maison, le caissier n'avait pas cessé de songer à la signification de ce qui s'était produit ce soir-là. Pas de possibilité de promotion, pas d'augmentation possible de traitement. Un salaire inchangé signifiait l'obligation de continuer à demeurer rue Emmett. C'était l'unique solution s'il voulait économiser un peu.

Le fils de Laurette Morin était semblable à la majorité des hommes travaillant à la banque. Il voulait faire carrière dans le domaine. Si la plupart des femmes se contentaient d'occuper un poste de caissière, les hommes désiraient généralement gravir le plus rapidement possible les échelons allant de commis à gérant dans une succursale. Dans cette perspective, le travail de moniteur indiquait que vous étiez apte à prendre des responsabilités et que vous visiez déjà le poste de comptable, prochaine étape de votre ascension. Le moniteur se détachait déjà de la masse des employés en étant responsable de la formation et du travail des commis et des caissiers. Il allait de soi que son salaire était supérieur à celui d'un simple caissier.

Seul dans sa chambre, il cherchait désespérément à sortir de l'enfer dans lequel il se sentait piégé. Pendant un moment, il songea à démissionner pour chercher à se faire engager par une autre banque… Mais il y renonça rapidement en se rappelant qu'il avait déjà posé sa candidature à la Banque de Montréal et à la Banque Nationale avant d'être engagé à la Banque d'Épargne. On avait rejeté sa demande aux deux endroits parce qu'il ne parlait pas suffisamment bien l'anglais.

La solution serait probablement de demander un nouveau transfert de succursale… Mais ce genre de demande était, en général, assez mal vu par les autorités et la réputation du transféré le suivait habituellement à son nouveau lieu de travail. La preuve en était qu'à la succursale Saint-Denis, où il avait travaillé plus de trois ans, on l'avait à peine mieux traité.

Jean-Louis finit par éteindre sa lampe de chevet sans ouvrir son roman et il s'endormit avant même que ses parents aient éteint le téléviseur dans la cuisine, après les informations. Pendant que Laurette se préparait pour la nuit, Gérard régla à la baisse le chauffage du poêle et de la fournaise avant d'entrer dans leur chambre à coucher. Ils firent rapidement leur prière commune, agenouillés chacun de leur côté du lit.

— T'as pas trop baissé le chauffage ? demanda Laurette en s'étendant dans le lit.

— Ben non.

— Laisse la porte de chambre entrouverte pour laisser entrer un peu de chaleur. On gèle ben raide ici dedans. À matin, il y avait de la glace sur les plinthes quand je me suis levée, ajouta-t-elle. Dans ce maudit appartement-là, il y a jamais moyen d'avoir chaud.

— Je le sais. Ça fait trente-quatre ans que tu me répètes la même affaire chaque hiver, répliqua Gérard en entrouvrant la porte avant de se glisser dans le lit à son tour. Avant, tu te plaignais de la fournaise à charbon en disant qu'elle chauffait pas assez. Depuis quatre ans, t'arrêtes pas de te lamenter de la fournaise à l'huile. T'es jamais contente.

— Maudit verrat, c'est pas de ma faute si cette cabane-là est pas chauffable ! rétorqua sèchement Laurette.

À l'extérieur, le bruit d'une voiture s'arrêtant devant la maison fut suivi de claquements de portières. Puis une autre auto freina tout près de la première. Un instant plus tard, la porte d'entrée s'ouvrit. Il y eut des pas et des chuchotements dans l'entrée. Laurette se souleva sur un coude pour demander:

— C'est qui ça?

— Nous autres, m'man, répondit une voix masculine.

— T'es avec Carole?

— Oui, m'man, répondit Carole à son tour. Mon oncle vient de me laisser devant la maison juste au moment où Gilles arrivait.

— Faites pas trop de bruit pour pas réveiller Jean-Louis. Il dort déjà.

Les deux jeunes souhaitèrent une bonne nuit à leurs parents et disparurent chacun dans leur chambre.

Gilles prit la précaution de tirer le rideau séparant sa chambre de celle de son frère avant d'allumer sa lampe de chevet. Il se déshabilla rapidement, s'empara d'un crayon à l'encre rouge et d'une pile de travaux d'élèves, et s'installa contre ses oreillers avec l'intention de corriger des copies durant quelques minutes avant de dormir.

Le jeune homme était le plus petit, mais le plus costaud des trois frères Morin. Physiquement, il ressemblait beaucoup plus à sa mère qu'à son père. Il avait hérité de sa figure ronde et de son épaisse chevelure brune. Toutefois, sa placidité et son amour des jeunes lui étaient propres. Après ses études secondaires, il avait opté pour l'enseignement.

— Ça va te rapporter combien cette *job*-là? lui avait alors demandé sa mère, qui trouvait que ses études avaient déjà trop duré.

— Si j'ai mon brevet B, au-dessus de quatre mille piastres par année, m'man.

— Pas plus que ça! s'était-elle exclamée, dépitée. Ça sert à quoi d'avoir des diplômes si ça rapporte pas mieux?

— C'est une belle *job* pareil, avait approuvé son père. Elle est pas salissante et un maître d'école a deux mois de vacances par année.

Laurette avait fini par accepter le choix de profession de son fils, fière au fond d'elle-même que l'un des siens ait assez de talent pour faire des études poussées.

— Ça va être un « monsieur », se plaisait-elle à dire aux voisines qui lui demandaient ce que son second fils faisait au moment où il étudiait encore. Pensez donc, il va devenir un maître d'école, ajoutait-elle.

Gilles avait décroché son diplôme d'enseignant à l'École normale Jacques-Cartier de la rue Sherbrooke en mai 1960. Trois mois plus tard, la Commission des écoles catholiques de Montréal l'avait engagé pour enseigner à des jeunes de cinquième année, de l'école Le Plateau de la rue Calixa-Lavallée. Durant les quatre années suivantes, le nouvel enseignant s'était attaché à convaincre son directeur d'école de sa compétence et, en règle générale, ses élèves l'aimaient bien.

Un an et demi auparavant, il avait rencontré Florence Messier, une institutrice de l'école Jeanne-Mance, lors d'une réunion syndicale. Au premier abord, la jeune femme de trente-trois ans avait une apparence assez rébarbative avec son chignon noir impeccable et ses lunettes à monture dorée. Elle avait un visage sérieux. Son chemisier blanc strictement boutonné et sa jupe noire lui conféraient même un air austère.

Pour une raison inconnue, Gilles tomba immédiatement sous son charme dès qu'il la vit sourire. Son sens de l'humour et sa gentillesse le conquirent. Ses yeux bleus pétillants d'intelligence l'attirèrent comme un aimant. Bref, il tomba amoureux de la jeune femme dès leur seconde rencontre. Il apprit vite à la connaître et à l'apprécier.

Florence demeurait dans un petit appartement de la rue Davidson avec sa mère. Enfant unique et orpheline de père, Florence avait toujours pris soin d'elle. Peu à peu, la jeune femme s'était enfermée dans un célibat que seules ses lectures venaient égayer. Lorsqu'elle avait eu trente ans, elle s'était résignée à l'idée de demeurer célibataire et avait organisé son emploi du temps en fonction du choix que le sort semblait en voie de lui imposer. Sa mère et ses élèves étaient devenus les deux seuls pôles d'attraction d'une vie bien rangée.

L'arrivée inopinée de Gilles Morin dans sa vie bouleversa la jeune institutrice. Lorsqu'il lui demanda la permission de la fréquenter après l'avoir attendue plus d'une heure à la porte de l'école Jeanne-Mance, à la fin d'un après-midi de janvier, Florence avait d'abord prétendu que les sept ans qui les séparaient étaient un obstacle insurmontable. Pourtant, il plaida si bien sa cause qu'elle finit par céder et accepta de faire un essai. Le samedi suivant, elle le présenta à sa mère, elle-même une institutrice retraitée. Dès leur premier contact, il plut à Marguerite Messier, qui encouragea sa fille à délaisser un peu ses livres au profit du jeune homme.

Gilles se garda bien de parler de ses nouvelles amours aux siens avant d'être assuré que la jeune femme ne le rejetterait pas. Il attendit deux mois avant d'avouer s'être fait une amie.

— C'est qui cette fille-là ? lui avait alors demandé sa mère.

— Une maîtresse d'école, m'man.

— Qu'est-ce que t'attends pour nous la présenter ? Est-ce que, par hasard, t'aurais honte de nous autres ? s'était empressée de dire Laurette, méfiante.

— Ben non, m'man. C'est juste que j'attendais que ça devienne un peu plus sérieux avant de vous la présenter.

— Ah ! Parce que c'est sérieux, ton histoire ?

— On le dirait.

— Invite-la à venir souper à la maison dimanche prochain pour qu'on voie de quoi elle a l'air, cette fille-là, lui proposa sa mère.

Malheureusement, cette dernière n'aima pas du tout Florence Messier. Elle lui trouva un petit air « pincé » déplaisant. L'amie de son fils lui rappelait un peu trop sa belle-mère, décédée quelques années auparavant. Inutile de préciser que l'atmosphère du repas fut glaciale, malgré les efforts de Gérard et de Carole pour animer la conversation. Quand Florence avait voulu aider à essuyer la vaisselle après le souper, Laurette s'était contentée de laisser tomber un sec : « Laissez faire. Carole suffit pour essuyer. » Dès le dernier morceau de vaisselle lavé, l'hôtesse s'était dépêchée d'allumer le téléviseur pour ne pas avoir à faire la conversation à l'invitée.

Le jeune couple n'était demeuré qu'une heure après le repas. Pour justifier ce départ hâtif, Florence avait évoqué la nécessité de se coucher tôt pour être en mesure de faire la classe le lendemain matin. Elle avait remercié chaleureusement ses hôtes avant de prendre congé. Gilles avait quitté l'appartement pour raccompagner son amie.

— Veux-tu ben me dire où il est allé pêcher une maudite fraîche comme ça ? avait demandé Laurette à son mari dès que la porte d'entrée s'était refermée.

— Moi, je la trouve pas fraîche. Elle sait juste se tenir, avait répondu Gérard.

— Ben sûr ! Elle a dû te rappeler ta mère ou ta sœur Colombe. Toi, les femmes pincées, t'aimes ça.

— Oui. J'aime mieux ça qu'une femme vulgaire, avait répliqué sèchement son mari. Je te ferai remarquer en passant que t'as pas fait de ben gros efforts pour la mettre à l'aise.

— Comment ça ?

— Ben, tu lui as parlé juste pour lui poser des questions.

— Bonyeu, exagère pas ! s'était emportée Laurette.

— Pantoute. T'as fait exactement ce que tu reprochais à ma mère quand elle t'a rencontrée la première fois.

— Peut-être, avait reconnu Laurette de mauvaise grâce.

—T'as même passé ton temps à lui dire « vous » gros comme le bras. Comme tu le reprochais à ma mère.

— C'est normal, verrat ! Je la connais pas pantoute… À part ça, quel âge tu penses que cette fille-là peut ben avoir ?

— Je le sais pas, avait reconnu Gérard, sans montrer le moindre intérêt.

— Je suis sûre qu'elle a plus que trente ans, cette femme-là. Ça a pas d'allure ! Elle a presque l'âge d'être sa mère.

— Te v'là encore partie avec tes exagérations.

— J'exagère pas. En plus, elle a l'air d'une ancienne sœur. Je lui aime pas la face. Elle a l'air hypocrite et elle se donne des airs. Moi, les péteuses, j'haïs ça.

— En tout cas, va surtout pas essayer de te mêler des histoires de ton gars, l'avait prévenu Gérard, l'air sévère. Il pense avoir trouvé une fille qui fait son affaire, ça le regarde.

— Ben, j'ai tout de même mon mot à dire, avait dit Laurette en haussant le ton.

— Non ! T'as rien à dire. Ça nous regarde pas. Veux-tu qu'il se ramasse tout seul dans son coin comme Jean-Louis ? Laisse-le tranquille et rappelle-toi qu'il pourrait ben se décider à aller rester en appartement. Écœure-le pas !

Laurette avait donc fait un effort surhumain pour ne pas critiquer l'amie de cœur de son fils. Cependant, il était évident que la curiosité la démangeait et elle fit tout pour connaître son âge exact ainsi que sa situation familiale.

Gilles, lui, avait compris, dès la première visite de Florence chez ses parents, que cette dernière n'avait pas plu à sa mère et il s'était bien gardé de la ramener à la maison durant les mois suivants. Il avait même fait preuve d'une discrétion qui frôlait le secret.

— Ton gars est une vraie tombe, répétait souvent Laurette, dépitée, à son mari. Quand on veut savoir quelque chose, il faut lui arracher les mots de la bouche avec une paire de pinces, bonyeu !

— Tant pis pour toi, rétorquait Gérard. Si t'avais été plus fine avec sa blonde, il t'en parlerait peut-être.

— J'ai jamais rien dit contre elle.

— Non, mais tu lui as fait un air de beu la seule fois que tu l'as vue. Gilles est pas fou. Il a compris.

La surprise avait été totale quand Gilles avait annoncé à ses parents, l'avant-veille de Noël, qu'il se fiançait le surlendemain et qu'ils étaient invités à souper chez Florence et sa mère.

— Mais j'ai pas de robe mettable pour aller là ! s'était emportée sa mère. Pourquoi tu nous as pas parlé de ça avant aujourd'hui ?

— Parce que j'ai demandé Florence en mariage juste hier soir, avait répondu un Gilles manifestement très heureux.

Le souper de fiançailles avait été assez emprunté, mais somme toute, il s'était bien déroulé. Laurette avait tenté d'être aimable avec sa future bru et cette dernière avait eu l'intelligence de lui faire bonne figure. Cependant, les relations entre les deux femmes s'étaient limitées à ce souper qui datait déjà d'un mois et demi. Depuis, Gilles s'était borné à révéler que le couple allait se chercher un appartement au nord de la rue Sherbrooke, à mi-chemin, si possible, des deux écoles. Le mariage n'était prévu que pour la mi-juillet.

Pour sa part, Carole s'empressa de revêtir un pyjama épais sur lequel elle passa un chandail pour avoir encore plus chaud avant de se glisser sous ses couvertures. Elle était satisfaite de sa soirée. Elle avait eu tout le temps désiré pour parler à sa cousine de son envie d'aller habiter seule dans un appartement qu'elle décorerait à son goût et où elle pourrait recevoir son ami ailleurs que dans la cuisine, comme chez ses parents.

Louise était la confidente idéale. Elle ne la critiquait jamais. Elle la comprenait de vouloir recevoir son ami de cœur ailleurs que dans un appartement miteux. D'ailleurs, sa sœur Suzanne et elle travaillaient depuis plusieurs mois à convaincre leurs parents d'abandonner leur vieil appartement de la rue d'Iberville pour en trouver un plus beau un peu plus au nord pour ne plus avoir honte d'y recevoir leurs amis.

Louise Brûlé savait à quel point sa cousine était folle de son André. Même si le garçon ne lui plaisait pas particulièrement, la fille d'Armand Brûlé se gardait bien de formuler la moindre critique à son encontre.

Après avoir éteint sa lampe de chevet, Carole se mit à rêver à son amoureux. Elle aimait ses épais cheveux blonds et ses favoris, ses airs frondeurs et sa facilité à s'exprimer. Elle était persuadée qu'il était un excellent tailleur que les patrons essayaient toujours d'exploiter. Mais ils n'y parviendraient pas parce que son André n'était pas un mouton.

Elle ne comprenait pas que sa mère ait une dent contre un si gentil garçon qui ne lui avait jamais rien fait. Pourquoi était-elle si dure avec lui ?

— Ton *chum* est menteur comme un arracheur de dents, lui répétait Laurette. On dirait que t'es trop bête pour te rendre compte qu'il se cherche pas pantoute de l'ouvrage. C'est un sans-cœur!

Au souvenir de ce genre de remarque, son sang bouillait. André n'était pas comme ça. Il déplaisait à sa mère parce qu'il cherchait toujours à lui arracher des permissions de sorties spéciales le samedi ou le dimanche.

Sa mère avait beau crier sur les toits qu'il n'était pas question que sa fille aille traîner n'importe où avec lui, elle devait tout de même considérer le fait qu'elle était majeure et que, de plus, les Morin n'avaient pas de salon à mettre à la disposition des amoureux.

Le samedi précédent, ce genre de demande avait encore mis le feu aux poudres.

— André aimerait qu'on aille passer la journée de dimanche chez ses amis qui restent à Sainte-Rose, avait-elle mentionné à sa mère.

— Il en est pas question! avait tranché cette dernière sur un ton sans appel.

— Voyons donc, m'man! avait-elle protesté. On n'est plus en 1940. Ça existe plus des filles qui sont poignées pour veiller au salon avec leur *chum*, comme des dindes.

— Ben, c'est ben de valeur, ma fille, mais c'est comme ça que ça se passe ici dedans, avait objecté sa mère, en montant sur ses grands chevaux. En plus, parle pas de salon, on n'en a pas. Si ton *chum* veut te fréquenter, ça va se faire dans la cuisine, devant nous autres. Ta sœur Denise a pas traîné partout avant de se marier, et toi non plus, tu feras pas ça. C'est une question de principe.

— C'est le *fun* encore! s'était écriée la jeune fille avant de claquer la porte de sa chambre avec rage.

Toutefois, elle connaissait assez sa mère pour savoir qu'elle ne gagnerait rien à l'affronter. Laurette Morin était un roc. Lorsqu'elle évoquait un principe, il valait mieux ne pas contester. Non. L'unique solution était d'aller vivre en appartement et celui dont lui avait parlé Valérie, sa copine, semblait convenir parfaitement à ses besoins et à sa bourse.

Le sommeil la surprit au moment où elle calculait dans sa tête ce qu'allait lui coûter son installation. Il lui faudrait se contenter de meubles usagés pour commencer parce que les trois cents dollars économisés depuis qu'elle travaillait ne suffiraient sûrement pas.

Chapitre 2

Un dimanche

Un mois plus tard, un printemps précoce se décida enfin à montrer le bout de son nez dans la région montréalaise. Depuis une dizaine de jours, le temps doux avait fait son apparition et la neige s'était doucement mise à fondre, révélant des déchets qu'elle avait pudiquement dissimulés aux regards durant tout l'hiver. Dans la rue Emmett, toute trace de glace avait même disparu sur les trottoirs inégaux. Dès le milieu de l'avant-midi, le soleil réchauffait suffisamment l'air pour que l'eau se mette à circuler sous la mince couche de glace laissée par la nuit avant de s'écouler dans les caniveaux.

Le troisième dimanche de mars, Laurette se leva tôt et se dirigea sans bruit vers la cuisine pour ne pas réveiller les siens. Son premier geste consista à allumer le poêle pour réchauffer la pièce. Depuis près de deux semaines, les nuits étaient moins froides et les Morin n'utilisaient plus que la fournaise à huile du couloir durant la nuit pour maintenir une certaine chaleur dans l'appartement. Elle brancha ensuite la bouilloire et se prépara une tasse de café avant de soulever la toile qui masquait l'unique fenêtre de la pièce. Le jour venait à peine de se lever.

— Ah ben bonyeu, il manquait plus que ça! s'exclama-t-elle en voyant le ciel obscurci par de gros flocons qui tombaient serrés. C'est pas vrai! Ça va pas recommencer!

Déjà, le toit rouillé du hangar, le balcon et les marches de l'escalier conduisant chez les Beaulieu étaient recouverts d'une épaisse couverture de neige qui, en ce dimanche matin, feutrait l'atmosphère.

Déprimée par le spectacle, elle s'assit dans sa chaise berçante et alluma sa première cigarette de la journée. Elle profita de ce moment de solitude pour planifier ce qu'elle allait servir pour souper à ses invités. Elle avait suffisamment de jambon et le gâteau au chocolat préparé la veille par Carole allait suffire.

— S'ils sont pas contents avec ça, dit-elle à mi-voix, ils se lécheront la patte et ils iront manger au restaurant ou chez eux.

Quand elle disait «eux», elle parlait de la famille de sa fille aînée, Denise, ainsi que de son fils Richard et de sa femme, Jocelyne.

Depuis quelques années, Denise venait visiter ses parents un dimanche après-midi sur deux avec son mari et ses trois enfants. Les Crevier habitaient la rue Frontenac près de Notre-Dame, depuis leur mariage, neuf ans plus tôt. Pierre était toujours débardeur au port de Montréal et c'était même lui, le colosse, qui avait aidé son beau-père à obtenir son emploi de gardien de sécurité dans les entrepôts du port après quatre longs mois de chômage.

Pour sa part, Richard avait épousé Jocelyne Ouellet cinq ans plus tôt et le jeune couple s'était installé rue Plessis, dans un appartement récemment rénové. Le troisième fils des Morin ne venait pas rendre visite à ses parents de façon aussi régulière que sa sœur aînée, mais il ne se passait guère de mois sans qu'il apparaisse une ou deux fois rue Emmett.

— Si Richard était pas venu, on aurait pu se tasser et faire juste une tablée, se dit la mère de famille avec mauvaise humeur. Là, on va être poignés pour faire manger les enfants à part. Viarge que j'haïs ça! Après ça, on va les entendre crier tout le temps qu'on va manger.

À huit heures, elle alla réveiller tous les siens pour qu'ils se préparent pour la messe.

— Habillez-vous chaudement, prit-elle la peine de les prévenir. Il neige à plein ciel. On retourne en hiver à matin!

Environ une heure plus tard, Carole fut la première à endosser son manteau et à chausser ses bottes.

— Tu vas arriver ben trop en avance, lui fit remarquer sa mère en train de brosser ses cheveux devant le petit miroir suspendu au-dessus de l'évier de la cuisine.

— André s'en vient me chercher pour aller à la messe, se contenta de dire sa fille.

Laurette ne fit aucun commentaire, mais son rictus disait assez ce qu'elle pensait. Au même moment, on sonna à la porte et Carole s'empressa d'ouvrir à un jeune homme dont la canadienne beige était largement ouverte malgré le froid qui régnait à l'extérieur.

— J'espère que t'es pas venu à pied tout dépoitraillé comme ça, dit affectueusement Carole en lui montrant son manteau ouvert.

— J'avais pas le choix de venir à pied. Mon char voulait rien savoir de partir à matin.

— Il est presque neuf, lui fit remarquer Carole.

— Je le sais, mais j'ai oublié les lumières dessus hier soir, quand je suis revenu.

— En tout cas, t'aurais pu au moins te boutonner et te mettre un chapeau sur la tête.

— Laisse faire. On gèle pas tant que ça. T'en viens-tu? lui demanda-t-il avec une certaine brusquerie.

Le jeune homme aux longs cheveux blonds et aux épais favoris avait un air assez déplaisant.

Laurette l'aperçut du fond de la cuisine, mais comme le visiteur ne faisait pas mine de la saluer, elle l'ignora tout à fait et continua à brosser ses cheveux. André Cyr adressa un «salut» désinvolte à Jean-Louis et à Gilles quand ils s'avancèrent tous les deux dans le couloir avec l'intention de prendre leurs manteaux.

Quand la porte d'entrée se referma sur les quatre jeunes, Laurette ne put s'empêcher de dire à son mari qui sortait des toilettes:

— Lui, je peux pas le sentir.

— De qui tu parles?

— Du *chum* de Carole.

— Il t'a rien fait, ce gars-là, lui fit remarquer Gérard.

— J'aime pas ses airs fendants, c'est tout. En plus, il sait pas vivre. Il est même pas capable de dire «bonjour» quand il arrive quelque part. Ça a pas été élevé, ce gars-là, ça a été garroché, ajouta-t-elle en se dirigeant vers la patère du couloir pour y prendre son manteau.

Gérard l'imita et tous les deux quittèrent à leur tour l'appartement de la rue Emmett pour prendre la direction de la rue Fullum. La neige s'était transformée en lourde giboulée de mars et Laurette se cramponna au bras de son mari pour ne pas glisser sur le trottoir.

La cloche de l'église Saint-Vincent-de-Paul sonna au moment où ils arrivaient au coin de la rue Sainte-Catherine. Quelques dizaines de fidèles escaladaient déjà la douzaine de marches menant au parvis de l'église à une centaine de pieds de là.

— Je suis sûre d'avoir aperçu André Cyr avec une fille avant-hier soir quand je suis allée faire mes commissions chez Tougas, dit Laurette à son mari. Ils étaient tous les deux de l'autre côté de la rue et ils sortaient de la pâtisserie.

— Ça veut rien dire ton affaire, laissa tomber Gérard.

— Je me suis retenue pour pas en parler à Carole, mais je voudrais pas que ce maudit *bum*-là vienne rire d'elle en pleine face et lui fasse perdre son temps.

— Commence pas à faire du trouble avec ça, la mit en garde son mari en lui ouvrant la porte de l'église.

— Inquiète-toi pas, la rassura sa femme. Mais lui, il perd rien pour attendre.

À leur entrée dans l'église, les lieux étaient déjà plus qu'à demi remplis. Le curé Perreault, vêtu d'une aube blanche, était debout à l'arrière pour accueillir ses paroissiens. Au lieu de se diriger vers l'allée centrale, comme elle l'avait toujours fait dans le passé, Laurette trempa le bout de ses doigts dans le bénitier et s'empressa de monter l'allée de droite pour éviter d'avoir à saluer le prêtre. Tout en se déplaçant, la mère de famille cherchait ses enfants du regard pour s'assurer qu'ils étaient bien présents. Elle aperçut d'abord Carole et son ami qui avaient pris place dans l'un des derniers bancs. Au passage, elle adressa un regard plein de reproches à sa fille.

— Un peu plus et ils s'assoyaient dehors, murmura-t-elle, mécontente, à Gérard en continuant à s'avancer lourdement vers l'avant.

Elle tourna la tête et vit Gilles et Jean-Louis assis au centre du temple. Rassurée, elle entraîna Gérard vers l'un des dix premiers bancs demeuré libre. Peu à peu, l'église se remplissait pendant que la chorale paroissiale finissait de s'exercer dans le jubé. Un animateur vint prendre place au micro, derrière le lutrin placé à gauche du chœur. Il invita l'assistance à se lever pour saluer l'arrivée du célébrant en train de remonter l'allée centrale en compagnie des deux adultes qui allaient servir la messe. La chorale entonna le chant d'entrée.

— Je m'habituerai jamais à tous les maudits changements qu'ils ont faits depuis le concile, se plaignit Laurette à voix basse pendant que le curé de la paroisse entrait dans le chœur. Veux-tu ben me dire à quoi ça rime d'avoir installé un autel *cheap* en bois en face de nous autres quand il y en a un beau en marbre en arrière ?

Gérard se contenta de soulever les épaules en signe d'indifférence.

— Puis, cette idée de fou de dire la messe en français. C'était ben plus beau quand c'était en latin. Bonyeu ! Au moins dans ce temps-là, t'avais la paix pendant la messe et tu pouvais dire ton chapelet sans être dérangé. À cette heure, le prêtre arrête pas de te parler. Je trouve ça achalant en maudit, moi.

— Chut ! fit Gérard.

— En plus, s'il se sacrait pas dans nos jambes, en arrière, quand on arrive, on pourrait se trouver une meilleure place, poursuivit-elle sans tenir compte de l'avertissement de son mari. À cette heure, une fois sur deux, j'ai une colonne en pleine face qui m'empêche de voir ce qui se passe en avant.

Constatant que son mari ne l'écoutait plus, Laurette soupira et ouvrit son sac à main pour en tirer le vieux chapelet hérité de sa mère. Elle se mit à le réciter silencieusement, sans se préoccuper du sacrifice de la messe célébré à l'avant.

Au moment de la communion, elle quitta le banc qu'elle occupait pour prendre place dans la longue file d'attente. À son retour, elle s'agenouilla un bref moment avant de s'asseoir en poussant un soupir d'aise.

— Je m'habituerai jamais, chuchota-t-elle à son mari qui venait de prendre place à son tour. Avant, tu t'agenouillais à la sainte table et on te mettait l'hostie sur la langue, et l'enfant de chœur tenait une patène au cas où un petit morceau tomberait. Moi, je comprends plus rien. Dans le temps, c'était péché de toucher à l'hostie... À cette heure, il te la donne dans les mains. Veux-tu ben me dire à quoi ça rime toutes ces simagrées-là ?

Encore une fois, Gérard souleva simplement les épaules en guise de réponse.

À leur sortie de l'église, les Morin aperçurent leurs enfants qui marchaient en avant d'eux, mais ils ne firent aucun effort pour les rejoindre lorsqu'ils virent André Cyr encore aux côtés de leur fille. De fait, le jeune homme ne plaisait vraiment pas plus à Gérard qu'à sa femme.

— Ce maudit fatigant-là est mieux de pas venir essayer de coller à la maison pour dîner, dit Laurette, les dents serrées. Je te garantis qu'il va passer en dessous de la table.

— Arrête donc de t'énerver pour rien, lui ordonna son mari, agacé. Carole sait qu'on peut pas le sentir. C'est sûr qu'elle l'invitera pas à dîner sans nous en parler.

Une petite neige folle poussée par le vent avait remplacé la lourde giboulée, obligeant les passants à pencher la tête vers l'avant pour protéger leur visage. Le couple rentra à la maison quelques instants après leurs enfants qui avaient eu le temps de retirer leur manteau. Seule Carole était encore vêtue pour sortir. Son amoureux était debout à ses côtés dans le couloir lorsque Laurette et Gérard entrèrent dans l'appartement.

— Si ça vous fait rien, p'pa, André m'invite à dîner au restaurant avant de m'emmener voir *Les Oiseaux* au Grenada. Il paraît que c'est un film pas mal épeurant.

— Tu vas être revenue pour souper ? lui demanda sa mère en faisant semblant de ne pas remarquer la présence du jeune homme. Quand est-ce qu'il va venir te chercher ?

— Ben, il est déjà là, m'man, dit Carole, surprise de la question de sa mère.

— Ah oui ? Je dois devenir sourde. C'est drôle, je l'ai même pas entendu me dire bonjour, lança sa mère, l'air mauvais.

— Bon… Bonjour, madame Morin, balbutia le jeune homme en rougissant jusqu'à la racine des cheveux.

— Bonjour, dit abruptement Laurette en tournant la tête vers lui.

— Je devrais être revenue pour six heures, reprit Carole, mal à l'aise.

— C'est correct, mais traîne pas trop. On va t'attendre pour souper.

Dès que les deux jeunes gens eurent refermé la porte derrière eux, Laurette ne put s'empêcher de dire à son mari en cachant mal un air satisfait:

— C'est pas drôle d'être obligée de montrer à vivre à du monde de cet âge-là.

— Je suis sûr qu'il va finir par t'aimer, lui fit remarquer Gérard, sarcastique, avant de se diriger vers la cuisine.

— Je m'en sacre! laissa tomber sa femme avant de le suivre. Si je m'écoutais, je commencerais par lui couper les cheveux à cet agrès-là. Il a l'air d'une vraie fille avec la tête qu'il a.

Le portillon de la clôture de la cour arrière fut repoussé bruyamment et Gérard quitta *La Patrie* des yeux durant un moment pour regarder deux enfants se poursuivre jusqu'au balcon en se lançant des boules de neige.

— V'là Alain et Denis qui arrivent, annonça-t-il à sa femme en train de ranger sa provision hebdomadaire de cigarettes qu'elle venait de confectionner.

Avant même qu'elle ait eu le temps de répondre, on sonna à la porte d'entrée. Gérard déposa son journal sur l'appui-fenêtre et alla ouvrir. Denise entra en poussant devant elle Sophie, sa petite fille de trois ans. Pierre Crevier pénétra à son tour dans la maison de ses beaux-parents et s'empressa de refermer la porte derrière lui.

Pendant un bref moment, l'imposante stature du mari de Denise sembla obstruer toute la largeur de l'étroit couloir.

— Bonjour, monsieur Morin, dit-il à son beau-père avant de se pencher vers sa belle-mère pour l'embrasser sur une joue. Je suppose que mes deux singes sont déjà en train de se chamailler dans votre cour en se lançant de la neige, ajouta-t-il avec un sourire en retirant ses bottes.

— Dis donc pas ça de mes petits-fils, le réprimanda Laurette avec bonne humeur.

— Je vous dis qu'ils bougent tellement, m'man, reprit Denise en retirant son manteau, qu'il faudrait les clouer sur une chaise pour les empêcher de grouiller.

— C'est vrai qu'ils me rappellent Richard quand il était jeune, reconnut Laurette en aidant sa petite-fille à se déshabiller.

Gérard se chargea des manteaux des invités et alla les déposer sur son lit pendant que sa femme entraînait ces derniers vers la cuisine.

Avant de s'asseoir, la grand-mère frappa contre la vitre de la fenêtre pour attirer l'attention des deux gamins en train de jouer dans la cour. Quand ils levèrent la tête, elle leur fit un signe de la main.

— Ils ont l'air en pleine santé, dit-elle, toute fière, aux parents en admirant leurs joues rouges.

— Je comprends, dit Pierre. Il y a pas un sacrifice de microbe assez vite pour les attraper, ces deux-là.

Jean-Louis sortit de sa chambre et vint s'asseoir à table. Pendant que Gérard s'informait de la Malibu 1960 achetée le mois précédent par son gendre, son fils et sa fille se mirent à parler de jeunes du quartier qu'ils avaient revus dernièrement par hasard.

Laurette prit Sophie sur ses genoux pour la bercer. En serrant contre elle sa petite-fille, elle se rappela à quel point elle avait eu de la peine à supporter le choc d'être devenue grand-mère huit ans plus tôt.

Lorsque Denise lui avait annoncé être enceinte de son premier enfant, elle n'avait pas tout à fait réalisé ce que cela impliquait pour elle. Ce ne fut qu'en voyant Alain à la pouponnière qu'elle comprit réellement ce qui venait de lui arriver. Elle s'était sentie subitement vieille, même si elle n'avait alors que quarante-six ans.

— Maudit verrat, qu'on vienne pas me dire que je vais ressembler à la belle-mère! avait-elle juré. Je me suicide tout de suite en me tapant la tête sur les murs si je suis pour ressembler à Lucille Morin.

Pendant les quelques jours qui avaient suivi, la nouvelle grand-mère n'avait pas cessé de s'examiner chaque fois qu'elle passait devant un miroir, comme pour s'assurer qu'elle n'avait pas vieilli subitement.

— En tout cas, que j'en poigne jamais un à m'appeler «grand-mère» parce que je l'étrangle, avait-elle dit d'une voix menaçante alors qu'elle était seule dans la maison.

Toutefois, ses inquiétudes avaient fondu comme neige au soleil dès qu'elle avait tenu le petit Alain entre ses bras. Serrant le bébé contre sa large poitrine, elle s'était sentie envahie par une tendresse qu'elle n'avait jamais éprouvée auparavant.

— Il est encore plus beau que Jean-Louis quand il est venu au monde! s'était-elle exclamée en embrassant la joue du bébé.

Un tel compliment disait assez à quel point elle était bouleversée de tenir contre elle le premier enfant de sa fille aînée. Pour la première fois de sa vie, elle comprenait ce que sa mère avait ressenti envers ses petits-enfants.

— C'est ben spécial, cette affaire-là, avait-elle expliqué à son gendre. Ça vient peut-être de ce que j'ai juste à l'aimer et que j'ai pas à l'élever, cet enfant-là.

En tout cas, Laurette avait vite découvert qu'elle allait devenir une « grand-mère gâteau », comme sa propre mère l'avait été, tant elle avait du plaisir à gâter ses petits-enfants. Ainsi, à la naissance de Denis puis à celle de Sophie, elle s'était précipitée chez sa fille pour prendre soin de la jeune mère et, surtout, s'occuper du nouveau-né.

— Savez-vous où je suis allé hier après-midi ? demanda Pierre Crevier à la cantonade.

— T'es pas allé magasiner comme ta belle-mère, j'espère, se moqua Gérard en lui adressant un clin d'œil.

— Vous êtes pas sérieux, monsieur Morin. Vous savez ben que j'ai jamais assez d'argent pour aller le gaspiller comme ça dans les grands magasins, tous les samedis que le bon Dieu fait, fit son gendre en entrant dans son jeu.

— Aïe, vous deux ! les prévint Laurette en feignant d'être fâchée. Si vous voulez souper à soir, vous êtes mieux de changer de ton et de filer doux.

— Blague à part, poursuivit le mari de Denise, mon *chum* Lavigne m'a amené avec lui voir ce qu'ils sont en train de faire avec l'île Sainte-Hélène et l'autre, la nouvelle, celle qu'ils appellent l'île « Notre-Dame ». C'est écœurant comme c'est gros. Il faut le voir pour le croire.

— J'ai lu qu'ils font cette île-là avec la terre qu'ils sortent en creusant le métro, intervint Jean-Louis.

— C'est ce que Lavigne m'a dit. Mais en plus, ils allongent l'île Sainte-Hélène. Il paraît qu'ils vont construire là une sorte de parc Belmont en plus gros. J'ai jamais vu autant de gros *trucks* chargés de roches et de terre se promener. C'est un vrai défilé. Mon *chum* en conduit un. Il dit que c'est comme ça jour et nuit.

— Ça va être quelque chose à voir, cette affaire-là, dit Denise, enthousiaste.

— Je me demande, moi, combien ça va nous coûter cette idée de fou là du maire Drapeau, intervint Laurette en s'allumant une cigarette. Il a beau crier partout que ça va se payer tout seul parce qu'il va venir cinquante millions de visiteurs, j'ai ben de la misère à croire ça.

— De toute façon, il faut pas s'énerver non plus, admit Gérard. Il y a encore rien de construit sur ces îles-là. On verra ben.

— Moi, j'ai vu un portrait de ce qu'ils appellent « Habitat 67 », reprit Pierre. C'est laid en maudit leur affaire. On dirait un paquet de cubes en ciment. Ils disent que c'est moderne, mais je voudrais pas vivre là-dedans pour une terre.

Laurette jeta un coup d'œil par la fenêtre et se leva pour aller ouvrir la porte après avoir déposé Sophie par terre.

— Entrez en dedans, les enfants, ordonna-t-elle à ses deux petits-fils. Votre linge est tout mouillé. Vous allez attraper la grippe.

Il y eut quelques protestations à l'extérieur, mais les enfants obéirent. Ils quittèrent la cour et escaladèrent les trois marches conduisant au balcon.

— Secouez-vous un peu dehors avant d'entrer, leur ordonna leur grand-mère.

Les gamins, âgés de huit et six ans, obéirent et entrèrent dans la cuisine.

— Déshabillez-vous et allez porter votre linge et vos bottes proches de la fournaise pour les faire sécher. Vous soupez avec nous autres à soir, dit Laurette en se tournant vers sa fille et son gendre. On va être tous ensemble. Richard et Jocelyne s'en viennent. Gilles et Carole m'ont promis d'être là pour souper. On va faire manger les enfants avant. J'aime ben ça quand vous êtes tous ici dedans, avoua la mère de famille, ça me rassure.

Pourtant, Laurette aurait été passablement moins rassurée si elle avait pu voir ce qui se passait entre sa Carole et André Cyr.

Dès que le couple eut quitté l'appartement, à la fin de l'avant-midi, André avait proposé à son amie d'aller dîner tôt au *Rialto*, le restaurant situé coin Sainte-Catherine et Frontenac.

— On va manger de bonne heure et après, on ira prendre mon char pour aller au Grenada. Je pense qu'il va y avoir pas mal de monde là-bas. Si on veut avoir une bonne place, on est mieux d'arriver pas trop tard.

— On aurait pu manger chacun chez nous, lui fit remarquer Carole, raisonnable.

— Aïe ! C'est pas parce que j'ai pas d'ouvrage qu'on est obligés de toujours se priver, protesta avec hauteur le jeune homme.

— T'as encore rien trouvé ? lui demanda Carole.

— Pour en trouver, j'en trouve, répliqua André Cyr en prenant un air avantageux. Les bons tailleurs sont rares. Mais les *boss* veulent pas payer. La semaine passée, j'aurais pu avoir une *job* chez deux Juifs, sur Saint-Laurent. Quand j'ai vu qu'ils voulaient pas me payer le salaire que je mérite, je les ai envoyés promener. Je travaillerai pas pour des *peanuts*, ça c'est sûr.

Carole réprima un soupir de résignation. Depuis qu'elle connaissait le jeune homme, il avait été incapable de conserver un emploi plus de deux semaines. À son avis, il était réellement malchanceux. Chaque fois, le patron le congédiait parce qu'il était jaloux de son talent ou parce qu'il refusait de donner à André le salaire qu'il méritait. Heureusement, il ne se décourageait pas et continuait à chercher. Par chance, son ami de cœur demeurait chez son frère Ronald, sur la rue Logan, et il se consolait en bichonnant son Oldsmobile rouge. Comment il parvenait à en payer les traites ? C'était un mystère que la jeune fille n'était pas encore parvenue à élucider.

Le couple mangea un sandwich au poulet chaud et but une tasse de café dans un restaurant à demi vide. Quand vint le temps de payer, le jeune homme explora son porte-monnaie pour en tirer un billet de cinq dollars qu'il déposa avec un geste de grand seigneur sur l'addition que la jeune serveuse venait de laisser sur le coin de la table en formica.

— Tu peux garder le reste pour ton *tip*, lui dit-il en lui adressant un sourire charmeur.

Carole attendit que la jeune fille se soit éloignée pour lui chuchoter :

— Sacrifice ! T'es riche, toi, pour lui donner une piastre de *tip* !

— L'argent, c'est fait pour rouler, répliqua André Cyr, insouciant. De toute façon, c'est mon dernier cinq, poursuivit-il en repoussant une mèche de cheveux qui venait de lui tomber dans l'œil.

— Ben, si t'as pas d'argent, comment on va faire pour aller aux vues ?

— Si tu veux absolument qu'on aille voir le film, je pense qu'il va falloir que tu payes pour nous deux.

Carole acquiesça sans enthousiasme. C'était presque devenu une habitude. Encore une fois, son amoureux s'arrangeait pour lui faire payer une partie, sinon la totalité, des frais de leurs rares sorties. Ils quittèrent le restaurant. Le jeune homme jeta un regard à sa montre avant de déclarer :

— Bon. On va aller chercher mon char. Je pense que la batterie a eu le temps de se recharger.

Ils marchèrent jusqu'à la rue Logan. L'Oldsmobile était stationné devant une vieille maison en brique de deux étages.

— Viens dire bonjour à Lorraine et à Ronald, dit-il à son amie en l'entraînant vers l'escalier qui conduisait au premier étage. On a le temps.

Carole ne pouvait refuser une telle invitation. Elle n'était venue que trois ou quatre fois chez le frère et la belle-sœur d'André, mais elle les avait trouvés particulièrement sympathiques et accueillants.

André tira son trousseau de clés de sa poche et ouvrit la porte d'entrée avant de s'effacer pour la laisser passer devant lui.

— Allô ! C'est nous autres ! cria-t-il en refermant la porte derrière lui.

Aucune réponse ne vint de l'appartement qui semblait désert.

— Bon. Où est-ce qu'ils sont passés, eux autres ? demanda-t-il en déboutonnant sa canadienne.

Pendant ce temps, Carole n'avait pas bougé du paillasson sur lequel elle se tenait. André retira ses couvre-chaussures et partit explorer les pièces de l'appartement. Un instant plus tard, il revint dans le couloir.

— Eh ben ! On dirait qu'ils sont sortis, dit-il à Carole. Bon. Enlève ton manteau et assis-toi dans le salon. Je vais aller faire réchauffer le char. Je reviens dans une minute.

Il remit ses couvre-chaussures et s'empressa de sortir sans lui laisser le temps de lui dire qu'elle aurait préféré l'accompagner. Elle retira ses bottes et son manteau gris orné d'un petit col de fourrure et pénétra dans le salon. Un peu mal à l'aise de se retrouver seule dans une maison étrangère en l'absence de ses propriétaires, elle s'avança vers la fenêtre juste au moment où André sortait de sa voiture et revenait vers la maison. Elle entendit le bruit de ses pas dans l'escalier et la porte s'ouvrit.

— Qu'est-ce qui se passe ? lui demanda-t-elle en s'avançant vers lui.

— La batterie est pas encore assez chargée pour faire tourner le moteur, répondit-il, l'air dépité. Il va falloir attendre encore une couple de minutes. Assis-toi, reste pas debout.

— J'aime pas ben ça être ici dedans pendant que ton frère et ta belle-sœur sont pas là, lui fit remarquer Carole, nerveuse.

— Voyons donc! protesta son ami. Ils ont dû décider d'aller faire un tour chez la mère de Lorraine. T'as pas à t'énerver. Tu mangeras pas leur *set* de salon. Tiens. T'aimes ça, toi, les Sultans et Aznavour. Lorraine a acheté leurs derniers disques la semaine passée.

Sur ces mots, le jeune homme enleva sa canadienne et se dirigea vers le combiné téléviseur-tourne-disque installé dans un coin de la pièce. Il se pencha pour sélectionner deux disques qu'il déposa sur le plateau. Aussitôt, la voix un peu sirupeuse de Bruce Huard interprétant *Va-t'en* s'éleva dans la pièce.

Le sourire aux lèvres, André tendit la main à Carole pour l'inviter à danser. Elle ne résista pas et quitta le divan où elle était assise. Il la serra tendrement contre lui et se mit à peine à bouger, profitant de ce contact étroit pour la caresser doucement. Il l'embrassa d'abord légèrement sur les lèvres avant de devenir plus entreprenant.

Carole, un peu raide, le repoussa d'abord, puis, peu à peu, sa résistance faiblit devant son insistance. Dès que la chanson prit fin, André lui chuchota à l'oreille:

— Écoute Aznavour. *La Bohème*, je pense que c'est sa plus belle chanson.

Étourdie, elle se serra un peu plus contre lui pendant que les mains de ce dernier se promenaient sur son corps par-dessus ses vêtements. À un certain moment, il l'entraîna vers le divan où il continua à l'embrasser. Dans un bref moment de lucidité, la jeune fille se rendit compte que son amoureux avait déboutonné en grande partie son chemisier et ses caresses s'étaient faites de plus en plus précises. Elle aurait voulu se lever et remettre de l'ordre dans sa tenue, mais une étrange langueur s'était emparée d'elle. Tout à coup, plus rien n'avait d'importance que le moment présent.

— Il faudrait ben y aller, murmura-t-elle sans grande conviction au moment où André la repoussait sur le divan pour qu'elle s'y étende.

— Tout à l'heure, chuchota-t-il. Il y a rien qui presse.

Aznavour en était à sa quatrième ou cinquième chanson quand l'irréparable se produisit. Tout devint confus. Les yeux fermés, Carole sentit le poids du corps de son compagnon sur elle, puis elle poussa un cri de douleur en éprouvant une intolérable sensation de brûlure. Avant même de réaliser ce qui venait de se produire, tout était fini. André s'était relevé et un étrange silence venait soudainement de tomber sur la pièce. Le tourne-disque s'était tu.

Sans un mot, son amoureux sortit de la pièce, la laissant seule avec son désarroi. Les larmes aux yeux, elle se précipita vers les toilettes où elle demeura de longues minutes tant pour se frotter longuement avec une serviette mouillée que pour remettre de l'ordre dans ses vêtements. Il fallut qu'André vienne frapper à la porte pour qu'elle quitte la torpeur qui l'avait gagnée.

— Viens-tu, Carole? Si on traîne trop, on va manquer le film.

— J'arrive, répondit-elle d'une petite voix où se mêlait la honte et le regret.

Elle quitta les toilettes et endossa son manteau que son ami lui tendait. Il était évident qu'elle avait besoin d'une marque de réconfort, d'être rassurée, mais il ne fit pas un geste en ce sens. Il se conduisit avec elle comme s'il ne s'était rien produit. Ils quittèrent l'appartement et s'engouffrèrent dans l'Oldsmobile qui démarra à la première sollicitation.

— Dans une minute, il va faire chaud dans le char, dit André en réglant le chauffage.

— Est-ce que tu m'aimes ? lui demanda Carole d'une voix un peu suppliante.

— Ben oui, répondit son amoureux sans y mettre trop de sentiment. Il me semble que je te l'ai prouvé, non ?

La jeune fille dut se contenter de cette réponse. À aucun moment, elle ne s'interrogea sur le fait que la voiture avait démarré aussi facilement quand son propriétaire en avait eu besoin. L'idée d'être tombée dans un piège ne lui vint même pas à l'esprit… du moins ce jour-là.

Durant la projection du film, elle fit l'impossible pour faire taire ses remords et s'appuya amoureusement contre l'épaule d'André qui semblait être devenu soudainement insensible à son charme. Ce dernier la déposa devant chez elle un peu après cinq heures en lui promettant de lui téléphoner durant la semaine.

Au moment où elle refermait la porte de la voiture, Gilles vint immobiliser sa Toyota orangée près du trottoir. Frère et sœur pénétrèrent ensemble dans la maison.

— Belle heure pour arriver ! s'écria Richard dont la chaise obstruait l'entrée de la cuisine. Un peu plus, vous passiez sous la table, ajouta-t-il, toujours plaisantant.

Gilles et Carole retirèrent leur manteau et leurs bottes avant de s'avancer vers la cuisine enfumée. Ils trouvèrent les trois enfants de Denise déjà attablés en train de manger, servis par leur mère et leur grand-mère. Jean-Louis avait demandé de manger avec eux sous le prétexte de ne pas entasser trop d'invités autour de la table lors du deuxième service.

— Viens me trancher le jambon pendant que Denise sert du gâteau aux enfants, ordonna Laurette à sa cadette.

Carole mit un tablier pour ne pas salir sa jupe et s'empara d'un couteau après avoir embrassé sur une joue sa sœur et sa belle-sœur, Jocelyne.

— Il paraît que t'es allée aux vues ? lui demanda cette dernière.

La petite femme à la figure pointue était assise un peu à l'écart des hommes et regardait sa belle-mère et Denise travailler à la préparation du souper sans esquisser le moindre mouvement pour participer.

Jocelyne Bernier travaillait depuis sept ans dans les bureaux de MacDonald Tobacco. Quelques mois après avoir été embauchée, la jeune fille de dix-huit ans avait remarqué qu'elle ne laissait pas Richard Morin indifférent. Ce dernier, séduit par ses grands yeux noirs et son énergie, entreprit de la conquérir. Un an plus tard, le jeune couple s'était marié.

— Oui. Au Grenada.

— Maudit que j'aimerais ça décider ton frère à m'amener voir un film de temps en temps, dit-elle, mais il y a pas moyen de le faire bouger la fin de semaine. Le samedi, il travaille encore toute la journée chez ton oncle Rosaire à déneiger ses maudits chars et le dimanche, il fait des plans.

— Il vous reste encore les soirs dans la semaine, lui fit remarquer Denise.

— Aïe, la grande ! protesta Richard Morin. Je travaille toute la journée chez MacDonald Tobacco, moi. Tu t'imagines tout de même pas que j'ai le goût de sortir après le souper.

Sans être aussi grand que son beau-frère, Pierre, Richard Morin était le plus grand des frères Morin. À vingt-sept ans, il était demeuré maigre et ses tempes étaient déjà légèrement dégarnies. Sur les conseils de sa femme, il avait laissé allonger ses cheveux de manière à cacher en partie ses grandes oreilles largement décollées de son crâne.

— Moi aussi, je travaille, intervint sa femme.

— C'est pas une vraie *job* que tu fais, toi, la rembarra son mari. T'es dans les bureaux et t'es assise toute la journée.

— Maudit que t'es insignifiant quand tu t'y mets, Richard Morin ! MacDonald Tobacco me paye à rien faire, je suppose ? s'emporta sa femme en lui jetant un regard noir.

— Ben non. Je disais ça pour te faire parler, s'excusa son mari.

— Tu devrais plutôt dire à ta famille que t'es déjà rendu trop pépère pour avoir envie de sortir le soir.

— Si on veut voir un film, on a la télévision, riposta Richard. Tu vois, Gilles, ce qui t'attend quand tu vas être marié, ajouta-t-il, malicieux. C'est ben de l'ouvrage à dresser, une femme !

— Laisse ton frère tranquille, lui ordonna sa femme. Lui, il est capable de comprendre qu'une femme comme moi peut pas se contenter de regarder des vieux films en noir et blanc ou des programmes niaiseux comme *Cré Basile*. J'aime autant lire, rétorqua la petite femme, nerveuse.

Jocelyne savait qu'elle venait de piquer sa belle-mère, une admiratrice inconditionnelle d'Olivier Guimond. Cette dernière lui jeta un regard mauvais et se retint difficilement de rabrouer sa bru.

Si Laurette n'aimait pas beaucoup Florence, elle ne pouvait nier qu'elle n'avait jamais eu beaucoup d'atomes crochus avec Jocelyne Bernier.

— Un vrai maudit paquet de nerfs ! jurait-elle souvent à son propos. Elle est pas parlable. Je sais pas comment Richard fait pour l'endurer.

Il fallait reconnaître que Jocelyne avait un certain don pour froisser la susceptibilité à fleur de peau de sa belle-mère. Ainsi, quand cette dernière s'était informée des intentions du jeune couple après leur mariage, lors des fiançailles, la fiancée avait répondu, l'air déterminé:

— On va se chercher surtout un appartement qui a du bon sens, en haut d'Hochelaga, madame Morin. Je veux pas vivre dans le bas de la ville. C'est trop miteux.

— Tout de même pas trop miteux pour venir chercher un mari, avait répliqué sèchement Laurette.

— Tu sauras que même entre Hochelaga et Sherbrooke, c'est encore le bas de la ville, avait plaisanté Richard, conscient que sa fiancée venait de blesser sa mère.

— Quand je dis en haut d'Hochelaga, je pense surtout dans le coin de Rachel ou de Mont-Royal, avait ajouté sa future femme, refusant de rattraper sa gaffe.

— On verra, avait dit Richard, évasif. Moi, j'ai pas l'intention d'aller rester au bout du monde quand on travaille tous les deux sur Ontario.

— Sans parler que les loyers dans ce coin-là doivent être à des prix de fou, avait fait remarquer brusquement Laurette.

— Avec deux salaires, vous savez...

— Comment, deux salaires? l'avait interrompue sa future belle-mère. Es-tu en train de me dire que tu vas continuer à travailler après ton mariage?

— Ben oui, madame Morin, avait répondu la fiancée, surprise.

— Voyons donc! Richard va être capable de te faire vivre comme du monde avec son salaire.

— C'est ce que je lui ai répété cent fois, avait poursuivi son fils, mais elle veut rien savoir de rester à la maison.

— Le monde va ben dire que t'es pas capable de faire vivre ta femme, avait repris sa mère.

— Écoutez, madame Morin, avait dit sa future bru, moi, j'ai pas l'intention de rester enfermée entre quatre murs, vingt-quatre heures sur vingt-quatre, à me croiser les bras en attendant que Richard revienne de travailler. Rester à rien faire me dit pas grand-chose. Tant que j'aurai pas d'enfant, j'ai ben l'intention de continuer de travailler chez MacDonald Tobacco. Un deuxième salaire dans la maison va nous aider à nous payer des petits luxes.

De fait, cinq ans après leur mariage, Jocelyne travaillait encore au même endroit que son mari. Le jeune couple sans enfant vivait dans un appartement rue Ontario, près de la rue Plessis. Laurette et Gérard se devaient de reconnaître que l'un et l'autre étaient travailleurs et assez économes.

— Bon, les enfants vous avez ben mangé. Sortez de table et laissez la place aux plus vieux, dit Denise à ses enfants avant de se mettre à desservir la table. P'pa, allumez-leur donc la télévision pour qu'ils la regardent pendant qu'on va manger.

Jocelyne daigna enfin quitter sa chaise pour aider à dresser les nouveaux couverts et les adultes s'entassèrent autour de la table alors que Jean-Louis se retirait dans sa chambre. Laurette déposa dans chaque assiette une large tranche de jambon et des pommes de terre pendant que Carole tranchait du pain qu'elle offrit à chacun. Soudain, les échanges entre les adultes attablés furent troublés par les éclats d'une vive discussion entre les deux fils de Denise.

— Si vous êtes pas capables de vous entendre, dit Pierre, sévère, j'éteins la télévision et vous allez vous coucher, un dans le lit de votre oncle Gilles et l'autre dans celui de grand-père.

Le silence revint immédiatement.

— De toute façon, reprit Denise, on partira pas trop tard. Ils ont de l'école tous les deux demain matin. Quand ils se couchent trop tard, ils sont pas du monde le lendemain.

— Est-ce que Pierre vous a parlé de ce qu'on a fait hier après-midi ? demanda Gilles.

Toutes les têtes se tournèrent vers le débardeur à la stature imposante qui venait d'avaler une bouchée de jambon.

— J'en ai pas parlé en pensant que tu voulais faire une surprise, lui dit son beau-frère.

— Vas-y, Pierre. C'est fait à cette heure.

— Ce que Gilles veut que je vous dise, c'est qu'on est montés hier à Notre-Dame-de-la-Merci et qu'on a loué chacun un terrain.

— Un terrain ? Pour faire quoi ? demanda Gérard, étonné.

— Pour se bâtir un chalet, monsieur Morin.

— Un chalet quand t'as même pas encore une maison ? demanda Richard, un peu frustré de constater qu'on ne l'avait pas invité à participer à la transaction.

— Il faut pas s'énerver avec ça, expliqua Gilles en reprenant la parole. Pierre m'avait parlé d'un gars qui travaille avec lui et qui venait de signer un bail avec le gouvernement pour louer un terrain dans le Nord. C'est juste des terres de la Couronne que le ministère des Terres et Forêts a divisé en lots. Ça coûte trente piastres par année pour en louer un. Tu t'engages à mettre sur ton lot pour une valeur de cinq cents piastres la première année. La deuxième année, tu dois avoir une construction d'au moins trois mille piastres dessus. Au bout de deux ans, le gouvernement te vend le lot pour six cents piastres, si tu le veux. À ça, on doit ajouter vingt piastres pour l'arpentage et autant pour le notaire. C'est pas la fin du monde, comme vous pouvez le voir.

— Je me suis informé, intervint Pierre. Il restait encore un paquet de beaux terrains au bord du lac Blanc. J'en ai parlé avec Denise. On a pensé que ça ferait du bien aux enfants de respirer un peu de bon air de temps en temps.

Ça fait qu'on a décidé d'aller voir et d'en prendre un si on trouvait ce qu'on voulait. J'en ai parlé à Gilles et il a voulu venir avec nous autres au cas où ça ferait son affaire. Lui, il est chanceux. Avec ses deux mois de vacances, il a tout le temps qu'il lui faut pour bâtir.

— On est allés hier, reprit Gilles, enthousiaste. C'est vrai qu'il reste encore pas mal de neige, mais ce qu'on a vu était pas mal. On a décidé de prendre deux beaux lots. On va aller régler ça demain.

— C'est pas plus difficile que ça? demanda Laurette, incrédule.

— Oui, mais attendez, madame Morin, lui dit son gendre. Il faut défricher d'abord. Et ça, ce sera pas facile. Il y a aussi des méchants quartiers de roc sur nos terrains. Il va falloir les faire enlever. C'est sûr qu'il y a ben de l'ouvrage à faire avant de pouvoir bâtir dessus quelque chose qui va avoir du bon sens.

— Moi, ça m'intéresserait peut-être une affaire comme ça, fit Richard en déposant ses ustensiles.

— Whow! Richard Morin, s'interposa Jocelyne. Moi, la campagne, ça m'intéresse pas pantoute. Aller me faire manger par les maringouins et les mouches noires à cœur de jour... Non, merci. Pas pour moi! En plus, tu parles pour rien dire. Quand est-ce que t'aurais le temps de défricher et de bâtir quelque chose là? T'as juste tes dimanches libres et t'oublies qu'on a un autre projet...

Sous le regard curieux des membres de la famille, le jeune homme fit un signe de dénégation à sa femme pour l'inciter à se taire.

— Est-ce qu'on peut savoir ce qui se prépare? lui demanda son père.

— Il y a encore rien de fait, p'pa, se contenta de dire Richard, évasif. Peut-être que dans une semaine ou deux, je pourrai en dire plus.

Personne n'insista. Carole se leva pour servir à chacun une portion de gâteau au chocolat pendant que sa sœur Denise versait du thé dans les tasses.

— Et vous, beau-père, vous êtes pas tenté ? demanda Pierre Crevier à Gérard, pour relancer la conversation qui languissait.

— Es-tu malade, toi ? s'interposa Laurette. Comment voudrais-tu qu'on aille aussi loin. On n'a même pas de char. En plus, mon mari connaît rien à la construction.

— Voyons, m'man, dit Richard. P'pa est pas trop vieux pour apprendre à conduire.

— Et pour la construction, je suis pas ben meilleur que lui, reprit Gilles. Je compte sur Pierre pour me dire comment faire.

— En tout cas, monsieur Morin, si jamais vous changez d'idée, il y a encore des lots pas mal beaux si je me fie à ce qu'on a vu, Gilles et moi, hier.

— Je pense pas que ce soit pour moi, répondit Gérard avec un regret apparent.

— Pour moi non plus, dit Richard. On se contentera d'aller vous voir quand vous aurez bâti.

Après le lavage de la vaisselle, Gilles se retira dans sa chambre sous le prétexte de préparer ses cours du lendemain et Carole l'imita en disant qu'elle allait endormir la petite Sophie qui avait du mal à garder les yeux ouverts. Au même moment, la musique indiquant le début de l'émission *L'Heure du concert* se fit entendre. L'animateur, Henri Bergeron, apparut à l'écran pour annoncer de sa voix chaude que Radio-Canada allait présenter la *Cinquième Symphonie* de Beethoven interprétée par l'Orchestre symphonique de Boston.

— Bon. Alain, éteins-moi cette télévision-là avant que leur musique plate nous endorme et va demander à ton oncle Jean-Louis de vous prêter des *comics*, lui ordonna sa grand-mère.

— Est-ce qu'on joue une partie de cinq cents ? demanda Richard.

— OK. Pierre et moi, on va être l'équipe de relève, décida Denise.

Pendant plus d'une heure, la cuisine fut la scène de parties de cartes bruyantes durant lesquelles les adversaires se traitaient de « fessier » ou s'accusaient de « prendre en fou ». Un peu après neuf heures, Denise donna le signal du départ à sa petite famille. Elle alla chercher Sophie endormie dans le lit de sa tante Carole et Pierre s'empressa d'aller faire démarrer sa voiture pendant que les enfants s'habillaient. Richard l'imita.

En quelques minutes, tous les visiteurs furent habillés et prêts à partir. Ils remercièrent leurs hôtes et quittèrent la maison.

— Ouvre la porte d'en arrière une minute, ordonna Laurette à son mari après le départ des invités. Tout le monde a fumé comme des déchaînés durant la soirée. La maison est pleine de boucane de cigarette. On a de la misère à respirer.

Carole sortit de sa chambre à coucher et vint préparer son goûter pour le lendemain midi avant que sa mère entreprenne de préparer ceux de Gilles, de Jean-Louis et de Gérard. Après avoir écouté les informations télévisées, Gérard éteignit le poêle à huile de la cuisine avant d'aller rejoindre sa femme dans leur chambre à coucher. Dès que la porte de la pièce fut refermée, ils se préparèrent pour la nuit avant de s'agenouiller pour la prière du soir.

— Je te dis que cette Jocelyne-là mourra pas d'épuisement, dit Laurette en se glissant sous les couvertures.

— Pourquoi tu dis ça ?

— Tu l'as vue comme moi. Elle a pas levé une épingle pour venir nous donner un coup de main à préparer le souper. Attends qu'on soit invités chez eux, toi, tu vas voir que moi aussi, je suis capable de rester assise ben tranquille pendant qu'elle va s'occuper du repas.

— Elle a dû penser que t'avais déjà Denise pour t'aider.

— J'espère en tout cas que la Florence de Gilles va être moins sans-cœur, fit remarquer sa femme en se couvrant les épaules avec les couvertures.

— Pour le savoir, il va falloir que tu te décides à l'inviter, dit Gérard, sarcastique, après avoir remonté le mécanisme du gros réveille-matin Westclock qu'il déposa sur sa table de nuit.

— Pourquoi tu dis ça ?

— Parce qu'elle aurait pu être invitée à souper à soir, comme les autres, laissa tomber Gérard.

— Maudit verrat ! Exagère pas, Gérard Morin ! T'as ben vu, comme moi, qu'on n'a pas assez de place pour l'inviter. On a été obligés de faire deux tablées.

— En tout cas, que tu le veuilles ou pas, il va ben falloir lui faire une place, à cette fille-là. Elle va entrer dans la famille cet été.

— On verra dans ce temps-là. J'ai déjà ben assez d'endurer la Jocelyne sans courir après cette fraîche-là.

Chapitre 3

Une bien mauvaise surprise

Deux semaines plus tard, un lundi après-midi, Gérard revint du travail un peu après quatre heures. À l'extérieur, une petite pluie froide tombait depuis quelques heures.

— Tu parles d'un temps de chien, dit-il à sa femme en retirant l'imperméable qu'il portait sur son uniforme de gardien de sécurité. Ça me surprendrait même pas qu'il neige. Cybole! Dire qu'on est rendus à la deuxième semaine d'avril.

— En tout cas, c'est pas aujourd'hui que je risquais de pouvoir étendre mon linge dehors, fit Laurette en déposant sur la table de cuisine une brassée de vêtements qu'elle venait d'enlever sur les cordes tendues autant dans la cuisine que dans le couloir.

— Dire que tu pourrais avoir une sécheuse, la taquina-t-il en se dirigeant vers le comptoir pour se faire une tasse de café.

— Viens pas m'achaler encore une fois avec ça, répliqua sa femme. Je l'ai dit que je voulais pas avoir cette maudite affaire-là dans les jambes dans ma cuisine. Il y a déjà ben assez de la télévision, des chaises berçantes et de la laveuse. Je suis pas pour m'encombrer de ça en plus.

À Noël, ses enfants s'étaient tous cotisés pour lui offrir une minilaveuse Hoover pour rendre sa vie plus facile. Denise avait d'ailleurs pris la précaution de sonder sa mère quelques semaines auparavant pour s'assurer que ce cadeau lui ferait plaisir. La mère de famille avait accepté, sans trop d'enthousiasme, l'idée de recevoir comme étrenne cet appareil, mais elle avait bien spécifié qu'elle désirait la minilaveuse pour ne pas être trop encombrée. Quand sa fille avait suggéré la possibilité que ses enfants puissent peut-être lui offrir aussi un sèche-linge, la réponse avait été sans équivoque.

— Ah non ! Vous êtes ben fins, mais je veux pas de cette maudite patente-là. Ça prend ben trop de place et d'électricité. À part ça, je suis sûre que quand on sort le linge de ça, il sent rien. Les cordes à linge, c'est pas pour les chiens.

Bref, chaque lundi matin depuis un peu plus de trois mois, Laurette tirait sa minilaveuse devant l'évier et se mettait en frais d'en remplir la cuve minuscule avec de l'eau qu'elle avait préalablement fait bouillir sur la cuisinière.

— Ça vaudra jamais une bonne laveuse à tordeur, répétait-elle parfois en rageant contre la capacité fort limitée de la cuve de l'appareil. J'étais ben mieux avec ma vieille laveuse. Avec elle, au moins, je perdais pas mon temps à attendre que le linge soit assez brassé. En plus, cette cochonnerie-là arrête pas de couler et je passe mon temps à essuyer de l'eau sur mon plancher.

Gérard ouvrit *La Presse* après avoir déposé sa tasse de café sur l'appui-fenêtre.

— Sais-tu qu'on est déjà presque rendus à Pâques, laissa-t-il tomber. On commence la semaine sainte.

— Et il va falloir aller faire nos Pâques, lui fit remarquer sa femme en repoussant une pile de vêtements qu'elle venait de plier.

— C'est ben la dernière affaire religieuse qu'on fait, rétorqua Gérard. Il me semble que cette année, je t'ai pas entendu faire une promesse de carême, ajouta-t-il pour la taquiner. Ça t'aurait pas tenté d'essayer d'arrêter de fumer pendant le carême… ou de te priver de dessert?

— Achale-moi pas avec ça. J'en ai fait une promesse et je l'ai tenue, à part ça, répliqua Laurette.

— Laquelle?

— Je pourrais ben te répondre que c'est pas de tes maudites affaires, mais je vais te la dire pareil. J'ai promis de t'endurer. Laisse-moi te dire que c'est ben pire que d'arrêter de fumer, ajouta sa femme en arborant un petit sourire narquois.

— Exagère donc. Je suis pas si pire que ça.

— Ça, c'est toi qui le dis, conclut-elle.

Durant de longues minutes, la pièce fut plongée dans le silence. Laurette finit par être intriguée de ne pas entendre le froissement des pages du journal. Elle leva la tête de son travail pour regarder ce que son mari faisait. Il ne lisait pas. Il avait les yeux perdus dans le vague.

— À quoi tu jongles? lui demanda-t-elle, intriguée.

— Je pensais à Pierre et à Gilles.

— En quel honneur?

— Je trouve que leur idée d'avoir un lot dans le Nord est pas bête pantoute. Taboire, si j'avais un char, moi aussi je m'organiserais pour en avoir un!

— T'es malade, toi! s'insurgea-t-elle. Nous vois-tu poignés en plein bois, sur le bord de l'eau? Veux-tu ben me dire ce qu'on ferait là?

— Respirer du bon air plutôt que l'air de la Dominion Oilcloth et de la Dominion Rubber.

— Moi, je le sens plus, cet air-là, dit Laurette avec mauvaise foi. Pour une fois, je trouve que Jocelyne a ben raison. Je suis comme elle. Je veux rien savoir d'aller m'écraser dans une tente pour jouer à l'habitante et me faire manger par les mouches noires.

Le ton définitif de sa femme fit comprendre au gardien de sécurité que le sujet était clos. D'ailleurs, elle ne reprit la parole que quelques minutes plus tard pour aborder un tout autre sujet.

— J'ai trouvé un moyen de te faire gagner ton ciel avant Pâques, lui dit-elle en s'allumant une cigarette.

— Quoi? demanda ce dernier, méfiant.

— On fait le ménage de printemps à partir de demain soir.

— Es-tu folle, toi? s'emporta son mari, qui détestait cette corvée incontournable au début de chaque printemps. J'arrive ben trop fatigué de ma *job* pour faire ça. J'ai plus l'âge pantoute de me lancer dans de la grosse ouvrage comme ça.

— Aïe, Gérard Morin, viens pas me raconter ça à moi! répliqua Laurette. Tu l'as dit toi-même que tu passes tes journées à te promener ou à être assis sur ton *steak*. T'es pas un petit vieux. Tu viens juste d'avoir cinquante-six ans.

— À cinquante-six ans, tu sauras, on n'est plus une jeunesse.

— Dans ce cas-là, je comprends pas que t'essayes de faire le coq quand une petite jeune passe pas loin de toi dans la rue, lui fit remarquer Laurette d'une voix acide.

— T'es ben drôle.

— Inquiète-toi pas. Ce ménage-là va se faire vite et on va être débarrassés pour un an.

— OK, se résigna son mari. Avertis les enfants qu'on a besoin d'eux autres à partir de demain soir. On va enlever les châssis doubles et poser les jalousies avant de nettoyer les tuyaux du poêle et de la fournaise.

— C'est correct, accepta sa femme, satisfaite de n'avoir pas eu à se battre plus longtemps pour le décider à entreprendre un grand ménage. Demain matin, je vais commencer à laver la vaisselle dans les armoires.

À son arrivée à la Banque d'Épargne, coin Dufresne et Sainte-Catherine, Jean-Louis Morin ne se doutait pas que ce lundi-là allait être une journée marquante pour lui puisqu'elle avait commencé comme toutes les autres. Il avait rejoint les commis et les caissiers massés frileusement devant la porte de la succursale. Tous les employés attendaient avec impatience l'arrivée de la comptable ou du gérant. Il faisait froid et certains regrettaient ouvertement d'avoir déjà endossé leur léger manteau de printemps.

Léopold Lozeau arriva presque en même temps que Huguette Bélanger. Cette dernière fit un pas en arrière pour laisser au gérant le soin de déverrouiller la porte. Les employés entrèrent dans l'immeuble derrière eux. Pendant que chacun se dirigeait vers son poste, la comptable verrouilla la porte après leur entrée et alla désamorcer le système d'alarme avant d'ouvrir la voûte où étaient rangées les affaires de chaque caissier. Aussitôt, les commis allèrent tirer de l'endroit les deux chariots sur lesquels étaient placées les cartes des comptes des clients.

Comme les deux autres caissières, Jean-Louis s'affaira à remettre de l'ordre dans sa caisse en prévision de l'arrivée imminente des premiers clients de la journée. Dos tourné aux commis et silencieux, il changea la date sur son tampon encreur avant d'entreprendre le classement des chèques encaissés le vendredi soir précédent. À un certain moment, il s'étonna de l'absence de Labrie. Habituellement, le moniteur ne passait pas inaperçu et faisait assez de bruit pour être remarqué. «J'espère qu'il est malade», se dit-il.

Dans son dos, Maurice Pronovost chahutait un peu avec deux autres commis depuis quelques minutes. Jean-Louis n'osa pas se retourner pour voir ce qui faisait rire les trois employés installés à une table.

Quelqu'un frappa à la porte vitrée de la banque. Marcelle Desjardins, la première caissière, leva la tête pour voir qui osait venir frapper alors qu'il était indiqué que la succursale n'ouvrait ses portes qu'à dix heures. Elle vit une jeune femme qui frappa de nouveau pour attirer l'attention d'un employé à l'intérieur.

— Qu'est-ce qu'elle veut, elle ? demanda la caissière à voix haute. Elle est pas capable de voir que c'est pas encore l'heure.

— V'là la vieille fille qui se pompe, dit Maurice Pronovost assez fort pour être entendu par ses collègues.

— Toi, le niaiseux, t'es mieux de la fermer, le menaça la première caissière en se tournant tout d'une pièce vers lui... Madame Bélanger, poursuivit-elle à l'adresse de la comptable, il y a une femme qui veut entrer.

Huguette Bélanger se leva, ouvrit le portillon de l'imposant comptoir en noyer qui séparait la clientèle des employés et s'avança vers la porte.

La jeune femme à l'extérieur plaqua une carte contre la porte vitrée, ce qui incita la comptable à lui ouvrir. Les deux femmes se parlèrent un bref moment avant que la comptable entraîne la visiteuse à l'abondante chevelure brune dans le bureau du gérant. Tous les trois demeurèrent dans la pièce durant quelques minutes avant d'en sortir.

— Si vous voulez bien m'écouter un instant, dit Léopold Lozeau d'une voix sonore.

Immédiatement, ses employés quittèrent leur poste et s'approchèrent, curieux de savoir ce que leur patron voulait leur dire. Tous examinèrent la jeune femme au visage rond qui se tenait modestement à ses côtés.

— J'aimerais vous présenter madame Marthe Paradis qui vient remplacer Paul Labrie durant son congé de maladie. Je viens d'apprendre que notre moniteur a eu un accident de voiture en fin de semaine. Madame Paradis devrait être avec nous durant quelques semaines. Elle a une longue expérience de monitrice et je vous demande de collaborer avec elle.

— Bonjour, dit la nouvelle venue en regardant sans aucune timidité les visages tournés vers elle.

La jeune femme de taille moyenne devait avoir une trentaine d'années. Elle possédait un agréable visage ovale éclairé par des yeux pers brillants d'intelligence. Ses joues rondes étaient parsemées de quelques taches de rousseur.

— Bon. Il reste quinze minutes avant d'ouvrir les portes, reprit le gérant en jetant un coup d'œil à la grosse horloge murale, vous pouvez retourner à votre travail.

Léopold Lozeau adressa un mince sourire à sa nouvelle monitrice et rentra dans son bureau vitré dont il referma la porte. Huguette Bélanger conduisit Marthe Paradis dans la pièce à l'arrière qui servait de vestiaire et de cuisine aux employés pour qu'elle puisse y suspendre son manteau.

Un instant plus tard, la monitrice revint à son tour dans la succursale et s'arrêta à la longue table où les commis étaient occupés à classer les cartes sur lesquelles étaient inscrites les transactions des clients. Elle leur demanda de se présenter avant de poursuivre son chemin vers la première caisse où Marcelle Desjardins finissait de se préparer à accueillir les premiers clients de ce lundi avant-midi. Marthe Paradis lui dit quelques mots à voix basse, ce qui eut le don de faire sourire la caissière. Ensuite, elle passa à Olivette Poirier, la seconde caissière, avant de s'arrêter finalement près de Jean-Louis.

— Bonjour. À ce que je vois, t'es le seul homme caissier, lui dit-elle avec un charmant sourire.

— Bonjour, répondit Jean-Louis en rougissant légèrement. On était deux jusqu'à il y a quinze jours. Michel Neveu était le quatrième caissier. Il est parti en *training* comme moniteur, ajouta-t-il en cachant mal son amertume qu'on ait préféré quelqu'un de plus jeune que lui.

Marthe Paradis sembla comprendre, mais ne fit aucun commentaire.

— Ils l'ont pas encore remplacé? demanda-t-elle, étonnée.

— Pour moi, le bureau-chef est à la veille de nous envoyer quelqu'un, avança Jean-Louis.

— En tout cas, s'il y a trop de clients aux caisses, je viendrai ouvrir la quatrième pour vous donner un coup de main, se contenta-t-elle de lui dire avec un sourire.

Après cette courte tournée de ceux qu'elle avait le mandat de diriger, la jeune femme alla s'asseoir à son bureau situé à côté de celui de la comptable. Au même moment, Huguette Bélanger déverrouilla les portes et une dizaine de clients matinaux prirent les caisses d'assaut. Durant tout l'avant-midi, la clientèle fut assez nombreuse pour occuper tous les employés. De temps à autre, la nouvelle monitrice quittait son bureau pour aller répondre à des clients au comptoir quand la comptable était débordée.

Au début de l'après-midi, il y eut un creux vers treize heures. Les commis se mirent à classer les cartes des comptes pendant que les caissiers vérifiaient les dernières transactions. À un certain moment, Marthe Paradis vit Maurice Pronovost s'approcher de Jean-Louis en se dandinant outrageusement, ce qui suscita les ricanements de son voisin. La jeune femme ne dit rien, mais elle fixa le dos de Jean-Louis durant un long moment.

Moins d'une heure plus tard, penchée sur un classeur, elle était à examiner le relevé d'un compte commercial quand elle entendit le même Pronovost parler sur le bout de la langue en cassant le poignet tout en jetant des regards énamourés vers le troisième caissier. Elle vit le cou de

Jean-Louis rougir, signe qu'il savait ce qui se passait dans son dos.

Aux yeux de la monitrice, le geste dépassait la limite du tolérable. Le regard en feu, elle laissa tomber son travail et s'approcha vivement du plaisantin.

— Monsieur ? demanda-t-elle durement au commis en se plantant devant lui.

— Maurice Pronovost.

— Monsieur Pronovost, voulez-vous me suivre en arrière, s'il vous plaît ?

— Est-ce que je suis obligé ? demanda le commis avec un air effronté pour faire rire les autres employés assis à la table de travail.

— Non. Peut-être aimez-vous mieux passer directement au bureau de monsieur Lozeau avec moi ?

— Non. C'est correct, répondit le jeune homme que sa houppe de cheveux blonds faisait ressembler à Tintin.

Il se leva et se dirigea vers la pièce voisine, suivi de près par Marthe Paradis sous le regard interrogateur des caissiers et des deux autres commis. Cette dernière prit soin de refermer la porte derrière elle avant d'apostropher Maurice Pronovost qui venait de s'allumer une cigarette et la dévisageait avec un air insolent.

Dès qu'elle se retrouva seule en présence du commis, la monitrice passa au tutoiement.

— Veux-tu m'expliquer à quoi tu t'amuses ? lui demanda-t-elle sans préambule.

— Je sais pas de quoi vous parlez, osa dire le commis.

— Ça fait deux ou trois fois que je te vois faire le bouffon pour faire rire les autres depuis que je suis arrivée à matin.

— …

— De qui est-ce que tu ris ?

— Ben.

— De qui?

— Ben, je fais juste imiter Morin. C'est pas de ma faute si c'est une tapette et que ça fait rire les autres.

— Ah! C'est une tapette? demanda Marthe, l'air mauvais.

— En tout cas, il en a l'air, reprit l'autre qui ne semblait pas se rendre compte de la fureur de sa supérieure. Il marche les fesses serrées et il a des petites allures, ajouta-t-il en cassant le poignet et en se trémoussant, comme il le faisait depuis quelques mois pour amuser les autres.

— Et Paul Labrie te laissait faire le clown sans rien dire? lui demanda la monitrice en baissant dangereusement la voix.

— Ben oui. Lui aussi, il trouvait ça drôle.

— Bien, moi, je trouve pas ça drôle, m'entends-tu? dit-elle d'une voix coupante. Je veux plus de ça dans la succursale. Je t'avertis que si je te reprends à te moquer de Jean-Louis Morin, tu passes au bureau d'en avant et je vais demander au gérant de t'envoyer t'expliquer au bureau-chef. Je peux même te garantir qu'eux autres, au bureau du personnel, ils te trouveront pas drôle et il y a de bonnes chances que tu ailles faire ton numéro ailleurs. C'est clair?

— ...

— M'as-tu entendue?

— Oui, finit par répondre Pronovost, le visage blême.

— Tu peux même avertir tes *chums* qui ont l'air de te trouver si drôle que la même chose les attend si je les prends à faire ces niaiseries-là. À cette heure, va faire ton ouvrage.

Maurice Pronovost revint près des caisses en arborant un air beaucoup moins arrogant. Au passage, il jeta un regard haineux à Jean-Louis, comme s'il le tenait responsable de sa déconvenue. Il connaissait assez les mœurs de la banque pour savoir que la monitrice n'allait pas manquer d'inscrire à son dossier le sévère avertissement qu'elle venait de lui servir. À la limite, cela pouvait signifier que son avancement au poste de quatrième caissier pourrait être sérieusement compromis.

Il réintégra son siège sans rien dire, sous l'œil scrutateur des autres employés. Il regarda passer Marthe Paradis devant son poste de travail avant de chuchoter aux autres commis assis près de lui:

— Lui, il va me payer ça, l'enfant de chienne, dit-il entre ses dents. Elle, c'est une vraie maudite folle. Elle entend pas à rire pantoute.

Après avoir vérifié que la monitrice avait bien réintégré son bureau à l'avant, il raconta, à son avantage, la scène qui venait de l'opposer à la nouvelle venue.

— Elle m'a engueulé parce que j'ai ri de lui, expliqua-t-il à mi-voix en désignant Jean-Louis, qui leur tournait le dos, debout à sa caisse, mais je te dis que je lui ai rivé son clou.

Il ne parla toutefois pas assez bas pour empêcher Jean-Louis Morin d'entendre ce qui s'était passé. Ce dernier se réjouit secrètement que la remplaçante de Labrie ait pris sa défense.

À trois heures, les portes de la succursale furent verrouillées. Les caissiers remisèrent leur matériel dans la voûte et les employés s'empressèrent d'endosser leur manteau pour quitter les lieux. En passant devant le bureau de la monitrice, Jean-Louis lui sourit.

— Bonjour, madame. Merci, ajouta-t-il pour lui faire savoir qu'il avait apprécié son intervention.

— À demain, répondit-elle en lui adressant un clin d'œil malicieux.

Sans trop savoir pourquoi, Jean-Louis revint à la maison tout ragaillardi par ce signe de complicité.

Deux heures plus tard, ce jour-là, Carole sortit de l'immeuble où elle travaillait et chercha du regard l'Oldsmobile rouge d'André Cyr. La veille, au téléphone, son ami lui avait pourtant promis de venir la chercher quand elle était parvenue à le joindre. Elle décida de l'attendre quelques minutes, au cas où la circulation lourde de l'heure de pointe l'ait retardé.

Depuis deux semaines, le comportement de son amoureux avait changé de façon significative et cela l'inquiétait. Tout d'abord, trois jours après ce qui s'était passé chez son frère, il était venu la chercher au travail et avait voulu recommencer dans la voiture après avoir stationné celle-ci à l'écart. Il avait fallu qu'elle se fâche et se débatte pour lui faire renoncer à ses projets.

— Envoye donc ! l'avait-il suppliée. T'es ben *stuck up*. T'as aimé ça dimanche. Viens pas dire le contraire.

— Aïe, André Cyr ! Ça va faire ! s'était-elle écriée en le repoussant de toutes ses forces. Je suis une honnête fille, moi. C'est pas parce que j'ai fait une erreur dimanche passé que tu vas recommencer. OK ?

— Maudit que t'es plate, avait rétorqué le jeune chômeur. Toutes les filles font ça. Pourquoi t'es pas comme les autres ?

— Maudit menteur ! s'était emportée Carole, folle de rage. On n'est pas toutes comme ça.

Sur ces mots, le conducteur, dépité, voyant qu'il n'arriverait pas à ses fins ce soir-là, l'avait laissée quelques minutes plus tard devant la porte de l'appartement de la rue Emmett avant de rentrer chez lui.

Pour se venger, il ne lui avait pas donné signe de vie une seule fois de la semaine. Folle d'inquiétude et persuadée de l'avoir perdu, Carole avait bien tenté d'entrer en communication avec lui à plusieurs reprises, mais chaque fois, la belle-sœur du jeune homme lui avait répondu qu'il était absent et qu'elle ne l'avait pas vu de la journée. Quand elle l'avait enfin revu, le dimanche suivant, il s'était contenté de lui dire, l'air boudeur, qu'il avait passé la semaine à se chercher un emploi et qu'il n'avait pas trouvé une minute pour lui parler. Elle avait dû se contenter de cette excuse. D'ailleurs, il n'était demeuré qu'une heure chez les Morin avant de prétexter un début de grippe pour la quitter très tôt.

Elle ne l'avait revu que la veille, au début de l'après-midi. Elle avait alors insisté pour qu'ils profitent de la température douce de cette belle journée de printemps pour aller marcher au parc Bellerive, rue Notre-Dame. Le jeune homme avait tout de même semblé de meilleure humeur. Il avait accepté, sans trop se faire prier, de laisser son Oldsmobile devant la porte, pour aller marcher à ses côtés.

— As-tu pensé que ça fait plus que six mois qu'on sort ensemble ? lui avait-elle demandé d'une voix tendre en s'emparant de sa main au moment où ils pénétraient dans le parc Bellerive.

— Ben oui, avait-il répondu d'une voix neutre.

— Je regarde mon frère Gilles qui va se marier au mois de juillet et je le trouve chanceux, avait-elle ajouté, émue.

— Ton frère a une bonne *job*, lui, et tu m'as dit que ça fait deux ans qu'il sort avec sa blonde.

— C'est vrai, mais ça fait longtemps qu'ils se préparent tous les deux.

Le jeune homme n'avait rien dit, occupé à replacer ses cheveux qu'une bourrasque venait de déplacer.

— Est-ce que tu m'aimes ? avait-elle fini par lui demander, pleine d'espoir.

— Ben oui.

— Tu me le dis jamais, s'était-elle plaint. Moi, je t'ai donné une preuve que je t'aimais, avait-elle ajouté.

— C'est des affaires qu'on n'a pas besoin de dire à tout bout de champ, s'était-il défendu sur un ton agacé.

— Comme ça, c'est sérieux entre nous deux ? avait-elle demandé, impatiente d'être rassurée.

— C'est sûr.

— As-tu déjà pensé qu'on pourrait se fiancer à Noël et se marier au mois de juillet, l'année prochaine ?

— Es-tu malade, toi ? lui avait lancé brusquement son ami en s'arrêtant de marcher. C'est pas le temps de parler de mariage quand j'ai même pas de *job* et que j'ai de la misère à faire mes paiements sur mon char. En plus, je dois trois semaines de pension à mon frère. Si je trouve pas de l'argent ben vite, il va finir par me sacrer dehors et je vais perdre mon Oldsmobile, sacrement !

Douchée par cette sortie de son amoureux, Carole avait gardé le silence un long moment avant de reprendre la parole.

— J'ai un peu d'argent de ramassé. Je pourrais peut-être t'en passer, avait-elle proposé d'une voix mal assurée.

Aussitôt, le sourire enjôleur était revenu sur le visage d'André qui l'avait serrée plus étroitement contre lui.

— Si tu pouvais me passer cent cinquante piastres, ça m'aiderait à me sortir du trou, avait-il reconnu en déposant un baiser sur l'une de ses joues.

— Cent cinquante piastres ! s'était exclamée la jeune fille. C'est plus que la moitié de ce que j'ai dans mon compte de banque.

— Si c'est trop, laisse faire, avait dit André sur un ton désabusé.

— Non, non. Je vais te les passer. Mais quand penses-tu être capable de me les remettre ?

— Dans pas longtemps. Est-ce que c'est pressant comme un coup de couteau ?

— Ben. C'était l'argent que je mettais de côté pour me louer un appartement, avait-elle répondu d'une toute petite voix.

— Dans ce cas-là, garde-le, ton argent. Je vais perdre mon char et mon frère va me sacrer dehors. Je vais prendre mes guenilles et aller voir à Québec s'il y aurait pas de l'ouvrage pour moi.

— Ben non. Fais pas ça, l'avait supplié Carole, bouleversée par la perspective de le perdre. Je vais te passer l'argent et tu me le remettras dès que tu seras capable. J'ai confiance. Je vais attendre pour louer un appartement. T'as juste à venir me chercher après l'ouvrage, demain soir.

— C'est correct. Je vais m'organiser pour te remettre ton argent à la fin d'avril. Je suis sûr de me trouver une *job* avant ça.

À l'instant où la jeune fille finissait de se remémorer cette scène de la veille, elle aperçut l'Oldsmobile rouge se diriger vers elle. Le véhicule s'arrêta et le conducteur se pencha vers la porte du passager pour la déverrouiller.

— Dépêche-toi d'embarquer, lui ordonna-t-il. J'ai pas le droit de m'arrêter.

Avant d'être arrivée chez elle, elle lui tendit l'enveloppe dans laquelle elle avait placé les cent cinquante dollars. Pour elle, la somme représentait plus de trois semaines de salaire. En échange, elle n'eut droit qu'à un merci.

Cette semaine-là, les Morin se lancèrent dans leur grand ménage printanier. Tous les plafonds, les murs et les parquets furent nettoyés à fond, On lava aussi les rideaux et les vitres des fenêtres. Le travail se déroula si rapidement que Laurette décida de demander à Gérard et à Gilles de repeindre sa cuisine.

— Ah non ! Pas de la peinture en plus, protesta Gérard, ulcéré.

— Il est trop tard pour reculer. Je suis allée acheter un gallon d'émail blanc à matin.

— Franchement, m'man, vous exagérez ! s'exclama Gilles en dissimulant mal son irritation.

— Aïe, toi ! Viens pas imiter ton père ici dedans. Arrêtez de vous lamenter et grouillez-vous, leur ordonna-t-elle. Cette cuisine-là a pas été repeinturée depuis cinq ans. Même lavée, elle est encore jaune. À vous deux, vous en avez même pas pour une heure et demie d'ouvrage. Je vais vous donner un coup de main. Je vais essuyer les coulisses de peinture, si vous en faites. Quand Jean-Louis va avoir fini de nettoyer la salle de bain, il va venir vous donner un coup de main.

— Laissez faire, m'man. À trois, on va se nuire.

Gilles regarda son père et prit le gallon de peinture que sa mère lui tendait. Ce soir-là, il fallut ouvrir la fenêtre de la cuisine pour aérer tant l'odeur de l'émail était forte, mais Laurette se coucha satisfaite.

— Là, la maison est à mon goût, dit-elle à Gérard en guise de remerciement.

— J'espère ben, ajouta ce dernier. Une chance que ta maladie de tout nettoyer revient juste une fois par année.

Pâques ne donna lieu à aucune réunion de famille chez les Morin. Tous les enfants avaient été invités quelque part. Seul Jean-Louis était demeuré à la maison, même si son oncle Bernard avait insisté pour qu'il se joigne à ses parents et vienne manger chez lui.

— Pour une fois que ta tante Marie-Ange nous invite à manger, lui dit sa mère, tu devrais te forcer et venir.

— Moi, m'man, j'ai ben de la misère à l'écouter se plaindre de ses maladies pendant toute une soirée. J'aime mieux rester ici dedans.

— Nous autres aussi, intervint son père, mais c'est ça ou l'entendre vanter pendant des heures son Germain, la huitième merveille du monde.

— Je te dis qu'elle va en faire un drôle de tata de son Germain, si elle le lâche pas, dit Laurette en finissant de se préparer pour cette sortie.

Elle était trop partiale pour se rendre compte que la femme de son frère avait exactement le même comportement envers son fils unique qu'elle avait envers Jean-Louis. Cette femme, qui avait eu cet enfant à la fin de la trentaine, couvait son fils de neuf ans de façon éhontée. Tout ce que Germain faisait devenait un sujet d'émerveillement aux yeux de sa mère. À l'entendre, l'école Champlain n'avait jamais connu un élève aussi brillant.

Ce soir-là, les Morin apprirent qu'Armand, l'autre frère de Laurette, se préparait à déménager dans un nouvel appartement, rue Parthenais.

— Pourquoi il lâche son appartement de la rue d'Iberville ? demanda Laurette, étonnée, à son frère Bernard. Il était ben là. Il a toujours resté là depuis qu'il est marié. C'est un grand cinq et il est pas trop loin de Molson où il travaille.

— Si j'ai ben compris, intervint Marie-Ange, il paraît que ce sont ses filles qui se sont mises après lui pour qu'il déménage. Louise et Suzanne disent qu'elles ont honte d'emmener des garçons à la maison et, ben sûr, Pauline les a approuvées.

— À quelle hauteur, sur Parthenais ? demanda Gérard.

— Il a trouvé quelque chose entre Sherbrooke et Rouen. Un peu plus haut que là où restent ton Richard et sa femme.

— Il a dû s'apercevoir que les loyers dans ce coin-là sont pas mal plus chers que dans notre coin, dit Laurette, tout de même un peu envieuse.

— Parlant de loyer, sais-tu que ça me fait penser qu'on n'a pas encore vu le bonhomme Tremblay venir nous faire signer notre nouveau bail, intervint Gérard. Mai est dans quinze jours. Normalement, on le voit à la fin de mars ou au commencement d'avril.

— Inquiète-toi pas, le rassura sa femme. On va le voir à temps. L'important, c'est qu'il nous apporte pas encore une autre augmentation. On est rendus à quarante piastres par mois. Il faudrait tout de même pas qu'il exagère. C'est pas un château que la Dominion Oilcloth nous loue, verrat !

Au moment où elle prononçait ces paroles, sa fille Carole arrivait devant l'appartement de Ronald Cyr, le frère d'André, en compagnie de son amoureux.

— Je t'avertis tout de suite qu'ils sont mieux d'être là, dit-elle, méfiante, à son ami. S'ils sont pas là, j'entre pas.

— Voyons donc ! Je t'ai répété dix fois qu'ils t'invitaient à souper. C'est sûr qu'ils sont là.

Craintive, la jeune femme monta l'escalier devant André et attendit d'entendre la voix de Lorraine avant de se décider à franchir le seuil de la porte qu'André venait d'ouvrir. Ronald apparut dans l'entrée du salon en même temps que sa femme. Lorraine venait de mettre *Ne me quitte pas* de Brel sur le tourne-disque.

— Elle voulait pas entrer avant d'être sûre que vous étiez là, se moqua André avec un petit rire déplaisant.

— Elle a ben fait, trancha Lorraine, une grande femme un peu hommasse. Avec un méné comme toi, elle a raison d'être prudente. Je suppose qu'il a même pas pensé à te donner au moins une boîte de chocolats pour Pâques ?

ajouta-t-elle en faisant signe à Carole de s'asseoir sur le divan, à ses côtés, après lui avoir pris son léger manteau de printemps.

— J'y ai pensé, tu sauras, se rebiffa André en rejetant en arrière ses longs cheveux, mais j'ai pas une Christ de cenne qui m'adore.

Ronald, son frère aîné, assistait en silence à la scène sans s'en mêler. Tout dans son attitude laissait croire qu'il était habitué à ce genre d'affrontement entre sa femme et son frère.

— Il y a ben un moyen d'avoir un peu d'argent, le coupa Lorraine Cyr. T'as juste à vendre ton maudit bazou qui te coûte les yeux de la tête et à te trouver une *job* au plus sacrant. Faut pas avoir la tête à Papineau pour comprendre ça.

— Toi qui es si fine, comment tu penses que je vais être capable d'aller me chercher une *job* sans mon char? répliqua André avec mauvaise humeur.

— Comme presque tous les chômeurs, mon homme, en prenant l'autobus, laissa tomber sa belle-sœur sur un ton cinglant. Bon. On va laisser les hommes parler encore de leur maudit hockey, dit-elle à Carole. Viens m'aider à finir de préparer le souper dans la cuisine.

— Je sais ce que c'est, dit Carole en se levant. Mon père arrête pas de parler de Jean Béliveau et de la coupe Stanley que le Canadien va gagner. À l'entendre, il y a pas plus important que ça dans le monde.

Ce soir-là, Laurette et Gérard furent les derniers à rentrer à la maison. Quand ils refermèrent la porte derrière eux, Gilles et Carole étaient déjà au lit.

— Cybole! Il est passé minuit, chuchota Gérard en regardant l'horloge murale après avoir allumé le plafonnier de la cuisine. Demain matin, je vais tirer de la patte pour me lever.

Sans rien dire, Laurette se dirigea vers la boîte de chocolats Laura Secord que son mari lui avait offerte le matin même, en revenant de la grand-messe. Elle enleva le couvercle et se mit à peser du bout du doigt sur certains chocolats en adoptant un air concentré. Intrigué, Gérard s'approcha pour regarder ce qu'elle faisait.

— Qu'est-ce que tu fais là ?

— Je cherche les chocolats avec une cerise, répondit-elle.

— Tu penses pas que tu ferais mieux de mettre tes lunettes et de regarder sur le couvert de la boîte ? Ils te donnent le portrait des chocolats qu'il y a dans la boîte.

— J'en ai trouvé un, dit-elle en gobant un chocolat. Hum, que c'est bon ! ajouta-t-elle, la mine gourmande, en repérant un autre chocolat qui prit le même chemin que le premier. En veux-tu un ?

— Non. Pas avant de me coucher, refusa Gérard en commençant à retirer ses chaussures. À ta place, j'en mangerais pas trop. C'est pas bon pour la ligne, ajouta-t-il, narquois.

— Aïe, Gérard Morin ! protesta Laurette. Tu m'as pas donné ce chocolat-là pour que je me contente de le regarder, non ?

— Ben non.

— C'est pas un ou deux petits chocolats qui vont me faire engraisser, tu sauras.

Gérard se contenta de la laisser dans la cuisine et se dirigea vers leur chambre à coucher afin de se préparer pour la nuit. Cinq minutes plus tard, sa femme vint le rejoindre pour la prière du soir. Il était convaincu qu'elle avait pioché à deux ou trois autres reprises dans sa boîte avant de la remettre sur le réfrigérateur.

La dernière chose que Laurette lui dit avant de s'endormir fut:

— Demain avant-midi, je vais tout de même m'informer pour savoir ce qui se passe avec le bail.

Le lendemain matin, Laurette était en train d'étendre sa première cordée de vêtements fraîchement lavés quand elle entendit le grincement caractéristique de la poulie de la corde à linge de Rose Beaulieu, sa voisine à l'étage depuis plus de dix ans. Elle abandonna son panier de linge mouillé à demi plein sur le balcon et descendit les trois marches de l'escalier pour pouvoir voir la femme de Vital Beaulieu.

Si Laurette avait un tour de taille appréciable, celui de Rose Beaulieu le dépassait, et de beaucoup. Les deux femmes entretenaient des relations plutôt cordiales depuis que Laurette lui avait appris à ne pas se laisser « maganer », comme elle le disait, par son mari alcoolique, un petit homme mauvais comme la gale.

Laurette leva la tête vers le balcon du deuxième étage au moment même où sa voisine l'aperçut, campée au milieu de la cour.

— Bonjour, madame Beaulieu. Dites donc. Est-ce que vous avez vu le bonhomme Tremblay dernièrement?

— Non. C'est Smith qui est venu chercher le loyer du mois d'avril, il y a quinze jours.

— Oui, c'est aussi lui qui est venu chercher le nôtre. D'après vous, qu'est-ce qui se passe avec le nouveau bail? D'habitude, Tremblay vient chercher le dernier loyer de l'année et il en profite toujours pour nous faire signer le bail.

— Je le sais pas, avoua la voisine. Mon mari se posait la même question, la semaine passée.

— Je pense que je vais téléphoner pour savoir ce qui se passe, conclut Laurette.

— Si vous faites ça, madame Morin, oubliez pas de m'en donner des nouvelles.

Une heure plus tard, Laurette rangea sa laveuse et remit de l'ordre dans sa cuisine. Elle allait consulter son bottin téléphonique pour retrouver le numéro de téléphone du fondé de pouvoir de la compagnie Dominion Oilcloth quand un coup de sonnette impératif la fit sursauter.

— Bon. Qui c'est ça, à cette heure ? demanda-t-elle d'une voix exaspérée en se dirigeant vers la porte d'entrée de l'appartement.

Elle souleva un coin du rideau masquant la fenêtre de la porte et aperçut un petit homme à la mise soignée, tenant sous le bras un porte-documents en cuir.

— Ah ben, lui, on peut dire qu'il tombe à pic ! s'exclama-t-elle en reconnaissant Armand Tremblay, le fondé de pouvoir de la Dominion Oilcloth. Il est mieux de pas m'arriver avec une augmentation de loyer parce qu'il va m'entendre, lui.

Elle ouvrit la porte.

— Bonjour, madame Morin, la salua le fondé de pouvoir. Vous deviez commencer à vous demander si j'étais pas mort ?

— En plein ça, monsieur Tremblay. Vous passez tard en verrat pour faire signer le bail cette année, lui fit-elle remarquer. Entrez donc.

— Je serai pas longtemps, précisa le petit homme en se plantant sur le paillasson à l'entrée du couloir.

— Venez dans la cuisine, l'invita Laurette. Vous serez plus à l'aise pour fouiller dans votre serviette.

— Ce sera pas nécessaire, madame, dit l'homme en ne faisant pas mine d'ouvrir son porte-documents pour en tirer le bail, comme il le faisait chaque année.

— Comme vous voudrez, dit Laurette, tout de même un peu intriguée par son comportement inhabituel. J'espère que vous venez pas m'annoncer que vous augmentez encore le loyer cette année.

— Non, madame Morin. Rassurez-vous, ajouta-t-il avec un mince sourire. En fait, j'ai pas de bail à vous faire signer.

— Comment ça ?

— La Dominion Oilcloth s'en va.

— Où ça ? demanda Laurette, stupéfaite.

— Je le sais pas, madame Morin. Tout ce que je sais, c'est que les bâtisses de la compagnie vont être démolies et qu'elle s'en va s'installer ailleurs.

— Ah ben, là, j'ai mon voyage ! s'écria Laurette. Tout va être démoli ?

— Oui, madame.

— Ça veut dire qu'il y aura plus rien entre Sainte-Catherine et Notre-Dame ? Voyons donc, c'est pas possible, une affaire comme ça !

— Entre Sainte-Catherine et Notre-Dame et entre Parthenais et Fullum, tint à préciser Armand Tremblay.

— Ah ben ! ça va faire drôle en maudit de plus voir rien au bout de notre rue.

— Peut-être, mais il y a pire que ça, madame Morin.

— Pire que ça ?

— Ben, la compagnie va aussi faire démolir toutes les vieilles maisons de la rue Notre-Dame qui lui appartiennent entre Dufresne et Fullum.

— Hein ! Êtes-vous en train de me dire que de notre cour, on va voir le carré Bellerive, vous ?

— Non, madame. Je vous dirais ça si vous pouviez encore rester ici, mais ce sera pas possible…

Armand Tremblay laissa s'écouler quelques secondes avant de reprendre pour s'assurer que la locataire réalise peu à peu ce qu'il venait de sous-entendre.

— Qu'est-ce que vous voulez dire par là ? demanda Laurette, soudain inquiète. Si les cabanes de la rue Notre-Dame sont démolies, c'est sûr qu'on va voir jusqu'au carré Bellerive, de l'autre côté de la rue Notre-Dame.

— Non, madame Morin. La compagnie va aussi faire démolir toutes ses maisons de la rue Emmett et même celles de la rue Archambault.

— Mais pourquoi elle fait ça ? s'exclama-t-elle. On a toujours ben payé notre loyer.

— Je le sais bien, madame, mais le conseil d'administration a décidé que les maisons sont tellement vieilles et délabrées que ça ne vaut pas la peine de dépenser pour les remettre en état. Regardez votre maison, elle a cent treize ans, si je me trompe pas. Le terrain sur lequel les maisons sont bâties vaut cent fois plus cher.

— Mais la compagnie va en construire des neuves, non ?

— Non. Si j'ai bien compris, le gouvernement va peut-être construire un gros immeuble au coin de Fullum et Notre-Dame, et la plupart des terrains vont probablement servir de stationnement. En plus, j'ai entendu dire que la Ville veut absolument élargir la rue Notre-Dame.

— Ça a pas d'allure pantoute, cette affaire-là, déclara Laurette, alarmée. Où est-ce que le pauvre monde comme nous autres va rester ?

— Il y a d'autres loyers pas trop chers dans le quartier, madame Morin, dit le fondé de pouvoir pour la consoler. Vous finirez bien par trouver quelque chose, et en bien meilleur état, pour le même prix.

— C'est facile à dire pour vous, ça ! s'écria-t-elle, pleine de ressentiment. Ça fait presque trente-cinq ans qu'on reste ici, nous autres, on est habitués.

— J'y peux rien, madame. Vous savez que c'est pas plus drôle pour moi, ajouta-t-il, la mine sombre. Je perds mon emploi avec le déménagement de la compagnie et, à mon âge, m'en trouver un autre sera pas facile.

— Bon. Qu'est-ce qui se passe avec tout ça, maintenant? demanda Laurette pour mettre fin à l'apitoiement qui risquait de s'installer.

— Je passe aujourd'hui pour vous dire que le montant de votre loyer change pas. Il y a pas encore de date fixée pour la démolition. Votre bail de l'an passé demeure valide aussi longtemps que vous voudrez demeurer ici. Vous pouvez prendre tout votre temps pour commencer à vous chercher un autre appartement. Tout ce que je vous demande, c'est de nous prévenir une semaine à l'avance avant de partir de manière à ce que nous puissions venir sécuriser votre appartement. On voudrait pas qu'il y ait du vandalisme dans les appartements laissés vides.

— D'après vous, quand est-ce qu'ils vont démolir notre maison? demanda-t-elle, la gorge nouée.

— J'en n'ai aucune idée, madame. Ça va dépendre par quoi ils vont commencer à démolir. S'ils commencent par les gros bâtiments de la compagnie, il y a des chances que vous puissiez avoir plusieurs mois de répit. S'ils aiment mieux jeter à terre les maisons d'abord, ça peut aller pas mal vite. Disons qu'on en aura une meilleure idée pendant l'été prochain.

Sur ces mots, Armand Tremblay prit congé et alla sonner à la porte voisine. Appuyée contre le mur du couloir, Laurette ne bougea pas durant un long moment. Elle entendit Rose Beaulieu marcher à l'étage au-dessus pour aller ouvrir la porte au fondé de pouvoir de la Dominion Oilcloth.

— Tu parles d'une nouvelle, toi! Nous v'là dans la rue! dit-elle à mi-voix.

Elle retourna dans sa cuisine et s'alluma une cigarette, comme si ce geste allait lui permettre de mieux accepter la mauvaise nouvelle qui venait de lui tomber dessus. Mais pourquoi « mauvaise nouvelle » ? N'avait-elle pas juré des milliers de fois qu'un jour elle quitterait avec allégresse « cette maudite cabane où les rats étaient aussi nombreux que les courants d'air » ? Pourquoi tenait-elle tant à cet appartement où on crevait de chaleur l'été et où on gelait l'hiver ? On aurait dit qu'elle gommait de son souvenir tous ces hivers où elle avait grelotté, impuissante devant les fenêtres et les plinthes recouvertes de glace.

Elle se planta devant l'unique fenêtre de la cuisine et laissa errer son regard sur la grande cour, de l'autre côté de la clôture qui ceinturait sa cour en terre battue. Elle avait du mal à concevoir que tout cela allait disparaître. C'était son univers depuis son mariage, en novembre 1932. C'était ici qu'elle avait donné naissance à ses cinq enfants et les avait élevés. Trouver un autre appartement dans le quartier ne l'intéressait pas le moins du monde, même si elle avait vainement essayé, dix ans auparavant, pour protester contre une augmentation injustifiée de son loyer.

Il lui fallut plusieurs minutes avant de se remettre du choc. Elle finit par sortir sur le balcon pour aller enlever les vêtements maintenant secs sur sa corde à linge dans le but de les remplacer par une seconde cordée. Au moment où elle enlevait le dernier vêtement, elle entendit Rose Beaulieu la héler.

— Madame Morin ! Est-ce que monsieur Tremblay est passé chez vous ?

— Oui, madame Beaulieu. Juste avant de monter chez vous.

— Je vous dis que c'est toute une brique qui vient de nous tomber sur la tête, déclara la voisine, catastrophée. Je me demande ben comment mon Vital va prendre ça.

— Moi aussi, je me demande comment mon mari va le prendre, dit Laurette avant de rentrer dans la maison.

À la fin de l'après-midi, à son retour du port, Gérard apprit de sa femme pourquoi ils n'auraient jamais plus de bail à signer pour l'appartement qu'ils occupaient depuis plus de trois décennies.

— Ça a quasiment pas de sens une affaire comme ça, protesta-t-il. Comme si Dominion Oilcloth allait cracher sur des loyers qui lui rapportent des milliers de piastres chaque mois. On me dirait qu'on veut jeter à terre les vieilles maisons de la rue Notre-Dame, j'aurais pas trop de misère à le croire. Mais là, trois rues, plus les bâtisses de la compagnie...

— En tout cas, c'est ce que Tremblay m'a raconté.

— Je suis prêt à te gager qu'on est en train de s'énerver pour rien, dit Gérard. Rappelle-toi que ça fait au moins trois ou quatre fois qu'on nous fait accroire qu'on va tout démolir dans le coin et, chaque fois, il s'est rien fait.

— Peut-être, admit sa femme, mais souviens-toi qu'on avait toujours un bail à signer. Là, on n'a rien. Ils peuvent venir nous jeter dehors quand ils veulent et on n'a rien à dire.

— On verra ben, rétorqua Gérard, philosophe. De toute façon, c'est pas pour demain matin.

— Une chance ! s'écria Laurette. On est rendus presque à la fin d'avril. Tous les bons logements sont partis. Il reste juste les soues à cochon ou des troisièmes étages. Nous vois-tu poignés cet automne ou en plein cœur de l'été à nous chercher un logement ?

— Arrête de t'énerver pour rien. Il y a encore rien de fait, je te dis, lui conseilla son mari. Je vais aller faire un tour chez Lemieux pour savoir si quelqu'un a entendu parler de quelque chose, ajouta-t-il en suspendant la casquette de son uniforme au crochet fixé au mur, derrière la porte.

Sur ce, Gérard sortit de la maison. Laurette le regarda traverser la rue Emmett et entrer dans le dépanneur situé au coin. Son mari demeura là un bon vingt minutes avant d'en sortir, un exemplaire de *La Presse* sous le bras.

— Puis? lui demanda Laurette dès qu'il eut franchi le seuil de la porte de l'appartement.

— Rien. D'après ce que j'ai su, le bonhomme Tremblay a dit la même chose à tout le monde.

Au moment où le père de famille prenait place dans sa chaise berçante pour jeter un coup d'œil à son quotidien, la porte d'entrée s'ouvrit sur un Jean-Louis étrangement de bonne humeur.

— Tu rentres ben tard, lui fit remarquer sa mère en train d'éplucher les pommes de terre, assise au bout de la table.

— Il est juste quatre heures et demie, m'man.

— Je le sais ben, mais la banque ferme à trois heures, non?

— Je suis allé boire un café au restaurant avec quelqu'un de la banque, se contenta de dire son fils en se versant un verre de boisson gazeuse qu'il emporta dans sa chambre.

En apprenant la nouvelle, Laurette faillit laisser tomber son couteau, mais elle se garda bien de formuler une remarque tant que son fils n'eut pas refermé la porte de sa chambre.

— C'est nouveau, ça, chuchota-t-elle à son mari.

— De quoi tu parles? lui demanda Gérard en levant les yeux de son journal.

— T'as pas entendu ton garçon? demanda-t-elle à voix basse. Depuis quand il s'entend assez ben avec quelqu'un pour aller boire un café avec lui au restaurant?

— Pourquoi pas?

— J'espère juste que c'est pas un autre Jacques Cormier, fit la mère de famille, soudain inquiète. Il manquerait plus que ça ! Ça lui a pris des mois pour être d'aplomb quand l'autre l'a jeté dehors.

— Arrête donc de toujours t'inquiéter pour rien, lui dit son mari avant de replonger dans sa lecture.

Laurette avait bien tort de s'inquiéter. Son Jean-Louis était en passe de retrouver un équilibre qu'il avait perdu depuis longtemps grâce à Marthe Paradis, la nouvelle monitrice. Cette dernière avait fortement contribué à changer l'atmosphère qui régnait à la succursale de la Banque d'Épargne par sa gentillesse et sa fermeté. Quand le gérant lui avait suggéré de former Maurice Pronovost pour le poste de quatrième caissier, peu à peu le comportement du commis avait changé parce qu'il s'était vite aperçu qu'il avait trop souvent besoin de l'aide du troisième caissier, qui travaillait à ses côtés.

Jean-Louis avait commencé par faire la sourde oreille à ses appels au secours, mais il s'était rendu aux encouragements discrets de Marthe Paradis. Il avait accepté de faire taire sa rancune pour aider son détestable voisin lorsqu'il était mal pris. En l'absence de Labrie et d'un public, les railleries avaient progressivement cessé dans son dos.

Cet après-midi-là, Jean-Louis était sorti de la succursale en même temps que la monitrice.

— Si t'es pas trop pressé de rentrer chez vous, on pourrait peut-être aller boire quelque chose au restaurant au coin de Frontenac ? lui avait-elle suggéré avec un large sourire, sans aucune trace de timidité.

Un peu interloqué par cette invitation inattendue, Jean-Louis était d'abord demeuré sans voix, debout sur le trottoir.

— Est-ce que ça te tente ? avait insisté la jeune femme.

— Certain, avait-il finalement accepté, un peu mal à l'aise devant une telle invitation.

Pour la première fois de sa vie, le fils de Laurette Morin allait se retrouver en tête-à-tête avec une femme. Tout en marchant à ses côtés en direction du restaurant, il se demandait ce qu'il allait bien pouvoir dire à cette femme qu'il ne connaissait pas. Il n'eut pas à s'interroger très longtemps. Marthe était une femme toute simple et sans artifice. Dès qu'ils eurent une tasse de café devant eux, elle dirigea habilement la conversation de sorte qu'il se sentit immédiatement à l'aise en sa compagnie.

De toute évidence, elle avait fait les premiers pas parce que le troisième caissier de la succursale l'intriguait. Ce jeune homme à la mise soignée, renfermé et timide, était pour elle une énigme qu'elle désirait percer. Si elle trouva le moyen de le faire longuement parler de lui, elle ne fit aucun mystère de sa propre vie.

Lorsqu'ils se quittèrent une heure plus tard, Jean-Louis avait appris qu'elle avait trente et un ans et qu'elle venait de Rivière-du-Loup. Elle travaillait à la banque depuis onze ans et vivait seule dans un appartement de la rue Saint-Denis. Plus important encore, il avait la nette impression qu'il avait maintenant une amie capable de le comprendre, ce qui le bouleversait étrangement.

À l'heure du repas, Laurette s'empressa de raconter à ses enfants le malheur qui les frappait tous. Les réactions furent variées quand ils apprirent que la Dominion Oilcloth allait tout faire démolir.

— Au fond, m'man, ce sera pas une grosse perte, lui fit remarquer Gilles.

— Toi, tu dis ça parce que tu t'en vas rester ailleurs, lui dit sa mère, amère.

— Ben non, m'man. Mais vous vous êtes toujours plainte que la maison était vieille et pas chauffable durant l'hiver. En déménageant, vous allez certainement trouver mieux.

— Je veux ben le croire, mais ça va nous coûter combien, ce maudit déménagement-là ? Ton père fait pas un gros salaire, tu sauras.

— Je fais ben assez, protesta Gérard en lui jetant un regard de reproche.

— Il faut pas oublier, m'man, que vous avez aussi ma pension et celle de Carole, ajouta Jean-Louis sur un ton léger. Moi, ça me dérangera pas de partir. Je suis certain qu'on peut trouver quelque chose de pas trop pire en haut de Sainte-Catherine.

— C'est vrai, m'man, intervint Carole en déposant une assiette de tranches de rôti de porc sur la table. Ça va me faire mal au cœur de changer de maison, mais il y a des logements pas trop chers dans le coin où reste le frère d'André. On pourrait peut-être même trouver un cinq appartements fermés. Comme ça, on aurait un salon, comme tout le monde. Je pourrais recevoir André sans l'obliger à venir s'asseoir dans la cuisine avec toute la famille.

— De toute façon, conclut Gérard, votre mère s'énerve d'avance pour rien. Il y a encore rien de fait. Une grosse affaire comme ça, ça se fera pas du jour au lendemain.

— Vous avez raison, p'pa, approuva Gilles. On va aller au plus pressant et penser à mon oncle Armand qui déménage vendredi soir. Il faut pas oublier qu'on lui a promis d'aller lui donner un coup de main.

— Est-ce que Richard est au courant ? demanda sa mère.

— Oui, il a promis d'être là, lui aussi.

— Moi, je pourrai pas aider, reconnut Jean-Louis sans trop manifester de regret. Je finis à huit heures à la banque et j'ai pas de char pour aller vous rejoindre.

— Tu pourras toujours venir faire un tour à son logement de la rue d'Iberville après ton ouvrage, lui suggéra Gilles. Ça se peut qu'on soit encore là.

— Habillé en propre ?

— Traîne-toi du vieux linge à la banque, lui dit son père. Tu te changeras chez ton oncle.

— En tout cas, j'espère que vous partirez pas trop de bonne heure, dit Carole. J'ai promis à Louise d'aller aider, moi aussi.

Chapitre 4

Quelques imprévus

Le lendemain après-midi, Gérard rentra à la maison tout surexcité: Jean Lesage venait d'annoncer à la radio qu'il déclenchait des élections générales pour le 5 juin.

Après six années de pouvoir, le premier ministre de la province sentait le besoin d'obliger les Québécois à retourner aux urnes. Tout laissait croire que, fier des réalisations de son «équipe du tonnerre», le politicien chevronné était assuré d'obtenir facilement un autre mandat. Par ailleurs, ce n'était un secret pour personne que les nombreux changements opérés dans son conseil des ministres depuis 1960 avaient provoqué une certaine grogne chez quelques ministres libéraux. L'un d'eux, René Lévesque, ministre du Bien-Être social et des Ressources naturelles, était à couteaux tirés avec certains bonzes du parti et son chef. On disait même qu'il songeait sérieusement à quitter le gouvernement pour fonder son propre parti.

Sans avoir lu *Égalité ou indépendance*, le livre publié l'année précédente par Daniel Johnson, le chef de l'Union nationale, Gérard se déclarait ouvertement en faveur de celui qu'il considérait comme le digne successeur de son idole, Maurice Duplessis. Les idées contenues dans ce manifeste et largement débattues sur la place publique l'avaient facilement persuadé que Johnson était l'homme dont le Québec avait besoin.

— La folie des grandeurs de Lesage achève, déclara-t-il ce soir-là à Bernard Bélanger, son voisin de droite, un libéral convaincu avec qui il adorait discuter de politique.

— Énerve-toi pas trop vite, lui conseilla le gros éboueur placide. Ton Johnson est loin d'être élu. Il va encore en manger toute une, comme en 62. On dirait que t'as déjà oublié comment il a eu l'air fou au débat des chefs. Il s'est fait déculotter par Lesage. Il a eu l'air d'un vrai niaiseux. Lesage va rentrer encore plus fort. Ça peut pas faire autrement avec tout ce qu'il a fait pour la province. Pense à la réforme scolaire et à la nationalisation de l'électricité, par exemple. Tu vas t'apercevoir que le monde est pas fou. Il y a pas un gouvernement qui a fait autant que celui de Lesage pour la province.

— On voit ben que t'es rouge à plus en voir clair, se moqua Gérard. Moi, je te dis que le monde est écœuré de Lesage et de toutes ses taxes qu'il arrête pas d'augmenter. Tu vas t'apercevoir que Johnson est pas fou pantoute.

— S'il veut se faire élire, il va falloir qu'il recommence à essayer de passer des faux certificats, comme la dernière fois, se moqua le voisin en faisant référence au scandale qui avait marqué l'élection de 1962.

André Lagarde, l'organisateur en chef de l'Union nationale, avait été arrêté quelques jours avant l'élection générale pour avoir tenter de fausser les résultats. L'affaire avait fait tant de bruit qu'elle avait beaucoup contribué à la réélection de Jean Lesage.

— Là, je t'arrête. Cette crocherie-là, ça a jamais été prouvé ! Le parti a été blanchi, et tu le sais ben ! s'exclama Gérard. À partir du 5 juin, ton Lesage va avoir tout le temps qu'il veut pour faire le beau dans l'opposition, je te le garantis.

Quand l'agent de sécurité rentra à la maison quelques minutes plus tard en se frottant les mains de plaisir anticipé à la pensée de la lutte électorale qui promettait d'être chaude et pleine de rebondissements, sa femme ne put s'empêcher de lui faire remarquer d'une voix acide:

— Tu t'excites ben pour rien. Ils vont encore nous endormir avec toutes leurs belles promesses et le lendemain des élections, ils se souviendront plus de rien.

— C'est pas vrai avec l'Union nationale, dit Gérard avec force.

— Arrête donc, toi! fit-elle. Ton Johnson va être comme les autres. En plus, tu vas même pas voter le jour des élections, ajouta-t-elle, sarcastique.

— Peut-être, mais je paie des impôts, taboire! Et ça me donne le droit de dire ce que je pense, la rabroua son mari avant de s'asseoir dans sa chaise berçante.

Le lendemain soir, Laurette vit Richard et Jocelyne descendre de leur voiture arrêtée devant sa porte.

— De la visite en pleine semaine, c'est pas mal rare, ça, ne put-elle s'empêcher de dire avant de leur ouvrir la porte.

La femme de Richard avait l'air aussi excitée que son mari quand Laurette les fit passer dans la cuisine où Gérard regardait les informations à la télévision. À la vue des visiteurs, il se leva pour aller éteindre l'appareil.

— Ben non, p'pa, dérangez-vous pas pour nous autres, lui dit Richard en s'assoyant aux côtés de sa femme, près de la table.

— Qu'est-ce qui se passe? lui demanda sa mère, intriguée. C'est rare qu'on vous voit dans la semaine.

— On a une grande nouvelle à vous annoncer, dit Richard dont les yeux brillaient d'excitation.

— T'attends un petit, dit Laurette, pleine d'espoir, à sa bru.

— Ben non, madame Morin, répondit Jocelyne. Ce sera pas encore pour tout de suite.

— C'est quoi, votre nouvelle ? demanda Gérard.

— J'ai lâché MacDonald Tobacco cet après-midi pour me lancer en affaires, déclara Richard d'une voix enthousiaste.

— Dis-moi pas que t'as perdu ta *job* ! s'exclama sa mère, catastrophée.

— Ben non, m'man, protesta son fils. Vous avez pas compris. J'ai lâché ma *job* exprès pour me lancer dans les affaires.

— Dans les affaires ? Quelles affaires ?

— J'ai acheté deux gros *trucks* hier et j'ai déjà engagé trois chauffeurs.

— Pour faire quoi ?

— Pour transporter de la terre, m'man, vingt-quatre heures sur vingt-quatre. Ça faisait longtemps que ça me trottait dans la tête cette histoire-là. Il y a de l'argent à faire en masse avec le métro et l'Expo. J'ai trouvé deux vieux *trucks* que j'ai fait inspecter par un bon mécanicien et j'ai fait une offre. Le bonhomme qui les avait est malade. Il me les a vendus un bon prix pour s'en débarrasser au plus vite. J'ai sauté sur ma chance. Après ça, je suis allé voir le député et je lui ai demandé s'il pourrait pas m'avoir un contrat pour transporter de la terre.

— Puis ? lui demanda son père.

— Il était mal placé en maudit pour me dire non, p'pa. J'ai travaillé pour lui à chacune de ses élections. Je travaille même déjà pour lui pour l'élection qui s'en vient. J'ai commencé à faire poser ses pancartes sur les poteaux avec toute une équipe de jeunes que j'ai engagée.

— Maudit que t'as l'air de commencer gros, lui fit remarquer sa mère. Deux *trucks*, on rit pas.

— Pas tant que ça, m'man, répondit le jeune homme, tout fier de son nouveau statut de propriétaire de camions.

— Est-ce que ça veut dire que t'as un contrat ? lui demanda son père.

— Oui. Un bon, à part ça.

— Mais comment tu vas payer ces *trucks*-là ? lui demanda sa mère, soudainement inquiète.

— Ils vont presque se payer tout seuls, m'man. C'est ça le plus beau de l'affaire. En plus, oubliez pas que ça fait douze ans que je travaille. J'ai eu le temps d'en mettre pas mal de côté. La même chose pour Jocelyne. Il a fallu qu'on vide notre compte de banque, mais on va arriver.

— Il reste pareil que c'est pas ben prudent d'avoir fait ça, intervint Jean-Louis qui venait de sortir de sa chambre et qui avait entendu les explications de son jeune frère.

— T'as peut-être raison, répondit Richard, mais à force d'être prudent, on n'arrive jamais à rien. C'est pas en continuant à travailler chez MacDonald Tobacco que je vais me faire de l'argent.

— Vous pensez être capables de vivre avec ce que vont rapporter vos *trucks* ? demanda Laurette, sceptique.

— D'après votre garçon, on va être capables, madame Morin, répondit Jocelyne. Mais moi, j'aime autant pas prendre de chance pour tout de suite et je garde ma *job*. Richard va conduire un des *trucks* douze heures par jour. Le reste du temps, ce sont ses hommes engagés qui vont les faire rouler.

— Et ça se pourrait même que j'en achète un troisième avant la fin de juin si tout marche ben, reprit son mari d'un air avantageux. J'en ai déjà aperçu un qui me tente pas mal.

— Et celui-là, comment tu vas le payer ? lui demanda Jean-Louis, sidéré par l'aplomb de son frère cadet.

— En me servant des deux autres comme garantie, cette affaire !

— Oui, mais l'Expo et le métro, ça durera pas une éternité, plaida sa mère, pas encore convaincue.

— Après ça, il y aura toujours la possibilité de travailler pour le pont-tunnel. Les chantiers manquent pas à Montréal, m'man. Il paraît qu'il y a un gros centre d'achats qui va ouvrir à ville d'Anjou et quelqu'un m'a même dit qu'on va creuser d'autres stations pour le métro. L'ouvrage est pas près de manquer.

— Arrête ! Tu m'étourdis, lui ordonna Laurette.

— Je suis même sûr que j'aurai pas longtemps à conduire moi-même un de mes *trucks*. Je vais avoir trop d'ouvrage à faire au bureau.

— Sais-tu que je suis en train de me demander si tu réussiras pas aussi ben que ton oncle Rosaire, dit son père, tout fier de voir l'un des siens être aussi entreprenant.

— Ce sera pas ben difficile, se vanta son fils. Je suis allé le voir pour lui dire que j'arrêtais d'aller travailler au garage le samedi et je vous dis que c'était pas mal tranquille. Il me semble qu'il vend pas mal moins qu'il vendait dans le temps.

— Sois tout de même prudent avec cette affaire-là, lui recommanda sa mère, pas du tout rassurée.

— Inquiétez-vous pas, m'man, fit Richard. Je vous promets de venir vous faire faire un tour dans un de mes *trucks* aussitôt que j'aurai une minute de libre, ajouta-t-il en se levant.

— Pourquoi pas ? fit son père. Mais moi, j'aime autant te dire tout de suite que les chars m'intéressent pas mal plus que les *trucks*.

— Tiens ! C'est nouveau, ça, dit sa femme, intriguée.

— Pourquoi ? Je suis pas plus fou qu'un autre, cybole ! Moi aussi, j'haïrais pas ça en conduire un.

— Ah ben, j'aurai tout entendu ! s'exclama-t-elle. Es-tu tombé sur la tête, Gérard Morin ? T'es rendu à cinquante-six ans, bonyeu! Veux-tu ben me dire ce que tu ferais avec un char? T'en as jamais eu! Comme si on n'avait pas ben d'autres choses à acheter.

— Ben, imagine-toi donc que ça me tenterait, répliqua sèchement son mari.

Au moment où le jeune couple allait quitter l'appartement de la rue Emmett, Gérard rappela à son fils sa promesse de venir aider au déménagement de son oncle Armand, le vendredi suivant.

— Je l'ai pas oublié. Je vais m'organiser pour être là, promit Richard.

Dès que la porte de l'appartement se fut refermée sur les visiteurs, Laurette ne put s'empêcher de s'écrier:

— Maudit qu'il m'énerve, cet enfant-là! Je veux ben croire que c'est beau d'avoir de l'ambition, mais de là à se garrocher la tête la première comme il le fait, ça m'inquiète.

— Pas moi, dit son mari en retirant ses chaussures, assis sur le bord du lit. Il a beau être un peu foufou, il a une tête sur les épaules et il a pas peur de travailler.

Le vendredi soir suivant, Gérard, Laurette et Carole s'entassèrent dans la Toyota de Gilles qui alla stationner sa voiture derrière un vieux camion Ford dont le hayon arrière avait été rabattu. Depuis une dizaine de minutes, une petite pluie fine s'était mise à tomber.

— Je te dis qu'Armand a ben choisi son temps pour déménager, dit Laurette avec humeur en descendant de voiture.

— J'espère juste que ton frère a prévu des plastiques pour couvrir ses affaires dans le *truck*, répliqua son mari. S'il en a pas, ses matelas et ses boîtes vont y goûter.

— Vous savez ben que ma tante Pauline a dû penser à tout ça, p'pa, lui fit remarquer Carole en se dirigeant déjà vers la porte qui conduisait à l'escalier intérieur au haut duquel était situé l'appartement que s'apprêtaient à quitter les Brûlé.

Au même instant, Richard vint ranger sa Pontiac blanche derrière la voiture de son frère.

— Je pensais que tu viendrais avec un de tes deux *trucks*, dit Gilles à son frère au moment où il descendait de voiture en compagnie de Pierre Crevier.

— Je pouvais pas. Ils charrient de la terre. C'est un de mes chauffeurs qui a pris ma place pendant que je suis ici. En tout cas, on est aussi ben de se grouiller avant de se faire mouiller jusqu'aux os.

— On y passera pas la nuit, tu vas voir, le rassura Gilles en adressant un signe de la main à son beau-frère, Pierre.

— Et Cyr, lui, ça lui tentait pas de venir nous donner un coup de main ? demanda Richard à Carole.

— Il était occupé à soir, se contenta de lui répondre sa cadette, sans plus d'explication.

— C'est vrai que pour un chômeur, c'est un gars pas mal occupé, se moqua Richard.

— Bon. On est aussi ben de monter et de commencer si on veut en finir à soir, dit leur père.

— C'est ça, les bavards, grouillez-vous pour monter, leur suggéra Bernard Brûlé dont la grosse figure rieuse venait d'apparaître à l'une des fenêtres de la façade. Il y a de l'ouvrage ici dedans pour tout le monde.

En moins d'une heure, les gros meubles furent descendus dans la benne du camion emprunté par Armand et soigneusement protégés par de vieilles couvertures. Pierre Crevier, le plus costaud de la famille, se chargea successivement du réfrigérateur, de la cuisinière électrique et de la laveuse avec l'aide de Gilles.

— Maudit, mon oncle Armand, il me semble que vous auriez pu vous louer des courroies pour descendre les gros meubles, fit remarquer Gilles, en sueur, après avoir peiné pour transporter en bas un énorme réfrigérateur Roy. Il y a pas de prise après ce frigidaire-là.

— Il y a rien de pire que ces sacrifices de pousse-crayons-là, lança Bernard Brûlé, hilare. Aussitôt que tu leur demandes un petit effort, ils râlent comme si tu leur arrachais une dent.

La remarque était d'autant plus amusante que le gros homme n'avait pas soulevé le moindre objet depuis qu'il était entré dans l'appartement. De toute évidence, il avait décidé d'apporter un soutien moral à son frère aîné plutôt qu'une aide effective.

— Surtout, donne-toi pas un tour de rein, toi, dit Gérard en passant près de lui, tenant difficilement l'une des extrémités d'un bureau triple.

— Parlez-moi pas de la Christ de mode des meubles de style espagnol, jura Richard en train de s'escrimer à l'autre extrémité du lourd bureau en noyer. Ça pèse une tonne, ces maudites cochonneries-là !

— Toi, surveille ta langue sale, le menaça sa mère qui l'avait entendu.

Richard ne répliqua pas. Il se contenta de dire à ses cousines Louise et Suzanne qui cherchaient à l'aider à transporter la commode :

— Laissez faire, les filles. C'est ben trop pesant pour vous autres. Si vous lâchez dans l'escalier, ça va nous déséquilibrer et c'est moi qui va me faire écrapoutir comme une crêpe en dessous.

— Et ça arrangera pas ton genre de beauté, se moqua Carole en train de placer dans une boîte les derniers morceaux de vaisselle.

— Une chance qu'on s'en va dans un premier, fit remarquer la tante Pauline. Ça va être pas mal moins forçant pour les hommes quand ils vont décharger, tout à l'heure.

— Et ton ménage, là-bas? lui demanda Laurette, qui l'aidait à ranger les derniers vêtements tirés de la penderie de sa chambre à coucher.

— On a tout repeinturé. Avec les filles pour nous aider, ça s'est fait vite. En trois jours, tout était parfait. Tu vas voir tout à l'heure... Ça va peut-être te donner le goût, à toi aussi, de déménager.

Quelques jours plus tôt, Laurette lui avait appris au téléphone son expulsion prochaine de l'appartement que les Morin habitaient depuis si longtemps.

Au moment où les apprentis déménageurs décidaient de faire la chaîne pour charger toutes les boîtes et les petits objets entassés encore dans l'appartement, Jean-Louis arriva sur les lieux.

— Tiens, v'là de l'aide qui arrive, claironna Bernard Brûlé, qui venait de choisir de se placer en tête de la chaîne, sachant pertinemment que c'était là le poste le moins éreintant.

— T'aurais pas dû, dit Pauline à son neveu. Tu dois être pas mal fatigué après ta journée d'ouvrage.

— Ben non, ma tante, ça va lui faire juste du bien de faire un peu d'exercice, intervint Richard. Viens-t'en dans la boîte du *truck* avec moi, dit-il à son frère aîné. À deux, on sera pas de trop pour placer tout ce qu'ils vont descendre.

La chaîne se mit progressivement en marche dès que Jean-Louis eut revêtu ses vieux vêtements. La petite pluie du début de la soirée s'était transformée en averse un peu plus forte. Malgré tout, à neuf heures, Pauline et son mari firent une dernière inspection de l'appartement qu'ils abandonnaient pour s'assurer qu'ils n'avaient rien oublié. Laurette finissait de balayer les pièces au moment où son frère annonçait qu'ils pouvaient partir.

Ce dernier verrouilla les portes et laissa ses clés au voisin du rez-de-chaussée avant de prendre le volant du camion.

— Roule pas trop vite, lui conseilla son frère Bernard en montant à ses côtés. On a beau avoir ben enveloppé tes meubles, il faut pas s'arranger pour en perdre en chemin.

Les Morin montèrent dans les voitures de Richard et de Gilles, et suivirent le camion qui tressautait chaque fois que le conducteur ne parvenait pas à éviter un nid-de-poule.

— Il va finir par échapper quelque chose, prédit Richard dont la Pontiac suivait de près le camion.

— Moi, j'ai ben plutôt l'impression que l'oncle Armand et ses filles vont coucher sur des matelas pas mal mouillés, dit Pierre Crevier qui riait, en montrant à sa belle-mère assise sur la banquette arrière, les trois matelas sur lesquels la pluie tombait.

— Comment ça se fait que ça a pas été couvert ? demanda-t-elle.

— On a mis une toile dessus, répondit Richard, mais elle a pas tenu.

Il fallut tout de même près de deux heures pour tout transporter à l'intérieur du nouvel appartement qu'allaient occuper les Brûlé, coin Rouen et Parthenais. Les parents venus les aider ne se contentèrent pas de transporter toutes leurs affaires à l'intérieur, ils prirent le temps de placer correctement les meubles et participèrent à vider une cinquantaine de boîtes d'effets personnels. À onze heures trente, tout était terminé.

— Vous bougez pas d'ici avant que je revienne, ordonna Armand. Pauline a commandé quelque chose au restaurant. Je vais le chercher. J'en ai pour cinq minutes.

— Et le *truck* ? s'inquiéta son frère Bernard.

— Je l'ai emprunté à Parenteau. Il va venir le chercher lui-même demain matin. On n'a pas à s'inquiéter pour ça.

Quelques minutes plus tard, Armand Brûlé revint, portant un paquet impressionnant de boîtes en polystyrène.

— Approchez de la table, tout le monde, commanda Pauline qui venait d'étendre une nappe. Louise, apporte des ustensiles et des assiettes. On n'est pas pour manger dans ces boîtes-là.

— J'ai commandé des *fish'n chip*, annonça-t-elle à la cantonade. J'aurais mieux aimé des *club sandwichs*, mais c'est vendredi. On mange pas de viande.

— Verrat ! jura Laurette tout bas. C'est ben ma chance ! Je peux pas sentir le poisson ! On aurait pu attendre une demi-heure de plus. À minuit, on aurait pu manger un bon *club sandwich*.

Cependant, elle s'efforça de faire bonne figure et mangea toutes les frites, laissant de côté les morceaux de poisson enrobés de pâte.

Par un hasard étrange, ce soir-là, c'est aussi une sorte d'emménagement qui finit par faire sortir le curé Perreault de ses gonds, au presbytère de la paroisse Saint-Vincent-de-Paul.

— Veux-tu bien me dire ce qu'il a à bardasser comme ça ? s'exclama Damien Perreault en levant les yeux vers le plafond de son bureau situé sous la chambre de son unique vicaire.

Depuis quelques minutes, d'étranges bruits de meubles déplacés ne cessaient de le faire sursauter. C'était au point où il craignait que le plafond ne finisse par lui tomber sur la tête.

Le prêtre, maintenant âgé de soixante-six ans, n'avait rien perdu de sa superbe et de son caractère intransigeant. Le grand et gros ecclésiastique était demeuré l'homme d'Église hautain et sévère qui savait intimider son monde. Ultraconservateur dans l'âme, il dirigeait toujours les destinées de sa paroisse de la même main de fer que vingt-deux ans plus tôt, quand on l'avait nommé à son poste. Ce fils d'une famille aisée d'Outremont avait d'ailleurs toujours jugé indigne de ses capacités exceptionnelles d'administrateur cette cure dans un pauvre quartier ouvrier. Au fil des années, il avait fini par croire que certaines personnes lui nuisaient volontairement à l'archevêché et il en était très amer.

Quatre ans plus tôt, l'abbé Laverdière avait finalement accepté un poste de professeur de latin au collège de l'Assomption et, au début de l'année, l'abbé Dufour avait dû quitter son ministère à la paroisse Saint-Vincent-de-Paul pour aller seconder le curé Grenier à Saint-Paul-Apôtre.

Depuis qu'on lui avait enlevé son second vicaire au mois de janvier précédent, sous le prétexte d'un manque de prêtres, le curé Perreault ne laissait guère passer une semaine sans déplorer la baisse alarmante de vocations sacerdotales dans le diocèse. Le cardinal Léger ne lui avait laissé que Serge Vermette, un jeune vicaire ordonné trois ans auparavant.

— En v'là toute une aide, se plaignait-il parfois au curé Mondou de la paroisse Saint-Eusèbe. J'arrête pas de reprendre ce qu'il fait de travers. C'est à se demander ce qu'on leur montre aujourd'hui au Grand Séminaire.

En fait, il ne fallait pas être trop fin observateur pour se rendre compte que le digne curé Perreault souffrait de plus en plus d'un bien vilain défaut appelé communément la jalousie. Au fil des semaines, sa tolérance à l'égard des idées avant-gardistes et de la popularité grandissante de son jeune vicaire, converti à toutes les innovations prônées par le concile Vatican II, s'amenuisait. Avec une certaine amertume, il s'était progressivement rendu compte que beaucoup de fidèles préféraient maintenant assister à la messe célébrée par le jeune abbé plutôt qu'à la sienne. D'ailleurs, il était évident qu'on aimait mieux ses homélies. Quand il s'en était ouvert à Hector Mondou, ce dernier avait cherché à le rassurer en lui disant :

— Tu t'inquiètes pour rien. C'est l'attrait de la nouveauté. Il est jeune et « dans le vent », comme ils disent. Ça va passer.

Pourtant, cet engouement pour le jeune prêtre, loin de diminuer, prenait de plus en plus d'ampleur. Le curé Perreault en était presque au point où il allait demander à l'archevêché un changement d'obédience pour son vicaire. Mais quelle raison évoquer ? La seule qui se rapprocherait de la vérité serait une incompatibilité d'humeur, mais là, il perdrait la face parce qu'on croirait qu'il était devenu incapable de s'imposer à un jeune homme.

Les bruits à l'étage reprirent de plus belle. Alors, Damien Perreault déposa le document qu'il était en train de lire sur son bureau, se leva et quitta la pièce. Il monta à l'étage en fulminant, bien décidé à savoir ce qui se passait dans la chambre de son vicaire. Arrivé devant sa porte, il frappa. Cette dernière s'ouvrit sur un jeune homme au visage agréable, vêtu d'un col roulé noir et d'un pantalon gris anthracite.

— Voulez-vous bien me dire, l'abbé, ce que vous êtes en train de faire ? lui demanda sèchement son supérieur. Cherchez-vous à me faire tomber le plafond sur la tête ?

— Je vous demande pardon, monsieur le curé. Je vous pensais pas encore dans votre bureau. Je suis en train de changer les meubles de place avant de partir.

— Pourquoi ?

— Juste pour faire changement.

— Vous pouviez pas attendre demain matin pour faire ça ? reprit Damien Perreault d'une voix sévère.

— C'est ce que j'aurais fait, monsieur le curé, si j'avais été là demain. Mais je pars dans cinq minutes pour aller coucher au chalet de ma sœur. C'est ma journée de congé, demain.

Le curé examina son vicaire d'un œil critique.

— Avez-vous l'intention d'aller là habillé comme ça ?

— Oui. Pourquoi vous me demandez ça ?

— Il me semble que vous avez pas trop l'air d'un prêtre ?

— Je peux tout de même pas aller là en soutane, monsieur le curé, fit remarquer en riant Serge Vermette. Demain, je suis supposé travailler toute la journée sur son terrain.

— Ça fait rien. J'aimerais tout de même mieux que vous portiez au moins votre col romain quand vous vous éloignez du presbytère. Ça fait plus digne et les gens vous respectent plus.

— Ils ne sont pas très propres, expliqua l'abbé en lui montrant les deux cols déposés sur sa commode.

— Je peux toujours vous passer un des miens, même s'il va être un peu trop grand pour vous, offrit Damien Perreault.

— Je vous remercie, monsieur le curé, je vais me débrouiller, répondit le jeune prêtre, nullement intimidé par la critique de son supérieur.

— Bon. Je vous laisse.

Moins d'un quart d'heure plus tard, le curé de la paroisse Saint-Vincent-de-Paul entendit son vicaire dévaler l'escalier et il se précipita vers la porte de son bureau pour vérifier s'il avait pris en compte sa suggestion. Il ne fut pas assez rapide. Au moment où il parvenait au seuil de la pièce, la porte menant au garage où étaient stationnées les voitures claquait bruyamment.

Damien Perreault entendit le bruit du moteur de la petite Corvair de Serge Vermette s'emballer. La porte du garage fut ouverte, puis refermée, et l'immeuble à un étage en pierre et brique situé coin Fullum et Sainte-Catherine retomba dans le silence. Avant de retourner dans son bureau, le curé monta à l'étage, poussé par la curiosité. Il ouvrit la porte de la chambre du jeune prêtre et alluma le plafonnier. Il découvrit avec stupéfaction les deux cols romains abandonnés sur la commode.

— C'est ce qu'on appelle parler pour rien, dit-il à haute voix, avec humeur. Quand il va revenir, lui, je vais lui mettre les points sur les «i». Je vais lui faire comprendre qu'un prêtre, ça va pas courailler le soir habillé en laïc. Et si ça fait pas son affaire, il ira se plaindre à l'archevêché. Il y a tout de même des limites. C'est moi qui dirige ici et il viendra pas faire la loi dans mon presbytère.

Chapitre 5

Le visiteur

Trois semaines plus tard, Laurette décida de passer au presbytère pour aller chercher le baptistère de son petit-fils Denis qui devait commencer à fréquenter l'école Champlain au mois de septembre suivant. La grand-mère avait proposé à sa fille de se charger de cette corvée pour lui éviter d'avoir à s'y présenter avec une petite Sophie grippée.

— C'est pas nécessaire, m'man, se défendit Denise. Ça fera pas mourir la petite si je l'amène là. Il fait chaud dehors.

— Ben non. Reste à la maison. Moi, ça va me faire du bien de faire une petite marche et, en même temps, ça va me permettre de voir la petite en arrêtant chez vous.

Dans les circonstances, la quinquagénaire faisait preuve d'une belle abnégation. Elle n'avait jamais oublié sa rencontre houleuse avec le curé Perreault près de quinze ans plus tôt. C'était la dernière fois où elle avait mis les pieds au presbytère de sa paroisse. En cette occasion, le curé Perreault l'avait menacée de ne pas lui accorder l'absolution de ses fautes en confession si elle continuait à prendre des précautions pour éviter d'être enceinte. Il avait bêtement refusé de tenir compte qu'elle avait déjà cinq enfants à nourrir et qu'elle approchait de la quarantaine. Folle de rage, la mère de famille avait alors osé élever la voix pour lui dire qu'elle irait se confesser ailleurs. Depuis, l'homme d'Église n'avait pas plus oublié cette scène pour le moins désagréable qu'elle, et cela paraissait clairement chaque fois qu'il l'apercevait à l'église.

Après le dîner, Laurette alla passer une robe fleurie qui la boudinait un peu et vérifia dans le miroir si la permanente Toni administrée par Carole, la veille, lui faisait une belle tête. Rassurée par ce qu'elle voyait, elle prit son sac à main, vérifia s'il contenait son trousseau de clés et son porte-monnaie, et se dirigea vers le presbytère de la rue Sainte-Catherine.

Pour sa plus grande satisfaction, ce fut l'abbé Vermette qui la reçut. Le jeune prêtre l'accueillit avec un large sourire et se fit un plaisir de lui remettre le document qu'elle désirait. Moins de dix minutes plus tard, soulagée d'avoir pu éviter un tête-à-tête avec le curé Perreault, elle quitta le presbytère avec le certificat de naissance de son petit-fils.

— Parle-moi d'un prêtre à la mode comme ça, dit-elle à sa fille en lui remettant le baptistère. Toujours le sourire et jamais une remarque désagréable ! C'est ben de valeur que le curé soit pas comme ça. Lui, il y a quelqu'un qui a oublié de lui dire qu'on attirait pas les mouches avec du vinaigre, bonyeu !

Il y eut un court moment de silence entre les deux femmes avant que Laurette reprenne la parole.

— Le maudit vieux gnochon ! ne put-elle s'empêcher d'ajouter. Fallait-il être assez bête pour pas comprendre qu'une mère de famille qui a cinq enfants et qui a fait deux fausses couches en plus est rendue au bout du rouleau ?

— Voyons, m'man ! fit son aînée, surprise d'entendre ce type de remarque dans la bouche de sa mère.

— Oublie ce que je viens de dire, se reprit Laurette, gênée de s'être laissée aller devant sa fille. Mais il reste quand même que moi, je suis pas pantoute contre la façon de faire des jeunes prêtres. Ils sont peut-être pas tous comme notre abbé Vermette, mais ils me semblent moins bêtes que les anciens prêtres. Ils sont plus parlables, bonyeu ! On a l'impression qu'ils sont du vrai monde.

Quelques minutes plus tard, elle décida de rentrer à la maison après s'être assurée que la petite Sophie prenait du mieux. Elle quitta l'appartement de la rue Frontenac et se dirigea sans se presser vers l'ouest, rue Notre-Dame. Elle emprunta Fullum et tourna au coin de la rue Emmett. Cinq maisons plus loin se trouvait son appartement. Il faisait doux et chaud. Une petite brise soulevait un peu la poussière tout en rafraîchissant l'atmosphère.

La mère de famille ouvrit son sac à main un peu avant d'arriver devant sa porte pour y prendre son trousseau de clés. Au moment où elle allait introduire sa clé dans la serrure, elle remarqua, stupéfaite, que la porte d'entrée était entrouverte.

— Mais voyons donc, bout de viarge ! Je l'ai barrée avant de partir, cette porte-là ! s'exclama-t-elle en la poussant pour entrer chez elle.

Au moment où elle posait le pied dans le couloir, elle entendit un bruit en provenance de sa chambre à coucher, sur sa droite. Elle s'immobilisa, le cœur battant la chamade. Qui était chez elle ? Ce ne pouvait pas être Gérard, il travaillait. Certainement pas l'un de ses enfants, ils travaillaient, eux aussi. Qui avait le front de venir fouiller dans ses affaires ?

Son sang bouillant ne fit alors qu'un tour. Elle renonça à perdre une seconde de plus à s'interroger plus longtemps sur l'identité du visiteur. Folle de rage, elle fit trois pas supplémentaires et se planta devant la porte ouverte de sa chambre à coucher d'où semblaient provenir les bruits qui l'avaient alertée. Elle découvrit alors son lit jonché de tiroirs de bureau renversés.

Levant la tête, elle aperçut alors un grand jeune homme au visage glabre et à l'épaisse tignasse rousse penché au-dessus du contenu de l'un des tiroirs qu'il venait de renverser sur le lit. Le voleur, manches retroussées et cigarette au coin de la bouche, était si concentré par son travail qu'il ne remarqua même pas sa présence dans l'embrasure de la porte.

Une colère folle aveugla la locataire des lieux à la vue de ce spectacle.

— Ah ben, mon écœurant, par exemple ! s'écria-t-elle, bloquant la porte de sa masse imposante.

Le voleur, surpris, chercha fébrilement quelque chose sur le dessus de la commode. Au moment où il allait s'en emparer, Laurette découvrit qu'il s'agissait d'un pied-de-biche, l'outil dont il s'était probablement servi pour forcer la porte d'entrée.

L'homme ne fut pas assez rapide. Elle plongea sur l'instrument et le jeta au fond de la pièce avant de l'agripper par le devant de sa chemise avec une poigne d'acier. Avant même que l'inconnu ait le temps de réagir, elle lui flanqua une gifle qui lui fit plier les genoux. Pour le second coup, elle prit la peine de fermer le poing, et le voleur perdit l'équilibre et se retrouva étendu, les quatre fers en l'air, sur le lit, au milieu de tout ce qu'il y avait projeté.

— Ôte-toi de là, mon bâtard ! hurla Laurette, en proie à une fureur noire en le relevant après l'avoir empoigné de nouveau. Il manquerait plus que tu me salisses mon couvre-pied !

Le voleur saignait du nez et le côté gauche de son visage portait l'empreinte d'une main.

— T'as juste à appeler la police, dit-il en se secouant pour se libérer de la poigne de la femme.

— Je l'appellerai tout à l'heure, quand ça me tentera, lui jeta Laurette à la face. Tu vas d'abord me remettre cette chambre-là en ordre, et pas plus tard que tout de suite ou je t'étrangle, mon enfant de chienne ! Je vais t'apprendre à venir voler le pauvre monde, moi. Envoye ! Grouille !

Sur ces mots bien sentis, elle le projeta vers l'avant. Le visage de Laurette était si terrifiant que l'autre cessa de lui résister de crainte qu'elle passe aux actes.

— Replie-moi mon linge et remets-le dans chacun des tiroirs, lui ordonna-t-elle en lui décochant une sévère bourrade. Et arrange-toi pour pas le tacher avec du sang.

Le jeune homme ne se fit pas répéter l'invitation. Il se mit à placer du mieux qu'il pouvait le contenu de chaque tiroir à sa place avant de remettre celui-ci dans le meuble. Les bras croisés sur son ample poitrine et le regard en feu, Laurette l'observait, se contentant, de temps à autre, de lui crier : « Pas là ! » ou « Mieux que ça ! » pour l'inciter à travailler plus soigneusement.

Il fallut au voleur une bonne quinzaine de minutes pour remettre de l'ordre dans la chambre. Quand il eut fini, Laurette lui ordonna, l'air toujours aussi mauvais :

— À cette heure, tu vas aller remettre de l'ordre dans les autres appartements où t'es passé.

— Je suis pas allé ailleurs.

— On va aller voir ensemble, décida-t-elle en l'empoignant.

Elle le traîna par le bras à travers l'appartement pour vérifier s'il avait dit vrai. Lorsqu'elle fut convaincue qu'il ne lui avait pas menti, elle s'arrêta dans la cuisine, près de son téléphone, prête à le décrocher. Le voleur malmené n'en menait pas large. Il n'éprouvait plus aucune sensation dans le bras qu'elle tenait.

Finalement, Laurette changea d'avis. Elle lâcha le bras du jeune inconnu pour l'attraper rudement par le collet.

— Vide tes poches sur la table, lui ordonna-t-elle.

L'individu obtempéra à contrecœur. Il déposa sur la table de cuisine un vieux porte-monnaie au cuir fatigué et une patte de lapin grisâtre retenant deux ou trois clés. Sans le lâcher, Laurette ouvrit le portefeuille et découvrit une carte d'identité.

— C'est toi ça, Guy Monette ? lui demanda-t-elle rudement.

L'autre ne répondit pas.

— Veux-tu ma main sur la gueule pour t'aider à me répondre ? dit-elle, menaçante, en levant la main.

— Oui, c'est moi, répondit le jeune homme, définitivement dompté.

— Ben, écoute-moi ben, Guy Monette de la rue Moreau, reprit-elle en approchant dangereusement son visage de celui du voleur. Si jamais je te revois la face dans le coin, mes gars vont t'arranger le portrait au point que ta propre mère te reconnaîtra pas. Tu m'entends ?

— …

— Tu m'entends ? lui hurla-t-elle dans les oreilles.

— Ben oui. Je suis pas sourd.

— À cette heure, débarrasse-moi le plancher. J'ai assez vu ta face de rat ici dedans, ajouta-t-elle en le poussant de plus belle le long du couloir.

Parvenue à la porte d'entrée, elle l'ouvrit d'une main et propulsa son visiteur indésirable à l'extérieur de son appartement à l'aide d'une solide gifle derrière la tête. Ce dernier, tout étourdi, franchit le seuil à une vitesse bien supérieure à celle qu'il avait prévue. Il ne rattrapa son équilibre qu'en se retenant à une voiture stationnée sur le bord du trottoir, en face de la porte.

— Maudite vieille folle ! lui hurla-t-il.

Quand il la vit faire un pas hors de son appartement, prête à se jeter sur lui, le voleur jugea plus prudent de détaler précipitamment.

Laurette rentra chez elle et referma la porte. Secouée par ce qu'elle venait de vivre, elle s'alluma une cigarette en tremblant. Pendant un long moment, elle se demanda si elle avait bien fait de ne pas faire venir les policiers pour procéder à l'arrestation du voleur. Mais à la pensée de tous les tracas que cela lui aurait apportés, elle se persuada qu'elle avait choisi la bonne solution.

Lorsqu'elle apprit à Gérard et à ses enfants ce qu'elle avait fait en découvrant un voleur dans la maison à son retour de chez Denise, la stupeur se lut sur tous les visages. Gilles se leva brusquement de table pour aller constater les marques laissées sur le cadrage de la porte d'entrée par le pied-de-biche utilisé par l'homme.

— Vous êtes pas sérieuse, m'man ! s'exclama Carole, horrifiée. Des plans pour vous faire tuer !

— Tiens, j'ai gardé sa *crow bar* comme souvenir, dit Laurette, fière d'elle, en exhibant l'outil qu'elle avait rangé dans le bas de l'armoire.

— Tabarnouche, m'man ! Vous auriez jamais dû faire une affaire pareille, la sermonna Gilles.

— Gilles a raison, m'man, reprit Jean-Louis en considérant la lourde barre à clou en fer. Il aurait pu vous tuer avec une affaire comme ça.

— J'aurais ben voulu voir ça ! s'exclama Laurette. Tu sauras, mon petit gars, que l'homme qui va me faire peur est pas encore au monde.

— As-tu fini de jouer la Tarzan ? lui demanda Gérard, excédé. Ce que t'as fait là était pas intelligent pantoute. T'aurais pu te faire estropier par ce *bum*-là. Ça t'aurait ben avancée. Maudit, des fois, Laurette, je me demande à quoi tu penses ?

L'humeur de sa femme changea immédiatement et son visage se rembrunit.

— Je pense que je resterai jamais les bras croisés quand quelqu'un va venir me voler chez nous. Maudit verrat! On est pauvres comme la gale. Il manquerait plus qu'on se laisse voler, à cette heure.

Les jours suivants, l'histoire fit le tour de la famille. Armand et Bernard n'eurent aucun mal à reconnaître la sœur intrépide qu'ils avaient toujours connue quand on leur décrivit la scène. Pour sa part, Colombe Nadeau, la belle-sœur de l'héroïne, se contenta de dire sur un ton horrifié au téléphone:

— Mon Dieu, Laurette, tu es incroyable! Si maman vivait encore, elle aurait bien eu une syncope en t'écoutant raconter une affaire semblable.

— Que ta mère ait eu une syncope ou pas, avait dit Laurette à son mari après avoir raccroché, ça m'aurait pas fait un maudit pli! Viarge que ta sœur ressemble à ta mère en vieillissant! avait-elle ajouté. Et je peux te dire que c'est pas un compliment que je lui fais là.

Gérard n'avait rien dit pour ne pas jeter inutilement de l'huile sur le feu. Les relations entre Laurette et Colombe n'avaient jamais été particulièrement chaleureuses, surtout depuis le décès de Lucille Morin en 1961. Sa femme avait toujours été persuadée que Colombe avait accaparé tout l'héritage de la vieille dame.

— Elle avait plus rien depuis des années, lui avait répété mille fois son mari. C'est Rosaire et Colombe qui payaient la plus grande partie de sa pension à l'hospice Gamelin.

— Arrête donc, toi! s'était entêtée Laurette, convaincue de voir juste. Ta mère a jamais eu le temps de dépenser tout l'argent laissé par ton père quand il est mort. Où est-ce qu'il est passé, cet argent-là? Je te gage cent piastres que Rosaire s'en est servi pour payer une partie de sa belle maison sur le boulevard Rosemont ou encore son chalet.

— T'as pas de preuve de ça.

— Non, avait reconnu Laurette, mais j'ai des yeux pour voir et une tête pour m'en servir, bonyeu !

Finalement, si la réaction de Pierre Crevier avait été une incitation à la prudence en apprenant la mésaventure de sa belle-mère, Richard, lui, avait immédiatement proposé d'aller casser la figure à celui qui avait osé venir menacer la sécurité de sa mère. Il avait fallu que ses parents le calment pour le faire renoncer à son projet de vengeance.

Chapitre 6

Un caprice de Gérard

Quinze jours plus tard, un samedi après-midi, Laurette renonça à aller faire sa tournée hebdomadaire des grands magasins pour laver ses fenêtres couvertes de poussière et nettoyer à fond les vieilles persiennes qui les protégeaient lorsque le soleil tapait trop dur.

— Je me serais débarrassée de cet ouvrage-là hier s'il avait pas mouillé, dit-elle avec mauvaise humeur en remplissant un seau d'eau. Mais je suis tout de même pas pour laisser mes vitres sales comme ça et passer pour une cochonne juste pour le plaisir d'aller me promener dans l'ouest.

Gérard avait haussé les épaules et s'était bien gardé de lui proposer son aide.

— Apporte-moi au moins l'escabeau, ordonna-t-elle à son mari au moment où elle sortait de la maison, armée de son seau et de serpillières.

Il venait à peine de déposer le vieil escabeau en bois sur le trottoir devant la fenêtre de leur chambre qu'un énorme camion rouge maculé de boue s'engagea bruyamment dans la petite rue Emmett. Le mastodonte vint s'immobiliser le long du trottoir, à quelques pieds de Gérard et de sa femme. Le couple vit un Richard tout fier en descendre.

— Mais il est ben sale, ton *truck*, lui dit sa mère en examinant le gros camion.

— C'est normal, m'man. On charrie de la terre. J'ai pas les moyens de perdre mon temps à le laver tous les jours. Venez-vous faire un tour. Vous allez voir que c'est pas mal le *fun* de monter là-dedans.

— Une autre fois, peut-être, dit-elle. Là, je veux laver mes vitres. Vas-y avec ton père. Je pense qu'il demande pas mieux que de sortir de la maison.

— Embarquez-vous, p'pa ? J'ai fini de travailler. Je vais laisser le *truck* à mon homme et reprendre mon char.

Gérard ne se fit pas prier pour monter à bord. Le lourd camion s'ébranla lentement et tourna dans la rue Archambault, forçant les adolescents en train de jouer à la balle au milieu de la rue à se réfugier sur le trottoir pendant un court moment.

Laurette occupa une bonne partie de son après-midi à nettoyer ses fenêtres avec soin. Après avoir rangé l'escabeau et vidé son seau, elle se versa un grand verre de boisson gazeuse qu'elle savoura lentement en fumant une cigarette. Soudain, elle leva la tête et regarda l'heure indiquée par l'horloge électrique suspendue au mur de la cuisine : quatre heures et demie. Gérard n'était pas encore rentré.

— Veux-tu ben me dire où ton père est passé ? demanda-t-elle, inquiète, à Jean-Louis en train de lire *La Patrie* dans la cuisine. Ça fait presque trois heures qu'il est parti avec ton frère. Il a dû leur arriver un accident avec ce maudit *truck*-là.

— Voyons, m'man ! Avec un gros *truck* comme ça, il peut rien arriver. C'est un vrai char d'assaut, la raisonna son fils pour la rassurer.

À l'extérieur, le portillon de la clôture de la cour arrière fut refermé à la volée et ce claquement fit sursauter les deux occupants de la cuisine qui levèrent la tête en même temps. Laurette vit son mari, le visage illuminé par un large sourire, se diriger vers le balcon, suivi de près par Richard.

— Bonyeu, vous êtes ben allés virer loin ! leur dit-elle au moment où les deux hommes prenaient pied sur la galerie. Il est presque cinq heures.

— Ça fait longtemps qu'on a lâché le *truck*, répondit Gérard. Richard l'a laissé à Maheu, un de ses chauffeurs, dix minutes après être parti d'ici. Après, on a pris son char et on est allés voir Rosaire à son garage.

— Pourquoi ?

— Rosaire voulait me montrer quelque chose, répondit son mari en s'allumant une cigarette.

— Qu'est-ce qu'il voulait te montrer ?

— Un char de seconde main qu'il a reçu la semaine passée.

— Ah non ! T'es pas pour recommencer avec ça ! s'exclama-t-elle, déjà sur ses gardes.

— J'aurai pas à recommencer pantoute parce que je l'ai acheté, déclara Gérard sur un ton résolu. Il est déjà devant la porte en avant.

— C'est pas vrai, verrat ! s'écria sa femme. Mais c'est ben trop cher pour nos moyens !

— Viens le voir au lieu de t'énerver, lui ordonna son mari en élevant la voix. Je te dis tout de suite qu'il m'a presque rien coûté.

— On n'a pas les moyens, Gérard Morin ! Sur quel ton je vais être obligée de te le répéter pour que tu le comprennes ?

— Laisse-moi finir de parler, simonac ! s'emporta son mari. J'ai juste acheté une vieille Chevrolet 57 et Richard dit que son moteur roule comme un moine.

Richard s'était bien gardé de prononcer un seul mot depuis qu'il avait mis les pieds dans la maison de ses parents. Il s'était assis et avait laissé son père se dépêtrer seul de la situation où il s'était mis. Obligé de prendre position dans la dispute qui les opposait, il finit par dire :

— C'est un curé qui l'avait ce char-là, m'man. Je pense que p'pa a fait une bonne affaire. Mon oncle Rosaire le lui a laissé au même prix qu'il l'a payé.

— Mais comment t'as payé ça ? demanda Laurette sans tenir compte de l'intervention de son fils.

Elle avait toujours géré les finances familiales et savait à quel point leur budget était serré.

— Si c'est ce qui t'énerve, tu peux arrêter de t'en faire avec ça, répondit son mari pour l'apaiser. Écoute-moi plutôt. Rosaire me l'a vendu quatre cent cinquante piastres et j'ai pas eu une cenne à débourser. Pour le payer, je vais travailler pour lui tous les samedis à partir de la semaine prochaine. Il me charge pas d'intérêts. C'est moi qui prends l'ancienne *job* de Richard. Je vais laver les chars en vente sur le terrain du garage toute la journée. T'es satisfaite, là ?

— Non, je le suis pas ! Quatre cent cinquante piastres ! As-tu pensé une minute à tout ce qu'on pourrait se payer avec cet argent-là ?

— Oui. Un char ! affirma Gérard avec force.

— J'arrive pas à le croire, maudit verrat !

— Eh ben, tu te feras à l'idée ! Cybole ! j'ai presque soixante ans et j'ai jamais rien eu à moi. Pour une fois que je me paye quelque chose...

— Mais tu sais même pas conduire !

— Je suis pas plus gnochon qu'un autre. Je suis capable de l'apprendre, s'emporta de nouveau son mari. Richard va me le montrer. Dans une semaine, tu vas pouvoir t'asseoir dedans pour aller faire les commissions ou pour aller faire un tour chez tes frères, reprit-il d'une voix plus calme.

— On n'en a jamais eu besoin, lui fit remarquer sa femme, plus ou moins déjà résignée.

— C'est vrai, reconnut-il, mais aujourd'hui, tout le monde a un char. Je vois pas pourquoi on n'en aurait pas un, nous autres aussi. Viens le voir. Je te dis qu'il est beau, ajouta-t-il avec une nuance de supplication dans la voix.

Laurette s'extirpa pesamment de sa chaise berçante et jeta un regard meurtrier à Richard.

— Toi, mon maudit agrès ! l'apostropha-t-elle pleine de rancœur. Je suis sûre que c'est toi qui as mis cette idée-là dans la tête de ton père.

— Pantoute, m'man, se défendit le jeune homme, peu intimidé par l'excès de mauvaise humeur de sa mère. Moi, je suis juste le chauffeur. Je me suis contenté de ramener le char devant la maison.

— C'est vrai ce qu'il te dit là, affirma Gérard. C'est Rosaire qui m'en a parlé ben des fois.

— Vous voyez ben, m'man. Mais j'ai proposé à p'pa de commencer à lui montrer à conduire à soir, après le souper… si vous m'invitez à souper. Vous allez voir que ça lui prendra pas ben du temps pour apprendre.

— Parce que t'es capable de lui montrer ça, toi ?

— Comment vous pensez que Jocelyne a appris à conduire ?

— Ouais… Tu peux ben rester à souper, mais je t'avertis que j'ai juste du *baloney* avec des patates.

— Bon. Viens-tu le voir notre char ? s'impatienta Gérard, debout dans le couloir depuis un bon moment.

— Si le char est en avant, pourquoi vous êtes arrivés par la cour ? lui demanda sa femme.

— On voulait te faire la surprise.

— Pour une surprise, c'en est toute une, laissa-t-elle tomber sans enthousiasme.

Gérard ouvrit la porte d'entrée et sortit devant sa femme. Jean-Louis quitta sa chambre et suivit Richard qui venait de rejoindre ses parents sur le trottoir.

La Chevrolet bleu pâle était un lourd véhicule dont les pare-chocs portaient quelques traces de rouille. Gérard, fier de son acquisition, entraîna sa femme dans une inspection minutieuse de la carrosserie avant d'ouvrir la portière avant, côté passager, pour faire admirer aux siens la propreté de l'habitacle.

— Regarde, ordonna-t-il à Laurette. Les bancs sont recouverts de plastique. Ils sont comme neufs. Assis-toi dessus. Tu vas voir comment ils sont confortables.

Laurette s'exécuta d'assez mauvaise grâce.

— Regarde. Il y a un bon radio et il y a pas une tache sur les tapis. Richard, fais partir le moteur pour le faire entendre à ta mère.

Richard fit le tour de l'automobile et prit place dans la Chevrolet dont il fit démarrer le moteur.

— OK. Tu peux arrêter le moteur, lui ordonna sa mère, en descendant de la voiture sans formuler le moindre commentaire. À cette heure, on va aller souper.

— Toi, qu'est-ce que t'en penses? demanda Gérard à Jean-Louis qui avait examiné le véhicule aux côtés de sa mère sans ouvrir la bouche.

— Je connais rien dans les chars, p'pa, mais il a l'air pas mal. Je pense que j'haïrais pas ça, moi aussi, apprendre à conduire un char comme ça.

— Bon, un autre malade dans la maison! s'écria Laurette en rentrant dans l'appartement.

— On te le montrera, lui promit son père en adressant un clin d'œil à son fils.

Tout au long du repas, Laurette sentit une espèce de complicité assez déplaisante entre les trois hommes assis autour de la table. Elle parvint cependant à réprimer son envie de reprendre la discussion sur l'utilité de posséder une automobile. À son avis, le mal était fait. Il ne restait plus maintenant qu'à voir si Gérard parviendrait jamais à conduire, ce qui était loin d'être prouvé.

Après le repas, un peu angoissée tout de même, elle vit son mari prendre place derrière le volant. Sans rien dire, elle se planta sur le trottoir près de la Chevrolet.

— Inquiétez-vous pas, m'man, chercha à la rassurer Richard. Il y a pas de danger. On va aller se pratiquer dans la grande cour, en arrière.

Le jeune homme s'adressa ensuite à son père, sous l'œil goguenard de trois jeunes qui s'étaient avancés sur le trottoir pour mieux voir ce qui se passait.

— Faites de l'air, leur ordonna Richard. Il y a rien à voir.

Le moteur démarra, mais la voiture ne bougea pas. Richard expliqua lentement à son père les secrets de l'embrayage. Il y eut un pénible grincement dans la transmission, la voiture eut un soubresaut et le moteur cala. Gérard reprit la manœuvre. Nouveau grincement, mais cette fois, la voiture se mit à avancer lentement, par à-coups, jusqu'au coin de la rue Archambault, tout près. Le moteur s'étouffa une autre fois. Le conducteur redémarra et la Chevrolet tourna lentement à droite avant de disparaître en direction de la grande cour.

Sans perdre un instant, Laurette rentra chez elle, traversa son appartement et sortit sur le balcon arrière pour voir les manœuvres effectuées par son mari. Durant plus d'une heure, l'apprenti conducteur apprit à avancer, à reculer, à freiner et, surtout, à enclencher les vitesses avec un succès inégal.

— Il va finir par défoncer une clôture ou par accrocher un autre char, s'inquiéta Laurette, toujours debout sur son balcon.

Finalement, Richard accepta que son père sorte de la grande cour par la rue Fullum et revienne doucement immobiliser sa Chevrolet devant la porte, dans la rue Emmett. Quand le conducteur descendit du véhicule, il était pâle et couvert de sueur.

— Cybole, je suis plus fatigué qu'après une journée d'ouvrage ! admit-il en s'épongeant le front avec son mouchoir après être descendu de la voiture.

— Viens surtout pas te plaindre, le rembarra sa femme, venue l'accueillir à la porte. Il y a rien qui t'obligeait à faire cette folie-là.

Au moment où son mari allait lui répondre, la Pontiac blanche de Richard, pilotée par Jocelyne, vint s'arrêter derrière la Chevrolet.

— Je m'habituerai jamais à voir une femme conduire un char, avoua Laurette en voyant sa bru descendre de voiture.

— Eh ben, monsieur Morin ! Ça fait plaisir de voir que vous devenez moderne, dit Jocelyne en s'avançant vers ses beaux-parents.

— Ouais. Il va faire un beau mort moderne ! laissa tomber sa belle-mère.

La jeune femme jeta un regard inquisiteur à son mari qui lui adressa un signe discret.

— Bon. Je suis venue récupérer mon mari, reprit-elle. Je l'ai vu juste dix minutes aujourd'hui.

— T'as ben le temps de venir boire quelque chose, lui offrit Laurette, désireuse de se faire pardonner sa petite saute d'humeur.

— Vous êtes ben fine, madame Morin, mais ma sœur est supposée passer dans la soirée et j'aimerais pas qu'elle vienne pour rien.

Après le départ du jeune couple quelques minutes plus tard, Gérard et Laurette rentrèrent. Ils rejoignirent Jean-Louis déjà installé devant le téléviseur, dans la cuisine. À la fin de la soirée, Gilles et Carole les trouvèrent en train de regarder *Folies-Bergères* avec Maurice Chevalier. Ils avaient passé la journée chez une cousine de Florence qui habitait une vieille maison, à Terrebonne.

— Il y a un tacot bleu devant la porte qui a pris ma place habituelle, déclara Gilles en se préparant une tasse de café.

— C'est le char de ton père, lui apprit Laurette d'une voix neutre.

— Pas vrai ! Dites-moi pas que vous vous êtes acheté un char, p'pa ? demanda le jeune homme, enthousiaste.

— Ben oui.

— Je suis ben content pour vous. Qui va vous montrer à conduire ?

— Richard a commencé.

— Si vous voulez avoir de l'aide, j'ai tout le temps qu'il faut, lui offrit l'enseignant.

— Eux autres et leurs maudits chars ! pesta Laurette. Veux-tu ben me dire ce qu'ils trouvent là-dedans qui les rend complètement fous ?

Les hommes affichèrent tous un sourire rêveur, mais personne ne put lui répondre.

Le lendemain matin, Laurette se réveilla en sursaut, se demandant ce qui avait bien pu la déranger. Gérard n'était pas étendu à ses côtés et elle jeta aussitôt un coup d'œil au réveille-matin pour regarder l'heure. Sept heures. Durant un bref moment, elle se demanda ce qui se passait. Le dimanche matin, elle avait toujours du mal à le sortir du lit à temps pour la messe de neuf heures et demie.

Puis elle se souvint que c'était le bruit d'une portière de voiture qui l'avait tirée du sommeil. Elle se leva et alla écarter le rideau qui masquait la fenêtre de sa chambre à coucher.

— Ah ben bonyeu, j'aurai tout vu ! s'exclama-t-elle en apercevant Gérard en train de laver sa voiture.

Elle écarta le rideau et poussa les persiennes.

— Gérard ! l'appela-t-elle à mi-voix.

— Quoi ? demanda-t-il sur le même ton.

— Es-tu malade de laver ton char à cette heure-là, en plein dimanche matin ?

— Il est pas si de bonne heure que ça.

— À part ça, il est pas sale pantoute, ce char-là.

— On est allés dans la cour avec hier soir. Il est plein de poussière.

— Maudit ! je pensais pas vivre assez vieille pour te voir laver quelque chose, toi.

— T'es ben drôle.

— En tout cas, tu ferais peut-être mieux de pas le frotter tant que ça. Tu vas finir par user la peinture, se moqua-t-elle avant de refermer les persiennes.

Ce dimanche matin là, Gérard annonça que c'était le dernier dimanche qu'ils allaient à la messe à pied.

— À partir de la semaine prochaine, on va y aller en char.

— Ben oui, dit Laurette, sarcastique. On va être ben avancés. On va être obligés d'aller le parquer de l'autre bord de la rue Dufresne. Si ça se trouve, on va marcher plus pour aller jusqu'à l'église que ce qu'on marche aujourd'hui.

Gérard ne tint aucun compte de son commentaire défaitiste et la journée du dimanche passa, en grande partie, à faire admirer son achat à ses beaux-frères Armand et Bernard, qui s'étaient déplacés expressément pour venir admirer la merveille.

Ce jour-là, Gilles et Pierre Crevier se dévouèrent à tour de rôle pour donner des leçons de conduite et, à la fin de la journée, Gérard, magnanime, permit à son gendre d'utiliser sa Chevrolet pour donner une première leçon à un Jean-Louis particulièrement nerveux.

— Je pense pas me tromper, monsieur Morin, déclara Pierre au retour, mais votre garçon est pas mal doué. Il passe déjà sans mal ses vitesses. Pour moi, avec trois ou quatre leçons, il va être prêt à aller passer ses licences.

Rouge de plaisir, Jean-Louis écouta son beau-frère sans faire de commentaires. Il était évident qu'il avait adoré conduire une voiture.

Par ailleurs, il fallut beaucoup plus qu'une semaine pour que Gérard Morin apprenne à conduire à peu près convenablement sa Chevrolet. Richard et Gilles surent se montrer patients et acceptèrent que Jean-Louis devienne, lui aussi, leur élève assidu. Pour une fois, le fils aîné cessa de se réfugier systématiquement dans sa chambre après le souper. Il s'installait avec son père sur le balcon dans l'attente que Gilles ou Richard les invite à monter dans la vieille Chevrolet.

À la fin du mois de mai, Gilles les déclara prêts à aller passer leur permis de conduire qu'ils obtinrent sans trop de mal. Cependant, il était évident que le fils était devenu un conducteur beaucoup plus habile que le père. Le problème était que Gérard Morin avait une nette tendance à paniquer lorsqu'il se retrouvait dans la circulation plus ou moins dense de la métropole. De l'avis de Gilles, tout allait se replacer avec l'expérience.

— Est-ce que ça veut dire que tu vas t'acheter un char, toi aussi ? finit par demander Richard à son frère aîné, deux jours après l'obtention de son permis de conduire.

— Je pense pas, admit Jean-Louis avec regret. Ça coûte trop cher pour mes moyens.

— Mais si tu conduis pas, tu vas perdre ce que tu sais, lui fit remarquer son frère. Moi, à ta place, j'y penserais, lui conseilla Richard. Je suis sûr que tu peux en avoir un pour pas cher. T'as juste à demander à mon oncle Rosaire de t'avertir quand il en aura un qui a du bon sens sur son terrain. Tu le connais, il essaiera pas de faire de l'argent sur ton dos.

Le caissier de la Banque d'Épargne se contenta de hocher la tête sans rien promettre avant d'aller se réfugier dans sa chambre.

Jean-Louis s'était bien gardé de révéler à son jeune frère qu'il avait beaucoup réfléchi durant les derniers jours. Bien sûr, il adorait conduire une automobile. Cela lui donnait une étrange impression de puissance quand il se retrouvait assis derrière le volant. C'était à la fois agréable et grisant. Cependant, même l'achat d'un vieux véhicule comme celui que possédait son père aurait pratiquement vidé son compte d'épargne... Il n'était vraiment pas prêt à un tel sacrifice pour satisfaire son envie, si grande soit-elle. Il allait lui falloir trouver un moyen moins onéreux de conduire une voiture.

Ce soir-là, Richard ne put s'empêcher de dire à sa femme:

— Mon frère a eu son permis de conduire. Il a l'air d'aimer pas mal ça conduire. Il y a juste à le voir quand il monte dans le char du père.

— Ça veut dire qu'il va s'acheter un char, conclut Jocelyne en se préparant pour la nuit. Si ça continue comme ça, la rue Emmett sera pas assez longue pour permettre aux Morin de parquer leurs chars. Il y a déjà celui de ton frère Gilles et celui de ton père.

— D'après moi, c'est pas demain la veille que Jean-Louis va s'en acheter un, déclara Richard. Mon petit frère est toujours aussi gratteux. Je serais pas surpris pantoute de le voir emprunter tout le temps le char de p'pa, s'il est capable. Tu peux être certaine qu'il va calculer et il va même s'arranger pour payer le moins de *gas* possible.

Chapitre 7

La peur

S'il y avait une personne que les élections provinciales n'intéressaient pas en cette fin du mois de mai, c'était bien Carole. Depuis plus d'une semaine, elle affichait un air chagrin que sa mère mettait sur le compte du fait qu'elle n'avait pu se résoudre à quitter le nid familial pour un appartement.

— Veux-tu ben me dire ce qu'elle a depuis quelque temps, elle ? demanda Gérard à voix basse à sa femme. Elle est rendue comme Jean-Louis. Elle passe presque toutes ses soirées enfermée dans sa chambre. Il y a plus moyen de la faire sortir de là, même quand il fait beau.

— Tu la connais, chuchota Laurette. Elle s'est pas décidée à partir en appartement et ça doit la travailler. En plus, elle peut plus voir Louise aussi souvent depuis qu'elle reste plus loin et son maudit André vient la voir de moins en moins. Remarque que ça, ça me fait plutôt plaisir, ajouta-t-elle.

De fait, la mère de famille avait plus ou moins correctement deviné les raisons de l'air sombre de sa cadette, mais toutes étaient surtout reliées à André Cyr.

Le mois d'avril s'était écoulé sans que son amoureux ait trouvé un emploi. Il avait bien travaillé trois jours au début du mois, mais il avait abandonné son emploi sous le prétexte que le patron ne faisait pas confiance à ses capacités de tailleur génial. Bref, la jeune fille avait perdu l'espoir de récupérer à temps l'argent qu'elle lui avait prêté pour s'installer dans l'appartement repéré par son amie Valérie. De plus, son amoureux se faisait de plus en plus distant et il lui fallait presque le supplier pour qu'il accepte de venir la voir de temps à autre.

Sa mère l'avait entendue insister longuement au téléphone pour qu'il vienne la visiter le lendemain soir et cela l'avait révoltée.

— Dis-moi pas, bonyeu, que t'es obligée de te mettre à genoux devant lui pour qu'il vienne veiller avec toi, à cette heure? s'était-elle emportée dès que Carole avait raccroché l'écouteur.

— Il est fatigué, m'man, avait mollement plaidé sa fille.

— Viens donc pas me faire rire, toi! Un sans-cœur qui travaille même pas! Veux-tu ben me dire ce qui peut le fatiguer?

— Il est découragé.

— Mon œil, oui! Fais ben attention, ma petite fille, que ce gars-là rie pas de toi en pleine face! la mit-elle en garde. C'est pas normal pantoute ce qui se passe entre vous deux. Il faudrait pas qu'il s'amuse à te faire perdre tes plus belles années à niaiser. Ça fait plusieurs fois que je te le dis. Tu ferais peut-être mieux de te demander si t'as un avenir avec un tarla pareil.

— Vous dites ça parce que vous l'aimez pas, m'man.

— Donne-moi juste une bonne raison de l'aimer...

La conversation avait ainsi pris fin et Carole s'était empressée d'aller se réfugier dans sa chambre.

Depuis quelques semaines, elle avait une raison bien plus importante de s'inquiéter. Elle avait pris du retard, un sérieux retard. Presque un mois de retard. Elle avait toujours été passablement irrégulière, mais quand même.

Bien sûr, il lui était déjà arrivé d'avoir «ses affaires», comme le disait pudiquement sa mère, avec deux semaines de retard. Mais là, cela faisait presque un mois... Peut-être était-ce dû à la peur qu'elle éprouvait de sentir André lui échapper peu à peu? La déception de ne pouvoir aller vivre dans son propre appartement pouvait y être aussi pour quelque chose. Elle ne savait pas trop.

Durant le jour, son travail l'empêchait de trop réfléchir, mais une fois derrière la porte close de sa chambre à coucher, chaque soir, elle ne pouvait s'empêcher de sombrer dans le plus noir désespoir.

— Ça se peut pas! Ça se peut pas! ne cessait-elle de se répéter. C'est arrivé juste une fois! Le bon Dieu peut pas me punir comme ça. Je le voulais même pas.

Elle sentait sourdre en elle quelque chose d'étrange qu'elle n'avait encore jamais ressenti auparavant et une peur panique la paralysait.

— C'est juste un retard, se répétait-elle à voix basse. Demain matin, ça va être reparti et il en sera plus question. Ça va être oublié. Je promets que ça m'arrivera plus jamais. C'est juré.

Ce qu'elle aurait aimé pouvoir parler avec sa cousine Louise! Depuis son emménagement rue Parthenais, la jeune fille de vingt-deux ans lui avait téléphoné régulièrement chaque semaine, mais comment parler librement quand sa mère écoutait tout ce qu'elle lui disait. Bien sûr, elle ne lui aurait pas parlé de ses craintes, mais elle aurait pu au moins discuter du comportement d'André. Louise avait connu une peine d'amour l'année précédente et son expérience malheureuse lui avait conféré une certaine sagesse à ses yeux.

Dommage qu'elle ne se sente pas assez proche de sa sœur, Denise, pour lui parler à cœur ouvert. À ses yeux, Denise était un peu trop vieux jeu et avait souvent des réactions semblables à celles de sa mère. Plus de huit ans les séparaient. Sa sœur aînée avait déjà oublié ce que c'était qu'être jeune. Elle était devenue une mère de famille qui ne comprendrait rien à ce qu'elle vivait.

Ce soir-là, Carole s'endormit très tard, mais non sans avoir pris la résolution d'aller rencontrer sa cousine le lendemain après-midi, après sa journée de travail. Elle avait trop besoin de se confier, de parler de ses inquiétudes d'amoureuse délaissée à quelqu'un. Louise avait toujours été d'une discrétion exemplaire. Il fallait absolument qu'elle lui parle d'André.

Le lendemain matin, Carole prévint sa mère qu'elle ne rentrerait pas souper.

— Après l'ouvrage, je vais faire une surprise à Louise. Je vais aller la rejoindre à son bureau et on va aller souper ensemble, dit-elle à sa mère. Je l'ai pas vue depuis que mon oncle est déménagé sur Parthenais.

Laurette ne fit aucun commentaire, heureuse de voir sa fille afficher une meilleure humeur.

Louise Brûlé travaillait pour une compagnie d'assurances au centre-ville et finissait à cinq heures trente, soit une demi-heure après sa cousine. Carole était persuadée d'avoir largement assez de temps pour la rejoindre avant qu'elle ne quitte l'édifice où elle travaillait.

Un peu avant cinq heures, son patron lui fit remettre deux documents à dactylographier par sa secrétaire personnelle et elle ne put quitter son travail qu'avec quelques minutes de retard. Elle eut beau se précipiter vers l'arrêt d'autobus, elle n'arriva devant l'immeuble où étaient situés les bureaux de la compagnie d'assurances, boulevard Dorchester, que vers cinq heures quarante.

Au moment où elle allait pénétrer dans le hall de l'édifice, la jeune fille tourna la tête à gauche juste à temps pour apercevoir de dos un couple qui s'éloignait sans se presser. Carole s'arrêta pile. Elle venait de reconnaître la coiffure et la démarche de sa cousine. Son premier réflexe fut de la héler, mais elle se retint à temps, poussée par la curiosité.

— Ah ben, l'hypocrite ! se dit-elle. Elle m'a jamais dit qu'elle s'était fait un nouveau *chum*.

Après un bref moment d'hésitation, elle se décida à suivre les amoureux qui se tenaient tendrement par la main, bien décidée à surprendre sa cousine avant qu'elle ne disparaisse à bord d'une voiture ou dans un autobus avec son compagnon qui venait justement de la saisir par la taille.

À l'instant où Carole accélérait le pas pour se rapprocher de sa cousine, cette dernière et son amoureux s'arrêtèrent brusquement au coin de la rue, s'apprêtant manifestement à traverser au feu vert. Au même moment, l'amoureux de Louise Brûlé tourna le visage pour dire quelque chose à celle qu'il tenait serrée contre lui. Carole s'immobilisa alors si brusquement qu'un homme qui la suivait faillit la renverser. En la dépassant, l'homme lui jeta un regard furieux.

— C'est pas vrai ! Je dois rêver ! C'est juste un gars qui lui ressemble, dit la jeune fille à mi-voix.

Cette mâchoire énergique, ce nez droit et ces sourcils épais appartenaient au visage de l'abbé Vermette. Il n'y avait pas à s'y tromper. Elle ne pouvait faire erreur. Elle se remit en route comme une automate, mais en ralentissant pour ne pas trop s'approcher cette fois du couple qui traversait le boulevard Dorchester. Elle les suivit à distance sur quelques centaines de pieds, incapable de décider de la conduite à tenir.

Lorsqu'elle vit Louise s'arrêter près d'une Corvair brune stationnée un peu plus loin, elle n'eut plus aucun doute. Il s'agissait bien de Serge Vermette, le vicaire de sa paroisse. Elle avait vu assez souvent cette voiture au coin des rues Fullum et Sainte-Catherine, près du presbytère, pour savoir qu'elle appartenait au jeune prêtre.

Cette constatation effaça le dernier doute dans l'esprit de la jeune fille qui décida de faire demi-tour sur-le-champ pour ne pas risquer d'embarrasser sa cousine. Elle prit l'autobus et rentra chez elle en se demandant comment sa tante Pauline, si stricte, allait réagir si elle avait un jour vent des amours de sa fille aînée. Ce serait tout un drame... Mais ce serait peut-être un drame moins grand que celui qui la guettait elle-même.

— Sacrifice ! On peut pas dire que vous avez jasé ben longtemps ensemble, lui fit remarquer sa mère quand elle pénétra dans l'appartement.

— J'ai changé d'idée après l'ouvrage, mentit Carole. J'avais trop mal à la tête. J'ai décidé de revenir à la maison pour m'étendre un peu.

Cette dernière phrase sembla éveiller de l'inquiétude chez Laurette qui cessa de laver la vaisselle du souper pour la regarder avec attention.

— Qu'est-ce qui se passe avec toi depuis un bout de temps ? lui demanda-t-elle. On dirait que t'es toute de travers. S'il y a quelque chose de pas correct, t'es peut-être mieux d'aller voir le docteur Miron. Si t'es juste faible, il pourrait te prescrire un bon tonique.

— Ben non, m'man. J'ai rien. C'est juste de la fatigue, mentit-elle de nouveau.

— Avant d'aller t'étendre, veux-tu manger quelque chose ? J'ai de la bonne sauce aux œufs. Il y a des biscuits au coco comme dessert.

— Merci, m'man. Je vais aller me coucher. Quand je me lèverai, je me ferai une sandwich à quelque chose.

Sur ce, la jeune fille entra dans sa chambre. Laurette jeta un coup d'œil par la fenêtre. Gérard avait stationné sa

Chevrolet de l'autre côté de la clôture et il s'affairait à la laver.

— Tu vas faire ça toute la journée demain au garage de Rosaire, lui cria-t-elle par la fenêtre. Tu pourrais peut-être te reposer à soir.

Son mari ne se donna même pas la peine de lui répondre et poursuivit son travail en sifflotant.

— Une autre soirée intéressante! dit-elle à mi-voix.

La mère de famille se retrouvait dans une maison presque vide. Gilles était parti visiter avec Florence leur futur appartement situé rue Des Érables, près de la rue Mont-Royal, dans l'intention de prendre des mesures pour les rideaux. Le jeune couple aurait la chance d'habiter dans un logis fraîchement repeint par un propriétaire particulièrement minutieux. Jean-Louis ne reviendrait de la banque que vers huit heures trente. Avec Carole qui dormait, il ne lui resterait pour compagnie que Gérard qui, dès la fin du lavage de sa voiture, se plongerait dans *La Presse* pour lire tout ce qui concernait l'élection qui allait se tenir la semaine suivante.

Laurette prit sa vieille chaise berçante pliante et alla la déposer sur le trottoir, devant la porte d'entrée. Elle rentra pour venir se verser un grand verre de Coke et prendre son étui à cigarettes. Elle en alluma une et s'assit lourdement dans sa chaise tout en regardant la demi-douzaine d'adolescents rassemblés devant le dépanneur, au coin de la rue. Ces derniers, cigarette au bec, chahutaient des filles qui avaient pris place sur les dernières marches de l'escalier situé près de la porte du commerce.

L'obscurité tombait doucement sur le quartier quand la mère de famille aperçut Jean-Louis, cravaté et cintré dans son veston bleu marine, traversant la rue Archambault en diagonale en direction de la porte d'entrée de l'appartement. Laurette sentit tout de suite un changement dans le comportement des adolescents toujours rassemblés près du dépanneur. La conversation s'arrêta et les têtes se tournèrent vers le caissier de la Banque d'Épargne. Il y eut des commentaires à peine chuchotés et des rires mal réprimés. Elle jeta un regard furieux vers les jeunes et se retint de ne pas les prendre à partie à la vue de son fils qui ne semblait même pas s'apercevoir qu'il était l'objet de l'attention moqueuse des adolescents.

— Rentre ma chaise, ordonna-t-elle à son fils en se levant péniblement de sa chaise berçante.

Jean-Louis replia la chaise et la précéda dans la maison. Laurette referma la porte derrière lui après avoir jeté un coup d'œil aux jeunes. Ces derniers avaient déjà repris leur charivari habituel. Son fils avait déposé la chaise contre le mur du couloir avant de pénétrer dans sa chambre.

— Est-ce que tu viens regarder la télévision ? lui demanda sa mère.

— Non. J'ai pas le temps à soir, m'man. Je me mets en pyjama et je prépare mes affaires pour changer de chambre demain.

Le premier jour de chaque mois, les deux frères échangeaient leur chambre de manière à ce que chacun puisse profiter de la pièce dotée d'une fenêtre donnant sur la rue Emmett. Ce soir-là, Jean-Louis se préparait à emménager dans la chambre située au fond, beaucoup moins aérée et agréable que celle qu'il s'apprêtait à quitter.

— Pendant que j'y pense, fit sa mère en s'immobilisant au milieu du couloir au moment où il s'apprêtait à fermer la porte de sa chambre, Gilles te fait dire qu'il a pas mal d'ouvrage avec son appartement et que tu peux garder la chambre d'en-avant pour le mois de juin. Il dit qu'il aura pas le temps de vider ses tiroirs.

— Si ça fait son affaire, se contenta de dire Jean-Louis qui dissimulait mal la joie que lui causait ce changement de programme.

Quelques minutes plus tard, le jeune homme vint dans la cuisine éclairée uniquement par une petite lampe placée sur le téléviseur. Ses parents regardaient une émission de variétés. Il prit une boisson gazeuse dans le réfrigérateur au moment même où prenait fin un sketch interprété par Rose Ouellette et Juliette Pétry. La porte d'entrée s'ouvrit et Gilles apparut en compagnie de sa fiancée.

— Bonsoir, madame Morin. Bonsoir, monsieur Morin. Bonsoir, Jean-Louis, salua l'institutrice.

Les personnes présentes dans la pièce la saluèrent à leur tour.

— Ferme donc la télévision, dit Laurette à son mari.

— Dérangez-vous pas pour moi, madame Morin, dit la jeune femme sur un ton aimable. Je ne fais qu'arrêter en passant pour vous dire bonsoir. Gilles tenait absolument à me montrer le travail d'un de ses élèves avant de me ramener à la maison.

— T'as ben le temps de boire une tasse de café avec nous autres, intervint Gérard.

— Ben oui. Assis-toi, offrit Laurette en se levant. On est vendredi soir. Tu travailles pas demain. Gilles, allume donc la lumière du plafond.

Gilles obéit à sa mère et tout le monde prit place autour de la table. Pendant que Laurette préparait le café, Florence répondait aux questions de Gérard au sujet de leur futur appartement.

— Où est-ce que tu vas faire coudre tes rideaux? lui demanda Laurette en déposant le sucrier et le lait au centre de la table.

— Il nous reste encore deux mois avant le mariage, répondit Florence. J'ai tout le temps de les coudre moi-même. On est même allés acheter le tissu après avoir pris les mesures ce soir.

— Ah ! Parce que tu sais coudre ? lui demanda sa future belle-mère, un peu épatée.

— J'ai pas eu le choix, madame Morin, répondit en riant la jeune femme de trente-cinq ans. Quand je rechignais un peu trop à apprendre, ma mère se fâchait et disait qu'une femme était obligée de savoir ça.

— Moi, j'ai jamais été capable d'apprendre à coudre comme du monde, même si les sœurs m'engueulaient comme du poisson pourri. J'avais les mains pleines de pouces, avoua Laurette.

— Peut-être parce que vos religieuses étaient moins sévères que ma mère, lui fit remarquer en riant sa future bru.

— Est-ce que ça veut dire que tu vas coudre toi-même ta robe de mariée ?

— Ah non, par exemple ! s'empressa de répondre Florence. Je suis pas assez bonne pour faire ça.

Cet aveu sembla faire plaisir à Laurette qui prit place en face de la femme qui allait épouser Gilles bientôt. Florence jeta un coup d'œil à Jean-Louis qui n'avait pas ouvert la bouche depuis son arrivée. Elle éprouvait à l'endroit du frère aîné de son fiancé des sentiments mitigés. Le jeune homme efféminé semblait mal à l'aise en sa présence et avait résisté à toutes ses tentatives de le faire parler.

— Si ça vous tente, madame Morin, vous pourriez venir voir notre appartement demain avec votre mari, proposa Florence, aimable.

— Mon mari travaille toute la journée au garage, déclina Laurette.

— Vous pourriez venir avec Jean-Louis. Je suis sûre que Gilles pourrait vous amener, poursuivit l'institutrice en adressant à Jean-Louis un sourire chaleureux.

— Merci. Mais demain, je dois aller voir *Zorba, le Grec* avec quelqu'un qui travaille à la banque avec moi, dit Jean-Louis.

Quelques minutes plus tard, Gilles et Florence quittèrent la maison. Le jeune homme promit d'être vite de retour après avoir ramené Florence chez elle. Dès que la porte se referma, Jean-Louis regagna sa chambre à coucher et Gérard alluma le téléviseur dans l'intention de regarder les nouvelles de fin de soirée à Télé-Métropole.

— Maudit que j'ai de la misère à endurer cette fille-là ! dit Laurette en allumant une cigarette. Elle a presque l'âge d'être la mère de Gilles, ajouta-t-elle avec sa mauvaise foi habituelle quand il s'agissait de l'institutrice de trente-cinq ans. À l'entendre, elle coud comme une perfection. Elle est ben plus fine que tout le monde, elle.

— Arrête donc de te pomper toute seule, lui ordonna son mari. Elle est pas si vieille que ça et elle est loin d'être laide. En plus, elle a jamais dit qu'elle cousait ben. Elle a dit qu'elle était capable de se débrouiller. Je pense que c'est la jalousie qui te fait parler. Moi, je trouve que c'est une fille qui a une tête sur les épaules et qui va faire une bonne épouse à notre gars.

— Ben sûr, toi, aussitôt qu'il y a une femme dans le portrait, tu vois plus clair, lui dit Laurette, sur un ton sarcastique. Tu vas voir que ce mariage-là marchera pas pantoute. Elle va essayer d'écraser Gilles et il le prendra pas. Bout de viarge ! Il me semble que j'ai ben assez de m'inquiéter pour Jean-Louis sans être poignée pour m'en faire pour lui en plus.

— Pourquoi tu t'en fais pour Jean-Louis ? lui demanda Gérard, surpris, en tournant la tête vers elle.

— Es-tu devenu sourd ? lui demanda sa femme. Tu l'as pas entendu tout à l'heure quand il a dit qu'il allait voir un film avec quelqu'un qui travaille avec lui. Je mettrais ma main au feu que c'est le même gars avec qui il est allé boire un café après l'ouvrage, l'autre fois. Ça ressemble un peu trop à mon goût à l'histoire qu'il a déjà eue avec Jacques Cormier...

— Comme d'habitude, tu te mets à l'envers pour rien, s'impatienta Gérard. Il y a rien qui dit que c'est avec un gars qu'il va voir ce film-là.

— Gérard Morin, bonyeu! Fais-moi pas parler pour rien! s'emporta Laurette après avoir éteint son mégot de cigarette dans le cendrier à demi rempli. Bon. Moi, j'écoute pas les nouvelles. J'aime mieux aller me coucher. Mets pas le son trop fort pour pas réveiller Carole.

Le soleil, bas sur l'horizon, éclairait la chambre de Carole en ce samedi matin. Un rayon frappa l'une de ses paupières. La jeune fille ouvrit brusquement les yeux et se retourna dans l'intention de voir l'heure sur son réveille-matin. Six heures. Elle se maudit de ne pas avoir songé à tirer les persiennes la veille, avant de se mettre au lit.

Elle s'assit avec l'impression d'être bien reposée. Elle se rappela alors s'être couchée un peu avant huit heures et sans souper. Elle repoussa les couvertures et posa les pieds sur le vieux linoléum gris, l'estomac soudain tiraillé par la faim. Elle sortit de sa chambre sur la pointe des pieds et dressa son couvert pour déjeuner. Après avoir mis de l'eau dans la bouilloire, elle plaça deux tranches de pain dans le grille-pain et sortit le pot de Cheez-Whiz dans l'intention d'en tartiner ses rôties.

La jeune fille s'installa silencieusement à table avec sa tasse de café et ses rôties. Au moment où elle allait mordre dans sa tranche de pain, une violente nausée l'obligea à déposer sa rôtie tartinée de fromage dans son assiette. Elle ferma les yeux durant un bref moment, s'obligeant à déglutir et à penser à autre chose. Elle avait faim et, en même temps, son cœur se soulevait à la seule idée d'avaler une bouchée.

Elle attendit un long moment avant de faire une autre tentative, mais elle fut incapable de se résoudre à avaler quelque chose. Pire, elle dut quitter la table en toute hâte pour se précipiter aux toilettes. Comme elle avait l'estomac vide, ses efforts pour vomir furent aussi inutiles que bruyants.

Quand elle sortit de la petite pièce, elle sursauta en se retrouvant face à face avec sa mère, la tête couverte de bigoudis et l'air mal réveillé. Pendant un bref moment, elle s'inquiéta de savoir si elle l'avait entendue.

— Veux-tu ben me dire ce que tu fais debout aussi de bonne heure un samedi matin ? lui demanda Laurette à voix basse.

— Ben, je m'endormais plus, répondit-elle. Je suis couchée depuis presque douze heures.

Sa mère la regarda attentivement et posa la main sur son front avant de dire :

— T'es ben pâle. Es-tu malade ? Si t'as la grippe, dis-le.

— Ben non, m'man, protesta la jeune fille sur un ton légèrement exaspéré. Je suis correcte.

— Bon. Si c'est comme ça, moi, je me suis levée pour préparer le lunch de ton père. Après, je retourne me coucher.

Carole n'ajouta rien. Elle s'assit à table et prit l'une de ses rôties maintenant froide et mordit dedans sans le moindre appétit en faisant des efforts méritoires pour contrôler la nausée qu'elle sentait revenir.

Lorsque sa mère retourna dans sa chambre pour réveiller son père et se remettre au lit, elle s'empressa de jeter les restes de son déjeuner et regagna précipitamment sa chambre. Elle s'étendit sur son lit, angoissée, incapable de décider de la conduite à suivre. Elle posa les deux mains sur son ventre, à l'affût du moindre signe d'une vie se développant en elle. Elle ne perçut rien, mais cette constatation ne la rassura pas le moins du monde.

Elle passa de longues minutes sans bouger, les yeux fermés. Finalement, elle se leva. Il fallait qu'elle parle à André, mais avant ça, elle devait être certaine de son état et pour s'en assurer, il n'y avait qu'un seul moyen de le savoir: aller voir le médecin. Oui, mais qui? Il n'était pas question d'aller voir le vieux docteur Miron qui l'avait mise au monde. Soudain, elle pensa au médecin de son amie Valérie, le docteur Leduc ou Bolduc... Elle n'était pas certaine du nom et il n'était pas question qu'elle téléphone à sa copine qui ne manquerait pas de lui demander pourquoi elle n'allait pas chez le médecin de famille des Morin. Tout ce dont elle se souvenait, c'était que le praticien avait son bureau sur le boulevard Saint-Joseph.

Finalement, la jeune fille décida d'attendre le départ de sa mère pour sa tournée des grands magasins du samedi afin de chercher à avoir un rendez-vous chez un médecin. Fébrile, elle se leva, fit sa toilette et entreprit de faire le ménage de sa chambre, comme tous les samedis matins. Elle entendit son père partir pour le garage de son oncle Rosaire. Une heure plus tard, ce fut au tour de sa mère, de Gilles et de Jean-Louis de venir prendre leur repas du matin. Ce dernier accepta d'accompagner son frère à son appartement et Laurette profita de la voiture de Gilles qui lui avait offert de la laisser sur la Plaza Saint-Hubert.

Dès qu'elle se retrouva seule dans l'appartement, Carole se jeta sur l'annuaire téléphonique. Elle chercha vainement un docteur Bolduc sur le boulevard Saint-Joseph. Par contre, elle trouva un Edmond Leduc sur le même boulevard. Si elle se fiait à l'adresse de son bureau, ce dernier devait être situé près de la rue Saint-Denis. Elle téléphona et, à sa grande surprise, la réceptionniste du médecin lui trouva un rendez-vous au début de l'après-midi même.

Jean-Louis revint seul à la maison à la fin de l'avant-midi. Carole le laissa se débrouiller avec son dîner et quitta l'appartement sans lui dire où elle allait. Le ciel s'était ennuagé pendant la matinée et la pluie menaçait.

— Je suis mieux de pas traîner, se dit-elle en hâtant le pas vers la rue Sainte-Catherine où elle avait l'intention de prendre l'autobus. Il manquerait plus que je rencontre m'man qui va rentrer plus de bonne heure s'il se met à mouiller.

La jeune fille s'était inquiétée inutilement. Quelques minutes plus tard, elle poussa la porte du bureau d'Edmond Leduc, situé au rez-de-chaussée d'une vieille maison en pierre à l'aspect cossu sur le boulevard Saint-Joseph. Cet après-midi-là, elle devait être la première patiente du médecin parce qu'elle se retrouva seule face à une jeune réceptionniste dans la salle d'attente. Mal à l'aise, elle s'assit sur une chaise de bois pour attendre le médecin qui n'était pas encore revenu de son dîner.

À une heure précise, un grand homme maigre aux tempes argentées ouvrit la porte du bureau située derrière la réceptionniste.

— Mademoiselle Morin, appela-t-il.

Le cœur battant, Carole se leva et se dirigea vers la pièce. Le médecin avait déjà repris place derrière son bureau et la regarda s'asseoir sur le siège qu'il lui indiquait de la main. Edmond Leduc lui posa une série de questions et remplit un dossier en levant à peine le nez de la feuille sur laquelle il notait ses réponses. Lorsqu'il eut fini, il déposa son stylo devant lui et releva sur son front les lunettes à monture de corne qu'il avait chaussées.

— Bon. Qu'est-ce qui va pas ? lui demanda-t-il.

— J'aimerais passer un… un…

— Un quoi ?

— Il faudrait que je passe un test de grossesse, dit péniblement Carole d'une toute petite voix.

Le médecin jeta un rapide coup d'œil au dossier qu'il venait de remplir. Il ne s'était pas trompé. Sa patiente n'était pas mariée. Bon.

— Avez-vous une raison, mademoiselle, de croire que vous pourriez être enceinte ?

— J'ai commencé à avoir mal au cœur le matin, avoua-t-elle, en sentant le rouge lui monter au visage.

— C'est correct, trancha-t-il, sans marquer la moindre désapprobation. On va en avoir vite le cœur net. Je vais vous faire passer un test d'urine. On va connaître le résultat dans trois ou quatre jours. Ma réceptionniste va vous téléphoner pour vous fixer un rendez-vous.

Carole demeura un instant silencieuse avant de reprendre, la gorge légèrement serrée :

— Est-ce que je pourrais pas appeler moi-même pour savoir quand vous pouvez me recevoir ?

Le médecin sembla comprendre immédiatement que la jeune fille ne voulait pas que quelqu'un, à la maison, soit au courant de son état et il se fit plus conciliant. Il saisit son agenda posé sur le coin de son bureau et le consulta.

— Écoutez. Passez donc à sept heures, mardi soir. Je suis sûr que j'aurai reçu les résultats de votre test.

Carole le remercia et quitta le bureau, impatiente de se retrouver à l'air libre. Durant un bref moment, la jeune fille eut la tentation d'aller rendre visite à sa cousine Louise, mais à la pensée d'avoir à faire semblant d'ignorer ses amours avec le vicaire de la paroisse, elle préféra rentrer à la maison. De plus, affronter l'œil perspicace de sa tante Pauline ne lui disait rien.

Après être descendue de l'autobus, elle décida brusquement de marcher jusque chez Ronald Cyr, rue Logan, dans l'intention de parler à son amoureux qu'elle n'avait pas vu de la semaine. La chance lui sourit. Elle l'aperçut, cigarette au bec, en train de laver sa voiture en face de l'appartement de son frère.

Le jeune tailleur ne l'avait pas vue approcher. Il sursauta légèrement quand il la vit debout à ses côtés au moment où il allait rincer son chiffon dans le seau d'eau savonneuse placé à ses pieds.

— D'où est-ce que tu sors ? lui demanda-t-il sans manifester la moindre amabilité.

Il était bien évident que cette visite imprévue le dérangeait et cela paraissait dans le timbre de sa voix.

— J'ai à te parler, lui dit Carole à mi-voix.

— Ça peut pas attendre ? Comme tu vois, je lave mon char et il va être tout bariolé si je l'essuie pas tout de suite.

— Non. Je peux pas attendre.

— Christ ! Si c'est encore pour ton argent, j'aime autant te dire tout de suite que j'ai pas une maudite cenne. J'ai pas encore trouvé d'ouvrage.

— C'est pas pour l'argent que tu me dois, dit sèchement Carole.

— C'est pourquoi d'abord ?

— Je peux pas te parler de ça en pleine rue, déclara Carole en jetant un coup d'œil autour d'elle.

— Viens. On peut monter. Ma belle-sœur est là, si c'est ce qui t'inquiète, ajouta-t-il, sarcastique.

— Non. J'aime mieux qu'on se parle à une place où personne peut nous entendre.

— Sacrement, veux-tu ben me dire ce que tu peux avoir de si important que ça à me dire ? dit-il en jetant son chiffon dans son seau.

Devant l'air grave de Carole, le jeune homme choisit d'obtempérer. Il vida l'eau de son seau dans la rue, déposa ce dernier dans le coffre de son Oldsmobile et fit signe à Carole de monter. Il démarra sèchement, roula jusqu'à la rue Frontenac et alla immobiliser son véhicule le long du trottoir, près du parc où s'amusaient des enfants.

— Bon. Qu'est-ce qu'il y a ? lui demanda-t-il sur un ton exaspéré en se tournant carrément vers sa passagère.

— J'arrive de chez le docteur, déclara cette dernière.

— Qu'est-ce que t'as ? T'es malade ?

Carole laissa passer un long moment avant de se décider à lui répondre.

— Je pense que je suis en famille, dit-elle à mi-voix.

— Comment ça, en famille ? T'attends un petit ? De qui ?

— André Cyr, viens pas me poser cette question-là ! s'emporta soudain la jeune fille en lui jetant un regard furieux. Comme si tu le savais pas !

— Calvaire, c'est pas vrai ! Pour juste une fois.

— …

Carole aurait aimé qu'il la prenne dans ses bras pour la rassurer et lui promettre son appui, mais il ne bougea pas, trop occupé à essayer de voir comment, lui, il pouvait se sortir de ce mauvais pas.

— T'es sûre de ça ? finit-il par lui demander.

— Pas encore, reconnut-elle, adoucie. Je vais recevoir le résultat du test mardi soir, mais je suis presque sûre.

— Christ, il manquait plus rien que ça !

— Il va falloir qu'on se marie, déclara Carole.

— Whow ! Énerve-toi pas ! s'exclama le jeune homme. Il y a pas le feu ! On va commencer par être ben certains que t'es en famille et après ça, on en parlera.

— On pourra pas attendre ben longtemps, reprit Carole. Ça va finir par se voir et ça va jaser.

— Eh ben, ça jasera, ciboire !

— Arrête de sacrer, l'implora la jeune fille. Ça va déjà assez mal comme ça.

— Je sais pas si tu l'as oublié, mais j'ai toujours pas de *job*, dit André sur un ton qui se voulait raisonnable. J'ai pas d'argent pantoute. Je t'en dois même. Comment tu penses qu'on va pouvoir se marier, poignés comme ça?

— On va s'arranger, dit son amoureuse sur un ton qu'elle voulait confiant

— Je vais te reconduire chez vous, se contenta-t-il de déclarer en démarrant.

Il n'y eut pas un mot échangé dans l'habitacle de l'Oldsmobile durant le court trajet qui ramena Carole à la porte de l'appartement familial, rue Emmett.

— Tu viens veiller à soir? demanda Carole au conducteur en descendant de voiture.

— Non. J'ai promis à Ronald et à Lorraine de les conduire chez mon oncle Antoine à Contrecœur, à soir. Ça se peut même qu'on reste à coucher.

— Bon, accepta la jeune fille sur un ton résigné. Téléphone-moi demain pour me dire à quelle heure tu vas venir.

— Correct, dit André en embrayant.

Carole entra chez elle. L'appartement était vide. Elle pénétra dans sa chambre et se regarda longuement de profil dans le miroir, comme pour vérifier… Elle changea de vêtements avant de retourner dans la cuisine pour éplucher les pommes de terre du souper. Elle avait envie de pleurer en songeant à la réaction d'André. Peut-être aurait-elle dû attendre d'avoir le résultat de son test de grossesse entre les mains avant de lui en parler, mais cela avait été plus fort qu'elle. Elle avait trop besoin de son soutien… Il lui restait encore une chance de ne pas être enceinte… Elle allait prier sans arrêt durant les trois prochains jours. Si le test se révélait négatif, elle promettait de faire une neuvaine à la Vierge.

Le lendemain matin, Carole eut la surprise de découvrir l'abbé Vermette en train d'accueillir les fidèles à l'arrière de l'église quelques minutes avant de célébrer la grand-messe.

— Comment ça se fait que c'est pas le curé Perreault qui dit la messe à matin ? chuchota-t-elle à l'oreille de sa mère au moment où les deux femmes se glissaient dans leur banc.

— Je le sais pas, mais j'aime ben mieux que ce soit lui, répondit cette dernière sans la moindre hésitation. Avec lui, le sermon va être pas mal plus court et je m'en plaindrai pas.

Carole ne dit plus rien. Elle se demanda durant un bref moment si la messe du jeune vicaire était valable, compte tenu de ce qu'elle avait surpris deux jours auparavant. Elle se secoua et se mit à réciter silencieusement des *Ave*, comme elle le faisait depuis la veille.

Chapitre 8

Les bouleversements

Au début de l'après-midi, Laurette venait à peine d'installer sa chaise berçante sur le trottoir, près de la porte d'entrée, quand elle vit la Cadillac noire de son beau-frère Rosaire s'engager lentement dans la rue Emmett. Sans perdre un instant, elle rentra dans l'appartement pour prévenir Gérard qui venait de s'étendre sur son lit dans l'intention de faire sa sieste du dimanche.

— Lève-toi, lui ordonna-t-elle. V'là ta sœur et Rosaire qui arrivent. Ils pourraient pas aller ailleurs le dimanche, bonyeu ! En plus, tu vois Rosaire tous les samedis. Il me semble que c'est ben assez !

— Ils viennent presque jamais chez nous, lui fit remarquer son mari en se levant.

— C'est encore trop, déclara Laurette avec mauvaise humeur. Est-ce qu'on va chez eux, nous autres ? Jamais. Ça prend tout pour qu'ils nous invitent une fois par année, et encore.

Le claquement des portières de la voiture qui venait de s'immobiliser devant la porte incita la grosse femme à parler plus bas.

— On pourrait y aller n'importe quand, dit Gérard en chaussant ses souliers. On serait ben reçus.

— Laisse faire, toi. J'ai pas le goût pantoute d'endurer ta sœur Colombe plus souvent que nécessaire. Elle et sa bouche en cul de poule me tombent déjà ben assez sur les nerfs.

Un coup de sonnette incita Laurette à sortir de la chambre à coucher et à aller ouvrir la porte aux visiteurs.

— Ben, regarde donc ça, de la belle visite! s'exclama-t-elle en feignant une joie qu'elle était loin d'éprouver. Entrez. Venez vous asseoir.

— On voudrait pas vous déranger, dit Colombe Nadeau en déposant un léger baiser sur la joue rebondie de sa belle-sœur.

Au même moment, Gérard sortit de la chambre à son tour. Il salua sa sœur et son beau-frère, et les précéda dans la cuisine en compagnie de Laurette. Le couple avait un peu changé au fil des années.

L'homme d'affaires de cinquante et un ans était devenu sensiblement plus rond et la calvitie ne lui avait laissé qu'une couronne de cheveux poivre et sel. Par contre, il était demeuré le beau-frère jovial et serviable que les Morin avaient toujours apprécié, même s'il continuait à fumer «ses maudits cigares qui sentent la crotte de chien», disait souvent Laurette.

Si Rosaire Nadeau avait pris du volume, on ne pouvait en dire autant de Colombe. La grande femme qui dépassait toujours son petit mari d'une tête avait tendance à s'amincir au fil des années. Sans enfant, l'épouse du marchand de voitures usagées dépensait son énergie à jouer du piano et à participer à d'interminables parties de bridge avec des amies. Toujours impeccablement coiffée et très bien habillée, elle avait conservé sa tendance à regarder Laurette de haut, ce qui avait le don de faire sortir cette dernière de ses gonds.

— Le portrait tout craché de la belle-mère! s'écriait Laurette après chacune des rares visites de sa belle-sœur. Ça parle en termes et ça pète plus haut que le trou.

La femme de Gérard Morin aurait probablement été étonnée d'entendre ce que sa belle-sœur disait sur son compte, une fois montée à bord de la voiture de son mari. « Pauvre Gérard ! disait-elle invariablement. Comment fait-il pour vivre avec une femme aussi négligée et aussi vulgaire ? »

— Puis, qu'est-ce que vous faites de bon ? demanda Rosaire avec bonne humeur. Hier, j'ai pas eu le temps de te parler de la journée, ajouta-t-il à l'intention de son beau-frère. J'ai pas eu une minute à moi.

— On n'a pas grand-chose de neuf, répondit Laurette en sortant du réfrigérateur une bouteille familiale de Kik-Cola.

— Vous êtes toujours contents de la Chevrolet ? Ce char-là est pas neuf, mais il va vous durer un bon bout de temps, je vous le garantis.

— Je sais pas si je dois être contente, répondit Laurette en déposant un verre devant chacun de ses invités. J'espère qu'il est solide en tout cas parce qu'on a dû risquer de se faire tuer au moins cent fois dans ce maudit char-là depuis que Gérard le conduit.

— Exagère donc, se contenta de répliquer son mari, piqué au vif par la remarque de sa femme.

Colombe et Rosaire rirent.

— Et vous autres ? Qu'est-ce que vous faites ? Il me semble qu'on vous voit pas ben souvent ? demanda Laurette en s'adressant à sa belle-sœur.

— Je cours du matin au soir, affirma Colombe d'une voix légèrement affectée. Les journées passent et je les vois pas. Rosaire est occupé au garage six jours par semaine et, la plupart du temps, il prend au moins la moitié du dimanche pour remplir des papiers dans son bureau.

— Sainte bénite, Colombe, une chance que t'as pas d'enfants à nourrir et que t'as une femme de ménage pour s'occuper de ta maison, lui fit remarquer Laurette, non sans une certaine méchanceté.

— C'est vrai que ma femme a une vie ben dure, fit Rosaire en riant. Ça a l'air de rien, mais courir les magasins du matin au soir pour dépenser l'argent que j'ai pas encore gagné, c'est éreintant en calvince.

— Rosaire ! s'exclama Colombe, outrée. Je t'ai déjà dit que ce genre de remarque là était déplacé.

— C'est vrai, reconnut son mari en adressant un clin d'œil à Gérard. Ta sœur, mon Gérard, joue aussi au bridge et ça, ça demande du temps.

— Ah, les hommes ! Ils sont jamais contents. Ils nous prennent pour leur servante et ils voudraient nous voir les servir du matin au soir. À les entendre, quand on est ailleurs que dans la cuisine, on perd notre temps.

Carole sortit de sa chambre à coucher au moment où les choses allaient s'envenimer entre le mari et la femme.

— Tiens, si c'est pas la belle Carole ! s'exclama Rosaire Nadeau, apparemment heureux de la diversion. Qu'est-ce que t'as fait de ton *chum* en plein dimanche après-midi ? Dis-moi pas qu'il te néglige déjà ?

— Laisse-la donc parler, reprit Colombe, l'air méprisant. Tu fais bien de faire l'indépendante, ma fille. C'est comme ça qu'on se fait respecter par les hommes. Te laisse pas mener par le bout du nez.

— C'est ce que je passe mon temps à lui dire, intervint Laurette.

— Je fais pas l'indépendante, dit Carole qui se sentit obligée de défendre son amoureux. André est allé conduire son frère et sa femme à Contrecœur chez de la parenté. Il doit revenir dans le courant de la journée.

— J'aurais bien aimé aller passer la fin de semaine à notre chalet de Saint-Sauveur, dit Colombe hors de propos, mais Rosaire a été pris au garage jusqu'à dix heures hier soir, et ce matin, il avait encore trop de travail pour monter dans le Nord.

— C'est de valeur d'avoir un si beau chalet et de pas pouvoir s'en servir, lui fit remarquer Laurette.

Deux ans auparavant, les Nadeau avaient invité les Morin à venir passer une fin de semaine dans leur chalet des Laurentides. Laurette et Gérard avaient alors découvert une coquette maison en briques beiges, édifiée au centre d'un grand terrain bien aménagé. Sans être luxueuse, la résidence secondaire de six pièces était meublée avec goût et offrait un confort très agréable.

— Si t'as le goût d'aller passer là une fin de semaine, t'as juste à nous donner un coup de téléphone, offrit Rosaire, toujours aussi généreux. On te le prêtera.

Cette proposition lui attira un regard venimeux de sa femme que Laurette perçut au passage. Cette dernière se réjouit du frisson d'horreur que sa belle-sœur venait probablement d'éprouver en l'imaginant en train de se prélasser chez elle. Elle décida d'en rajouter.

— T'es ben fin, Rosaire. Je dis pas qu'on te l'empruntera pas pour une fin de semaine, un beau jour... même si je pense que ça m'énerverait pas mal de passer une couple de jours au milieu de toutes les belles affaires *fancy* que vous avez. J'aurais peur de casser quelque chose.

— C'est vrai qu'on a dépensé pas mal d'argent pour meubler notre chalet à notre goût, dit Colombe en se rengorgeant. On y fait bien attention.

Rosaire ne tint aucun compte de la dernière remarque de sa femme et orienta la conversation sur les élections qui allaient avoir lieu huit jours plus tard.

— Il est temps que ça finisse, cette maudite niaiserie-là, intervint Laurette. Ça fait deux mois qu'on entend juste parler de ça.

— Ça achève, laissa tomber Gérard. J'ai l'impression que Lesage va regretter en taboire de les avoir déclenchées, ces élections-là. Il a eu le temps de s'apercevoir qu'on n'est plus en 62 pantoute. Johnson a plus Bertrand dans les jambes.

— Je suis pas mal moins sûr que toi, affirma Rosaire. Le monde a la mémoire courte et il y en a pas mal qui ont oublié tout ce que Lesage et sa *gang* ont fait de travers depuis qu'ils sont à Québec. Il y en a même qui ont le front de dire que Johnson est un petit Duplessis...

— C'est tout un compliment qu'ils lui font là. Toi, comme moi, on sait ben que Maurice Duplessis a été notre plus grand premier ministre et que Lesage lui va même pas à la cheville.

Comme les deux beaux-frères partageaient les mêmes idées politiques, ils s'entendirent rapidement sur tout ce qu'ils considéraient comme des faux pas des libéraux durant leur dernier mandat.

Finalement, Colombe donna le signal du départ un peu après quatre heures en disant qu'elle n'avait rien de préparé pour son souper. Comme sa belle-sœur n'offrait pas de rester pour partager le repas de sa famille, les Nadeau quittèrent l'appartement de la rue Emmett.

— T'aurais ben pu les inviter à souper, fit remarquer Gérard à sa femme après avoir refermé la porte derrière les invités.

— Aïe, Gérard Morin ! Prends-moi pas pour une folle. On crève de chaleur aujourd'hui. Tu pensais tout de même pas que j'étais pour m'atteler au poêle pour préparer un repas pour du monde que j'avais même pas invité et qui nous invite pratiquement jamais.

— De toute façon, tu prépares le souper pareil.

— Pantoute. À soir, on mange des sandwichs. Il reste un peu de fesse de jambon et il y a aussi du *baloney*. Ça va être vite fait. J'étais pas pour leur offrir ça à manger. En plus, j'ai rien de spécial pour dessert.

— À part ça, pourquoi t'as dit à Rosaire qu'on pourrait ben un jour aller passer une fin de semaine dans son chalet? T'haïs ça, la campagne.

— C'était juste pour faire enrager ta sœur. Tu lui as pas vu la face, toi, quand Rosaire nous a offert le chalet... Ça valait cent piastres.

Gérard haussa les épaules, prit le journal déposé sur l'appui-fenêtre et sortit sur le balcon arrière pendant que Carole et sa mère ramassaient les verres vides et nettoyaient la nappe cirée.

— Chaque fois qu'elle met les pieds dans la maison, elle, elle me met de mauvaise humeur pour le reste de la journée, dit Laurette à sa fille.

— De qui vous parlez, m'man?

— De ta tante Colombe! Elle a une vie épuisante, la pauvre! Elle vit dans un vrai château et elle se fait servir dans les dents par sa femme de ménage. Avec tout ça, elle trouve encore le moyen de se plaindre. Bout de viarge, il y a des limites! Il paraît qu'elle a pas le temps de rien faire! Elle a juste à lâcher son maudit piano et ses cartes, et elle va en trouver du temps. Ça a jamais rien su faire de ses dix doigts et ça trouve le moyen de nous mépriser! Elle a pas eu d'enfants et elle sait même pas ce que c'est que d'avoir de la misère à arriver à chaque maudite fin de mois... Veux-tu ben me dire où est la justice là-dedans, toi?

— Voyons, m'man! chercha à la calmer sa fille, surprise par la violence de la sortie de sa mère. Ma tante est pas si pire que ça.

— Ben non, une folle! Ce qui m'écœure le plus, c'est quand elle descend de son piédestal pour venir nous regarder de haut, comme si on était des bibittes. C'est vrai qu'on n'est pas de son monde, nous autres. On est juste des quêteux, bonyeu!

— Elle est juste un peu fraîche, m'man.

— Un peu! Elle porte pas à terre, tu veux dire! Elle me rappelle tellement ta grand-mère Morin que j'en ai des frissons, ajouta Laurette en baissant la voix pour ne pas être entendue par son mari dont elle voyait le dos, près de la fenêtre ouverte de la cuisine.

De mauvaise humeur, la mère de famille passa sa frustration en dressant la table du souper avec brusquerie. Chaque fois que Colombe daignait lui rendre visite, elle avait la même réaction. C'était comme si le fait de voir sa belle-sœur aussi gâtée par le sort lui faisait toucher du doigt ce qu'elle n'avait aucune chance de posséder un jour. À ce moment-là, toute la frustration emmagasinée en elle depuis des années refaisait surface et la submergeait.

D'abord, Colombe Nadeau avait conservé sans mal sa minceur de jeune fille malgré ses quarante-huit ans alors que Laurette avait renoncé depuis longtemps à combattre la graisse qui l'enrobait toujours un peu plus chaque année.

— C'est facile d'être maigre comme un cure-dent quand t'as jamais eu d'enfant et que t'as les moyens de manger juste ce qui est bon pour la santé, disait-elle avec une jalousie évidente. Je voudrais ben la voir, elle, après avoir mis au monde cinq enfants. Elle aurait pas l'air plus fine que moi si elle avait été obligée de manger du *baloney* et des sandwichs au Paris-Pâté quatre ou cinq fois par semaine.

Évidemment, elle enviait Colombe d'avoir assez d'argent pour aller se faire coiffer toutes les semaines et s'acheter tous les vêtements qu'elle désirait. Ce n'était pas elle qui devait se mettre des bigoudis le soir ou se contenter de se faire donner une permanente achetée à la pharmacie du quartier deux fois par année.

— Il faut avoir un maudit front de beu pour venir se lamenter quand t'as tout ce que tu veux, répétait-elle.

À vrai dire, Laurette ne parvenait pas à comprendre qu'on puisse se plaindre quand on vivait, comme sa belle-sœur, dans une maison richement meublée et qu'on pouvait, en outre, jouir des services d'une femme de ménage. C'était un comble d'oser chercher à attirer la pitié quand on était, en plus, la propriétaire d'un beau chalet où on pouvait aller se reposer quand on le voulait.

— Bonyeu ! Je l'étranglerais quand elle vient dire qu'elle est épuisée, disait Laurette. J'aurais ben voulu la voir à ma place, elle. Je sais pas ce qu'elle aurait fait si elle avait été poignée toute sa vie à vivre ici dedans avec les senteurs de la Dominion Oilcloth et de la Dominion Rubber. C'est facile de jouer la grosse madame quand t'as jamais rien eu à faire de tes dix doigts. C'est pas elle qui a lavé des couches pendant des années et qui a dû aller les étendre sur la corde à linge dehors, même en plein mois de novembre. Les enfants malades qui te tiennent réveillée durant toute la nuit, elle a pas connu ça, elle. Quand sa mère est tombée malade, elle s'est même dépêchée de l'envoyer à l'hospice parce que ça la dérangeait trop.

Bref, la mère de famille voyait rouge devant de telles injustices de la vie et il lui fallait toujours un bon moment avant de se remettre des visites de sa belle-sœur.

Ce soir-là, Jean-Louis raconta à table le film qu'il était allé voir la veille. Cependant, il se garda bien de préciser qu'il y était allé en compagnie de Marthe Paradis, mais il était évident que cette sortie lui avait fait grand plaisir.

— Je sais pas avec qui il est allé là, dit Laurette à son mari avec une trace d'inquiétude dans la voix quand le jeune homme se fut retiré dans sa chambre après le repas. Mais au moins, ça le fait sortir de sa chambre.

— C'est sûr que c'est plus normal, laissa tomber Gérard.

Quelques minutes plus tard, Jean-Louis vint demander à son père s'il lui prêtait sa voiture pour la soirée. Ce dernier accepta en manifestant tout de même une certaine réticence.

— Inquiétez-vous pas, p'pa, voulut le rassurer son fils. Je vais aller le remplir de *gas* en revenant.

— C'est pas ça, mais le char est frais lavé, lui expliqua-t-il.

— Je vais vous le laver demain soir en revenant de la banque.

Gérard lui tendit les clés et alla se planter devant la fenêtre de sa chambre à coucher pour voir de quelle manière son fils démarrait sa Chevrolet, même s'il savait qu'il conduisait avec une prudence extrême et beaucoup mieux que lui.

— Avoir su qu'il s'en servirait presque aussi souvent que moi, je lui en aurais fait payer la moitié, dit-il en revenant dans la cuisine où sa femme avait commencé à fabriquer sa provision hebdomadaire de cigarettes.

Ce soir-là, Carole attendit inutilement l'appel téléphonique d'André. La soirée passa sans que le téléphone sonne une seule fois. Elle tenta bien de le joindre à deux ou trois reprises, mais personne ne répondait chez Ronald Cyr. La jeune fille se mit au lit un peu après dix heures, malheureuse et le cœur lourd d'appréhension.

Les deux journées suivantes passèrent avec une lenteur exaspérante. Carole ne parvint à cacher ses nausées à sa mère qu'en se levant une heure plus tôt que d'habitude, ce qui lui permettait de lui faire croire qu'elle avait déjà déjeuné au moment où Laurette faisait son apparition dans la cuisine.

— Veux-tu ben me dire pourquoi tu te lèves aussi de bonne heure? finit par lui demander sa mère, intriguée.

— Parce que je m'endors plus, mentit la jeune fille. Le soir, je suis rendue que je m'endors en me couchant, même s'il est pas encore dix heures.

— Bonyeu! Quand tu vas avoir mon âge, tu vas ben te coucher avant l'heure du souper, lui fit remarquer sa mère.

Ce que Carole ne disait pas, c'est que depuis sa visite chez le médecin, elle occupait tous ses moments libres à prier pour que son test de grossesse soit négatif. Même si elle n'avait promis une neuvaine à la Vierge que dans ce cas, elle avait pris de l'avance pour montrer sa bonne volonté à tenir parole.

Le mardi après-midi arriva enfin. Elle téléphona à sa mère de son bureau pour l'informer qu'elle ne rentrerait que vers neuf heures parce que son patron lui avait demandé de faire des heures supplémentaires. Un autre mensonge.

À cinq heures, fébrile, elle quitta son travail et marcha jusqu'à la rue Saint-Denis dans l'intention de monter dans l'autobus qui allait la déposer devant le bureau du docteur Leduc. À aucun moment, elle ne songea à aller souper, même si elle n'avait rien mangé de la journée. Elle était trop torturée par la peur pour être en mesure d'avaler quoi que ce soit.

Elle arriva sur le boulevard Saint-Joseph avec plus d'une heure d'avance. Elle décida alors de marcher à l'extérieur durant au moins une demi-heure avant d'entrer s'asseoir dans la salle d'attente du médecin. Cependant, moins d'une dizaine de minutes plus tard, fatiguée, elle se résigna à entrer. Elle se sentait trop faible pour continuer plus longtemps à marcher.

Après s'être présentée à la réceptionniste, elle prit place sur une chaise dans la salle d'attente déserte et s'empara d'une revue dont elle feuilleta nerveusement les pages, incapable de se concentrer suffisamment pour lire. Elle poursuivait en silence la récitation de ses *Ave* avec l'espoir que la Vierge allait avoir pitié d'elle. Il lui semblait que les aiguilles de l'horloge murale étaient immobiles tant elles avançaient lentement. En quelques minutes, quatre patients firent leur entrée dans la pièce après s'être arrêtés à tour de rôle au bureau de la réceptionniste pour signaler leur arrivée.

— Mademoiselle Morin, vous pouvez entrer, dit soudain cette dernière en lui indiquant la porte du bureau du praticien.

Les jambes un peu tremblantes, Carole se leva et se dirigea vers la porte indiquée. Elle l'ouvrit pour découvrir Edmond Leduc, assis derrière son bureau et penché sur un dossier.

— Assoyez-vous, mademoiselle, lui dit-il en relevant ses lunettes sur son front.

Carole prit place devant lui, le souffle court, cherchant à déchiffrer le résultat de son test sur le visage de l'homme assis devant elle. Elle se taisait, attendant la sanction qu'il allait prononcer.

— J'ai reçu le résultat de votre test, se contenta de dire le médecin. Il est malheureusement positif, ajouta-t-il sans aucun ménagement pour la jeune fille.

— Positif? demanda Carole, la voix tremblante.

— Oui. Il y a pas d'erreur. Vous êtes enceinte.

Carole éclata alors en sanglots, incapable de retenir plus longtemps le désespoir qui la submergeait.

— Mais qu'est-ce que je vais devenir? demanda-t-elle en hoquetant. J'en veux pas de bébé. Je suis pas mariée. J'en veux pas!

Edmond Leduc fit preuve de patience et la laissa s'épancher durant trois ou quatre minutes avant de l'interrompre d'une voix sévère.

— Bon. Ça va faire ! lui dit-il durement. Vous attendez un enfant, que vous le vouliez ou pas. Lui, il a pas demandé à venir au monde. C'est votre enfant et vous allez être sa mère. Vous allez arrêter de pleurer sur votre sort et vous occuper de lui. Demandez au père de prendre ses responsabilités.

— Il en veut pas non plus. Je suis même pas sûre qu'il veut me marier, avoua Carole.

C'était la première fois qu'elle admettait ouvertement cette possibilité et elle en fut bouleversée.

— Dans ce cas-là, vous avez pas le choix, mademoiselle. vous le mettrez au monde et vous le donnerez en adoption si vous voulez pas le garder. Il y a des dizaines de jeunes filles qui le font chaque année à Montréal. Vous êtes pas la première à qui ça arrive et vous serez pas la dernière, je vous prie de le croire.

Carole songea soudain à ce qu'elle avait entendu à propos de toutes ces femmes riches qui n'hésitaient pas à aller se faire avorter aux États-Unis. Elle savait aussi qu'il y avait aussi des endroits au Québec où il était possible de... C'était dangereux et illégal, disait-on, mais cela existait. Elle prit son courage à deux mains pour demander d'une voix mal assurée au médecin assis en face d'elle :

— Est-ce que vous pourriez pas ?...

— Pas quoi ? demanda le docteur Leduc, en feignant de ne pas comprendre.

— Me l'enlever, dit-elle dans un souffle.

— Non, mademoiselle ! s'écria-t-il, furieux. Vous avez pas honte ? Vous seriez prête à tuer votre enfant ? Non. Je ne mange pas de ce pain-là !

— Tout le monde va me prendre pour une putain, gémit Carole à mi-voix.

— Pas tout le monde, la corrigea le médecin en retrouvant son calme. Quelques imbéciles, peut-être.

— Ma mère… Mon père… Qu'est-ce qu'ils vont dire ? s'inquiéta la jeune fille.

— Que voulez-vous qu'ils disent ? Ce qui est fait est fait, dit le praticien avec une impatience évidente.

— Ils vont me mettre dehors.

— Et alors. Vous n'êtes plus une enfant, la réprimanda Edmond Leduc. Vous travaillez, non ?

— Oui.

— Bon. Alors, vous vous installerez ailleurs et vous aurez votre petit. Il vous reste à vous trouver un médecin pour vous suivre durant votre grossesse, ajouta le praticien pour mettre fin aux lamentations de Carole. À cette heure que vous êtes une future mère, vous avez des responsabilités importantes. Vous devrez toujours penser à votre santé et à celle du petit qui s'en vient.

— Allez-vous vous occuper de moi ? demanda Carole d'une toute petite voix.

— C'est correct, accepta Leduc.

— Quand est-ce que ça va commencer à paraître ?

— Je dirais qu'avec votre constitution, ça se verra pas avant encore deux bons mois.

Après un rapide examen de sa jeune patiente, le médecin lui donna un rendez-vous à la fin du mois de juillet, après lui avoir conseillé une dernière fois de se montrer courageuse. Carole acquitta le prix de la consultation au bureau de la réceptionniste avant de quitter l'immeuble du boulevard Saint-Joseph.

À l'extérieur, elle fut accueillie par une bouffée de chaleur dégagée par l'asphalte que le soleil avait surchauffé toute la journée. Elle avança sur le trottoir comme une automate. Elle avait l'impression de marcher dans un épais brouillard. Soudain, elle n'eut plus qu'une envie, celle de se retrouver seule, dans sa chambre à coucher. Elle désirait s'étendre et dormir pour ne plus avoir à penser à tout ce qui l'attendait.

Elle s'immobilisa à l'arrêt d'autobus, perdue dans un rêve éveillé. Comme tout aurait pu être différent si cela lui était arrivé après son mariage. André l'aurait accompagnée chez le médecin et aurait probablement accueilli avec joie l'annonce de la naissance d'un petit Cyr. Ils auraient fêté l'événement dans un restaurant et la famille Morin se serait réjouie de l'arrivée prochaine d'un autre enfant. Elle se souvenait combien sa mère avait été fière et heureuse d'apprendre que Denise attendait son premier enfant... Mais non ! Tout cela ne serait pas pour elle ! À cause d'un accident, sa vie était gâchée... à moins qu'André veuille l'épouser. Il n'était peut-être pas trop tard pour tout arranger.

Quand elle descendit de l'autobus au coin de Fullum, elle avait déjà pris la décision d'attendre le lendemain soir pour parler à André. Il était déjà plus de huit heures et elle ne se sentait pas en état de discuter de leur avenir ce soir-là.

Tout en marchant, elle se persuada qu'elle allait arriver facilement à le convaincre de se marier rapidement. La chance allait tourner. Le jeune tailleur trouverait du travail et ils s'installeraient dans un petit appartement du quartier. Eux aussi allaient avoir une vie normale et le petit aurait un père et une mère, comme les autres enfants.

Elle entra chez elle au moment où le soleil se couchait. La cuisine n'était éclairée que par la veilleuse allumée sur le téléviseur devant lequel sa mère et son père étaient assis.

Dès qu'elle entra dans la pièce, sa mère se leva et alluma le plafonnier.

— As-tu soupé ? lui demanda-t-elle.

— Non. J'ai pas eu le temps, admit Carole qui sentit soudain la faim la tenailler. Dérangez-vous pas. Je suis capable de me faire des toasts avec un œuf.

Laurette se rassit et alluma une cigarette avant de lui dire sur un ton neutre :

— T'as eu un téléphone cet après-midi.

— Ah oui ! De qui ?

— De la secrétaire du docteur Leduc, laissa tomber Laurette en scrutant le visage de sa fille. Il paraît que t'avais un rendez-vous à soir…

— Ben oui, je l'avais complètement oublié, lui, s'empressa de mentir la jeune fille, un instant déstabilisée en apprenant cet appel à la maison.

— C'est qui, ce docteur-là ? lui demanda sa mère, intriguée.

— C'est un docteur qui a son bureau proche de mon ouvrage. Il y a quinze jours, je filais pas. Ça fait qu'un midi, j'ai demandé un rendez-vous pour qu'il me prescrive quelque chose.

— Puis ?

— Puis, je me suis mise à aller mieux et je l'ai oublié.

Sa mère sembla se contenter de cette réponse, mais Carole la connaissait assez pour savoir que sa curiosité n'avait pas été entièrement satisfaite par ses explications et qu'elle demeurerait à l'affût de toute anomalie la concernant dans les semaines à venir.

Après son souper improvisé, la jeune fille s'empressa de se réfugier dans sa chambre où elle occupa le reste de la soirée à mettre au point les arguments qu'elle utiliserait le lendemain soir pour convaincre son amoureux de l'épouser avant la fin de l'été.

La journée du lendemain passa comme dans un rêve. Carole ne cessa de repasser dans sa tête tout ce qu'elle allait dire à André lorsqu'elle le verrait après le souper. Elle ne lui téléphonerait pas. Elle avait planifié d'aller le rencontrer chez son frère pour lui enlever toute possibilité de fuir le tête-à-tête qui allait décider de leur avenir et de celui de leur enfant.

Elle rentra chez elle après son travail et soupa sans grand appétit, trop énervée pour avoir faim. Elle aida sa mère à laver la vaisselle et à ranger la cuisine avant d'aller se préparer dans sa chambre. Soigneusement coiffée et maquillée, elle retrouva sa mère assise dans sa chaise berçante, devant la porte d'entrée.

— Tu sors à soir? lui demanda-t-elle, surprise.

— Je serai pas longtemps partie, répondit Carole, évasive. J'ai besoin d'une couple d'affaires à la pharmacie.

Elle s'empressa de se mettre en marche pour éviter d'avoir à répondre à d'autres questions. Elle traversa la rue Emmett en diagonale en direction de la rue Archambault. Les quatre hommes en train de discuter devant le dépanneur, au coin de la rue, cessèrent un instant de parler pour la regarder aller. Même si elle sentait leurs regards fixés sur elle, la jeune fille ne tourna pas la tête. Laurette avait tout vu et fut envahie par une brusque bouffée de fierté d'être la mère d'une aussi belle fille.

Carole marcha jusqu'à la rue Logan. En approchant de l'appartement habité par les Cyr, elle chercha des yeux l'Oldsmobile rouge d'André. Elle ne la vit pas.

— Ça veut rien dire, se dit-elle. Elle est peut-être encore une fois au garage.

Tout de même un peu inquiète, elle se décida à aller sonner à la porte du frère de son amoureux. Lorraine Cyr vint lui ouvrir et parut un peu surprise de la découvrir sur le pas de sa porte.

— Bonsoir, Lorraine. Je suis juste arrêtée une minute pour dire deux mots à André, s'excusa-t-elle d'une voix mal assurée.

La grande femme eut encore l'air plus étonnée en l'entendant.

— Comment ça ? André t'a rien dit ? lui demanda-t-elle.

— Qu'est-ce qu'il aurait dû me dire ?

— Entre. Reste pas dehors. Viens t'asseoir une minute.

En proie à un sombre pressentiment, Carole monta l'escalier et entra dans l'appartement bien tenu des Cyr. Elle suivit son hôtesse dans le salon.

— Ça tombe ben. Je suis toute seule à soir, l'informa la belle-sœur de son amoureux. Ronald est parti aider un de ses *chums*. Assis-toi.

— Qu'est-ce qu'André aurait dû me dire ? demanda Carole d'une voix blanche en prenant place sur le divan.

— Il t'a pas dit qu'il s'était trouvé de l'ouvrage à Québec ?

En entendant ces mots, le cœur de Carole eut un raté et elle se sentit pâlir.

— J'aurais dû m'en douter ! s'exclama Lorraine dont les traits taillés à coups de serpe s'étaient durcis. Le maudit menteur ! Avant de partir avec ses cliques et ses claques, il nous a dit qu'il t'en avait parlé et que tu l'avais encouragé à y aller.

— Je l'ai vu vendredi soir et il m'a jamais dit ça, avoua Carole, la voix à peine audible. Tout ce qu'il m'a dit, c'est qu'il allait vous conduire, toi et Ronald, chez de la parenté, à Contrecœur.

— C'était pas vrai pantoute. Il est parti samedi matin en nous promettant de nous payer sa pension en retard de deux mois avec sa première paye. Je le connais, le beau-frère ! Les poules vont avoir des dents quand on va revoir la couleur de cet argent-là. J'espère que tu lui en as pas prêté, au moins.

— Ben non, mentit Carole.

— Pour moi, ma fille, c'est pas demain la veille que tu vas lui revoir la face dans le coin. Il doit de l'argent à tout le monde, même à nous autres.

Carole se mit à pleurer doucement, ce qui eut l'air d'émouvoir Lorraine Cyr.

— Braille pas pour cet énergumène-là, lui conseilla-t-elle. Je me suis toujours demandé ce que tu pouvais ben lui trouver. Il est venu au monde avec un poil dans la main. Plus puant que lui, ça existe pas. C'est un menteur et un hypocrite et t'aurais jamais été capable de le changer. Il a beau être mon beau-frère, je peux pas le sentir.

— …

— Oublie-le. C'est ce que t'as de mieux à faire. Trouve-toi un gars fiable.

— Est-ce que tu sais où il reste à Québec ? Est-ce qu'il t'a laissé un numéro de téléphone ? finit par lui demander Carole.

— Même pas. Il paraît qu'il a trouvé un *chum* qui va lui louer une chambre. Il est supposé nous appeler pour nous donner son adresse et son numéro de téléphone. Mais j'aime autant te dire que je serais ben surprise qu'il le fasse. Il prendra pas la chance qu'on le relance pour nous faire rembourser. Tant mieux pour lui s'il a trouvé une autre poire pour le faire vivre. Que le diable l'emporte !

— Bon. Ben, je pense que je vais m'en retourner, dit Carole en se levant.

Lorraine Cyr l'imita et la raccompagna jusqu'à la porte.

— Tu m'as pas dit ce que tu voulais lui dire, fit-elle remarquer à sa visiteuse. S'il appelle, veux-tu que je lui fasse le message ?

— Non, merci, Lorraine. T'es ben fine, mais ça peut attendre.

La jeune fille salua la belle-sœur d'André Cyr et quitta l'appartement. En posant le pied sur le trottoir, elle se sentit tout étourdie. Elle se mit à marcher en direction de la rue Fullum comme une automate, incapable de penser clairement à ce qu'elle venait d'apprendre. Le père de l'enfant qu'elle portait avait disparu sans laisser d'adresse. Tous les beaux scénarios échafaudés depuis vingt-quatre heures venaient de s'écrouler lamentablement. Elle se retrouvait seule pour faire face à une réalité d'autant plus angoissante qu'elle ne savait pas vers qui se tourner.

Le soleil commençait à se coucher quand elle se retrouva dans la petite rue Emmett. Des jeunes l'avaient envahie et deux équipes se disputaient une bruyante partie de balle. La jeune fille salua au passage sa mère et Catherine Bélanger en grande conversation sur le trottoir avant de disparaître à l'intérieur de l'appartement familial. Elle s'empressa d'entrer dans sa chambre et se laissa tomber sur son lit.

Durant de longues minutes, elle fut secouée de sanglots qu'elle étouffait dans son oreiller. Elle était incapable d'entrevoir l'avenir qui l'attendait. André Cyr avait fui comme un lâche. Non seulement il lui avait volé l'argent destiné à lui permettre d'aller vivre en appartement, mais il avait gâché sa vie ! Ses parents allaient la mettre à la porte. Tout le monde la verrait comme une putain, une fille de rien, prête à coucher avec le premier venu. Ses patrons allaient sûrement la congédier aussi. Peu à peu, son amour se transforma en une haine qui la faisait trembler de rage. S'il s'était trouvé en face d'elle à ce moment-là, elle aurait été capable de l'étrangler.

Épuisée, elle finit par s'endormir tout habillée. Sa dernière pensée fut qu'il lui fallait absolument trouver quelqu'un prêt à lui venir en aide.

Le lundi suivant, cinquième jour de juin, Gérard se leva dès la première sonnerie du gros Westclock déposé sur sa table de chevet.

— Ma foi du bon Dieu ! s'exclama Laurette en se levant péniblement à son tour, on va faire une croix quelque part. C'est ben la première fois que je te vois te lever aussi vite.

Gérard ne se donna pas la peine de lui répondre et s'empressa d'aller faire sa toilette pendant que sa femme se dirigeait lentement vers la cuisine, après avoir endossé sa robe de chambre rose défraîchie. Elle retrouva Carole déjà en train de laver l'assiette dans laquelle elle venait de déjeuner.

— Tu continues toujours à te lever aussi de bonne heure, fit-elle remarquer à sa fille. Il est juste six heures et quart.

— Il fait trop beau, m'man. Le soleil me réveille.

— T'as juste à baisser ta toile avant de te coucher, lui conseilla sa mère.

— Ça me dérange pas. Je me couche de bonne heure le soir et je m'endors plus rendue à cinq heures et demie du matin. Ça me donne le temps de préparer mon lunch et de déjeuner sans me presser, mentit-elle.

Sa mère se mit à sortir du garde-manger tout ce qui allait être nécessaire au déjeuner des siens. Le fromage Velveeta rejoignit les pots de beurre d'arachide et de marmelade au centre de la table.

— Il reste plus de margarine, lui fit remarquer Carole.

— Dis-moi pas ça ! s'exclama sa mère. Il y a rien que j'haïs plus le matin que d'avoir à mélanger la maudite pastille orange dans ce qui a l'air de la graisse. Ça me lève le cœur.

— À moi aussi, dit Carole qui avait encore été la proie de nausées matinales peu avant le lever de ses parents.

— Cette idée de fou aussi du gouvernement de voir à ce que les compagnies fassent de la margarine qui a pas la même couleur que le beurre pour faire plaisir aux cultivateurs ! Bonyeu ! Ça fait au moins cinq ans qu'on est poignés pour mélanger ça. Ils devraient ben savoir que si on achète de la margarine, c'est parce que c'est ben moins cher que du beurre.

Gérard sortit des toilettes au moment où Gilles et Jean-Louis faisaient leur apparition dans la cuisine.

— Aïe, les jeunes ! Oubliez pas d'aller voter après votre ouvrage, leur rappela leur père sur un ton guilleret en prenant place à table. Pendant des années, vous vous êtes plaints que vous aviez pas le droit de voter. Les jeunes de dix-huit ans l'ont maintenant. Allez-y et votez pour le bon parti, à part ça.

— P'pa, vous oubliez qu'à notre âge, on pouvait déjà le faire aux dernières élections, lui fit remarquer Gilles en riant. On n'est pas si jeunes que ça.

— En tout cas, moi, ça me tente pas ben gros d'aller me planter debout dans une ligne après ma journée d'ouvrage, dit Jean-Louis, sans grand enthousiasme.

— Si tu y vas juste après la banque, lui fit remarquer son frère, tu devrais pas attendre tant que ça. Le pire, c'est après cinq heures. Moi, je vais y aller tout de suite après l'école. Et vous, p'pa ?

Toutes les têtes se tournèrent vers le père de famille, en attente de sa réponse. Il était bien connu chez les Morin que Gérard, fanatique de la politique provinciale et partisan inconditionnel de l'Union nationale, n'était allé voter qu'en une seule occasion depuis qu'il était en âge de déposer son bulletin dans une urne.

— C'est sûr que je vais y aller, affirma ce dernier.

— Si c'est comme ça, tu viendras me chercher après l'ouvrage, intervint sa femme en déposant deux rôties dans son assiette. On va y aller ensemble.

— Hein ! Pour faire quoi ?

— Pour aller voter, moi aussi, cette affaire !

— Depuis quand tu t'intéresses à la politique, toi ? lui demanda son mari, stupéfait.

— C'est vrai, ça, m'man, intervint Gilles. D'habitude, vous êtes comme la majorité des femmes, ça vous intéresse pas. La semaine passée, il y avait encore un sondage dans les journaux qui disait que les femmes voulaient rien savoir des élections, même si avec la Kirkland-Casgrain il y a une femme députée à Québec.

— Laisse faire les autres femmes. C'est vrai que ça m'intéresse pas pantoute, reconnut sa mère. Mais si ton père se donne la peine d'aller voter aujourd'hui, c'est que ça doit être pas mal important, reprit-elle, l'air narquois. Dans ce cas-là, je vais y aller, moi aussi. Je suis pas plus folle que lui.

Piégé, Gérard ne dit plus rien et se concentra afin de tartiner ses rôties d'une épaisse couche de beurre d'arachide.

À la fin de l'après-midi, le gardien de sécurité rentra à la maison et suspendit son képi derrière la porte. Jean-Louis et Gilles étaient rentrés depuis une demi-heure, après avoir accompli leur devoir de citoyen. Laurette apparut dans le couloir dès qu'elle entendit la porte d'entrée se refermer.

— Je suis prête, déclara-t-elle.

— Il y a rien qui presse, se défendit Gérard. On crève dehors. Johnson va se faire élire pareil, même si on vote pas. En plus, les jeunes attendent déjà pour souper, ajouta-t-il en apercevant ses deux fils dans la cuisine.

— On peut attendre, p'pa, dit Gilles, moqueur. On mourra pas de faim.

— Aïe, Gérard Morin ! Cherche-toi pas d'excuse. Tu m'as pas fait me préparer pour rien ! s'écria sa femme. Envoye qu'on en finisse ! On s'en va voter.

Son mari sortit de l'appartement à contrecœur, déverrouilla les portières de la vieille Chevrolet bleue et s'assit derrière le volant avec la mine d'un condamné.

— Bonyeu, change d'air ! s'écria Laurette. On dirait que tu t'en vas te faire arracher une dent. On s'en va juste voter.

En cette fin d'après-midi, les bureaux de scrutin étaient pris d'assaut par les gens impatients d'appuyer leur candidat favori. Il faisait chaud et le service d'ordre semblait débordé. Les scrutateurs, assis derrière des tables, vérifiaient l'identité de chaque électeur en consultant de longues listes. Puis, ils remettaient à chacun un petit crayon à mine de plomb et un bulletin de vote avant de l'inviter à passer dans l'isoloir.

— Bâtard, on en a ben pour une heure ! se plaignit Gérard à mi-voix en montrant la file de gens devant eux.

— On est rendus, on va voter, déclara Laurette en se campant sur ses jambes d'un air résolu.

Le couple dut tout de même attendre près de quarante minutes avant de pouvoir passer dans l'isoloir. Il retourna à la maison fatigué, mais satisfait.

Un peu avant huit heures, Gérard se retrouva seul, installé devant le téléviseur. Sa femme avait laissé la porte d'entrée ouverte et était assise dans sa chaise berçante sur le trottoir pour profiter d'un peu de fraîcheur.

— À quoi ça te sert de rester en dedans et de cuire dans ton jus ? fit-elle remarquer à son mari. Viens t'asseoir dehors, on crève dans la cuisine. Avec la porte ouverte, on entend pareil les résultats qu'ils donnent à la télévision.

— Laisse faire, se contenta de répondre Gérard. Je veux rien manquer.

Le portillon de la clôture grinça sur ses gonds et Gérard tourna la tête au moment même où ses beaux-frères Bernard et Armand entraient dans la cour, en compagnie de Marie-Ange, de Pauline et de sa fille Louise. Il réprima une grimace d'agacement. La présence de tout ce monde allait l'empêcher de profiter à son goût de la soirée des élections. Pour bien montrer son intention d'écouter les résultats, il laissa le téléviseur allumé avant de se lever pour aller accueillir ses visiteurs imprévus.

— Ah ben, taboire! s'exclama-t-il avec une bonne humeur un peu forcée, voulez-vous ben me dire d'où vous sortez, vous autres?

— On a pensé te faire une surprise et, surtout, venir te consoler quand tu vas apprendre que t'as encore perdu tes élections, mon Gérard, dit le gros Bernard, toujours aussi jovial.

En entendant des bruits de voix à l'intérieur de l'appartement, Laurette s'était étirée le cou pour voir ce qui se passait. Dès qu'elle vit les visiteurs dans sa cuisine, elle s'empressa de rentrer.

— Voulez-vous ben me dire par où vous êtes venus? demanda-t-elle en embrassant ses deux belles-sœurs et sa nièce.

— Armand a voulu passer par Fullum, répondit Pauline. Il est entré dans la grande cour et il a laissé le char proche de votre clôture.

— C'est ben pour ça que je vous ai pas vus arriver. Venez. On va s'asseoir sur le balcon, en arrière, et laisser les hommes jaser de leur maudite politique.

Au même moment, la porte de la chambre de Carole s'ouvrit. La jeune fille salua à son tour les visiteurs.

— Dis-moi pas, ma belle Carole, que tu te couches à l'heure des poules? plaisanta Bernard Brûlé en embrassant sa nièce sur une joue.

— Ben non, mon oncle. Je lisais dans ma chambre. Je suis comme ma mère, j'aime pas ben gros la politique et il y a rien que ça à la télévision, à soir.

— Sers donc un verre de liqueur à la visite, lui demanda Laurette en entraînant ses belles-sœurs sur le balcon.

— Si ça te fait rien, ma sœur, je pense que ton mari va avoir besoin de quelque chose d'un peu plus fort que d'un verre de Coke pour passer à travers la soirée qui l'attend, dit Armand, narquois. C'est le temps de boire une bière, si t'en as.

— J'en ai, inquiète-toi pas, intervint Gérard. Et je te dis tout de suite que cette bière-là m'a pas été donnée en échange de mon vote.

Louise aida sa cousine à servir la bière et la boisson gazeuse. La jeune fille de vingt-deux ans ressemblait étrangement à sa cousine avec ses longs cheveux bruns bouclés et sa figure aux traits fins. Cette grande jeune fille svelte possédait cependant un petit air mutin que Carole n'avait pas.

— Viens, on va s'installer dans ma chambre, proposa Carole après avoir servi tout le monde. On va être plus tranquilles.

Louise pénétra dans la chambre de sa cousine et s'assit sur son lit pendant que Carole refermait la porte derrière elle.

— Sais-tu que ça fait plus qu'un mois qu'on s'est pas vues, dit Louise.

— On a failli se voir vendredi il y a quinze jours, répliqua sa cousine à voix basse.

— Comment ça ?

— Je suis allée te rejoindre à ton bureau après ma journée d'ouvrage, répondit Carole à voix basse en montrant du doigt le dos de sa mère assise devant la fenêtre ouverte, sur le balcon. Quand je suis arrivée, tu venais de partir. Je t'ai vue au coin de la rue. T'étais pas toute seule. J'ai pas voulu te déranger. T'avais l'air d'être avec ton nouveau *chum*.

Louise avait légèrement pâli en entendant ces paroles. Elle demeura un instant sans rien dire avant de murmurer :

— Tu l'as reconnu ?

Carole laissa passer un long moment avant de se décider à avouer :

— Ben oui.

— T'as dû être surprise ?

— Mettons. Comment c'est arrivé, cette affaire-là ? demanda-t-elle curieuse.

— C'est arrivé à la fin janvier. Un soir, j'ai soupé chez *Da Giovanni* après ma journée d'ouvrage. Il neigeait à plein ciel et j'attendais l'autobus depuis un quart d'heure quand l'abbé Vermette est sorti du restaurant. Je l'avais pas vu. Il m'a offert de me reconduire chez nous. J'ai accepté.

— Comment ça se fait que tu m'en as pas parlé ? demanda Carole, un brin rancunière.

— Parce qu'au commencement, c'était rien de sérieux. Il s'est mis à venir m'attendre à la porte du bureau deux ou trois fois par semaine et on se contentait de jaser.

— Puis ?

— Puis, je suis tombée amoureuse de lui.

— Mais c'est un prêtre ! protesta Carole.

— Je le sais ben. Mais c'est aussi un bel homme et il est fin. J'ai jamais rencontré quelqu'un comme lui avant.

— Mais tu perds ton temps. Tu pourras jamais le marier, lui fit remarquer sa cousine.

— Ça aussi, je le sais, mais c'est devenu ben plus sérieux que tu penses entre nous deux.

— Comment ça ?

— Il veut défroquer pour qu'on aille vivre ensemble.

— C'est pas vrai ! s'exclama à mi-voix sa cousine, estomaquée par la nouvelle.

— Je te le dis. Il a décidé de tout lâcher cet été. Il est sûr de pouvoir enseigner dans un collège au mois de septembre.

— Ayoye ! s'exclama Carole. Je me demande ben comment ta mère va prendre cette affaire-là. Elle va ben en faire une maladie.

— Elle fera ce qu'elle voudra, répondit la jeune fille. C'est ma vie après tout. J'ai ben le droit d'en faire ce que je veux. On va se louer un appartement. Serge en a déjà un en vue sur Sherbrooke.

— Comment vous allez faire pour vivre ensemble ?

— On va faire comme tout le monde, déclara Louise sur un ton décidé. C'est pas écrit dans le front de Serge qu'il est un prêtre et personne saura qu'on n'est pas mariés. Dans le coin où on va vivre, je pense pas que tout le monde met son nez dans les affaires des voisins. C'est pas comme ici. Commences-tu à comprendre pourquoi je tenais tant à ce que mon père déménage au mois de mai ?

— Comme ça, ta mère et ton père se doutent de rien ?

— Es-tu folle, toi ? s'écria sa cousine à voix basse. J'ai pas envie de me faire tuer ! Ils le sauront bien assez vite quand je vais partir au mois d'août. Je compte sur toi pour pas dire un mot de tout ça chez vous, hein ?

— Inquiète-toi pas Je suis pas une porte-panier. Mais j'en reviens pas quand même, conclut Carole, bouleversée. Partir comme ça sur un coup de tête, ça risque pas de m'arriver avec André.

— C'est vrai, ça, tu m'as pas dit comment ça allait avec ton *chum*, reprit sa cousine, apparemment soulagée de changer de sujet.

— Ça va pas fort. Il est parti travailler à Québec sans m'avertir.

— Comment ça se fait ? Vous êtes-vous chicanés ?

— Pantoute. Il est parti comme ça. En plus, je lui ai prêté de l'argent.

— Combien ?

— Cent cinquante piastres. Presque tout ce que j'avais dans mon compte.

— Appelle-le. Demande-lui de s'expliquer, conseilla Louise.

— Je peux pas. Personne sait où il reste.

— Pour moi, t'es mieux de faire un « X » sur lui et sur ton argent, lui conseilla Louise Brûlé. T'as pas été chanceuse. T'es tombée sur un bel écœurant.

« Et encore, tu sais pas le pire », songea Carole.

Pendant un bref moment, la jeune fille eut la tentation d'avouer à sa cousine qu'elle était enceinte. Elle y renonça cependant. Il était évident que cette dernière n'était pas présentement en position de lui venir en aide de quelque manière que ce soit. Elle décida qu'il valait mieux attendre. Elle pourrait toujours faire appel à elle en cas de besoin. Louise ne pourrait pas ignorer l'appel à l'aide de l'unique détentrice de son secret. De plus, elle trouvait humiliant d'avouer à sa cadette de deux ans avoir succombé à un amoureux qui n'avait rien trouvé de mieux que de l'abandonner lâchement.

— Qu'est-ce que tu dirais d'aller manger un cornet ? lui demanda Louise. On pourrait parler plus à notre aise, ajouta-t-elle plus bas en montrant la fenêtre.

Carole accepta et les deux jeunes filles quittèrent l'appartement, à peine remarquées par les trois hommes rivés devant le petit écran.

— Moi, en tout cas, j'ai pas confiance pantoute en Daniel Johnson, affirma Bernard en déposant sa bouteille de bière sur la table. Depuis la grève de 37, j'haïs l'Union nationale à m'en confesser, admit-il.

— Voyons, Bernard, protesta son beau-frère. Je veux ben croire que Duplessis a été ben dur avec vous autres de la Dominion Textile en 37, mais Johnson, c'est autre chose. Pas vrai, Armand ?

— Moi, je vais te dire que je suis pour le parti qui va dépenser le moins. Moi, du monde comme Lesage et Drapeau qui garroche des millions par les fenêtres, ça me fait peur. Johnson, je le connais pas. Je trouve juste son ton de voix ben endormant.

La nuit était tombée depuis longtemps et Radio-Canada n'avait pas encore annoncé le gagnant. Au petit écran, les spécialistes interviewés par les journalistes ne se souvenaient pas d'avoir vécu une élection aussi serrée. La seule chose sur laquelle ils semblaient s'entendre était que Bourgault et son mouvement indépendantiste, le RIN, ne feraient pas de percée importante.

Il régnait une chaleur d'étuve dans la cuisine surpeuplée. Carole et Louise étaient revenues depuis longtemps et avaient décidé de s'asseoir avec les femmes pour discuter autour de la table.

Finalement, un peu après onze heures, Jean Lesage concéda la victoire à son adversaire unioniste tout en déplorant qu'avec à peine quarante et un pour cent des votes, ce dernier ait pu remporter cinquante-six des cent huit comtés de la province. Il ne parvint pas à cacher sa frustration en affirmant que sa défaite n'était due qu'à une carte électorale qui favorisait indûment ses adversaires, son parti ayant récolté presque sept pour cent de plus de votes que l'Union nationale.

— Ça y est ! hurla Gérard, au comble de l'excitation. On a gagné. À cette heure, on va avoir un vrai premier ministre.

— Bon. C'est enfin réglé, déclara Pauline Brûlé en se levant. On va pouvoir aller se coucher.

— Bonne idée ! dit Marie-Ange en l'imitant. Grouillez-vous, les hommes. Vous avez empêché assez longtemps Laurette et Carole d'aller se coucher.

L'air un peu déconfit, Armand et Bernard se levèrent.

— Vous devriez rester un peu pour écouter le discours de Johnson, les taquina Gérard.

— Laisse faire, on va l'entendre ben assez dans les années qui s'en viennent, rétorqua Bernard, dépité par la victoire de l'Union nationale.

— Bon. On vous remercie pour toutes vos politesses, dit Armand. Ça va être à votre tour de vous déranger pour venir veiller à la maison, ajouta-t-il en embrassant sa sœur et en serrant la main de son beau-frère.

Gérard, Laurette et leurs enfants raccompagnèrent leurs visiteurs jusqu'à la grande cour et les virent s'entasser dans la Dodge d'Armand. Ils rentrèrent dès que les feux arrière du véhicule eurent disparu sur la rue Archambault.

— On va avoir de la misère à dormir avec une chaleur pareille, dit Gérard en verrouillant la porte arrière.

— Oui, acquiesça sa femme. Dire qu'on n'est même pas encore en été. En tout cas, on en a au moins fini avec ces maudites élections-là et on va pouvoir regarder nos programmes tranquilles.

Chapitre 9

Une expérience

Le mois de juin 1966 fut d'une douceur extraordinaire. Il y eut bien quelques pluies, mais elles eurent le bon goût de ne tomber que la nuit, comme si elles ne cherchaient qu'à raviver les odeurs entêtantes des lilas qui poussaient dans la cour du presbytère de la paroisse, sur la rue Fullum.

Chaque matin, Laurette s'empressait de sortir sur le balcon pour respirer l'air frais du matin avant d'allumer sa première cigarette de la journée.

Ce jour-là, Carole vint la rejoindre, déjà habillée et maquillée, prête pour sa journée de travail.

— À partir de demain, il va y avoir pas mal plus de bruit, lui dit sa mère. Les enfants vont tomber en vacances et ça va crier du matin au soir autant dans la cour que dans la rue.

— Ça rappelle des beaux souvenirs, murmura la jeune fille, un peu nostalgique.

— Parle pour toi, ma fille, fit sa mère. Pour les mères de famille, c'est une autre paire de manches quand leurs enfants leur restent sur les bras pour tout l'été.

— Oui, mais nous autres, on n'était pas tannants.

— C'est toi qui le dis. Tes frères arrêtaient pas de se chamailler et il y avait des jours où tu donnais pas ta place, toi aussi.

— Le pire, c'était tout de même Richard, m'man.

— Lui, c'est presque un miracle qu'il vive encore, l'escogriffe. J'aurais pu l'assommer deux fois par jour quand il était jeune. Une chance qu'il s'est un peu replacé en vieillissant.

Il y eut un long silence entre la mère et la fille avant que Laurette se décide à aborder un sujet qu'elle avait soigneusement évité depuis près d'un mois.

— Dis donc. Est-ce que je peux savoir ce qui s'est passé avec André Cyr ?

— On a cassé, m'man, se contenta de dire Carole d'une voix blanche.

— Je le vois ben que vous avez cassé, répliqua Laurette avec humeur. Je suis pas devenue aveugle. Je me suis ben aperçue qu'il mettait plus les pieds ici dedans, mais ça me dit pas ce qui s'est passé.

— Rien, m'man, mentit Carole. Il y a juste que je me suis tannée de sortir avec un gars qui avait jamais une cenne dans ses poches.

— Si tu veux mon avis, c'est pas le pire coup que tu pouvais faire, l'approuva sa mère, satisfaite. Bon débarras ! Tu vas ben finir par te trouver un gars qui a du bon sens dans le coin.

— Ça presse pas, dit sa fille d'une voix tranchante avant d'entrer dans la maison. Bon. Il faut que j'y aille, ajouta-t-elle en se dirigeant vers le réfrigérateur pour y prendre son goûter. À force de traîner, je vais finir par arriver en retard à l'ouvrage.

Pour la première fois depuis qu'elle était enceinte, elle n'avait éprouvé aucune nausée au lever et avait déjeuné avec un rare plaisir. Elle quitta l'appartement et, tout en marchant vers l'arrêt d'autobus, coin Fullum et Sainte-Catherine, elle songea aux dernières paroles de sa mère.

— Je vais en trouver encore, un gars prêt à me marier avec un petit sur les bras ! se dit-elle, la mort dans l'âme.

La veille, en début de soirée, la jeune fille avait eu de légères pertes de sang, ce qui lui avait fait espérer perdre son bébé. Pendant quelques heures, elle avait même prié pour que cela se produise. Malheureusement, ça s'était replacé et ce matin, tout semblait être rentré dans l'ordre.

Le lendemain soir, Pierre et Denise Crevier vinrent rendre visite aux Morin en compagnie de leurs trois enfants. Les jeunes parents s'apprêtaient à prendre la direction du lac Blanc pour le long congé de la Saint-Jean-Baptiste. Les ressorts de la Malibu familiale semblaient sur le point de rendre l'âme tant le véhicule semblait surchargé de bagages. Alain, Denis et Sophie entrèrent chez leurs grands-parents en chahutant.

— Bon. V'là les petits diables, plaisanta Laurette en les embrassant avec effusion.

— Bonsoir, grand-mère, dirent-ils.

— Je suppose que t'es content de plus avoir d'école ? dit la grand-mère à l'aîné.

— C'est sûr, grand-mère. Je suis en vacances jusqu'au mois de septembre.

— Est-ce que vous avez soif? demanda-t-elle aux trois enfants qui l'entouraient. J'ai une grosse bouteille de *cream soda* pour vous autres.

— Faites-les pas trop boire, madame Morin, s'interposa en riant son gendre. On s'en va à Notre-Dame-de-la-Merci et je vais passer mon temps à m'arrêter sur le bord du chemin pour leur permettre de pisser.

— On arrête juste vous dire bonsoir en passant, dit Denise. On s'en va sur notre lot. Pierre a pas mal travaillé dessus depuis le mois d'avril.

— Et vous devriez voir celui de Gilles, reprit Pierre. Il est pas mal pantoute.

— Il est parti là-bas à matin, annonça Gérard en invitant de la main son gendre à s'asseoir.

— Est-ce que ça veut dire que vous serez même pas là pour la parade? demanda Laurette.

— Ben non, m'man, répondit sa fille. On va être ben mieux à la campagne, sur le bord du lac.

— Vous devriez venir avec nous autres, proposa aimablement son gendre. Je suis certain que vous haïriez pas ça. On a deux grandes tentes et vous auriez en masse de la place pour coucher.

— On est ben trop vieux pour commencer à coucher à terre, lui fit remarquer sa belle-mère.

— Ben non, madame Morin. À part ça, on a des matelas pneumatiques. On a juste à les gonfler. Vous seriez ben en sacrifice, c'est moi qui vous le dis. En plus, je suis sûr que ça ferait ben plaisir à Gilles que vous alliez voir tout ce qu'il a fait depuis le commencement du printemps sur son lot. Vous verriez que ça a pas mal d'allure.

— Et notre lot aussi est pas mal défriché, ajouta Denise avec fierté.

— Sans parler, beau-père, que ce voyage-là décrasserait sérieusement le moteur de votre char. Vous faites juste de la ville avec votre Chevrolet. Le moteur va finir par pomper l'huile.

— Je sais pas trop, dit Gérard d'une voix hésitante. C'est loin en taboire votre affaire...

— Pas si loin que ça, p'pa, reprit sa fille aînée. Ça prend pas plus qu'une heure et demie pour se rendre là.

— Vous prenez le pont Pie IX et vous avez juste à suivre la 125 jusqu'à Notre-Dame-de-la-Merci, poursuivit Pierre avec enthousiasme. Après, vous prenez la petite route à côté de l'église et vous pouvez pas nous manquer. Le lac Blanc est ben indiqué. Le chemin est beau. Venez donc. Les petits seraient contents et ça vous ferait prendre l'air. On pourrait même aller pêcher si ça vous tente.

Gérard, sérieusement alléché, jeta un regard interrogateur à sa femme qui ne semblait pas encore décidée. Denise insista.

— Venez donc, m'man. Ça va vous faire du bien de sortir de la ville. Vous allez être ben avec nous autres.

— Ben. Si c'est comme ça, on va y aller, déclara Laurette en sortant de son indécision. Dis-moi ce que tu veux qu'on apporte.

— Apportez juste quelques couvertes et des oreillers. Ah oui, oubliez pas de vous apporter aussi un bon chandail parce que c'est pas chaud pantoute le soir.

— C'est correct. On va apporter du manger aussi.

— On va partir de bonne heure demain matin. On devrait être là au milieu de l'avant-midi, tint à préciser Gérard en jugulant difficilement son enthousiasme.

— M'man, est-ce que je peux coucher chez grand-mère ? demanda Denis.

— Ben non. Tu montes dans le Nord avec nous autres, répondit Denise à son fils de six ans.

— Je pourrais coucher ici et venir à la campagne avec elle demain matin.

— Tu vas la déranger pour rien.

— Je pourrais montrer le chemin à grand-père s'il se trompe, assura l'enfant avec un aplomb qui fit rire les adultes.

— Laisse-le donc coucher ici. Il va dormir dans le lit de Gilles, intervint Laurette. On le montera avec nous autres demain avant-midi.

Denise consulta son mari du regard et finit par accepter.

— C'est correct, dit-elle. Alain, va chercher le pyjama de ton frère.

Pierre et Denise donnèrent aux enfants le signal du départ quelques minutes plus tard. Après avoir embrassé leurs grands-parents, Sophie et Alain s'engouffrèrent dans la voiture familiale.

— On vous attend sans faute demain, dit Pierre au moment de démarrer.

— Inquiète-toi pas, tu vas nous voir arriver, lui promit Gérard.

Lorsque Jean-Louis et Carole rentrèrent à la maison un peu plus tard, ils eurent la surprise de découvrir leur neveu assis sagement entre ses grands-parents en train de regarder la télévision.

— Tiens, on a de la visite rare ! s'exclama Carole.

— De la visite qui restera pas longtemps, précisa sa mère. Ton père et moi, on l'amène dans le Nord demain. On a décidé d'aller voir les lots de Pierre et de Gilles demain matin. On va coucher là.

— Vous allez faire du camping ? demanda Jean-Louis, étonné.

— Il paraît que c'est pas si pire que ça, répondit son père.

— J'espère que ça vous dérange pas de passer la fin de semaine tout seuls ? reprit Laurette.

— Ben non, m'man. On n'est plus des enfants, répondit Carole. On est capables de se débrouiller.

— Bon. Si c'est comme ça, nous autres on va aller se coucher parce que ton père veut partir ben de bonne heure demain matin. J'ai déjà préparé le manger qu'on va apporter et tout le *stock* nécessaire.

Laurette installa Denis dans le lit de son oncle Gilles et entra dans sa chambre où Gérard venait de finir de se préparer pour la nuit. Le couple fit, comme chaque soir, sa prière en commun avant de se mettre au lit.

— Il est juste dix heures et demie, fit remarquer Laurette. On va ben se réveiller à cinq heures demain matin.

À l'extérieur, il y eut un crissement de pneu brutal sur la rue Archambault, suivi par des cris de voix avinées.

— Si on arrive à dormir avec tout ce bruit-là, ajouta Gérard en se tournant sur le côté.

Au moment où elle allait glisser dans le sommeil, Laurette eut une pensée pour le déménagement qui la menaçait. Même si plus de deux mois s'étaient écoulés depuis que le fondé de pouvoir de la Dominion Oilcloth lui avait appris que leur maison allait être démolie dans un avenir plus ou moins rapproché, elle ne pouvait s'empêcher d'y penser chaque jour avec un pincement au cœur. Elle avait beau tenter de se raisonner et se dire qu'elle allait enfin pouvoir quitter ce quartier miteux, rien n'y faisait. Elle avait la conviction qu'on lui arracherait bientôt une partie d'elle-même en la forçant à aller vivre ailleurs.

— Grand-mère ! Grand-mère ! criait une voix d'enfant dans la nuit.

Laurette se réveilla en sursaut et s'assit dans son lit, les oreilles aux aguets.

— Grand-mère, j'ai peur ! fit la même voix dans le noir.

— M'man, Denis est réveillé et il crie qu'il a peur, dit Jean-Louis à voix basse, debout à la porte de la chambre de ses parents. J'ai essayé de le calmer, mais ça donne rien.

— Bonyeu, il manquait plus que ça, chuchota Laurette en se levant. C'est correct. Je m'en occupe, chuchota-t-elle à son fils. Tu peux retourner te coucher.

Elle sortit de la pièce et pénétra dans la chambre double au moment où Jean-Louis réintégrait son lit. Elle écarta le rideau séparateur et se rendit dans la chambre voisine. Le gamin était assis dans son lit, tremblant de peur.

— Qu'est-ce qu'il y a ? lui demanda sa grand-mère.

— J'ai peur tout seul, grand-mère.

— Mais t'es pas tout seul. Regarde. Mon oncle Jean-Louis est à côté. Tu peux le voir de ton lit, tenta de le raisonner Laurette.

— Viens coucher avec moi, grand-mère, la supplia le gamin.

— OK. Grand-mère va aller chercher ses oreillers et elle va venir se coucher avec toi, mais arrête de crier. Tu vas réveiller tout le monde.

Sur ces mots, elle retourna en grommelant dans sa chambre prendre ses oreillers et revint s'étendre dans le même lit que son petit-fils de six ans. Avant même qu'elle se soit tournée sur le côté, Denis dormait déjà.

Laurette avait l'impression de venir à peine de se rendormir quand quelque chose la réveilla. Ce n'était pas un bruit. Plutôt une sensation étrange. Il lui fallut quelques secondes avant de réaliser que sa robe de nuit était toute mouillée.

— Ah ben bout de viarge ! s'exclama-t-elle à mi-voix. J'avais ben besoin de ça. Le petit maudit a pissé au lit ! C'est le *fun* encore. Je vais être poignée pour changer tout le lit et pour me changer de jaquette. Elle se leva en maugréant et alla dans la cuisine pour consulter l'horloge murale. Trois heures et demie. Elle retourna dans la chambre, réveilla le petit et le conduisit aux toilettes.

— J'ai pas envie, grand-mère.

— Vas-y pareil, lui ordonna-t-elle à bout de patience. Tu m'arroseras pas deux fois la même nuit, mon petit verrat !

Elle retourna dans la chambre et, dans le noir, elle retira le drap et la couverture souillée pour les remplacer tant bien que mal par de la literie propre.

— À cette heure, couche-toi et dors, commanda-t-elle au fils de sa fille.

Si l'enfant retrouva rapidement le sommeil, sa grand-mère dut attendre près d'une heure avant de se rendormir. Quand Gérard vint la réveiller un peu après six heures, elle eut l'impression qu'elle venait à peine de fermer les yeux.

— Comment ça se fait que t'es allée coucher avec le petit ? lui demanda son mari, encore surpris de ne pas l'avoir trouvée à ses côtés en se réveillant.

— Il s'est réveillé en criant au milieu de la nuit. Naturellement, toi, t'as rien entendu, lui reprocha-t-elle. Non seulement il m'a réveillée, ajouta-t-elle, mais en plus, il a pissé au lit. J'ai dû le faire lever et changer les draps. Je me sens fatiguée comme si j'avais pas fermé l'œil de la nuit.

— Tu dormiras pendant le voyage, se contenta de dire Gérard en se dirigeant vers la cuisine.

— Es-tu malade, toi ? J'ai pas envie de mourir en dormant.

— T'es ben drôle, laissa tomber Gérard.

Sa femme le suivit, mit de l'eau dans la bouilloire électrique et prépara le café pendant qu'il faisait sa toilette. Après avoir fumé sa première cigarette de la journée, Laurette alla réveiller son petit-fils et lui demanda de s'habiller pendant qu'elle lui préparait un bol de flocons d'avoine.

Quand son mari sortit des toilettes, frais rasé et bien peigné, elle ne put s'empêcher de lui faire remarquer :

— As-tu regardé dehors ? On dirait qu'il va mouiller.

— Ben non, c'est juste un peu nuageux, voulut-il la rassurer. Ça va s'éclaircir. On déjeune et on s'en va. Je veux partir le plus de bonne heure possible pour qu'il y ait pas trop de trafic.

À sept heures trente, le conducteur inexpérimenté piaffait déjà d'impatience. Il avait chargé des couvertures, des oreillers, un sac de vêtements chauds et une boîte de nourriture dans le coffre de la Chevrolet. Il attendait que sa femme ait terminé de laver la vaisselle du déjeuner pour se mettre au volant.

— Fais-tu exprès pour traîner, cybole? finit-il par lui demander d'une voix excédée en rentrant dans la maison pour la cinquième fois. Je t'ai dit que je voulais partir de bonne heure.

— Whow! Les nerfs! Je suis tout de même pas pour laisser la maison à l'envers avant de partir, répliqua-t-elle, agacée.

Quelques minutes plus tard, Laurette quitta l'appartement, précédée par un Denis bien réveillé. Elle fit asseoir son petit-fils sur la banquette arrière avant de prendre place aux côtés de son mari qui mit le moteur en marche.

— Roule pas trop vite pour pas faire peur au petit, ordonna-t-elle à son mari.

En réalité, elle pensait plutôt à elle en prononçant ces mots. Les talents de conducteur de Gérard étaient plutôt limités. Sa façon de conduire la rendait nerveuse. Il faut dire qu'il avait une fâcheuse tendance à chevaucher la ligne blanche et à accélérer dans les moments les plus inattendus. Cette conduite erratique suscitait parfois un concert de klaxons dont il ne semblait pas se préoccuper. Tout cela expliquait pourquoi sa femme n'avait énoncé aucune protestation quand il avait émis l'idée de partir tôt. Moins il y aurait de voitures sur la route, moins elle serait énervée.

En ce samedi matin plutôt gris, les rues de la métropole étaient peu achalandées et Gérard n'eut aucun mal à se rendre au pont Pie IX, qu'il traversa. Dès qu'il se retrouva sur la grande route, il accéléra légèrement, les deux mains rivées sur le volant, le nez presque collé au pare-brise, soucieux de ne pas faire une fausse manœuvre. À l'arrière, le gamin s'était étendu sur la banquette et dormait.

— Tasse-toi ! cria soudain Laurette à son mari.

Gérard sursauta au moment même où un camion chargé de terre les croisa en klaxonnant furieusement.

— Qu'est-ce qu'il a à s'énerver de même ? demanda Gérard.

— T'étais de son côté, bonyeu ! lui fit remarquer Laurette. Regarde où tu vas !

— Allume-moi une cigarette, répliqua son mari, trop tendu pour songer un seul instant à le faire lui-même.

Après avoir tendu la cigarette à son mari, Laurette tourna le bouton de la radio de bord. En tâtonnant légèrement, elle parvint à syntoniser un poste. Aussitôt, la voix de Michel Polnareff chantant *La poupée qui fait non* emplit la cabine.

— Maudite chanson insignifiante ! se contenta de dire Laurette en cherchant immédiatement un autre poste.

Elle tomba sur la voix chaude de Jean Ferrat interprétant *Heureux celui qui meurt d'aimer*.

— Ça, c'est une chanson qui veut dire quelque chose, dit-elle sur un ton convaincu quand la chanson prit fin. Moi, je comprends pas pourquoi un poste comme Radio-Canada invite pas des gars comme lui pour chanter le dimanche soir plutôt que de nous obliger à regarder des programmes plates.

Gérard, toujours aussi concentré sur sa conduite, ne répondit pas. La route était étroite et accidentée, et semblait exiger du pilote toute son attention. Près de Rawdon, un concert de klaxons fit sursauter Laurette qui tourna brusquement la tête vers l'arrière. À sa grande surprise, une douzaine de voitures roulaient derrière la Chevrolet bleue et les conducteurs semblaient de plus en plus impatients. Comme une double ligne blanche leur interdisait tout dépassement, ils faisaient connaître leur mécontentement au lambin qui les empêchait de rouler normalement.

— Bout de viarge, Gérard, trouve une place où te tasser ! intima-t-elle à son mari. T'empêche le monde de passer. Ils ont l'air enragés.

— Aïe ! Je suis pas pour me garrocher dans le fossé pour leur faire plaisir, protesta-t-il, un rien énervé. Qu'ils attendent ou qu'ils passent par-dessus mon char.

Au même moment, le conducteur d'une camionnette rouge, qui roulait six voitures derrière celle de Gérard, perdit patience. Faisant fi de la double ligne blanche et du virage, il sortit du cortège et accéléra pour doubler tous les autres véhicules, surtout la Chevrolet. À la hauteur de Gérard, il klaxonna rageusement, lui montra le poing et se rabattit brutalement sur sa droite, au risque de percuter la vieille voiture. Gérard dut freiner brutalement pour éviter de tamponner le véhicule de l'impatient et la Chevrolet se mit à tanguer dangereusement.

— Taboire ! Mais il est fou raide, cet animal-là ! s'écria Gérard, le front couvert de sueur.

— C'est un vrai malade ! ne put s'empêcher de hurler Laurette, cramponnée au tableau de bord.

Pendant un bref instant, elle avait cru sa dernière heure venue.

— Mais tu retardes tout le monde aussi, ajouta-t-elle. Tu roules pas assez vite. Tiens. Tasse-toi là. Il y a de la place, lui conseilla-t-elle en lui montrant le minuscule stationnement d'un petit restaurant placardé de vieilles affiches métalliques de Pepsi et de Coca-Cola. Laisse-les passer. S'ils sont pressés d'aller se tuer, c'est leur affaire. On n'est pas obligés de les imiter.

Gérard obtempéra et immobilisa son véhicule sur l'aire de stationnement. Quand les voitures et camions qui lui avaient fait une escorte improvisée durant plusieurs minutes eurent tous passé, il se remit doucement en route.

Bref, il fallut presque deux heures et demie pour que Gérard quitte la grande route et s'engage sur le petit chemin recouvert de gravier qui s'ouvrait un peu avant l'église de Notre-Dame-de-la-Merci.

— Grand-père, j'ai envie ! dit Denis d'une voix pressante.

Son grand-père et sa grand-mère avaient été si captivés par les dangers de la route qu'ils n'avaient pas remarqué que l'enfant était réveillé depuis un bon moment.

— Tu peux pas attendre d'être rendu ? lui demanda Gérard.

— Non. J'ai trop envie.

— Je pense que t'es mieux de t'arrêter sur le bord du chemin si tu veux pas qu'il fasse des dégâts, lui conseilla sa femme.

Au moment où Gérard immobilisait la Chevrolet sur le bord de la route étroite, les premières gouttes de pluie vinrent frapper le pare-brise.

— Ah ben, maudit ! V'là qu'il mouille, à cette heure ! s'exclama Laurette en s'extirpant de l'automobile. On va avoir du *fun* encore.

— Regarde pas, grand-mère ! exigea Denis en lui tournant le dos.

— Ben non, mon cœur, grand-mère te regarde pas.

Un moment plus tard, elle reprit place dans le véhicule après que l'enfant eut regagné la banquette arrière. Gérard démarra lentement, soulevant un petit nuage de poussière.

— D'après toi, est-ce qu'on est sur le bon chemin ? demanda le grand-père à Denis.

Ce dernier se leva en se retenant au dossier du siège avant et regarda le plus sérieusement du monde autour de lui avant de déclarer:

— Je pense que oui, grand-père. C'est tout droit.

Partout où le regard portait, ce n'était que sapins et épinettes. La route en terre étroite et tortueuse plongeait au cœur d'une forêt dense. Après plus d'un quart d'heure de route, Laurette ne put s'empêcher de dire:

— Bonyeu! Ça a quasiment pas d'allure. C'est au bout du monde! Je pense que j'ai pas vu plus que cinq ou six chalets depuis qu'on a pris cette route-là. Il y a juste des arbres. Je serais même pas surprise qu'il y ait encore des sauvages dans ces bois-là, ajouta-t-elle, avec une pointe d'inquiétude dans la voix.

— Arrête donc d'exagérer, lui ordonna Gérard, pas trop rassuré lui-même.

— Il y a pas de sauvages dans ces bois-là, intervint le gamin, toujours debout à l'arrière. Mais mon père dit qu'il y a des ours et des loups en masse, par exemple.

— P'tit verrat! s'exclama sa grand-mère. On dirait qu'il fait exprès pour me faire peur.

— Tiens, il y a une pancarte là, annonça Gérard en immobilisant la Chevrolet au milieu du chemin.

— Si tu partais tes *wipers*, tu penses pas qu'on pourrait voir mieux? fit Laurette en lui montrant le pare-brise couvert de gouttes de pluie.

Son mari mit en action les essuie-glaces juste au bon moment parce que la pluie intermittente des dernières minutes céda la place à une forte averse.

— Lac Blanc! dit Laurette. À droite.

La Chevrolet se remit en route, les passagers sérieusement secoués par les ornières d'un chemin mal entretenu. Aux aguets, Laurette et Gérard regardaient de chaque côté, à l'affût d'un signe de vie.

— Ça a pas d'allure ! s'exclama le conducteur. On a dû faire au moins douze milles dans la gravelle depuis qu'on a lâché la grande route.

— On est presque arrivés, grand-père, dit Denis, toujours debout derrière lui.

— Qu'est-ce qui te fait dire ça ? lui demanda sa grand-mère en tournant la tête vers lui.

— On vient de passer à côté du chalet blanc. C'est là que p'pa vient acheter ses vers quand il va à la pêche. Je suis venu avec lui.

Gérard roula quelques centaines de pieds plus loin quand, à travers le va-et-vient des essuie-glaces, il aperçut la Malibu de son gendre stationnée dans une trouée, sur un terrain. Deux tentes, une orangée et une verte, étaient plantées tout près du véhicule.

— On est arrivés ! s'écria Denis.

Le conducteur ralentit, tourna prudemment et engagea sa Chevrolet sur le terrain avant de venir l'immobiliser aux côtés de la Malibu. Immédiatement, Denise et Pierre sortirent de la tente verte et vinrent à leur rencontre, vêtus d'un imperméable.

— Je vous dis que vous êtes pas chanceux, déclara Denise. Il a fallu qu'il se mette à mouiller au moment où vous venez nous voir.

— Gilles ! cria Pierre Crevier. Ton père et ta mère viennent d'arriver.

Laurette et Gérard ne remarquèrent qu'à ce moment-là la tente dressée près de deux cents pieds plus loin, sous d'énormes pins. Gilles accourut à la rencontre des visiteurs en tenant une feuille de plastique sur sa tête.

— Je vous ai pas entendus arriver, s'excusa-t-il. Avez-vous fait un beau voyage ?

— Pas trop mal, affirma son père.

— Oui, mais c'est loin en sacrifice, se sentit obligée d'ajouter Laurette.

— On va aller se mettre au sec, dit Pierre en entraînant tout le monde vers un abri de fortune en plastique sous lequel avait été placée une table à pique-nique.

Un petit poêle à naphte Coleman et des couverts avaient été déposés sur la table. De plus, deux boîtes de nourriture et quelques jouets occupaient une partie de la tente improvisée.

— Tant qu'il vente pas trop fort, on peut rester en dessous sans se faire mouiller, précisa Pierre en faisant signe à ses beaux-parents de s'asseoir. C'est moins étouffant que de rester dans la tente.

— Cette pluie-là durera pas, ajouta Denise. On a vidé la tente orange pour vous autres à matin. C'est là que vous allez pouvoir vous installer.

— Qu'est-ce que vous avez fait des affaires qu'il y avait là ? lui demanda son père.

— On les a mis dans la valise du char.

— Je trouve qu'on vous donne ben du trouble, reprit Laurette en regardant autour d'elle.

Il était évident que Pierre avait abattu plusieurs arbres qui n'avaient pas encore été essouchés. Un peu à l'écart, il y avait un tas impressionnant de branches placées à côté de billes de bois. La trouée que le jeune propriétaire était parvenu à faire permettait d'admirer les eaux grises du lac Blanc en cette journée de pluie.

— Je vous le dis, m'man, c'est ben beau quand il fait soleil, sentit le besoin de lui préciser sa fille qui avait suivi son regard. On voit les montagnes autour. C'est tranquille sans bon sens. Le plus beau temps, c'est le soir, quand le soleil se couche. Il y a rien qui vaut ça.

Denise avait l'air tellement convaincue d'avoir découvert un véritable petit paradis que sa mère n'osa pas formuler la moindre critique. Cependant, elle se leva.

— Dis-moi où sont les toilettes, fit-elle à sa fille.

— Attendez une minute, m'man. J'ai un vieux poncho que je vais vous passer. Je vais aller vous montrer la place.

— Est-ce que c'est si loin que ça ? demanda Laurette, tout de même un peu inquiète.

— Ben non, m'man. Juste à une centaine de pieds.

Sa mère tourna la tête dans toutes les directions sans rien voir qui ressemble à un édicule pouvant offrir des toilettes sèches. Denise revint et lui tendit un carré de plastique vert muni d'un capuchon.

— Venez, m'man.

— Moi aussi, j'ai envie, dit Denis en se levant.

— Attends qu'on soit revenues. Pierre, occupe-toi du petit pendant que je montre les toilettes à ma mère, ajouta-t-elle en se tournant vers son mari.

Denise entraîna sa mère vers les arbres.

— Faites attention de pas vous tordre une cheville, m'man, prit-elle la précaution de lui dire en marchant devant elle.

L'une derrière l'autre, les deux femmes pénétrèrent sous le couvert. Laurette regardait attentivement où elle posait les pieds. Elle trouvait les lieux d'aisance un peu éloignés, mais ils présentaient tout de même l'avantage d'être presque entièrement à l'abri de la pluie. Soudain, elle se retrouva aux côtés de Denise qui lui indiquait du doigt un trou creusé dans le sol entre deux souches. Pierre avait attaché à ces dernières deux branches épaisses en laissant un jour important entre elles. Il s'agissait évidemment d'un siège rudimentaire.

— C'est ici, m'man.

— Verrat, dis-moi pas que vous faites vos besoins à l'air libre, devant tout le monde ! s'exclama sa mère.

— Il y a personne, m'man. Vous êtes en plein bois, juste à la limite de notre lot. Pierre a installé les toilettes ici pour qu'on les sente pas.

— Ah ben, j'aurai tout vu !

— Regardez, m'man. Vous avez juste à suivre le sentier devant. À force de passer, on s'est fait un chemin. Quand vous aurez fini, vous aurez juste à revenir par là. Tenez. V'là du papier de toilette, ajouta-t-elle en tendant à sa mère un rouleau de papier hygiénique qu'elle avait tenu sous son poncho.

Quelques minutes plus tard, Laurette, un peu essoufflée, revint vers l'abri sous la petite pluie fine qui avait fini par remplacer l'averse qui tombait à leur arrivée.

— Bonyeu que c'est loin ! ne put-elle s'empêcher de se plaindre en atteignant l'abri. Je te dis qu'il faut pas attendre à la dernière minute.

— Vous allez vous habituer, dit en riant son gendre.

Denise avait allumé le poêle au naphte et entrepris de préparer le dîner.

— Es-tu allé chercher la boîte de manger dans le char ? demanda Laurette à son mari.

— Oui. Elle est là dans le coin, lui répondit-il en la lui montrant.

— Pendant que vous vous occupez du repas, on va aller souffler vos matelas et préparer votre lit, annonça Pierre.

— Je vais même vous passer un fanal pour à soir, poursuivit Gilles. J'en ai un en surplus.

— Est-ce que t'as montré ton lot à Florence ? lui demanda sa mère, persuadée que sa future belle-fille ne devait pas être très enchantée à l'idée de venir passer ses fins de semaine dans un coin aussi perdu après leur mariage.

— La semaine passée, m'man. J'ai amené aussi sa mère. Florence aime tellement ça qu'on a décidé de laisser faire notre voyage de noces. On va venir travailler sur notre lot tout de suite après les noces. On va avoir tout le mois d'août pour s'avancer.

— Eh ben, faut croire que je vieillis, laissa tomber Laurette en secouant la tête.

Cela la dépassait qu'on puisse éprouver du plaisir à venir se perdre dans un coin pareil.

Un peu après midi, tout le monde passa à table. Denise retint son frère à dîner. On mangea des fèves au lard et un gâteau aux épices fait la veille par l'hôtesse. Après le repas, la pluie avait cessé. Gilles retourna travailler sur son lot pendant que son père et Pierre décidaient d'aller pêcher sur le bord du lac. Les deux femmes se mirent à laver la vaisselle et à ranger la nourriture.

— Faites attention aux poubelles, les mit en garde Pierre en sortant une boîte de vers du coffre de la Malibu. Ça attire les ours.

— Dis-moi pas qu'il y a des ours, en plus ! s'écria Laurette en jetant un coup d'œil affolé autour d'elle.

— Énervez-vous pas avec ça, madame Morin, la rassura son gendre. On s'arrange pour pas les attirer. Après la vaisselle, allez-vous venir nous rejoindre sur le bord du lac ? J'ai des vers en masse.

— Ouach ! fit sa belle-mère en esquissant une grimace. Si tu penses que je vais prendre ça dans mes mains... Pas de saint danger que je touche à ces cochonneries-là !

— C'est ben beau la visite, fit remarquer Gérard, mais avec tout ça, on t'empêche de travailler et on te fait perdre ta fin de semaine.

— Ben non, monsieur Morin. Je suis pas payé à l'heure. Je peux ben me permettre une petite journée sans travailler de temps en temps. Mon lot disparaîtra pas pour ça. En plus, j'ai quatre jours de congé. Je me reprendrai plus tard.

Les deux hommes, armés d'une canne à pêche et accompagnés par Alain et Denis, se dirigèrent vers le lac situé à une centaine de pieds de l'abri.

— Moi, je pense que je vais aller faire un somme si ça te dérange pas, déclara Laurette à sa fille. J'ai mal dormi la nuit passée.

— Gênez-vous pas pour moi, m'man. Je vais tricoter un peu pendant que Sophie fait sa sieste.

Laurette la quitta. Elle se battit durant un bref moment avec la fermeture éclair de la porte de la tente et disparut à l'intérieur. Elle retira avec plaisir ses chaussures et s'étendit difficilement sur l'un des deux matelas posés sur le sol avant de rabattre sur elle l'une des couvertures.

La quinquagénaire dormit près de deux heures et aurait dormi probablement un peu plus longtemps si elle n'avait pas éprouvé un besoin soudain de se gratter. Mal réveillée, elle se gratta furieusement le cou et les bras.

— Maudit verrat ! Comment ça se fait que les maringouins viennent me piquer ? demanda-t-elle à mi-voix en s'assoyant. La porte de la tente est pourtant ben fermée.

Au même moment, elle se sentit piquée sur une jambe et elle se flanqua une vigoureuse tape avec l'espoir d'écraser la bestiole qui avait osé s'attaquer à elle. Elle se mit alors à se gratter la tête, en proie à d'insoutenables démangeaisons.

— Voyons donc, bout de viarge ! Ils sont en train de me manger tout rond, s'écria-t-elle en se levant et en ouvrant la fermeture éclair de la tente dans l'intention d'en sortir.

De mauvaise humeur, elle alla rejoindre sa fille demeurée sous l'abri. Le ciel était encore nuageux, mais il ne pleuvait pas. Elle vit au loin ses deux petits-fils en compagnie de leur père et de Gérard.

— Veux-tu ben me dire, bonyeu, quelle sorte de maudites bibittes piquent comme ça ? demanda-t-elle à Denise en allumant une cigarette. Regarde-moi donc les bras et le visage, je pense que j'ai pas grand comme un cinq cennes sans piqûre. Et la tête me pique sans bon sens !

Sa fille s'avança et examina les bras et le visage de sa mère.

— Pauvre vous, vous avez été mangée par les mouches noires, la plaignit-elle. Vous avez rien mis contre les moustiques ?

— Ben non ! Je pensais jamais être mangée comme ça. En plus, j'étais dans la tente.

— Il y a rien qui empêche les mouches noires d'entrer, même les bons moustiquaires, m'man.

— C'est pas endurable des piqûres comme ça, dit Laurette en se grattant de plus belle.

— Attendez, je vais vous donner du Off, ça vaut pas grand-chose contre les mouches noires, mais ça protège au moins des maringouins et des mouches à chevreuil.

— Comment vous faites pour endurer ça ?

— On s'endurcit, m'man.

Laurette prit le vaporisateur à insecticide que lui tendait sa fille et s'en octroya une généreuse quantité.

— Venez, m'man. On va aller rejoindre les autres. Alain est venu chercher Sophie tout à l'heure et Gilles a décidé de pêcher, lui aussi. On va peut-être manger du bon poisson à soir pour souper.

Sa mère quitta la table à pique-nique et suivit sa fille jusqu'au bord de l'eau où les pêcheurs, assis sur des pierres, taquinaient le poisson.

— En avez-vous assez pris pour qu'on en ait assez pour manger au souper ? demanda Denise.

— Venez voir, m'man, dit Alain. Regardez dans la chaudière.

Denise s'avança en compagnie de sa mère jusqu'à la chaudière dans laquelle une douzaine de perchaudes de bonne taille tournaient en rond.

— Moi, je t'avertis, la prévint sa mère, je touche pas à ça. J'ai jamais préparé de poisson et je commencerai pas à soir. De toute façon, tu le sais, j'aime pas ça, le poisson. C'est plein d'arêtes et ça goûte rien. Quand on mange ça, on risque tout le temps de s'étouffer.

— C'est parce que vous avez jamais mangé du poisson ben frais, madame Morin, intervint son gendre en détachant une perchaude frétillante de l'hameçon accroché au bout de sa ligne.

— Qu'est-ce que vous diriez de manger de bonne heure et de faire tout de suite un bon feu pour faire cuire le souper? demanda Denise à la ronde.

— Je sais pas trop, répondit sa mère. Je me demande si on serait pas mieux de partir avant le souper, ajouta-t-elle en se grattant de plus belle.

— Vous avez pas fait tout ce chemin-là, m'man, pour vous en retourner le même soir, lui fit remarquer Gilles.

— C'est ben trop loin pour s'en retourner à soir, déclara Gérard, sur un ton sans appel. On avait dit qu'on coucherait, on va coucher.

Laurette lui jeta un regard meurtrier et, mécontente, suivit sa fille qui venait de s'emparer de la chaudière où nageaient les prises de l'après-midi.

— J'aimerais ben, les hommes, que vous veniez me donner un coup de main pour préparer les poissons, leur cria-t-elle au moment de rentrer sous l'abri. On va partir un feu et les faire cuire avec des oignons dans une feuille d'aluminium, ajouta-t-elle à l'intention de sa mère.

— J'ai apporté des patates, dit Laurette. On peut en faire cuire.

— On va les faire en robe des champs, madame Morin, proposa son gendre qui venait de rejoindre les femmes. On a juste à les faire cuire dans les cendres.

Gérard et Laurette regardèrent, intéressés, Gilles et Denise vider et nettoyer les poissons d'une main experte. Pendant ce temps, Pierre était parvenu difficilement à allumer un feu dans un espace entouré de pierres sur lesquelles un épais grillage métallique avait été déposé. Si on se fiait à la quantité de cendres accumulées à cet endroit, ce foyer improvisé devait servir régulièrement à la famille Crevier. Alain et Denis transportaient fièrement des branches près du foyer pour alimenter le feu.

Les poissons apprêtés, Denise vint les déposer sur le grillage métallique, au-dessus du feu, et plaça les pommes de terre dans les braises chaudes. Laurette aida ensuite sa fille à dresser les couverts après que Gilles et Pierre eurent déplacé la table près du foyer. Le souper fut plutôt agréable parce que la fumée dégagée par le feu semblait éloigner un peu les moustiques. Laurette goûta avec suspicion le poisson déposé dans son assiette. Il était évident qu'elle ne partageait pas le plaisir des autres convives à savourer ce mets.

Après le souper, tout le monde prit place autour du foyer régulièrement alimenté par Alain et Denis, sous la supervision de leurs parents. L'obscurité tomba peu à peu et la conversation se fit languissante. L'air pur semblait en voie d'avoir raison de ces citadins. Vers huit heures, Denise décida qu'il était temps que les enfants aillent dormir.

— Alain, prends le fanal et amène ton frère et ta sœur aux toilettes, ordonna-t-elle à son aîné.

Les enfants obéirent en rechignant. Après être allés aux toilettes, ils durent demander à leurs parents où ils allaient dormir.

— Est-ce que je peux coucher dans la tente orange? demanda Alain.

— Ben oui, répondit Laurette.

— Moi aussi! cria la petite Sophie du haut de ses trois ans.

— La prochaine fois, tu vas venir dormir avec grand-mère, toi aussi, lui promit sa grand-mère.

Une fois les enfants couchés, les adultes décidèrent d'endosser un lainage pour combattre la fraîcheur du soir. Cependant, ils ne purent veiller très longtemps devant le feu parce qu'une petite pluie fine se mit à tomber moins d'une heure plus tard.

— Je pense qu'on est mieux d'aller se coucher, déclara Pierre. Cette pluie-là va nous emmener des mouches noires et des maringouins en masse.

— On vous laisse un fanal au cas où vous auriez besoin d'aller aux toilettes durant la nuit, précisa Denise en se levant.

— Et le feu ? demanda Gérard

— On va le laisser mourir de sa belle mort, répondit Pierre. La pluie va l'éteindre.

On se souhaita une bonne nuit. Gérard et sa femme pénétrèrent dans la tente orange en refermant soigneusement la fermeture éclair derrière eux en tâtonnant dans le noir.

— On n'allumera pas le fanal pour pas réveiller le petit, chuchota Laurette.

— C'est correct. Je pense que je vais dormir tout habillé, dit Gérard. Je vais juste ôter mes souliers. Mais avant ça, je vais aller aux toilettes. J'aurais dû y penser avant d'entrer dans la tente.

— Attends-moi, j'y vais avec toi, lui ordonna sa femme.

À leur sortie de la tente, ils virent Denise et Pierre en train de transporter les boîtes remisées sous l'abri dans le coffre de la Malibu.

— Qu'est-ce que vous faites là ? leur demanda Laurette à mi-voix.

— On place le manger dans le char parce qu'on veut pas attirer les bêtes, lui expliqua son gendre. Il y a des ratons laveurs et même des ours qui se promènent dans le coin.

— Bonyeu, t'es rassurant, toi ! s'exclama Laurette.

— Je cherche pas à vous faire peur, madame Morin. On prend juste des précautions.

— Bon. Est-ce qu'on y va ou on y va pas aux toilettes ? demanda Gérard, impatient de se mettre au lit.

— Vous êtes mieux de prendre le fanal, lui recommanda son gendre. Il fait pas mal noir dans le bois et vous risquez de vous enfarger dans quelque chose en chemin. Tenez. Oubliez pas le papier de toilette, ça peut toujours être utile, ajouta-t-il en riant.

— Bon. Grouille, Laurette, commanda le quinquagénaire à sa femme. Il commence à mouiller et les maudits maringouins arrêtent pas de me tourner autour.

Sur ce, Gérard prit le rouleau de papier hygiénique et le fanal. Il alluma ce dernier et suivit le sentier étroit conduisant aux toilettes sèches. Peu rassurée, sa femme lui emboîta le pas en jetant des regards apeurés autour d'elle. Il y avait toutes sortes de bruits inquiétants qu'elle ne parvenait pas à identifier. Arrivés au bon endroit, Gérard tendit galamment le fanal à Laurette.

— Vas-y d'abord. Je t'attends, fit Gérard.

— Moi, aller aux toilettes dans des bécosses, dehors, ça me coupe l'envie, dit-elle avec mauvaise humeur.

— Laisse faire tes lamentations, la rembarra-t-il, impatient. Grouille-toi. J'ai pas envie de passer toute la nuit dehors à me faire mouiller dessus.

Sur ce, il lui tourna le dos et se tint à une distance respectable du trou. Gérard entendit les pas de sa femme dans son dos, puis plus rien. Soudain, un « crac » sonore suivi par un « Maudit verrat ! » le fit sursauter. Il se tourna tout d'une pièce pour tenter de voir ce qui s'était produit.

— Viens m'aider ! Envoye ! lui hurla Laurette qui se retenait tant bien que mal à l'une des deux branches du siège. Maudite patente de fou ! J'ai failli tomber dans le trou. Tu parles d'une idée aussi !

— Qu'est-ce que t'as fait là ? lui demanda Gérard en se précipitant vers elle pour l'aider à se relever.

— J'ai rien fait pantoute, bonyeu ! s'écria-t-elle, enragée. Je me suis assise et, tout à coup, ça a cassé. Je te dis que je tombais dans la marde si je m'étais pas retenue au bout de branche. Il faut être un beau sans-dessein pour construire une affaire pas plus solide que ça. Calvaire ! des affaires pour me noyer là-dedans.

— Dramatise pas, taboire ! lui ordonna Gérard qui avait du mal à s'empêcher de rire. Y retournes-tu ?

— Laisse faire. J'aime mieux me retenir, dit sa femme sur un ton sans appel.

— Pierre va être de bonne humeur encore, d'avoir à réparer ça.

— Je m'en sacre pas mal. La prochaine fois, il a juste à faire un siège plus solide. Il y a ben assez qu'on est obligés d'aller aux toilettes comme si on était des animaux.

— Si c'est comme ça, attends-moi. J'en ai pour une minute.

Le couple revint à la tente au moment où la pluie commençait à tomber un peu plus fort.

— On expliquera ça demain matin à Pierre, dit Gérard en s'apercevant qu'il n'y avait plus de lumière dans la tente voisine.

La pluie était déjà parvenue à éteindre le feu du foyer. Laurette et lui se glissèrent avec un certain soulagement dans la tente et descendirent encore une fois la fermeture éclair. Après avoir retiré leurs souliers, ils s'étendirent sur les pneumatiques que leur petit-fils avait repoussés l'un contre l'autre.

— Pauvre p'tit-pit ! chuchota Laurette en constatant que l'enfant était couché sur une unique couverture. Je vais te gager que c'est nous autres qui avons les matelas des enfants.

— Ils sont jeunes, répondit Gérard à voix basse. Ils en mourront pas.

Moins d'une minute plus tard, Laurette entendit les premiers ronflements de son mari. Il n'avait pas dormi de la journée. Le voyage en voiture et le grand air étaient venus à bout de sa résistance. Comme elle avait fait une longue sieste durant une bonne partie de l'après-midi, Laurette avait du mal à trouver le sommeil. Les yeux ouverts dans le noir, elle se mit à épier le moindre bruit extérieur. Elle ne se sentait guère en sécurité dans ce petit abri de toile que la pluie martelait.

Après quelques instants, les vrombissements des maringouins qui étaient parvenus à s'introduire dans la tente commencèrent à l'énerver sérieusement. Elle avait beau écarquiller les yeux pour tenter de les voir, il n'y avait rien à faire.

— Si j'en poigne un, je vais assez ben l'écrapoutir, le maudit, que je vais faire peur aux autres, se dit-elle en serrant les dents.

Puis, elle se mit à se gratter furieusement, prise d'assaut dans le noir autant par les mouches noires que par les maringouins. Elle jeta des regards vers Gérard pour voir s'il était, lui aussi, incommodé par les insectes. Il dormait comme un bienheureux. Un coup d'œil à Alain lui apprit qu'il dormait aussi profondément que son grand-père.

— Il y a pas de justice, bonyeu! marmonna-t-elle, exaspérée.

Finalement, elle rejeta par-dessus sa tête sa couverture de laine, pensant trouver ainsi un refuge contre les moustiques piqueurs. Rien à faire. Ils la harcelaient autant et, de plus, elle étouffait.

— Bout de viarge, c'est pas endurable, une affaire de même! dit-elle à voix basse. Comment tu veux dormir arrangée comme ça?

Ce disant, elle crut apercevoir un maringouin juste au-dessus de son visage. Sa main partit instinctivement pour l'écraser en plein vol. Par malheur, elle toucha au toit de l'abri en toile. Immédiatement, il se forma une goutte d'eau qui vint s'écraser sur elle.

— Ah ben, il manquait plus que ça! s'exclama-t-elle à mi-voix dans le noir. V'là que ça coule, à cette heure. Ça va être le *fun* demain matin. On va se réveiller tout mouillés si on n'est pas morts noyés pendant la nuit. Bon. J'en ai assez, ajouta-t-elle en se mettant à genoux.

Elle venait soudain de penser que rien ne l'obligeait à endurer une telle situation et qu'il lui était possible d'aller se réfugier dans la Chevrolet, qui, elle, ne laissait pas pénétrer l'eau. Ayant pris sa décision, elle ouvrit la tente et se glissa silencieusement à l'extérieur en apportant avec elle son oreiller et sa couverture. Elle referma l'abri avant de se dépêcher de rejoindre la voiture dont elle ouvrit l'une des portières arrière avant de s'installer sur la banquette. Elle la referma sans bruit, heureuse d'être enfin hors de portée de la pluie, des moustiques et des animaux qui pouvaient venir visiter le campement à tout moment. Elle verrouilla les quatre portières de la voiture et se sentit enfin en sécurité au milieu de tout ce noir.

La chaleur emmagasinée dans le véhicule durant la journée l'indisposa d'abord. Cependant, elle renonça à l'idée d'abaisser une glace ne serait-ce que de quelques pouces. Il n'était pas question d'offrir aux légions de moustiques à l'extérieur le plaisir de venir la piquer. Elle déposa son oreiller à une extrémité de la banquette et tenta de s'étendre en étalant sur elle la couverture. Pour une femme de sa corpulence, le siège était beaucoup trop court et, surtout, beaucoup trop étroit.

Bref, Laurette ne trouva le sommeil qu'aux petites heures du matin, épuisée d'avoir cherché vainement une position confortable. Elle fut réveillée en sursaut par quelqu'un qui frappait à l'une des glaces de la Chevrolet. Il faisait clair à l'extérieur, mais le ciel était encore nuageux. Denise la regardait par la lunette arrière. Elle se redressa, sérieusement courbaturée, et ouvrit la portière.

— Qu'est-ce que vous faites dans le char, m'man ? lui demanda sa fille, un peu sarcastique.

— J'essayais de dormir, bonyeu ! Vos maudites mouches noires m'ont pas lâchée. C'est la seule place où j'ai pu avoir la paix.

— C'est sûr que c'est pire quand c'est humide, expliqua sa fille en s'efforçant d'être compréhensive. Pauvre vous ! Vous avez dû avoir de la misère sans bon sens à dormir, coincée comme ça.

— Ça m'a pris du temps à m'endormir, mais j'en mourrai pas.

— Venez boire une bonne tasse de café, m'man. Ça va vous faire du bien. Il est juste huit heures et les enfants viennent de finir de déjeuner. C'est ça qui est plate quand on vient ici, il y a pas moyen de les faire dormir tard.

— Ah ! je voulais te dire pour les toilettes…, commença Laurette en s'extirpant de la voiture.

— Oui. Pierre a vu ça à matin et il les a déjà réparées. Vous vous êtes pas fait mal, j'espère ?

— Non, mais j'ai eu peur en maudit de tomber dans le trou, avoua piteusement sa mère.

Laurette pénétra sous l'abri et retrouva Pierre, Gérard et les enfants attablés.

— Vous avez fait la grasse matinée, madame Morin, se moqua gentiment son gendre.

— Laisse faire, toi. J'ai pas pu m'endormir avant trois heures du matin. Tes maudites mouches noires piquent pas, elles emportent le morceau. J'ai jamais vu ça.

— Il y en a pas mal moins quand le temps est sec, vous savez.

Denise déposa une tasse de café devant sa mère et la laissa fumer sa première cigarette de la journée avant de lui offrir de déjeuner.

— La messe est juste à dix heures au village, déclara Denise. On a tout le temps de se préparer.

— Ah ! Vous allez à la messe, même quand vous êtes ici, dit Laurette avec un soulagement si apparent qu'il fit sourire sa fille et son gendre.

— Voyons, madame Morin, vous deviez ben vous douter qu'on irait à la messe, même si c'est pas mal loin, intervint son gendre. Avec Alain qui a fait sa première communion il y a deux ans et Denis qui va la faire l'année prochaine, il est pas question de leur donner le mauvais exemple.

— J'étais certaine que vous y alliez, mentit Laurette.

Après avoir déjeuné et traîné quelques minutes à table, on quitta l'abri pour remettre un peu d'ordre dans les tentes. La vaisselle fut lavée et la nourriture, rangée.

— J'espère que vous pensez pas partir avant le souper, dit Denise à sa mère.

— Vous êtes ben fins, mais nous autres, on va rentrer à la maison après la messe, répondit cette dernière en jetant un regard d'avertissement à Gérard.

— À cette heure-là, il va y avoir pas mal moins de chars sur la route, déclara son père. Ça va être plus facile pour moi.

— C'est sûr que vous allez être en sens contraire du trafic, monsieur Morin, dit Pierre, sans insister pour retenir contre leur volonté ses beaux-parents. Mais vous auriez pu rester jusqu'à soir sans problème. Gilles va faire comme nous autres et il va descendre en ville seulement demain après-midi.

— Vous autres, vous pouvez vous permettre ça, mais moi, je travaille demain matin.

Au même moment, ils virent arriver Gilles, non rasé et les yeux gonflés de sommeil.

— Il est presque neuf heures et demie, lui fit remarquer sa mère. Si tu te grouilles pas, tu vas manquer la messe.

— J'avais pas l'intention d'y aller, déclara son fils. Je suis pas rasé et j'ai même pas bu une tasse de café.

— Comment ça, pas aller à la messe ? s'emporta sa mère. C'est nouveau, ça ! C'est pas comme ça que je t'ai élevé.

Denise, Pierre et Gérard se taisaient, devinant que Gilles venait de déclencher un orage sans le vouloir.

— Mais, m'man, c'est pas obligatoire d'y aller tous les dimanches, se défendit l'enseignant en vacances.

— Depuis quand ?

— Ben…

— On dirait ben que l'instruction fait pas à tout le monde, mon garçon. Tu sauras que t'es obligé d'aller à la messe le dimanche. T'es catholique ou tu l'es pas, bonyeu ! Tu te maries à l'église dans un mois et tu vas même pas à la messe ! J'aurai tout entendu ! Ça fait peur quand on pense que c'est à du monde comme toi qu'on donne des enfants à instruire.

— Whow, m'man ! voulut protester le jeune homme.

— Laisse faire le : « Whow, m'man ! » T'as des principes ou t'en n'as pas. On va pas à la messe seulement quand ça nous tente, tu sauras.

— OK, abandonna Gilles, mortifié d'avoir été grondé comme un petit garçon devant tout le monde. Je me rase et je vais y aller à la messe, si ça peut vous faire plaisir.

Le jeune homme disparut sans demander son reste.

— Je vous dis que vous êtes raide, la belle-mère, ne put s'empêcher de dire Pierre Crevier en riant. Vous auriez fait un maudit bon curé.

— C'est vrai ce qu'il dit, renchérit Gérard. J'ai cru entendre le curé Perreault quand on va se confesser à lui.

— Il y a rien de drôle dans ça, les rembarra Laurette en allant chercher dans le coffre de l'auto le peigne avec lequel elle voulait mettre de l'ordre dans sa coiffure avant le départ.

Les trois voitures formèrent un petit cortège pour se rendre à l'église du village de Notre-Dame-de-la-Merci. Gilles n'abandonna son air boudeur qu'après la messe, quand vint le moment de dire au revoir à ses parents. Après les remerciements et les embrassades, Gérard et Laurette reprirent le chemin du retour.

Même s'il y avait moins de voitures roulant en direction sud, Gérard renoua tout de même avec la tension du conducteur néophyte que les automobilistes expérimentés houspillaient parce qu'il retardait la circulation. Lorsqu'il immobilisa enfin sa vieille Chevrolet devant la porte de l'appartement de la rue Emmett au milieu de l'après-midi, il poussa un profond soupir de soulagement.

— Je te dis que c'est toute une aventure d'aller dans le Nord, se contenta-t-il de dire à sa femme avant d'ouvrir le coffre pour en extirper les bagages.

— Le genre d'aventure que je suis pas prête de vivre toutes les semaines, conclut Laurette, au moins aussi soulagée que son mari d'être de retour à la maison. On y retournera quand ils auront construit un vrai chalet avec de vraies toilettes. Moi, j'ai passé l'âge de coucher dehors. Tout ça, c'est juste bon pour les jeunes.

Chapitre 10

Les noces

Deux semaines plus tard, un lundi avant-midi, Laurette finissait d'étendre sur sa corde à linge les vêtements qu'elle venait de laver lorsqu'elle vit Rose Beaulieu pousser le portillon de la clôture, les bras chargés de deux gros sacs d'épicerie. L'énorme voisine semblait à bout de souffle et la sueur lui dégoulinait sur la figure.

— Eh ben, madame Beaulieu, on peut pas dire que vous choisissez le temps le plus frais pour aller magasiner, fit remarquer Laurette, d'une voix compatissante, à sa voisine.

— Je le sais ben, madame chose, mais j'avais pas le choix. On a reçu à souper la famille de mon Vital, hier soir. Ils m'ont vidé le frigidaire que c'est pas croyable.

— Avec la visite, on sait jamais à quoi s'attendre.

— Avez-vous déjà vu ça, vous, faire si chaud aussi de bonne heure le matin ? lui demanda Rose en déposant ses sacs sur la première marche de l'escalier qui conduisait à son appartement.

— C'est vrai qu'il fait chaud en pas pour rire, reconnut Laurette en s'épongeant avec un large mouchoir qu'elle venait de tirer de l'une des manches de sa robe fleurie. Qu'est-ce que vous voulez, on est déjà rendus à la fin de la première semaine de juillet. C'est normal qu'on ait une couple de journées ben chaudes. C'est pour ça que j'ai fait mon lavage ben de bonne heure à matin. Moi, je suis pas capable d'endurer les grosses chaleurs.

— Moi non plus. Dites donc, j'y pense. Les noces de votre garçon doivent approcher, fit la voisine en changeant de sujet.

— Ben oui. Un autre qui s'en va. Il va me rester juste mon plus vieux et Carole à la maison, reconnut Laurette avec un rien de nostalgie.

— On a beau dire, mais quand un enfant part, ça laisse un trou dans la maison, poursuivit la voisine. Moi, il m'en reste juste un et, entre nous autres, j'ai pas hâte de me retrouver toute seule poignée avec mon mari.

— Qu'est-ce que vous voulez ? C'est la vie, dit Laurette, philosophe. En tout cas, c'est pas mal moins de troubles quand c'est un garçon qu'on marie. On n'a pas de noces à préparer. On est comme les autres invités. On se fait recevoir.

— Votre fille est pas malade, j'espère ?

— Pourquoi vous me demandez ça ?

— Ben. Je l'ai vue hier soir. Je l'ai trouvée pas mal pâle.

— Non. Elle est pas malade. Elle file juste un mauvais coton depuis une couple de semaines.

Il y eut le bruit d'une porte qu'on ouvrait et Laurette tourna la tête vers l'intérieur de l'appartement pour connaître l'identité de celui ou celle qui entrait chez elle.

— Bon, je vous laisse, dit-elle à Rose Beaulieu. J'ai du monde qui arrive.

La voisine reprit ses deux sacs et se hissa péniblement jusqu'à l'étage. Laurette rentra chez elle pour trouver Gilles les bras chargés d'une boîte de nourriture.

— Qu'est-ce que c'est ? lui demanda-t-elle.

— Du manger que je rapporte du Nord.

— Viens-tu juste d'arriver de là-bas ?

— Oui. Je suis parti de bonne heure à matin. J'ai de l'ouvrage encore à faire dans l'appartement. Je suis pas pour tout laisser faire à Florence. C'est ben beau le futur chalet, mais c'est pas là qu'on va vivre tout le temps, expliqua-t-il à sa mère en déposant la boîte sur la table de cuisine.

— As-tu demandé à Florence quelle couleur de robe sa mère va avoir pour les noces ?

— Oui. Elle m'a dit qu'elle s'était achetée une robe ivoire.

— Bâtard ! En plein la couleur que je voulais !

Gilles haussa les épaules et se mit à ranger dans le réfrigérateur les aliments rapportés.

— Je vais être encore poignée pour acheter une robe d'une couleur que j'aimerai pas.

— Voyons, m'man. Vous le savez ben que le vert et le bleu vous font bien.

— Peut-être, reconnut sa mère, mais ça me vieillit en bonyeu, par exemple !

— Bon, je vais revenir seulement à la fin de la soirée, déclara son fils en reprenant la boîte de carton vide qu'il laissa tomber sur son lit en passant. On va travailler toute la journée dans l'appartement et madame Messier va me garder à souper.

— Je te gage que tu trouves ta future belle-mère ben fine, dit Laurette avec une pointe de jalousie.

— J'ai rien à lui reprocher, m'man, reconnut son fils.

— Tu m'en reparleras quand ça fera une couple de mois que tu seras marié à ta Florence.

Au début de l'après-midi, la chaleur devint telle que Laurette n'eut d'autre choix que d'aller faire une sieste dans sa chambre après avoir fermé les persiennes. Le soleil frappait l'asphalte et la réverbération en devenait aveuglante. Pas un souffle de vent ne venait rafraîchir l'atmosphère alourdie par les odeurs de la Dominion Oilcloth et de la Dominion Rubber. Même les enfants avaient cessé de crier. Tout était plongé dans une sorte de torpeur.

Tiraillée par une furieuse envie de fumer, elle se réveilla, couverte de sueur, un peu avant quatre heures.

— Ça a pas d'allure de faire aussi chaud, dit-elle en se levant péniblement.

Elle replaça les couvertures et se dirigea vers la cuisine où elle s'alluma une cigarette. Pendant un bref moment, elle hésita entre aller s'asseoir sur le balcon, à l'arrière, ou sur le trottoir. Cependant, à la seule pensée des odeurs dégagées par les poubelles, elle opta pour le trottoir. Elle sortit sa vieille chaise berçante pliante et l'installa près de la porte d'entrée de manière à pouvoir entendre le téléphone s'il sonnait. L'ombre projetée par les maisons à deux étages de l'autre côté de la rue s'était étendue jusqu'à sa section de trottoir. Elle rentra un instant pour aller prendre un Coke dans le réfrigérateur et revint s'asseoir en poussant un soupir de soulagement.

Elle venait à peine de terminer sa cigarette qu'elle entendit le vrombissement d'un énorme camion rouge qui venait de tourner dans la rue Emmett.

— Bon. V'là Richard à cette heure. Il y a pas moyen d'avoir la paix cinq minutes.

Le camion vint s'immobiliser devant la porte et le conducteur quitta sa cabine en laissant tourner le moteur.

— Bonjour, m'man, dit Richard en plaquant un baiser sonore sur l'une de ses joues. J'arrête juste une minute pour remplir ma bouteille d'eau. C'est écœurant ce qu'il fait chaud dans ce *truck*-là. Je fais encore deux voyages de terre et j'arrête. Mon nouveau chauffeur va prendre la suite.

— Tu travailles depuis quelle heure ?

— Cinq heures et demie, à matin.

— Tu vas te crever à travailler comme ça, le mit en garde sa mère. Oublie pas, mon garçon, que tu seras pas enterré avec ton argent.

— Ça achève, m'man, voulut la rassurer Richard. Il me manque encore juste un autre bon chauffeur et après ça, je vais me contenter de courir les contrats. Et vous, est-ce que vous avez arrêté de vous gratter ? demanda-t-il sur un ton léger.

— Parle-moi pas de ça, répondit Laurette. J'en ai eu au moins pour dix jours à me gratter comme une folle. Il va faire chaud avant que je retourne là.

Richard éclata de rire et entra remplir une grosse bouteille d'eau. En sortant, il embrassa encore sa mère puis reprit le volant. Quelques minutes plus tard, ce fut au tour de Jean-Louis de rentrer à la maison. Malgré la chaleur, il avait conservé son veston et sa cravate.

Un peu après cinq heures, Laurette vit la Chevrolet de son mari s'arrêter juste devant leur porte. Gérard en descendit après avoir pris sa veste d'uniforme de gardien de sécurité posée sur le siège à côté de lui.

— Juste à te voir sans ton haut d'uniforme, c'est tout un signe qu'il fait chaud, se moqua sa femme.

— Il doit pas faire plus chaud en enfer, se borna à dire Gérard en entrant dans la maison. Je pense que je vais boire une bonne bière froide.

— De l'eau ferait la même chose, lui fit remarquer sa femme sur un ton de reproche en le suivant à l'intérieur de l'appartement.

— Ça a pas le même goût, fit son mari en ouvrant la porte du réfrigérateur pour s'emparer d'une bouteille de bière.

— Peut-être, mais c'est moins cher, dit Laurette d'une voix acide.

— Je pourrais te faire la même remarque avec les Coke que tu bois à cœur de jour, répliqua-t-il, agacé.

— C'est juste de la liqueur, se défendit sa femme.

— Même si c'est juste de la liqueur, elle est pas donnée non plus.

Il s'empara ensuite de son journal et poussa la porte-moustiquaire pour aller le lire sur le balcon arrière.

— Pour souper, j'ai de la fricassée, annonça Laurette.

— C'est correct.

Elle consulta brièvement l'horloge murale en se demandant si elle avait le temps de retourner s'asseoir à l'extérieur en attendant l'arrivée de Carole. À peine venait-elle de reprendre place dans sa chaise berçante qu'elle vit venir sa fille. Se rappelant les paroles de la voisine, elle se mit à l'examiner soigneusement au fur et à mesure qu'elle approchait. Ses yeux cernés et la pâleur de son visage la frappèrent. Pourtant, malgré tout, elle donnait l'impression d'avoir pris un peu de poids.

— Elle a quelque chose qui va pas, se dit-elle, soudain inquiète. Elle a jamais été comme ça. Si c'est sa peine d'amour qui la rend malade…

— Qu'est-ce que vous avez à m'examiner comme ça, m'man, lui demanda la jeune fille en arrivant près de sa mère qui venait de se lever, prête à replier sa chaise berçante.

— Un chien regarde ben un évêque, répondit sèchement Laurette. À part ça, je te trouve l'air fatigué. T'es cernée jusqu'au milieu des joues.

— J'ai eu une grosse journée au bureau et l'air climatisé marchait pas. On a crevé toute la journée.

— On t'attendait pour souper. J'ai juste à faire réchauffer de la fricassée. Ce sera pas long, reprit sa mère en suivant sa fille dans l'étroit couloir qui menait à la cuisine.

Quelques minutes plus tard, les Morin se retrouvèrent assis autour de la table en train de manger sans beaucoup d'appétit la fricassée au bœuf que la mère de famille avait préparée au début de l'après-midi.

— Vas-tu t'acheter une robe neuve pour les noces de Gilles? demanda Laurette à sa fille au moment du dessert.

— Je pense pas, m'man. Ma robe jonquille va faire l'affaire. Je l'ai mise juste deux fois et elle est assez chic pour des noces.

— T'es ben chanceuse, reprit sa mère. Ma robe la plus neuve a presque un an et elle est revenue toute changée du nettoyage. J'aurai pas le choix. Je vais être obligée d'aller m'en acheter une. J'aurais voulu en avoir une ivoire, mais il paraît que la mère de Florence a choisi cette couleur-là pour sa robe.

Laurette mentait effrontément. Sa robe verte achetée pour les fêtes aurait très bien fait l'affaire si elle avait pu y entrer. Elle l'avait essayée la veille et s'était rendu compte qu'elle ne lui allait plus du tout. Au lieu d'avouer qu'elle avait engraissé, elle préférait naturellement mettre la faute sur le dos du blanchisseur.

Il y eut un court silence dans la cuisine avant que la mère ne reprenne la parole pour dire à sa fille:

— À ta place, j'essaierais quand même ta robe jaune pâle. Je suis pas sûre, mais il me semble que t'as un peu engraissé depuis le commencement du printemps.

Le visage de la jeune fille pâlit légèrement en entendant ces mots. Se pouvait-il que son état paraisse déjà?

— Je vais faire ça tout à l'heure.

— Penses-tu venir aux noces accompagnée? lui demanda sa mère, curieuse de savoir si elle avait eu dernièrement des nouvelles d'André Cyr.

— Je le pense pas, m'man, répondit sèchement Carole.

— Moi, je vais y aller accompagné, reprit Jean-Louis en levant la tête de son assiette.

De surprise, son père, sa mère et sa sœur tournèrent la tête dans sa direction pour le regarder, comme pour s'assurer qu'il ne plaisantait pas.

— Qu'est-ce qui se passe? Je peux pas? demanda le jeune homme.

— Ben oui, tu le peux, s'empressa de répondre son père. T'as juste à prévenir Gilles.

Pendant quelques secondes, Laurette craignit que son fils aîné ne se fasse accompagner par cet ami avec qui il était allé au cinéma à deux ou trois reprises depuis le mois d'avril. Qu'est-ce que la famille de Florence allait dire si elle le voyait en compagnie d'un autre garçon? Tous les Morin allaient nécessairement se faire montrer du doigt.

— Est-ce qu'on connaît celui que tu vas emmener aux noces de ton frère? demanda Laurette, mal à l'aise.

— Pourquoi vous dites «celui», m'man?

— Je le sais pas. J'ai pensé que tu parlais de celui avec qui tu vas aux vues de temps en temps.

— J'ai jamais dit que c'était un gars, précisa Jean-Louis sur un ton bourru.

— Tu vas venir avec une fille! s'exclama sa mère, stupéfaite.

Gérard et Carole ne disaient pas un mot, attendant la fin de la passe d'armes entre le fils et sa mère.

— Ben oui, une fille! Je suppose que j'ai le droit d'amener une fille.

— Certain, répondit Laurette, soulagée. Est-ce qu'on peut savoir comment elle s'appelle?

— Marthe Paradis.

— Vas-tu nous la présenter avant les noces? demanda Carole, curieuse.

— Whow! Faites-vous pas d'idée, vous autres, dit le jeune homme en s'apercevant de la possible méprise. J'ai jamais dit que je fréquentais cette fille-là. Je m'entends ben avec elle et je l'ai juste invitée à m'accompagner aux noces de Gilles.

— Et elle à accepté? poursuivit sa mère.

— Ben oui. Pourquoi elle aurait dit non?

— Elle travaille avec toi à la banque? lui demanda son père.

— Oui, p'pa. C'est même ma *boss*. Elle est monitrice à la succursale… Est-ce que je peux vous emprunter le char à soir? demanda-t-il, bien décidé à mettre fin à l'interrogatoire.

Gérard n'eut qu'une brève hésitation avant de lui dire:

— Les clés sont sur le frigidaire.

Un peu plus tard durant la soirée, Gérard et Laurette se retrouvèrent seuls, assis sur le balcon à l'arrière de l'appartement.

— Je me demande ben sur quelle sorte d'agrès il est tombé, chuchota Laurette, comme si elle poursuivait à voix basse une réflexion entreprise une heure ou deux plus tôt.

— De quoi tu parles? lui demanda son mari en tournant la tête vers elle.

— Je parle de Jean-Louis. J'ai hâte de voir quelle sorte de fille il va nous amener à la maison.

— Commence pas à monter sur tes grands chevaux, la prévint Gérard. Il te l'a dit lui-même qu'il sortait pas avec cette fille-là. Il lui a juste demandé de venir aux noces avec lui.

— Ça fait rien. C'est tout de même la première fille avec qui on va le voir. Il a trente-deux ans…

La mère de famille laissa sa phrase incomplète, comme si elle n'osait pas énoncer à voix haute les craintes qu'elle éprouvait lorsqu'elle songeait à son préféré.

Puis, sa pensée dériva vers Carole qui avait avoué, quelques minutes plus tôt, que la robe qu'elle prévoyait porter pour le mariage de Gilles ne lui allait pas bien. Sans laisser le temps à sa mère de lui proposer de faire ensemble leurs emplettes la fin de semaine suivante, la jeune fille s'était empressée de dire qu'elle profiterait de son heure de dîner, un jour de la semaine, pour aller en acheter une autre.

— J'aurais pas haï ça que tu viennes magasiner avec moi, lui avait avoué sa mère, qui détestait s'acheter des vêtements sans profiter de l'avis de quelqu'un.

— Demandez à Denise d'y aller avec vous, m'man, s'était esquivée Carole. Elle aime ça, magasiner, elle. Moi, je vais dans l'ouest tous les jours de la semaine. Ça me tente pas pantoute de courir les magasins les fins de semaine.

— C'est correct, avait sèchement laissé tomber sa mère avant de se diriger vers le balcon dans l'intention d'essayer de profiter d'un peu d'air frais avant d'aller se coucher.

— Est-ce qu'on entre écouter les nouvelles ? lui demanda Gérard à la fin de la soirée.

— Vas-y si ça te tente, répondit sa femme. Je trouve qu'il fait trop chaud pour s'enfermer en dedans.

Gérard ne bougea pas. Au loin, on entendait faiblement le grondement de la circulation sur la rue Notre-Dame. Tous les balcons autour de la grande cour semblaient être peuplés en cette soirée de canicule.

— Si encore on pouvait avoir un gros orage, dit Laurette après s'être allumé une cigarette. Il me semble que ça rafraîchirait un peu l'air.

— Ça me surprendrait qu'on ait cette chance-là, répliqua son mari. Regarde. On voit des étoiles. Il y a pas de nuages. Pour moi, il va faire aussi chaud demain.

— S'il fait pas trop chaud demain soir, tu vas m'amener sur la Plaza Saint-Hubert pour que j'aille m'acheter une robe pour les noces.

— En plein vendredi soir ! T'es pas malade ? C'est noir de monde ce soir-là et il y a pas de place pour parquer nulle part, protesta Gérard qui craignait cette corvée. Tu le sais que j'haïs ça conduire dans le trafic.

— Je suis tout de même pas pour prendre l'autobus quand on a un char devant la porte, verrat ! répliqua sa femme en haussant le ton.

— Demande donc à Jean-Louis d'aller te conduire. Lui, ça le dérange pas d'aller dans le trafic.

— Parle donc pas pour rien dire, le rembarra sa femme. Tu sais ben qu'il finit à huit heures le vendredi soir à la banque.

— Et Denise, elle ?

— Laisse faire Denise. Le vendredi soir, elle part avec Pierre et les petits pour le Nord.

— Calvaire ! jura Gérard.

À six heures trente, le lendemain soir, Laurette se retrouva rue Saint-Hubert en compagnie d'un Gérard maussade. Il avait cru pouvoir l'attendre tranquillement dans la voiture stationnée sur une rue voisine, à la hauteur de la rue Bélanger, mais elle ne l'avait pas entendu de cette oreille. Elle avait exigé qu'il l'accompagne dans ses courses.

— Je veux que tu me dises si ma nouvelle robe me fait ben, avait-elle déclaré sur un ton sans appel.

— Taboire ! Je connais rien dans les guenilles, moi, avait-il vainement protesté. Qu'est-ce que tu veux que je fasse dans un magasin de linge pour les femmes ? Tout le monde va rire de moi.

— Viens, je te dis ! Ça va être pas mal moins long si t'es avec moi.

Il la suivit donc à contrecœur, déterminé à écourter ce qui promettait d'être une soirée pénible. Dans les trois premiers magasins, il se contenta de demeurer près de la porte, attendant avec une impatience croissante que sa femme quitte l'endroit, les mains vides. Il la connaissait assez pour savoir qu'elle hésiterait longtemps avant de se décider à acheter quoi que ce soit.

Dans la quatrième boutique, il regardait par la vitrine lorsque Laurette lui cria d'une voix assez forte pour que toutes les têtes se tournent vers lui :

— Viens voir, Gérard !

Il rougit violemment et s'empressa d'aller la rejoindre à l'autre bout du magasin.

— Sacrement, Laurette ! Fais-tu exprès pour que tout le monde nous regarde ?

— Je t'ai pas demandé de venir avec moi pour que tu guettes la porte du magasin, répliqua cette dernière avec humeur. Je veux que tu me dises ce que tu penses de cette robe-là.

Gérard jeta à peine un regard à la robe verte qu'elle tenait devant elle avant de lâcher :

— Elle est pas pire.

— Elle est pas plus belle que ça ?

— Elle est correcte.

Sans la moindre hésitation, elle raccrocha la robe.

— Viens-t'en, lui ordonna-t-elle. On va aller voir ailleurs. On va traverser la rue et descendre Saint-Hubert sur le trottoir d'en face. Je vais ben finir par trouver quelque chose. Si je trouve rien, j'irai sur Sainte-Catherine demain après-midi.

— T'es mieux de trouver quelque chose à soir, la prévint Gérard. Je te garantis que tu m'auras pas demain. Oublie pas que je travaille chez Rosaire le samedi. Il y a déjà ben assez que samedi prochain je serai pas là à cause des noces.

Il s'en voulait de ne pas s'être montré plus enthousiaste face à la robe verte qu'elle venait de lui montrer. S'il l'avait été, la corvée aurait déjà été terminée et il aurait pu rentrer tranquillement à la maison. Il se promit de dire, à la prochaine robe que Laurette lui présenterait pour avoir son avis, « qu'il la trouvait ben belle et qu'elle pourrait sûrement pas trouver mieux et moins cher ailleurs ».

Le couple sortit de la boutique et traversa la rue Saint-Hubert au milieu de la foule de badauds qui avait envahi les lieux en cette soirée consacrée au magasinage. Laurette entra encore dans deux autres boutiques et y demeura de longs moments à palper des tissus et à se regarder dans des miroirs sur pied en étalant devant elle diverses robes sans toutefois se décider. Tout était sujet à la critique. Parfois, la couleur ne convenait pas à son teint, le modèle n'allait pas à une femme de son âge ou encore, le prix était exorbitant.

— Achèves-tu ? finit par lui demander son mari, de plus en plus exaspéré. Je commence à avoir pas mal mon voyage de te suivre comme un petit chien de poche.

— Ben oui, répondit sèchement Laurette. J'ai mal aux jambes. Je pense que c'est le dernier magasin que je fais. Si je trouve rien là, j'irai dans l'ouest demain après-midi.

Gérard poussa un soupir d'impatience au moment où sa femme l'entraînait à l'intérieur d'une grande boutique brillamment éclairée. Elle repéra une longue tringle à laquelle étaient suspendues plusieurs dizaines de robes et se mit à consulter les étiquettes pour voir la taille et le prix de chacune. Gérard se tenait un peu à l'écart et attendait. Soudain, Laurette prit une robe bleu nuit garnie d'une fine dentelle et se mit à l'examiner avec soin avant de s'avancer vers un miroir.

— Je l'haïrais pas, celle-là, déclara-t-elle à son mari. Qu'est-ce que t'en penses ?

— Je la trouve belle.

— Je vais aller l'essayer, décida sa femme.

Elle disparut un bref moment dans l'une des quatre cabines d'essayage. Lorsqu'elle en sortit, elle se planta devant son mari.

— Puis, qu'est-ce que t'en dis?

Gérard s'éloigna de quelques pas comme pour mieux juger de l'effet.

— Il y en a pas une qui te ferait mieux, déclara-t-il sans la moindre hésitation.

— C'est correct. Je la prends, même si elle coûte presque soixante piastres, lui dit Laurette avant de retourner dans la cabine pour retirer la robe.

Lorsqu'elle revint une minute plus tard, elle ne put toutefois s'empêcher de dire:

— C'est de valeur que je l'aie trouvée sur la Plaza. Sur Sainte-Catherine, je suis sûre que j'aurais pu faire baisser un peu le prix. Mais ici, ils sont indépendants comme des cochons sur la glace. Ils baissent jamais d'une cenne.

— C'est sûr que c'est pas mal cher, reconnut Gérard qui ne gagnait que soixante-douze dollars par semaine. C'est presque mon salaire d'une semaine. Si on compte ce qu'on a payé pour le *set* de vaisselle qu'on leur donne en cadeau de noces, ça fait un mariage qui nous coûte cher en maudit.

Cependant, il n'osa pas pousser plus loin sa remarque de crainte que sa femme renonce à son achat et l'oblige à la suivre dans d'autres boutiques.

— Les dépenses pour les noces vont s'arrêter là, dit fermement Laurette en s'approchant de la caisse pour régler son achat. J'ai les souliers et la sacoche qui vont aller avec ça. Après tout, bonyeu, c'est pas moi qui se marie! Toi, ton habit gris a encore l'air neuf et t'as une belle chemise blanche que Carole t'a donnée pour la fête des Pères, au mois de juin. Si tu y tiens absolument, tu pourras toujours t'acheter une cravate neuve. Il y en a des belles pour cinq piastres.

— C'est ça, ma Laurette, un cheval et un lapin, se moqua son mari. Toi, tu dépenses soixante piastres pour t'habiller et moi, je me contenterai de cinq piastres.

Huit jours plus tard, à son lever un peu avant sept heures, Laurette découvrit avec satisfaction que le beau temps était au rendez-vous.

— J'ai ben cru qu'on aurait de la pluie aujourd'hui, dit-elle à son mari en lui versant une tasse de café. Hier soir, il y avait des nuages quand on s'est couchés.

— En tout cas, il y en a pas un à matin, lui fit remarquer Gérard en regardant par la fenêtre. En plus, il fait moins humide qu'hier. Ça va être un beau samedi pour les noces, mais il va faire pas mal chaud.

Au moment où il prononçait ces paroles, Gilles sortit de sa chambre, l'air mal réveillé.

— Tiens ! On dirait que ton enterrement de vie de garçon d'hier soir t'a pas trop magané, lui fit remarquer sa mère.

— Non, m'man. Mes *chums* ont pas été trop durs. Jean-Louis a même réussi à calmer Richard qui avait toutes sortes de plans niaiseux. Il y a juste qu'on est rentrés passé une heure du matin. La nuit a été pas mal courte. J'ai de la misère à me tenir les yeux ouverts.

— Commence donc par venir boire une bonne tasse de café pour te réveiller.

— Je suis pas sûr que c'est une ben bonne idée, plaisanta son père. Si tu te réveilles trop, tu risques de changer d'idée au pied de l'autel.

— Toi et tes remarques niaiseuses ! dit Laurette en lui adressant un regard mauvais.

— C'est vrai qu'il est pas mal tard pour changer d'idée, reconnut son père en prenant un air navré.

— T'as tout le temps pour te préparer, reprit sa mère. Ton père est allé chercher ton habit chez Classy hier après-midi. Tu vas être ben *swell*. Je trouve que t'as eu une ben bonne idée de te louer un habit. Si Richard m'avait écoutée plutôt que Jocelyne, il aurait pas eu l'air aussi miteux à son mariage. Il se serait marié, lui aussi, avec un bel habit sur le dos.

Après le repas du matin, ce fut la course pour faire sa toilette. Le mariage devait être célébré à onze heures à l'église Saint-Émile, coin Davidson et Sherbrooke. Gérard, prêt le premier, s'empressa d'aller orner le capot de la Chevrolet avec du papier crépon blanc. Jean-Louis le suivit quelques minutes plus tard pour faire de même avec la Toyota de Gilles qu'il était chargé de conduire ce jour-là.

À l'intérieur, Laurette, occupée à enlever les bigoudis dont Carole lui avait couvert la tête la veille, sursauta quand quelqu'un vint sonner à la porte. Elle alla ouvrir et se retrouva face à un livreur qui lui tendit un bouquet de corsage et deux œillets blancs.

— C'est pour qui? demanda-t-elle au jeune homme.

— C'est correct, m'man. J'ai commandé ces fleurs-là pour vous et p'pa, lui dit Gilles, apparu comme par enchantement à ses côtés.

Sur ce, il tendit un pourboire au livreur et referma la porte. Il prit l'un des œillets et laissa le reste des fleurs à sa mère qui retourna finir de se préparer dans la cuisine après l'avoir remercié.

— Regarde le beau bouquet de corsage que Gilles m'a payé, dit-elle à Carole en lui montrant ce que le fleuriste venait de livrer.

— Il est ben beau, m'man, dit la jeune fille sans aucun enthousiasme.

— Bonyeu, Carole, change d'air ! explosa sa mère. On dirait que tu t'en vas à un enterrement. C'est ton frère qui se marie.

— Si vous pensez que c'est ben drôle d'aller toute seule à des noces, laissa tomber sa fille.

— Ben, t'avais juste à te grouiller avant, lui fit remarquer sa mère. T'as eu en masse le temps de te trouver un *chum* qui a du bon sens avant aujourd'hui.

Un peu avant dix heures, Jean-Louis annonça qu'il s'en allait chercher la fille qui devait l'accompagner ce jour-là.

— J'ai assez hâte de voir le numéro qu'il a trouvé, lui, ne put s'empêcher de dire Carole après le départ de son frère aîné.

— Moi aussi, convint sa mère. Mais je vois pas pourquoi ce serait pas une belle fille. Jean-Louis est un bel homme qui sait se tenir.

La jeune fille fut sur le point de dire que c'était déjà bien beau que ce soit une fille qui l'accompagne, mais elle se retint, assurée que sa mère n'apprécierait pas ce genre de remarque au sujet de son préféré.

Quelques minutes plus tard, Gérard rentra dans la maison, endossa son veston et épingla l'œillet blanc offert par Gilles.

— Bon. Je pense qu'on est aussi ben d'y aller, si t'as pas changé d'idée, dit-il à son fils.

— Il y a pas de danger, p'pa. Je monte dans votre Chevrolet pour aller à l'église. Le chauffeur de la Cadillac louée va aller chercher Florence et sa mère chez elles. Après la cérémonie, un frère de madame Messier va la transporter pendant que je monterai avec Florence dans la Cadillac.

— T'es sûr que t'aimerais pas que le cortège vienne jusqu'ici ? lui demanda sa mère pour la troisième fois depuis le début de la semaine. Verrat, il me semble que ce serait le *fun* que les voisins vous voient habillés en mariés dans un convertible.

— Ben non, m'man. Nous voyez-vous partir de la rue Davidson en klaxonnant et en bloquant la circulation juste pour nous faire admirer? Florence et moi, on s'est dit qu'on aurait l'air de deux beaux concombres! Non. Les voitures vont passer devant l'appartement de la mariée, parce que c'est la tradition et, surtout, parce que c'est presque sur le chemin du *Rieno* où va se faire la réception.

— C'est ben de valeur pareil, dit sa mère avec regret.

— Vous ferez ça quand ce sera les noces de Carole, suggéra Gilles en sortant de la maison.

— On risque d'être vieux en maudit, ronchonna Laurette. Elle a même pas encore un *chum*.

Carole, stoïque, ne dit rien. Elle se contenta d'ouvrir l'une des portières arrière de la vieille Chevrolet d'une propreté impeccable. Elle se glissa sur la banquette arrière, suivie de près par sa mère.

Lorsque les Morin arrivèrent à l'église, un peu plus de soixante-dix personnes étaient massées sur le parvis.

— Sacrifice, il y a déjà pas mal de monde, constata Laurette. Tes noces vont te coûter toute une beurrée, mon gars.

— Il en manque encore une vingtaine, si je me trompe pas, se contenta de dire Gilles en saluant de la main parents et amis avant de pénétrer dans le temple en compagnie de son père.

Comme la mère de Florence était une retraitée aux moyens financiers plutôt limités, les futurs époux avaient convenu avec elle qu'ils se chargeraient de la moitié du coût de la noce.

Bien peu d'invités suivirent le marié et son père à l'intérieur. De toute évidence, ils attendaient de voir arriver la future épouse. Ils n'eurent pas à attendre bien longtemps. Moins de dix minutes plus tard, Florence Messier et sa mère arrivèrent à bord de la voiture de location. La jeune femme, vêtue d'une robe de mousseline blanche et coiffée d'un long voile descendit d'une rutilante Cadillac noire. Son oncle Aimé, qui devait lui servir de témoin, s'avança vers elle pour lui offrir le bras. Sophie, la cadette de Denise Morin, vint à leur rencontre, poussée doucement par sa mère. Vêtue d'une petite robe en organdi bleu ciel, la fillette de trois ans était la bouquetière choisie par les futurs mariés.

— Mais t'es bien belle, toi! s'exclama Florence en embrassant celle qui allait devenir sa nièce quelques minutes plus tard.

La fillette, toute fière, se pavana devant elle en lui adressant son plus beau sourire. En haut des marches du parvis, Carole avait rejoint ses cousines Louise et Suzanne. Seule cette dernière était accompagnée par un grand échalas à l'air timide.

— Florence a beau avoir trente-cinq ans, murmura Louise à sa cousine, elle les fait pas. Aujourd'hui, on lui en donnerait dix de moins. Elle est chanceuse de s'être casée à son âge, poursuivit-elle, en dissimulant mal sa jalousie.

Carole se retint difficilement de lui dire que ce n'était pas en fréquentant un prêtre qu'elle risquait de se marier rapidement.

— T'as pas eu de nouvelles d'André? poursuivit Louise Brûlé à mi-voix en s'éloignant de son père et de sa mère qui s'approchaient.

— Aucune, reconnut Carole d'une voix qu'elle voulait neutre.

— C'est un bel écœurant pareil de t'avoir laissée tomber sans rien dire.

— Parle-moi pas de lui, lui ordonna sa cousine en l'entraînant vers les portes ouvertes de l'église où les gens avaient commencé à pénétrer à la suite de la mariée.

À l'intérieur, les deux familles avaient pris place de chaque côté de l'allée centrale. Seuls les quelques amis invités à la noce s'étaient répartis un peu partout. Ces derniers étaient surtout des instituteurs travaillant avec Gilles ou Florence. Pierre, Denise et leurs trois enfants s'étaient installés dans le second banc, derrière Gérard et Laurette, alors que Richard et Jocelyne s'étaient glissés à la dernière minute dans le banc suivant.

À plusieurs reprises, avant l'arrivée du prêtre, la mère du futur marié se tordit le cou pour essayer d'apercevoir quelqu'un qui aurait été assis à l'arrière.

— Qu'est-ce que t'as à gigoter comme ça? finit par lui demander son mari. C'est en avant que ça va se passer.

— Achale-moi pas, le rabroua Laurette à voix basse. J'essaye de voir Jean-Louis et la fille qu'il est allé chercher. Je les vois pas pantoute.

— Tu les verras après la messe, la fouineuse.

Sa femme lui jeta un regard mauvais, mais cessa tout de même de tourner la tête vers l'arrière pour regarder Florence et Gilles, assis l'un à côté de l'autre dans des fauteuils, face à la balustrade.

La cérémonie célébrée par un jeune prêtre fut d'une grande sobriété. L'homélie de ce dernier porta essentiellement sur l'amour que les conjoints devaient se porter l'un à l'autre.

— Je te dis que c'est tout un changement avec ce qui se passait dans notre temps, chuchota Laurette à son mari.

— Pourquoi tu dis ça?

— Tu te souviens pas à notre mariage? Le curé a pas arrêté de répéter que je devais t'obéir, bonyeu!

— On peut pas dire que t'as trop ben compris, plaisanta Gérard.

— Une folle ! répliqua sa femme.

Quelques instants plus tard, le prêtre bénit les anneaux avant d'inviter les nouveaux époux à communier sous les deux espèces.

Laurette jeta un coup d'œil en coulisse à la mère de sa nouvelle bru, assise de l'autre côté de l'allée centrale. L'enseignante retraitée, émue, s'essuyait les yeux.

— Veux-tu ben me dire pourquoi elle braille comme un veau ? chuchota-t-elle à l'oreille de son mari. Sa Florence est pas morte. À part ça, est-ce que je braille, moi ?

— Toi, c'est pas pareil, répondit Gérard, qui avait du mal à garder son sérieux. Tout le monde le sait que t'as le cœur dur.

— Attends après les noces, toi, lui promit sa femme. Je vais te montrer si j'ai le cœur dur.

Enfin, le célébrant bénit les nouveaux époux qui, après que les témoins eurent signé le registre paroissial, quittèrent les fauteuils qu'ils occupaient devant le chœur pour descendre l'allée centrale aux accents de la marche nuptiale de Mendelssohn. Laurette et Gérard furent les premiers à suivre les nouveaux mariés et les invités leur emboîtèrent le pas. Tout en suivant son fils et sa nouvelle bru, Laurette cherchait du regard Jean-Louis et celle qui devait l'accompagner. Elle repéra finalement le couple debout dans une rangée au centre de l'église.

— As-tu vu la fille que Jean-Louis a invitée ? demanda-t-elle à son mari.

— Non.

— Je l'ai presque pas vue, mais elle m'a l'air pas pire pantoute. Elle a une face un peu ronde et des cheveux courts. Tu la regarderas quand elle va sortir de l'église. Elle a une robe rouge.

— Une chance que tu l'as presque pas vue, se moqua Gérard en posant le pied à l'extérieur.

Les invités rassemblés sur le parvis durent prendre position sur les marches conduisant à l'église en suivant les directives du photographe un peu maniéré, retenu pour réaliser des photos du mariage. L'homme se mit en devoir de placer tous les gens pour exécuter une première photo de groupe.

Quelques minutes plus tard, la mère de la mariée invita les personnes présentes au dîner qui allait être offert dans la salle de réception du restaurant *Rieno* situé sur la rue Sherbrooke, deux rues à l'ouest du boulevard Pie IX. Elle les prévint également que la voiture des mariés quitterait le cortège en cours de route pour aller un bref moment au Jardin botanique pour une courte séance de photos.

Comme il faisait un soleil splendide, les invités se rassemblèrent dans le stationnement du restaurant en attendant l'arrivée imminente des jeunes mariés. Dès qu'elle posa le pied à terre, Laurette chercha des yeux Jean-Louis et sa compagne pour qu'il la lui présente. Elle aperçut immédiatement Denise, Pierre, Jocelyne et Richard en grande conversation avec Jean-Louis et la jeune fille inconnue.

— Viens, dit-elle à Gérard. On va aller rejoindre les enfants.

— Ça te démange de la connaître, cette fille-là, hein? fit son mari en la suivant sans se presser.

Laurette ne se donna pas la peine de lui répondre. Lorsqu'elle arriva près du petit groupe, celui-ci s'ouvrit pour laisser de la place aux parents.

— M'man, p'pa, je vous présente Marthe Paradis, une amie qui travaille avec moi à la banque, dit Jean-Louis à ses parents.

La jeune femme s'empressa de leur serrer la main avec une aisance et un large sourire qui plurent à Laurette.

Cette dernière ne la quitta guère des yeux pendant que la conversation interrompue par son arrivée reprenait entre ses enfants et son gendre. De toute évidence, Marthe savait écouter.

Un peu plus loin, Carole et Louise discutaient à voix basse.

— J'ai une grande nouvelle à t'apprendre, fit la fille d'Armand Brûlé.

— Qu'est-ce qui se passe ? lui demanda sa cousine.

— Je reste en appartement, à cette heure, chuchota Louise.

— C'est pas vrai ! Depuis quand ? demanda-t-elle, envieuse.

— Deux jours.

— Es-tu toute seule ?

Sa cousine allait répondre, mais elle se tut car les invités s'étaient subitement rapprochés dans l'intention de mieux voir les mariés dans la Cadillac de location qui venait de s'immobiliser devant le restaurant. Les deux jeunes filles n'eurent d'autre choix que de se mêler à eux pour entrer à l'intérieur à la suite des nouveaux époux.

— Je pense ben qu'il va falloir aller se placer à côté de Gilles et Florence pour saluer les invités, expliqua Gérard.

— Et nous autres, on va aller faire la ligne pour féliciter les mariés, rétorqua Richard.

Les parents quittèrent le groupe.

— Elle a de beaux yeux, fit remarquer Laurette en ne précisant pas de qui elle parlait.

— En plus, elle a une belle façon et elle sait se tenir, poursuivit Gérard, qui avait deviné que sa femme parlait de Marthe Paradis.

— Ah ben, maudit verrat ! s'exclama Laurette à mi-voix en cessant brusquement d'avancer.

— Bon. Qu'est-ce qu'il y a encore? lui demanda son mari.

— Regarde la blonde en avant de nous autres.

— Qu'est-ce qu'elle a de spécial?

— Elle a de spécial qu'elle a sur le dos exactement la même robe que moi, répondit-elle d'une voix rageuse. Bonyeu! Je dépense une fortune pour être habillée comme du monde et il faut qu'une maudite niaiseuse aille s'acheter la même robe que moi. J'ai l'air fin, là!

— Ben voyons donc, taboire! protesta Gérard à mi-voix. Elle a ben le droit d'avoir la même robe que toi. As-tu remarqué combien d'hommes ont le même habit gris que moi? Il y en a au moins cinq ou six. Je poigne pas les nerfs pour ça.

— Tu sauras que c'est pas la même chose pantoute pour une femme, répliqua Laurette sur un ton définitif.

Elle s'avança sans se presser vers la mère de la mariée à qui elle n'avait pas trouvé l'occasion d'adresser la parole depuis les fiançailles. Les deux femmes n'auraient pas pu être plus dissemblables. L'une était grasse, de taille moyenne et exubérante tandis que l'autre était longiligne, dotée d'une mince figure ascétique et très réservée.

— J'espère que la femme de Gilles ressemblera pas un jour à sa mère, chuchota Laurette à son mari, en s'approchant de Jacynthe Messier.

— Qu'est-ce que tu lui reproches?

— Elle ressemble à ta sœur Colombe, bonyeu! On dirait qu'elle a avalé un balai, elle aussi.

Sur ce, Laurette étala un large sourire sur son visage pour saluer la mère de sa nouvelle bru. Elle prit place ensuite à ses côtés pour recevoir les félicitations des parents et amis venus participer à la noce.

De nombreux invités profitèrent de l'occasion pour glisser une enveloppe à Gilles avant d'embrasser Florence.

Lorsque le défilé prit fin, un violoniste et un pianiste s'installèrent sur une petite estrade dressée à gauche de la table d'honneur tandis qu'un jeune maître de cérémonie s'emparait du micro pour inviter les gens à prendre place aux tables rondes pouvant accommoder huit convives. Les nouveaux mariés, accompagnés de leurs parents et de l'abbé Nantel, un ami de la famille Messier, s'installèrent à la table d'honneur. À l'invitation du maître de cérémonie, on but à la santé de Gilles et Florence avant que les serveuses ne commencent à circuler entre les tables.

— On peut pas dire que Florence m'a fait une ben grosse façon aujourd'hui, chuchota Laurette, un peu amère, à son mari alors que sa nouvelle bru souriait et adressait quelques mots gentils à un couple de personnes âgées qui s'était arrêté devant la table d'honneur.

— Elle a ben d'autres choses à penser qu'à te faire des façons, rétorqua Gérard à voix basse. Elle est nerveuse et il faut qu'elle soit polie avec tout le monde.

En réalité, son mari aurait pu lui faire remarquer qu'elle n'avait jamais fait le moindre effort pour que la jeune femme se sente bien accueillie dans sa nouvelle famille. Dès la première fois où Gilles l'avait présentée aux siens, Laurette lui avait battu froid. Dans son dos, elle n'avait jamais cessé de lui reprocher d'être «fraîche» et surtout, d'être beaucoup plus âgée que son fils. Les sept ans qui les séparaient lui avaient toujours semblé un obstacle majeur. Dans ces conditions, il était pour le moins étrange que la belle-mère se plaigne d'être un peu boudée par sa bru.

Les musiciens agrémentèrent le repas avec de la musique classique. Ils ne furent interrompus qu'en deux ou trois occasions lorsque des invités frappèrent sur les tables avec un ustensile pour exiger que les nouveaux époux se lèvent et s'embrassent.

Denise et Pierre avaient pris place à une table en compagnie de Marthe, Jean-Louis, Richard et Jocelyne. Ils avaient réservé une place pour Carole, mais celle-ci avait préféré s'installer avec ses cousines Louise et Suzanne à une table voisine où les trois enfants de Denise étaient assis. Les deux places libres furent vite occupées par Rosaire et Colombe Nadeau. Si Colombe demeura aussi collet monté que d'habitude, son mari, par contre, se fit un devoir d'animer la table avec ses plaisanteries.

— C'est drôle que tes cousines se soient pas installées avec leur père et leur mère, fit remarquer Pierre Crevier à Richard.

— Il y a juste à regarder la tête de ma tante Pauline pour s'apercevoir qu'elle est pas de bonne humeur, répondit ce dernier. Même les farces de mon oncle Bernard la font pas sourire. C'est peut-être pour ça que les filles ont aimé mieux manger à la table des enfants.

— C'est plate qu'il y ait pas de chanteur, dit Jocelyne, un peu dépitée, aux autres convives assis à sa table. Un peu de rock n' roll aurait réveillé tout le monde.

— Voyons, Jocelyne, la reprit Colombe Nadeau, offusquée. De la belle musique classique peut pas être ennuyante.

— Vous aimez peut-être ça, ma tante, répliqua la petite femme d'une voix acide, mais moi, je trouve ça plate à mort. Moi, le pianiste, je lui fermerais le couvercle du piano sur les doigts si je m'écoutais. Il est en train de m'endormir ben raide.

Colombe Nadeau renifla avec mépris, mais se tut.

— Est-ce que ça fait longtemps que vous vous connaissez? demanda Rosaire à Marthe Paradis en désignant Jean-Louis du bout de son cigare.

— Quatre ou cinq mois, monsieur Nadeau, répondit la jeune femme avec un sourire.

— On peut pas dire que mon neveu manque de goût en tout cas, renchérit Rosaire.

— Marthe est juste une amie, mon oncle, tint à préciser Jean-Louis, l'air empesé.

— Ben oui, ben oui, intervint son frère Richard, un sourire moqueur aux lèvres. On a tous commencé comme ça, pas vrai, Pierre ?

Son beau-frère s'empressa d'entrer dans son jeu.

— C'est vrai. Puis, un beau jour, tu te réveilles coincé. Tu te dis que ta petite amie te ferait peut-être une sacrifice de bonne femme.

Marthe rougit légèrement et Denise se précipita à son secours.

— Sois pas trop inquiète, la rassura-t-elle. T'as affaire aux plus haïssables de la famille. Les autres sont à peu près normaux.

Un éclat de rire général salua cette précision.

Un peu plus tard, la plupart des invités décidèrent de sortir dans le stationnement, même s'il faisait très chaud. Ils désiraient donner le temps aux employés de desservir les tables et de remettre de l'ordre dans la salle de réception.

Laurette et Gérard avaient quitté la table d'honneur depuis un bon moment. Ils étaient d'abord allés parler à l'oncle Paul et à sa femme que Gilles avait tenu à inviter. Ensuite, ils s'étaient approchés de Bernard Brûlé et Marie-Ange pour prendre de leurs nouvelles. Au bout d'un petit moment, Marie-Ange avait enfin consenti à quitter des yeux son fils de neuf ans en train de s'amuser avec deux garçons de la famille Messier, près de la porte d'entrée, pour faire remarquer à sa belle-sœur :

— Je regardais Carole tout à l'heure. Elle a l'air de se remplumer en pas pour rire.

— Pourquoi tu dis ça ? lui demanda Laurette, surprise.

— Il me semble que ta fille a un peu engraissé depuis un mois ou deux. Tu trouves pas?

Laurette chercha sa cadette des yeux et la découvrit en train de parler à sa cousine Suzanne sans démontrer une grande animation. Elle la scruta du regard sans rien trouver de spécial.

— Peut-être un peu, admit-elle en se rappelant que Carole avait dû s'acheter une robe neuve pour les noces parce qu'elle n'entrait plus dans sa robe jonquille qu'elle ne possédait pourtant que depuis Pâques.

— Remarque que ça lui fait bien, ajouta Marie-Ange. C'est toute une belle fille.

— Elle est pas pire, reconnut Laurette avec fierté.

— J'ai pas vu son *chum*, poursuivit sa belle-sœur, curieuse.

— C'est fini, cette histoire-là, dit Laurette, et ça fait ben mon affaire. C'était pas un gars pour elle.

— En tout cas, je sais pas ce que Pauline a de travers, intervint Bernard, mais je sens qu'il y a de l'eau dans le gaz. Même Armand a l'air bête aujourd'hui. Je sais pas s'ils se sont chicanés. Ils ont rien dit durant le repas, mais je sens qu'il a dû se passer quelque chose chez eux.

— Regarde-la, suggéra Marie-Ange à sa belle-sœur. On dirait que notre Pauline a perdu un pain de sa fournée.

Laurette tourna alors la tête vers sa belle-sœur Pauline encore assise à sa table. L'épouse d'Armand Brûlé affichait un air sombre. Elle était seule à sa table et ne semblait guère pressée de se lever pour laisser les serveurs faire leur travail. Sans dire un mot, Laurette quitta Bernard et sa femme pour s'approcher de sa belle-sœur. Elle tira une chaise et s'assit à ses côtés en faisant signe à une serveuse de s'éloigner.

— Veux-tu ben me dire ce qui se passe, Pauline? lui demanda-t-elle, la mine inquiète. On dirait que t'es en deuil.

L'autre garda le silence un bref instant avant de parler.

— C'est presque ça.

— Comment ça ?

— Louise est partie de la maison depuis deux jours.

— Partie ?

— Ben oui. Elle nous a annoncé mercredi soir qu'elle s'en allait rester en appartement. Comme ça, d'un coup sec.

— Est-ce qu'elle va rester toute seule ?

— Ça en a tout l'air, répondit Pauline. Elle nous a rien dit.

— Pourquoi t'en fais tout un drame, la réprimanda doucement Laurette. Après tout, elle a déjà vingt-trois ans, ta fille. Elle est majeure. Elle est pas partie vivre avec un gars.

La quinquagénaire avait déjà oublié sa vive réaction quand Carole avait soulevé la possibilité d'aller vivre en appartement quelques mois auparavant.

— Ce qui nous enrage le plus, Armand et moi, c'est que la petite maudite hypocrite a tout organisé dans notre dos, sans nous dire un mot. Elle avait paqueté ses affaires en cachette et, mercredi soir, elle nous a dit qu'elle partait dix minutes avant que son taxi arrive. Je pensais jamais avoir élevé une sans-cœur pareille ! ajouta Pauline, les larmes aux yeux.

— Reviens-en, Pauline. T'es tout de même pas pour lui en vouloir pour ça jusque sur ton lit de mort, non ?

Il y eut un long silence entre les deux femmes avant que Pauline ne reprenne la parole.

— Ben non. Mais si tu voyais comme ça nous a fait mal au cœur. Armand est tout à l'envers. Il lui a même pas adressé la parole aujourd'hui.

— Et toi ?

— Moi non plus. Je suis encore trop enragée contre elle.

Laurette lui tapota le bras pour l'encourager.

— Viens respirer un peu d'air dehors et oublie ça pour tout de suite. Après tout, t'es à des noces, pas à un enterrement.

Elle entraîna sa belle-sœur à l'extérieur et l'abandonna à Rosaire et Colombe pour aller consoler son frère Armand et lui faire gentiment la leçon.

Un peu avant trois heures, les jeunes mariés firent la tournée des invités pour les remercier d'être venus à leurs noces. Florence en profita pour annoncer qu'elle allait procéder au lancement de son bouquet de mariée. Aussitôt, toutes les célibataires présentes se regroupèrent devant elle en poussant des cris d'excitation. Le bouquet lancé décrivit une jolie trajectoire dans les airs avant de se retrouver dans les mains de Marthe Paradis, un peu confuse d'en avoir hérité. Ensuite, Gilles et Florence quittèrent la salle pour aller revêtir d'autres vêtements. Ils ne revinrent qu'une demi-heure plus tard pour saluer une dernière fois les convives.

— Est-ce qu'il y a quelqu'un qui sait où ils vont en voyage de noces ? demanda Rosaire Morin, l'œil égrillard.

— Ils font pas de voyage de noces, mon oncle, répondit Richard.

— Hein ! Pas de voyage de noces !

— Non. Ils vont camper sur leur lot au lac Blanc, précisa Pierre, malgré le coup de coude donné par Denise pour l'inciter à plus de discrétion.

— Tabarnouche ! s'exclama le vendeur de voitures. Ça va en faire toute une nuit de noces, ça ! Ils vont ben passer leur nuit à se gratter plutôt qu'à…

— Ça va faire, Rosaire ! l'interrompit sèchement sa femme, l'air scandalisé.

— En tout cas, on n'ira pas sur notre lot la semaine prochaine, déclara Denise. On veut leur laisser le temps de…

— Leur laisser le temps de quoi? reprit l'incorrigible Rosaire.

— Faites-moi donc pas parler pour rien, mon oncle, répondit la jeune mère en rougissant légèrement.

Après le départ des nouveaux mariés, les invités quittèrent les lieux, les uns après les autres. Comme Gilles était parti au volant de sa Toyota, Richard et Jocelyne proposèrent à Jean-Louis de monter à bord de leur voiture avec Marthe pour la raccompagner chez elle.

Laurette, Gérard et Carole, fatigués, rentrèrent à la maison à la fin de l'après-midi. Quand ils pénétrèrent dans l'appartement, ils furent accueillis par une telle bouffée d'air chaud qu'ils se précipitèrent vers les fenêtres pour les ouvrir.

— Seigneur! On crève là-dedans! s'exclama Laurette. Moi, je m'en vais me changer tout de suite pour être plus à l'aise.

Son mari et sa fille l'imitèrent. Lorsque ces derniers revinrent dans la cuisine, Laurette avait eu le temps de passer ce qu'elle appelait sa «robe de semaine» et venait de s'allumer une cigarette.

— As-tu décidé de modérer? lui demanda Gérard en s'allumant une cigarette à son tour. Il me semble que je t'ai pas vue fumer ben gros aujourd'hui.

— Non. Je me suis juste privée pour pas faire jaser le monde.

— Comment ça?

— Je pense qu'il y avait pas une femme du côté des Messier qui fumait et c'est la même chose dans ma famille. Quand j'en ai allumé une après le dîner, t'aurais dû voir le coup d'œil dédaigneux que la mère de Florence m'a lancé, toi !

— Et c'est ça qui t'a gênée ? lui demanda son mari, surpris.

— Pantoute, mais je voulais pas qu'on pense que j'avais pas de classe... Ah oui, en parlant de classe, Carole, as-tu su que ta cousine Louise est partie vivre en appartement depuis deux jours ?

— Je le savais pas. Elle m'a dit ça seulement aujourd'hui, avoua Carole.

— Ça, c'est une petite maudite qui a manqué de classe ! s'exclama sa mère.

— Pourquoi vous dites ça, m'man ? Louise est majeure. Elle a ben le droit d'aller vivre où elle veut.

— C'est surtout une ingrate qui est partie de la maison en vraie sauvage. Pas un mot à personne. Elle a paqueté ses petits, fait venir un taxi et bonjour, bonsoir, elle a sacré son camp.

— C'est vrai que c'est pas tellement correct, admit la jeune fille.

— Ta tante Pauline en a gros sur le cœur, je te le garantis. Et son père aussi. Je pense qu'ils sont pas prêts à lui pardonner cette affaire-là.

Carole ne dit rien. Elle pensa que sa tante et son oncle allaient bien « en faire une jaunisse » quand ils apprendraient que leur fille demeurait avec un prêtre défroqué.

Pendant un bref instant, elle se demanda même si ce scandale n'allait pas éclipser celui de sa grossesse. Par une étrange coïncidence, elle était allée à son rendez-vous chez le docteur Leduc le jeudi précédent, soit le jour même où sa cousine emménageait dans son nouvel appartement. Selon le médecin, sa grossesse se déroulait bien et tout semblait normal. Pour sa part, elle était un peu soulagée que ses nausées matinales se fassent un peu plus rares.

Depuis quelque temps, elle se demandait si elle allait parvenir à amasser suffisamment d'argent pour aller vivre, elle aussi, dans un petit appartement... à temps avant que son état soit visible. C'était d'ailleurs pour cette raison qu'elle ne voulait pas s'acheter de robe neuve pour les noces de son frère. Malheureusement, elle n'avait pu éviter cette dépense imprévue, ce qui allait encore repousser son départ de l'appartement familial.

Depuis qu'elle avait constaté avoir engraissé, elle surveillait maintenant plusieurs fois par jour son tour de taille pour s'assurer que cela ne se voyait pas. Cependant, elle était assez lucide pour comprendre qu'elle ne pourrait pas cacher son état indéfiniment. À cette seule pensée, elle avait des sueurs froides.

— En tout cas, on vient d'en perdre un autre, déclara Laurette d'une voix attristée en se mettant en devoir de dresser la table.

— Tu vas pas te mettre à pleurer comme la mère de Florence, se moqua gentiment son mari.

— Non. Inquiète-toi pas pour ça, le rassura-t-elle. Mais les voir partir les uns après les autres, ça me donne un coup de vieux.

— Qu'est-ce que tu veux? On rajeunit pas. Regarde notre bébé, ajouta-t-il en lui montrant Carole en train de sortir les assiettes pour les déposer sur la table. Elle a déjà vingt-cinq ans.

— Qu'est-ce qu'on va faire de la chambre de Gilles? demanda Laurette, comme si elle n'avait pas entendu la remarque de Gérard.

— À moins que tu veuilles en faire un salon, moi, je la laisserais comme elle est là. Elle pourra toujours servir aux petits quand ils viendront coucher à la maison.

Elle accepta cette solution facile sans protester. Un salon dans une chambre double n'était absolument pas pratique. Comment regarder la télévision le soir dans une pièce qui n'était séparée de la chambre voisine que par un rideau ?

Le lendemain avant-midi, comme tous les dimanches, Carole accompagna ses parents à la grand-messe. L'impression de fraîcheur ressentie en entrant dans le temple disparut rapidement avec l'arrivée des fidèles. Même si les portes étaient maintenues ouvertes en cette période de canicule, la chaleur était si élevée que le curé Perreault se crut même obligé d'abréger son homélie.

À la fin de son sermon, le prêtre annonça que son vicaire, l'abbé Serge Vermette, avait été appelé à un autre ministère et qu'il serait remplacé, dès la semaine suivante, par l'abbé Étienne Lanctôt.

Carole réprima difficilement un petit sourire moqueur en entendant cette annonce. « Un autre ministère ! Drôle de façon pour dire que le vicaire défroqué... »

— Pourquoi ils l'ont envoyé ailleurs ? chuchota Laurette à son mari. Moi, je l'aimais ben ce petit prêtre-là. Il était pas fouineux comme le curé.

Gérard haussa les épaules en signe d'indifférence.

Chapitre 11

L'orage

La semaine suivante était à peine commencée que Laurette vit Rose Beaulieu, sa voisine, entreprendre la descente difficile de l'étroit escalier à l'arrière pour venir lui parler. Pour une dame au poids aussi important, l'exercice était loin d'être facile.

— Avez-vous appris la nouvelle, madame Morin ? lui demanda la voisine, à bout de souffle, alors qu'elle n'était pas encore rendue au pied de l'escalier.

— Qu'est-ce qui se passe ?

— On raconte partout que c'est à la fin du mois qu'ils vont commencer à démolir les maisons.

— Arrêtez donc, vous ! s'exclama Laurette, stupéfaite. Le bonhomme Tremblay est venu chercher l'argent du loyer, la semaine passée, et il a rien dit.

— Il paraît que les *boss* de la Dominion Oilcloth ont décidé ça avant-hier.

— Ah ben, maudit verrat. C'est le boutte ! s'écria Laurette. Je pensais ben qu'ils nous laisseraient au moins passer l'été tranquille avant de venir nous sacrer dehors.

— Ça a tout l'air que non. Le pire, c'est qu'on peut rien y faire, ajouta la grosse dame en s'épongeant le front avec un large mouchoir qu'elle venait de tirer de la poche de son tablier.

— Qu'est-ce que vous avez l'intention de faire, vous ? lui demanda Laurette.

— Je le sais pas trop. On en a parlé hier soir. Mon mari pense qu'on devrait attendre qu'ils se mettent à démolir les maisons de notre rue avant de commencer à s'énerver. D'après lui, on finira toujours par trouver un logement quelque part dans le coin à un prix raisonnable.

— Au fond, il a peut-être raison, reconnut Laurette cherchant de toute évidence à se rassurer. Ça sert pas à grand-chose de poigner les nerfs avant qu'ils commencent à tout jeter à terre.

Il n'en resta pas moins qu'elle passa une journée très pénible à se demander ce qu'il convenait de faire. Fallait-il se mettre tout de suite à la recherche d'un autre appartement ou attendre, comme les Beaulieu s'apprêtaient à le faire ? Mis au courant des rumeurs qui circulaient dans le quartier, Gérard, toujours tenté par la solution la plus facile, décida d'imiter les voisins.

Une semaine plus tard, le père de famille venait de traverser la rue Notre-Dame après une journée de travail dans le port quand un bref coup de klaxon le fit sursauter. Il tourna la tête et aperçut la Toyota orangée de Gilles qui vint s'arrêter à sa hauteur.

— Montez-vous, monsieur Morin ? lui demanda Florence avec un large sourire. On s'en va chez vous.

— Certain, répondit-il en ouvrant la portière arrière de la petite voiture.

— Qu'est-ce qui arrive à votre Chevrolet, p'pa ? lui demanda Gilles.

— Elle est au garage. Je suis obligé de faire changer le radiateur. Il coule. Je commence à m'apercevoir que ça coûte cher en maudit, une bagnole. Et vous autres, depuis quand vous êtes descendus du Nord?

— Ça fait une heure, monsieur Morin, répondit sa bru. Quand on a vu qu'ils annonçaient du mauvais temps pour les deux ou trois prochains jours, on a décidé de revenir en ville.

— Ça va faire plaisir à tout le monde de vous revoir.

Laurette venait de finir de laver le linoléum aux dessins à demi effacés de la cuisine et fumait une cigarette en attendant que le plancher soit sec quand Gérard entra dans l'appartement, suivi par le jeune couple.

— Laurette!

— Je suis en arrière, répondit-elle.

— Je t'amène de la visite, dit-il en refermant la porte.

— Qui ça?

— Les nouveaux mariés.

— Je suis poignée sur le balcon parce que je viens de laver mon plancher de cuisine, dit Laurette. Attendez, j'entre pareil.

— Non. Bougez pas, madame Morin, lui suggéra sa jeune bru. On va aller vous rejoindre par en arrière. On n'est pas pour marcher sur votre plancher frais lavé.

Quelques instants plus tard, Laurette vit son mari, son fils et sa bru entrer dans la cour arrière. Elle offrit une chaise à Florence et fit un effort méritoire pour se montrer aimable envers ce nouveau membre de la famille Morin.

— Vous en avez du mérite de faire du ménage par une chaleur collante pareille, madame Morin, dit Florence en s'assoyant sur le balcon à ses côtés. Il fait tellement chaud et humide que, même les vitres baissées, on avait de la misère à respirer en revenant du Nord.

— Il faut ben se nettoyer de temps en temps et pas laisser la maison s'encrasser, même quand c'est l'été... Puis, vous autres, vous avez ben dû vous faire manger sans bon sens par toutes les bibittes de la Création pendant que vous étiez là-bas?

— C'était pas si pire que ça, m'man, la rassura Gilles. Avec de l'insecticide, on pouvait travailler sur le terrain durant le jour...

— Mais le soir, on avait intérêt à pas traîner en dehors de la tente, compléta Florence. Je vous dis qu'il faut vouloir avoir quelque chose dans le Nord pour endurer ça.

— Vous allez rester à souper avec nous autres, proposa Laurette sans grand entrain.

— On aurait bien aimé rester, m'man, mais on n'est pas encore passés à l'appartement qui doit avoir besoin d'être aéré si on veut pouvoir dormir la nuit prochaine. Ça doit ressembler à un four avec toutes les fenêtres fermées.

— En plus, madame Morin, ce serait pas raisonnable d'aller vous mettre au poêle quand il fait aussi chaud. On se reprendra une autre fois. On venait juste vous dire bonjour en passant.

Laurette n'insista pas.

Quelques minutes plus tard, au moment où le jeune couple allait prendre congé, Jean-Louis rentra à la maison, le veston sur le bras et la cravate légèrement desserrée.

— Sacrifice, mon frère, on dirait que t'as fini de travailler plus tard que d'habitude, lui fit remarquer Gilles. Il est presque six heures.

— Tiens, vous êtes revenus du Nord, vous deux, constata le caissier en adressant un sourire sans chaleur à son frère et à Florence. Qu'est-ce qui se passe? Les mouches noires et les maringouins ont fini par vous faire peur?

— On est presque habitués, lui dit Florence sans grande conviction en lui tendant une joue pour qu'il l'embrasse.

Depuis sa première rencontre avec le frère de son mari, l'institutrice ne s'était jamais sentie très à l'aise en sa présence. Cependant, elle s'était promis de s'efforcer de faire bonne figure au fils aîné des Morin dont elle s'expliquait mal la froideur et la timidité.

— À part ça, j'ai pas fini de travailler plus tard que d'habitude. Je suis juste allé boire un Coke au restaurant avec quelqu'un qui travaille à la banque avec moi, expliqua le caissier avec une certaine réticence.

— Est-ce que c'est avec la fille qui était avec toi à nos noces ? lui demanda Gilles, un peu curieux.

— Oui.

— Elle a l'air pas mal fine, fit sa jeune belle-sœur.

— C'est juste une amie, tint à préciser encore une fois Jean-Louis. Bon. Si ça vous fait rien, je vais aller me changer. J'ai trop chaud.

— Nous autres aussi, on y va, annonça Florence en se levant.

— Pourquoi vous attendez pas un peu ? Carole est à la veille d'arriver de travailler, suggéra Gérard.

— On la verra une autre fois, dit Gilles. De toute façon, on a ben l'intention de revenir vous voir avant de repartir en fin de semaine.

— Avez-vous tout ce qu'il vous faut ? demanda Laurette en se mettant péniblement debout sur des jambes qui avaient enflé à cause de la chaleur humide.

— On a fait des commissions en s'en venant, lui expliqua Florence. On a juste à les mettre dans le réfrigérateur en entrant.

Les jeunes mariés n'étaient pas partis depuis plus de dix minutes que Carole rentra à la maison après sa journée de travail au bureau. La jeune fille avait les traits tirés par la fatigue.

— Qu'est-ce qu'on mangerait ben à soir ? demanda Laurette à la ronde. Il fait tellement chaud que j'ai pas le goût pantoute de faire à manger.

— On pourrait juste se faire des sandwichs au *baloney* et aux tomates, proposa Gérard qui venait de commencer la lecture de *La Presse* qu'il était allé chercher au dépanneur du coin.

— Moi, ça ferait aussi mon affaire, annonça Jean-Louis en sortant de sa chambre.

— Moi aussi. J'ai pas ben faim, reconnut Carole en train de retirer ses souliers à talons hauts.

— Si c'est comme ça, on va tout mettre sur la table et chacun va se faire ses sandwichs, déclara la mère de famille en ouvrant la porte du réfrigérateur.

Ce soir-là, le souper fut vite expédié tant chacun était impatient d'échapper à l'air chaud et humide qui régnait dans la maison.

— C'est de valeur que le char soit en réparation. On aurait pu aller faire un tour en dehors de la ville et prendre l'air, dit Jean-Louis, comme si la Chevrolet paternelle lui appartenait.

— Ça tombe mal, mais il est cassé, laissa tomber son père. Si t'avais un char, on aurait pu prendre le tien, par exemple.

— Vous y pensez pas, p'pa, protesta le caissier. Ça coûte ben trop cher. Moi, j'ai pas les moyens d'en avoir un.

— Arrête donc, toi, répliqua le père de famille en sortant son étui à cigarettes de la poche de sa chemise. Si je suis capable d'en avoir un, t'es capable, toi aussi. Tu gagnes plus d'argent que moi. Colle pas tout ton argent dans ton compte de banque, dépenses-en un peu. Ce sera pas quand t'auras cinquante ans que tu vas te mettre à vivre. Profites-en.

Son fils ne répondit rien. Il se contenta de quitter la cuisine. Dès son retour dans la chambre double qu'il n'avait plus à partager avec son frère Gilles depuis le mariage de ce dernier, il poussa son fauteuil près de la fenêtre pour profiter du moindre souffle de fraîcheur. Il prit sur son bureau les deux gros cartables remplis de notes prêtés par sa monitrice et s'assit dans l'intention de consacrer sa soirée à leur étude.

Il n'avait annoncé à personne qu'il avait posé sa candidature à un poste de moniteur, encouragé par Marthe Paradis qui ne cessait de lui répéter qu'il possédait tout ce qu'il fallait pour devenir moniteur puis comptable à la banque.

Après avoir aidé à remettre de l'ordre dans la cuisine, Carole s'empressa de se réfugier à son tour dans sa chambre surchauffée. Elle mit son ventilateur en marche avant de s'étendre sur son lit pour une courte sieste. Elle aurait bien aimé pouvoir aller rendre une brève visite à sa cousine Louise, mais elle ne se sentait pas encore prête à rencontrer son nouveau compagnon de vie. Elle entendit son père s'installer sur le balcon avec son journal, tout près de sa fenêtre, et elle en fut agacée.

— Il me semble que ça doit faire drôle de vivre avec un prêtre, se dit-elle. Moi, ça me figerait. En tout cas, je sais pas comment je vais l'appeler quand je vais le voir la prochaine fois. Est-ce que je vais l'appeler monsieur l'abbé ou bien Serge, comme s'il était comme tout le monde ? Je le sais pas pantoute.

Puis ses idées s'orientèrent dans une autre direction. Elle se releva et se plaça de profil devant le miroir installé derrière la porte de sa chambre pour examiner sa silhouette.

— Ça paraît pas trop encore, même si j'en suis à mon quatrième mois, se dit-elle en rentrant le ventre au maximum… mais ça va finir par paraître, c'est sûr, ajouta-t-elle pour elle-même en sentant l'angoisse l'envahir de nouveau.

Elle retourna s'étendre sur son lit et attendit que le sommeil vienne à son secours. La porte-moustiquaire claqua et elle entendit tout près la voix de sa mère annoncer qu'elle allait s'asseoir en avant.

— Ça sent trop les poubelles en arrière, déclara-t-elle à son mari. Je sais pas comment tu fais pour endurer ça.

— C'est des idées que tu te fais, répondit ce dernier en levant le nez de son journal. Les poubelles sont en bas, proches du hangar. Ici, ça sent rien. Moi, me faire examiner par tout le monde qui passe sur la rue, j'haïs ça. J'aime mieux lire tranquille en arrière.

— Fais donc ce que tu veux, répliqua brusquement Laurette en rentrant.

La mère de famille traversa l'appartement, prit sa chaise berçante pliante appuyée contre le mur du couloir et alla la déposer sur le trottoir. Elle rentra un instant pour se verser un grand verre de cola et sortit s'asseoir en poussant un grand soupir de soulagement. Elle s'empressa de s'allumer une cigarette tout en sirotant sa boisson gazeuse.

En cette soirée torride de juillet, les enfants étaient tous à l'extérieur. La chaleur et l'humidité ne semblaient pas leur enlever l'envie de jouer. Quelques-uns avaient organisé une partie de balle dans la rue Archambault tandis que d'autres, montés sur des bicyclettes, s'amusaient à freiner brutalement ou à faire du slalom entre les chaises et les autres obstacles rencontrés sur les trottoirs.

L'air était comme immobile et le ciel ennuagé avait pris une vilaine teinte violacée.

— On va en avoir toute une quand ça va tomber, prédit Catherine Bélanger qui venait de prendre place aux côtés de son mari devant la porte voisine.

— J'espère que ça tardera pas trop, dit Laurette. Je trouve ça étouffant à mort, une température comme ça.

Au moment où elle disait cela, un adolescent monté sur une bicyclette apparut dans son champ de vision. Avant même qu'elle ait eu le temps de réagir, l'énergumène était parvenu à passer à toute vitesse entre sa chaise berçante et l'étroite bordure du trottoir en évitant ses pieds de justesse.

— Ah ben, mon maudit grand niaiseux! s'écria-t-elle en se levant. Que je te voie venir me passer sur les pieds encore une fois, toi! Tu vas apprendre comment je m'appelle.

Le cycliste pris à partie freina brutalement devant le dépanneur au milieu d'une demi-douzaine d'adolescents qui saluèrent bruyamment son exploit. Le sourire moqueur du jeune garçon ne fit qu'attiser le courroux de Laurette qui fit un pas en direction de l'effronté, prêt à détaler.

— Mon petit bâtard! Si jamais tu me refais ça, je vais sacrer un coup de pied dans tes broches de bicycle et tu vas te retrouver à l'hôpital, tu m'entends, petit baveux?

Devant l'air mauvais de la grosse femme apparemment prête à en venir aux mains, les jeunes jugèrent plus prudent de s'esquiver et le cycliste se garda bien de répliquer. Tout ce petit monde se retira un peu plus loin, hors de sa vue, dans la rue Archambault, et Laurette reprit sa place, le visage inondé de sueur.

— Il y a même plus moyen d'avoir la paix chez nous à cette heure, déclara-t-elle indignée à sa voisine et à son mari qui s'étaient bien gardés d'intervenir.

— Aujourd'hui, les enfants sont de plus en plus mal élevés, fit remarquer l'éboueur. De notre temps, on n'aurait pas fait un dixième de ce qu'ils font sans manger une bonne claque sur les oreilles.

— C'est ben vrai, approuva Laurette. Aujourd'hui, on les laisse faire leurs quatre volontés. Vous allez voir ce que ça va faire plus tard, ces jeunes-là...

L'obscurité tomba sur le quartier un peu plus tôt à cause de l'épaisse couverture nuageuse, mais elle n'apporta aucun rafraîchissement. De temps à autre, le ciel était traversé par des éclairs et on entendait de lointains coups de tonnerre qui semblaient venir de l'ouest, là où se dressaient les superstructures métalliques du pont Jacques-Cartier.

— Ça va ben finir par tomber un jour, dit Gérard en apparaissant à la porte un peu avant dix heures. On a de la misère à respirer tellement c'est humide.

— Et la Dominion Oilcloth a jamais senti aussi mauvais, compléta sa femme pendant qu'il s'assoyait sur le seuil.

— Je sais pas ce qu'on va faire pour dormir à soir, reprit Gérard tout en allumant une dernière cigarette. En tout cas, Carole a l'air de s'être déjà endormie parce qu'il y a plus de lumière dans sa chambre.

— Jean-Louis aussi, chuchota Laurette en jetant un regard vers la fenêtre de la chambre de son fils. En plus, maudit verrat, comme si c'était pas assez de crever de chaleur, les maringouins trouvent le moyen de venir nous picosser, ajouta-t-elle en se flanquant une tape sur un bras, là où un moustique venait de la piquer.

— Il va ben falloir finir par aller se coucher pareil, dit Gérard. Demain, il faut se lever.

Un long silence tomba entre les deux époux. Les Bélanger étaient rentrés depuis plusieurs minutes. La rue Emmett, toujours éclairée par un seul lampadaire, était plongée dans une semi-obscurité remplie de murmures, ponctuée de temps à autre par un rire, une toux ou un éclat de voix. Les enfants étaient maintenant couchés et seuls les adultes et les adolescents étaient regroupés sur les balcons ou devant la porte de leur appartement, à la recherche du moindre souffle d'air frais.

Au moment où Gérard s'apprêtait à se lever pour écraser son mégot sur le trottoir et se retirer à l'intérieur de l'appartement, il aperçut du coin de l'œil un piéton à la démarche hésitante traverser lentement et en diagonale la rue Archambault en face du dépanneur. Laurette le vit aussi.

— On dirait que notre voisin est encore plein comme un cochon, chuchota-t-elle à son mari à la vue de la démarche chaloupée de Vital Beaulieu. Il a encore dû aller boire une partie de sa paye à la taverne, ajouta-t-elle, sur un ton désapprobateur.

— Tasse un peu ta chaise pour qu'il ait de la place pour passer, lui conseilla son mari.

Sans grand enthousiasme et sans se donner la peine de se lever, Laurette repoussa légèrement sa chaise contre le mur de brique qui dégageait la chaleur emmagasinée durant la journée. Vital Beaulieu parvint à traverser la rue et à monter sur le trottoir inégal sans trébucher et, après un bref moment d'hésitation, il se dirigea d'un pas chancelant vers la porte de son appartement.

— B'soir ! dit-il dans un hoquet en passant devant le couple installé devant la porte voisine.

— Bonsoir, répondit Gérard sans aucune chaleur.

Le petit homme sec n'eut pas à chercher sa clé pour ouvrir. Rose Beaulieu devait avoir guetté son arrivée depuis un bon moment par la fenêtre de sa chambre, à l'étage. Du haut de l'escalier intérieur, elle avait tiré sur la cordelette qui avait déclenché l'ouverture automatique de la porte.

— Il était temps que tu te dé... décides à ouvrir, sa... sacrement ! lui cria l'homme d'une voix pâteuse, debout au pied de l'escalier. Ça fait dix mi... minutes que j'attends.

Les Morin n'entendirent pas la réponse de la voisine parce que la porte s'était refermée sur l'ivrogne.

— Si ça a du bon sens de se mettre dans des états pareils, dit Laurette, scandalisée. Si c'était mon mari, je te le brasserais, moi, ce maudit ivrogne-là. C'est gros comme un pou et ça fait le jars ! C'est une vraie honte !

— Au moins, il a passé la soirée à la fraîche à la taverne, lui, fit remarquer Gérard.

— C'est ça, reprit Laurette, caustique. Et pendant ce temps-là, sa femme, la folle, se morfondait à l'attendre en cuisant dans son jus.

— De toute façon, ça nous regarde pas pantoute ce qui se passe chez les voisins, ajouta-t-il en se levant. Viens-tu te coucher? Ça sert à rien d'attendre la pluie. On dirait ben que c'est pas prêt à tomber.

Laurette se leva et son mari replia sa chaise berçante qu'il rentra dans l'appartement. Pendant qu'elle allait préparer son repas du midi pour le lendemain, il alla faire une rapide toilette. Il régnait une chaleur à la limite du tolérable dans la chambre à coucher. Laurette s'assura que le crochet des persiennes était bien mis avant d'éteindre la lampe de chevet.

— Je sais pas comment on va faire pour dormir, déclara Laurette dans le noir en repoussant la couverture au pied du lit.

— Il va ben falloir dormir quand même, dit Gérard.

Quelques minutes plus tard, elle entendit les premiers ronflements de son mari étendu à ses côtés et l'envia d'avoir pu trouver aussi facilement le sommeil. Pour sa part, elle était incapable de s'endormir.

— Comment tu veux dormir avec une chaleur pareille? se dit-elle. Ma jaquette est toute mouillée tellement il fait étouffant. Si encore ça se décidait à tomber!

Étendue sur le dos, à l'affût de tous les bruits extérieurs, la quinquagénaire attendait avec une impatience grandissante que le sommeil l'emporte et lui fasse oublier la touffeur régnant dans la pièce. De temps à autre, elle entendait le claquement d'une porte ou un éclat de voix en provenance de l'extérieur. À deux reprises, excédée, elle finit par se lever pour aller fumer une cigarette dans la cuisine. Chaque fois, elle en profita pour vérifier si la pluie s'était mise à tomber sans qu'elle s'en soit rendu compte.

Finalement, épuisée par cette chaleur humide, elle sombra dans un sommeil agité un peu après minuit.

Soudain, elle s'assit brusquement dans son lit en toussant. Par réflexe, elle cracha quelque chose et sa sensation d'étouffement disparut immédiatement. Mal réveillée, elle prit un long moment avant de tourner la tête vers le réveille-matin trônant sur la table de chevet.

— Cinq heures du matin ! Bonyeu ! Veux-tu ben me dire ce qui m'arrive ? se demanda-t-elle.

Gérard, réveillé par ses mouvements brusques, ouvrit les yeux dans l'obscurité.

— Quelle heure il est ? fit-il en plissant les yeux pour mieux consulter l'heure indiquée par les aiguilles phosphorescentes du Westclock déposé sur la table de chevet.

— Cinq heures.

— Qu'est-ce que t'as à grouiller comme ça, taboire ! Ça fait trois fois que tu me réveilles.

— Je le sais pas. Il y a quelque chose qui m'a étouffée, avoua sa femme, qui reprenait pied peu à peu dans la réalité.

Au moment où elle prononçait ces mots, elle sentit quelque chose d'inattendu au bout de sa langue. Elle venait de localiser un trou anormal dans sa dentition.

— Ben, voyons donc, bout de viarge ! Je me suis cassé une dent pendant que je dormais ! s'exclama-t-elle en tendant la main pour allumer la lampe. Ah ben, maudit ! Il manquait plus rien que ça ! ajouta-t-elle en se levant précipitamment.

Quelque chose tomba par terre au moment où elle quittait le lit. Son mari émit une plainte sourde devant la lumière qui l'éblouissait tout à coup. Il finit par se soulever sur un coude pour s'emparer de ses lunettes qu'il chaussa avec mauvaise humeur.

— Bon. Qu'est-ce que tu cherches à terre ?

— Ma dent, bonyeu ! Je viens de l'entendre tomber en me levant.

Un instant plus tard, Laurette lui tendit une grosse dent jaunâtre.

— La v'là, se contenta-elle de dire avant de se précipiter vers les toilettes pour aller vérifier dans le miroir si la cavité laissée par cette dent tombée était visible.

En ronchonnant, Gérard la suivit. Il savait qu'il était inutile de chercher à retrouver le sommeil moins d'une heure avant de devoir se lever pour aller travailler. Il rejoignit sa femme qui venait d'entrer dans la cuisine. Cette dernière, l'air catastrophé, venait de brancher la bouilloire.

— Puis ? lui demanda-t-il. Est-ce que c'est une dent d'en arrière ?

— Pantoute. Tu sais ben qu'il m'en reste juste deux en arrière. Regarde ! lui ordonna-t-elle rageusement. Il a fallu que ce soit une dent d'en avant. À cette heure, maudit verrat, je suis poignée avec un trou juste devant.

— T'auras juste à pas sourire et à avoir l'air bête, suggéra-t-il. Comme ça, personne va remarquer qu'il te manque une palette en avant.

— T'es ben drôle, Gérard Morin.

À cet instant précis, le ciel fut traversé par plusieurs éclairs accompagnés de roulements de tonnerre assourdissants. Puis, quelques grosses gouttes de pluie vinrent frapper le toit de tôle du hangar.

— Bon. Dis-moi pas qu'il va enfin mouiller, fit Gérard en s'approchant de la porte-moustiquaire. Ça va peut-être rafraîchir un peu le temps.

À peine venait-il de prononcer ces paroles, que le ciel ouvrit ses vannes et une pluie diluvienne se mit à tomber bruyamment. En quelques instants, l'eau forma un véritable rideau que venaient embraser des éclairs de plus en plus nombreux. Un véritable orage se déchaînait. Gérard se déplaça jusqu'à la porte d'entrée pour voir l'effet de cette pluie dans la rue Emmett, pendant que sa femme préparait deux tasses de café soluble.

— Tu devrais voir comment ça tombe, lui dit-il en revenant s'asseoir au bout de la table, dans la cuisine. On a de la misère à voir de l'autre côté de la rue.

— Ayoye! gémit Laurette en appuyant fortement une main sur sa bouche après avoir bu une première gorgée de café.

— Qu'est-ce qu'il y a?

— Ça fait mal, se plaignit-elle.

— Montre-moi donc ça pour voir, lui ordonna-t-il en s'approchant.

Elle ouvrit la bouche et lui montra l'endroit où se trouvait encore l'une de ses incisives quelques minutes auparavant.

— Je comprends que ça te fasse mal, dit-il. Ta dent a cassé juste au ras de ta gencive. Pour moi, le nerf est pas mort. Que tu le veuilles ou pas, tu vas être obligée d'aller chez le dentiste pour te faire arracher ça.

— Arrête donc, toi! Tu penses tout de même pas que je vais aller payer un dentiste pour ça. La dent est partie.

— Elle est pas toute partie.

— J'ai jamais eu à aller en voir un et c'est pas aujourd'hui que je vais commencer, s'entêta-t-elle.

— Fais à ta tête de cochon, comme d'habitude, dit Gérard. Quand t'auras eu assez mal, tu vas ben te décider à te grouiller. Quand on te parle de dentiste, tu deviens lâche sans bon sens.

— Je suis pas lâche, tu sauras, s'emporta sa femme. Mais je vois pas pourquoi j'irais dépenser mon argent pour rien.

— C'est ça. T'as raison, encore une fois, ajouta-t-il, sarcastique. Endure d'abord et plains-toi pas!

Gérard Morin s'était toujours méfié des médecins et, depuis sa tuberculose, il s'en était tenu le plus loin possible, comme s'ils avaient été en partie responsables de sa maladie. Pourtant, cette méfiance n'avait rien de commun avec la peur instinctive que sa femme éprouvait à l'égard des dentistes qu'elle n'avait pourtant jamais fréquentés. Au fil des ans, chaque fois qu'une dent lui faisait mal, elle trouvait le moyen de l'ébranler et de l'extraire avec un fil.

Au moment où le père de famille allait s'enfermer dans les toilettes pour se raser et se laver, Carole sortit de sa chambre.

— Vous faites ben du bruit de bonne heure à matin, sacrifice ! se plaignit-elle en fourrageant dans ses cheveux emmêlés. Il est même pas encore cinq heures et demie.

— Je me suis cassé une dent d'en avant, dit sa mère sur un ton misérable. En plus, la racine est restée.

— Vous aurez pas le choix, m'man. Vous allez être obligée de la faire ôter. Allez chez Duval, au-dessus de la pharmacie Charland. Je vous le dis qu'il vous fera pas mal et en plus, il charge pas cher.

— Ça me tente pas pantoute, déclara sa mère sur un ton sans appel.

— Ça vous regarde, m'man. Si vous aimez mieux souffrir, c'est votre affaire.

Là-dessus, la jeune fille rentra dans sa chambre et se remit au lit.

Gérard, sa fille et son fils partirent tour à tour au travail au début de l'avant-midi sous un véritable déluge. Le parapluie dont chacun s'était muni n'offrait guère de protection devant une telle quantité d'eau. La pluie, qui s'était mise à tomber à l'aube, n'avait pas diminué d'intensité, bien au contraire. Les caniveaux ne suffisaient plus à absorber toute cette eau venant du ciel. La terre battue de la cour des Morin s'était vite transformée en une boue épaisse. Et comble de malheur, il faisait toujours aussi chaud.

Laurette avait entrepris de faire du reprisage après avoir remis de l'ordre dans l'appartement, mais les élancements dans sa mâchoire supérieure se firent si douloureux qu'elle fut obligée d'interrompre sa tâche à de nombreuses reprises pour la frotter avec du clou de girofle, un truc hérité de sa mère pour calmer les maux de dents. À la fin de la matinée, ce remède se montra si parfaitement inefficace qu'elle dut se résoudre à avaler deux 222. Ce médicament apaisa sa douleur, mais suscita chez elle des palpitations cardiaques si inquiétantes qu'elle décida de ne plus y avoir recours.

L'orage se calma peu à peu au début de l'après-midi. La pluie cessa et une petite brise du sud-est vint chasser l'humidité en même temps que les derniers nuages.

— Enfin, on respire, dit Laurette en quittant son appartement. Si j'avais pas si mal aux dents, maudit verrat, je pourrais m'asseoir dehors et en profiter pour prendre l'air.

Sa nuit trop brève et la douleur lancinante qui lui taraudait la mâchoire mettaient ses nerfs à rude épreuve. Peu à peu, elle finit même par se convaincre qu'elle n'était pas capable d'endurer ce mal-là plus longtemps. La mort dans l'âme, elle dut reconnaître qu'il était inutile d'attendre qu'il disparaisse de lui-même.

— Maudite affaire! jura-t-elle. Il fallait que ça me tombe dessus durant l'été, en pleine chaleur!

Elle souffrait de plus en plus. Même les cigarettes fumées à la chaîne depuis près de deux heures ne parvenaient pas à apaiser cette douleur lancinante. À bout de résistance, elle se décida enfin à s'emparer du bottin téléphonique pour trouver le numéro de téléphone du dentiste Duval dont lui avait parlé sa fille le matin même. Elle le repéra et ne se décida à téléphoner qu'après un élancement plus douloureux que les autres. Elle obtint un rendez-vous à six heures.

— On sait jamais, se dit-elle à mi-voix pour s'encourager. Ça se peut que ça me fasse plus mal pantoute à la fin de l'après-midi.

Mais cet espoir fut déçu. Lorsque Jean-Louis revint de la banque sur le coup de quatre heures, il trouva sa mère assise dans la cuisine, au bord des larmes.

— Qu'est-ce que vous avez, m'man ? s'inquiéta le jeune homme, peu habitué de voir sa mère dans cet état.

— C'est pas humain comme j'ai mal aux dents, geignit Laurette.

— Pourquoi vous allez pas chez le dentiste ?

— Je vais y aller avec ton père quand il va arriver de l'ouvrage. J'ai un rendez-vous chez Duval.

Gérard rentra à cinq heures passées, après être allé récupérer au garage sa Chevrolet enfin réparée.

— Tu viens me conduire chez le dentiste, lui commanda sa femme, déjà prête à partir.

— Dis-moi pas que tu t'es enfin décidée ? lui demanda Gérard, surpris. Il faut que ça te fasse mal en cybole pour que t'ailles là.

— Laisse faire tes niaiseries et dépêche-toi avant que je change d'idée. J'en arrache depuis à matin. Je suis plus capable d'endurer ça.

— Où est-ce qu'on va ?

— Chez Duval, sur Sainte-Catherine. C'est juste au-dessus de la pharmacie Charland.

— T'aurais pu y aller à pied, lui fit remarquer son mari. C'est pas loin.

— Laisse faire. On n'a pas un char pour rien. Je sais pas si je vais être capable de me tenir sur mes jambes en sortant de là.

— En tout cas, c'est pas mal moins inquiétant que le bureau de ce dentiste-là soit installé au-dessus d'une pharmacie plutôt que d'un salon funéraire, plaisanta son mari pour détendre l'atmosphère.

— T'es ben drôle, Gérard Morin ! s'emporta Laurette. Attends qu'il t'arrive quelque chose, toi, et tu vas voir si je vais avoir pitié de toi.

Sans rien ajouter, elle saisit son sac à main, sortit de l'appartement et monta dans la vieille Chevrolet dont elle claqua violemment la portière. Gérard se mit au volant et démarra.

Quelques minutes plus tard, il immobilisa son véhicule au coin de Dufresne et Sainte-Catherine.

— Veux-tu que j'y aille avec toi ? demanda-t-il à sa femme.

— Si c'est pour rire de moi, t'es aussi ben de rester dans le char, lui déclara-t-elle sèchement.

— OK. J'ai compris. Je monte avec toi, fit-il.

Le couple longea les vitrines de la pharmacie Charland et poussa la porte voisine. Il monta l'escalier abrupt et étroit qui menait au bureau du dentiste. La pièce où les accueillit une jeune secrétaire au visage boutonneux avait connu de meilleurs jours. Sans le moindre sourire, elle les invita à s'asseoir en leur précisant que le dentiste en aurait bientôt fini avec un patient.

L'endroit aurait eu besoin d'être rénové depuis longtemps. Une table surchargée de vieilles revues occupait le centre de la pièce rectangulaire autour de laquelle étaient disposées une dizaine de chaises en bois. Un linoléum gris aux dessins rouge vin à moitié effacés couvrait le parquet. Les bruits de la circulation de la rue Sainte-Catherine entraient par les deux fenêtres à guillotine ouvertes.

— Il pourrait au moins installer un ventilateur, se plaignit Laurette à mi-voix en se laissant tomber sur une chaise placée près de l'une des fenêtres. On crève ici dedans.

— Il fait pas si chaud que ça, lui fit remarquer son mari. C'est parce que ça t'énerve.

Elle lui jeta un regard furieux et s'épongea avec un large mouchoir qu'elle venait de tirer de son sac à main.

— Je voudrais ben te voir à ma place.

— Je me suis déjà fait arracher les dents, et j'en suis pas mort, lui fit remarquer son mari.

— J'ai envie de fumer, reprit-elle avec humeur.

— Tu viens d'en écraser une avant d'entrer. Ça fait pas cinq minutes.

— Laisse faire, bonyeu ! C'est pas toi qui es poigné pour te faire jouer dans la bouche, rétorqua-t-elle. Si je suis pas dans son bureau à six heures, on sort et on s'en retourne à la maison.

— Aïe ! Tu m'as pas fait venir jusqu'ici pour rien. On est là, tu vas te faire soigner. J'ai pas envie pantoute de t'entendre te lamenter toute la soirée, moi.

Laurette allait répliquer à Gérard quand la porte du cabinet du dentiste s'ouvrit pour laisser passer un homme fortement charpenté âgé d'une trentaine d'années. Le patient était d'une pâleur mortelle et tenait un linge pressé contre sa bouche. Il avait l'air de souffrir le martyre. Un peu chancelant, il se dirigea vers la secrétaire pour régler les honoraires du dentiste.

— Calvaire ! jura à mi-voix une Laurette passablement perturbée par ce qu'elle voyait. Veux-tu ben me dire ce qu'il lui a fait ? demanda-t-elle à son mari en jetant un regard apeuré vers la porte à la vitre dépolie derrière laquelle le dentiste semblait se cacher. C'est une vraie armoire à glace, ce gars-là. Regarde dans quel état il l'a mis.

— Arrête donc de t'énerver pour rien, la conjura Gérard. C'est pas parce qu'il est grand et gros que c'est pas une femmelette.

Le patient venait à peine de quitter la place que la porte à la vitre dépolie s'ouvrit de nouveau. Émilien Duval, un petit homme à demi chauve à la figure sévère, s'avança sur le seuil.

— Madame Morin ? appela-t-il en tournant vers Laurette des yeux noirs dissimulés derrière d'épais sourcils broussailleux.

— Oui, répondit Laurette d'une voix inquiète.

— Bon. Donnez-moi cinq minutes, madame, et je suis à vous, ajouta le dentiste avant de refermer la porte.

Laurette répondit par un simple hochement de tête.

— Je lui aime pas la face, à ce gars-là, murmura-t-elle à son mari. Il a l'air d'un vrai malade. Je trouve qu'il a des petits yeux cochons.

— Arrête donc ! lui ordonna Gérard, excédé.

— Je suppose qu'il m'a demandé d'attendre parce qu'il veut essuyer le sang qu'il doit y avoir partout de l'autre côté de la porte.

— Ben oui, c'est un boucher, se moqua son mari.

— J'ai ben envie de sacrer mon camp tout de suite, ajouta-t-elle en esquissant le geste de se lever. Il me semble que ça me fait moins mal que tout à l'heure…

— Reste assise, lui ordonna Gérard, à bout de patience. Fais pas la folle ! On est rendus. C'est aussi ben qu'il regarde au moins ce qu'il peut faire pour te soulager. Peut-être qu'il va te prescrire juste des pilules pour t'ôter la douleur.

— En tout cas, l'écœurant, il est mieux de pas me faire mal parce que je l'étampe sur le mur.

— Les nerfs, Laurette ! laissa tomber son mari, exaspéré. Il t'a encore rien fait.

— J'attendrai pas qu'il ait ma peau pour me défendre, je te le garantis, promit-elle, l'air mauvais.

Quelques minutes plus tard, Émilien Duval pria une Laurette Morin peu rassurée d'entrer dans son cabinet dont il referma soigneusement la porte derrière elle.

— Assoyez-vous, madame, l'invita-t-il en lui désignant un fauteuil un peu incliné doté d'un repose-tête.

En un tour de main, l'homme déposa un grand linge blanc sous le menton de sa patiente, bascula légèrement le fauteuil vers l'arrière, saisit une spatule en bois et lui ordonna d'ouvrir la bouche pour en explorer les secrets à la lueur d'une petite lampe. Couverte de sueur et étreignant les bras du fauteuil à les rompre, Laurette était si paralysée par la terreur qu'elle n'entendit aucun des commentaires formulés par le praticien durant son examen.

Ce dernier sembla réaliser tout à coup l'état de sa patiente. Il redressa légèrement le fauteuil et éteignit sa lampe.

— M'avez-vous entendu, madame? lui demanda-t-il assez sèchement.

— Quoi? Qu'est-ce que vous avez dit?

— Je viens de vous dire que vos dents sont finies, répéta Émilien Duval.

— Finies! Comment ça, finies? reprit Laurette en retrouvant peu à peu son aplomb. Mes dents sont pas finies pantoute! J'ai juste mal à la dent d'en avant que j'ai cassée la nuit passée.

— Bon. Je recommence, reprit le dentiste d'une voix plus lente. Vous avez perdu votre dent parce qu'elle était complètement cariée. Il va falloir que j'arrache sa racine qui est restée dans votre mâchoire. OK. Jusque-là, c'est clair?

— Oui.

— Mais c'est pas tout. Vous avez quatre autres dents complètement cariées, deux en haut et deux en bas. En plus, il vous reste juste deux molaires dont vous avez perdu des morceaux. Il faudrait que je vous les enlève aussi.

— Viarge ! Si vous me faites tout ça, il me restera presque plus de dents.

— En effet, madame. Dans ce cas, le mieux serait de vous extraire vos dernières dents qui sont plus en très bon état et de vous fabriquer des prothèses.

— Des quoi ?

— Des dentiers.

— Mais j'en veux pas de dentiers, moi, protesta Laurette.

— Vous avez pas le choix, madame. C'est ça ou vous pourrez plus rien mâcher. Vos dents vont vous faire souffrir tant que les nerfs seront pas morts et après, elles vont partir par morceaux. À la fin, vous allez tout de même être obligée de vous les faire extraire. Ce sera juste plus souffrant...

— Moi, j'étais venue pour que vous m'arrangiez la dent qui me fait mal, s'entêta Laurette.

— Je peux faire seulement ça, si vous y tenez vraiment, mais je vous garantis que tout va recommencer la semaine prochaine ou un peu plus tard avec une autre dent... et ça finira plus. À votre place, je prendrais mon courage à deux mains et je me débarrasserais tout de suite du problème.

— Des dentiers ! J'en reviens pas, dit Laurette à mi-voix, secouée au-delà de toute expression. Comme les petites vieilles !

— Presque tous les adultes de plus de quarante ans en portent, madame, voulut la consoler le dentiste. Vous êtes bien chanceuse d'avoir conservé vos dents aussi longtemps en n'en prenant pas trop soin d'après ce que j'ai vu.

— Comment ça en n'en prenant pas trop soin ? s'insurgea sa patiente qui reprenait du poil de la bête. Je suis pas une cochonne. J'ai toujours brossé mes dents.

— C'est pas ce que je veux dire, madame. Je veux uniquement dire que si je me fie à ce que j'ai vu durant mon examen, vous n'avez jamais fait réparer aucune de vos dents.

— ...

— Voulez-vous aller discuter de ce que vous voulez faire avec votre mari qui attend dans la salle à côté ? offrit Émilien Duval en constatant l'indécision de sa patiente. Vous avez le choix de faire extraire uniquement ce qui reste de la dent qui vous fait souffrir. Mais je vous préviens tout de suite que ça va vous laisser un grand trou pas très beau. Vous pouvez aussi vous faire arracher toutes les dents et c'est ce que je vous suggère. À vous de décider. Comme j'ai pas d'autres patients avant huit heures trente, je pourrais vous faire ça tout de suite.

— Si vite que ça ?

— En moins d'une heure, vous pourriez être débarrassée de vos maux de dents pour le restant de votre vie. Prenez quelques minutes pour en discuter avec votre mari, si vous le voulez.

— Et ça me coûterait combien cette affaire-là ? demanda-t-elle d'une voix un peu hésitante.

— Je vous ferais un spécial. Soixante-cinq dollars pour l'extraction et cinquante dollars par prothèse. Je peux vous assurer que vous trouverez pas de meilleur prix nulle part à Montréal.

— Bon. C'est correct. J'en parle à mon mari et je reviens dans cinq minutes, promit-elle. Si je refuse, vous pouvez m'ôter juste le morceau de dent qui me fait mal ?

— Oui, mais rappelez-vous ce que je viens de vous dire. Le mal va revenir ailleurs.

Laurette se leva péniblement du fauteuil, quitta la pièce et chercha Gérard des yeux. Il n'était pas dans la salle d'attente.

— Vous avez pas vu mon mari ? demanda-t-elle à la secrétaire du dentiste.

— Il m'a dit qu'il sortait pour fumer une cigarette, répondit la jeune femme.

Laurette ne se donna pas la peine de la remercier. Elle ouvrit la porte et s'apprêtait à descendre l'escalier pour aller le rejoindre quand Gérard apparut au pied de l'escalier.

— T'as déjà fini ? demanda-t-il en s'immobilisant le pied sur la première marche.

— Non, répondit sa femme avec humeur. Monte. J'ai à te parler.

Gérard, intrigué, revint dans la salle d'attente.

— Il dit que je ferais mieux de me faire arracher toutes les dents parce qu'elles sont finies. J'ai de la misère à croire ça.

— Pourquoi il te dirait ça si c'est pas vrai ? C'est pas un fou, ce dentiste-là.

— Il y a rien qui dit qu'il essaye pas juste de faire de l'argent avec nous autres, reprit-elle sans trop y croire elle-même.

— Voyons donc ! protesta Gérard.

— Je te le dis tout de suite, moi, ça me fait peur, cette affairc-là, avoua-t-elle brusquement. Je me demande si je suis pas mieux d'endurer mon mal, ajouta-t-elle, en proie à une pénible indécision.

— Écoute, Laurette. Ça te sert à rien de te boucher les deux yeux et de croire que c'est pas vrai, la raisonna son mari en la prenant en pitié. Il t'a dit que t'étais mieux de te les faire arracher. Fais-le donc. Tu vas en être débarrassée une fois pour toutes et on n'en reparlera plus. Regarde, moi. J'ai plus mes dents depuis que j'ai dix-sept ans. J'en suis pas mort. Je me suis habitué. T'auras juste à faire comme les autres. Avoir des dentiers, c'est pas la fin du monde. Dis-toi que t'auras plus jamais mal aux dents. Ça va t'encourager.

— Je veux ben le croire, mais il y a le prix.

— Comment il charge ?

— Soixante-cinq pour arracher et cent piastres pour les dentiers.

— C'est pas exagéré.

— C'est cher en maudit, décréta sa femme qui se cramponnait comme elle le pouvait à cette dernière excuse. Où est-ce qu'on va prendre cet argent-là ?

— Inquiète-toi pas pour ça. On va s'arranger avec lui pour le payer en deux ou trois fois, si c'est nécessaire.

Un vif élancement fit soudainement grimacer Laurette, lui rappelant l'urgence d'une intervention d'Émilien Duval.

— Ça va faire mal, cette maudite patente-là, geignit-elle.

— Ben non, dit Gérard sur un ton rassurant. On a juste à lui demander de t'endormir. Quand tu vas te réveiller, tout va être fini. Tu te seras pas aperçue de rien.

— Ben non, une folle ! s'exclama Laurette.

Elle demeura un long moment silencieuse, incapable de se décider à retourner dans le cabinet du dentiste dont la porte était demeurée entrouverte. Le visage blême, elle était torturée entre la peur de l'intervention et le désir de ne plus jamais avoir à souffrir des dents. Finalement, rassemblant tout son courage, elle se leva.

— Tu vas m'attendre ? demanda-t-elle d'une voix misérable à son mari.

— Ben oui. Dans moins d'une heure, tu vas être revenue à la maison, débarrassée, l'encouragea-t-il. Vas-y. Il te tuera pas.

Elle rentra dans le cabinet et referma la porte derrière elle. À son entrée, le dentiste quitta son bureau.

— Vous allez m'endormir ?

— Oui. Assoyez-vous et détendez-vous, lui conseilla-t-il.

— Ça me fera pas trop mal, j'espère ? dit-elle en reprenant sa place dans le fauteuil incliné.

— Vous sentirez presque rien, promit le praticien en déposant sur elle une espèce de long tablier.

La patiente ferma les yeux et étreignit les bras du fauteuil de toutes ses forces. Elle entendit Émilien Duval manipuler divers instruments avant de sentir qu'il lui plaquait un masque sur le visage. Elle se débattit un peu quand elle sentit l'odeur d'éther, puis elle perdit conscience.

Lorsqu'elle reprit contact avec la réalité, elle se sentit vaguement nauséeuse et chercha instinctivement à cracher ce qui lui encombrait la bouche.

— Non, madame Morin, entendit-elle ordonner. Crachez pas les tampons de ouate. Ils vous empêchent de saigner.

Laurette déglutit péniblement tout en s'inquiétant de l'étrange insensibilité qui avait gagné le bas de son visage. Elle aurait voulu poser des questions, mais comment le faire la bouche pleine ? Levant la tête, elle aperçut Gérard debout devant elle. Sa présence la rassura. Elle se sentait un peu étourdie et s'empressa de refermer les yeux.

— Tout est correct, entendit-elle son mari lui affirmer. Ça s'est ben passé.

Elle rouvrit difficilement les yeux, cherchant à fixer son attention sur ce qui lui était dit. Une légère migraine venait lui tarauder les tempes et la nausée n'avait pas disparu.

— Je me suis entendu avec le docteur pour qu'on vienne le payer à la fin du mois d'août, poursuivit son mari. Il m'a même donné des pilules qui vont t'aider à ben dormir en revenant à la maison.

— Vous avez fait ça comme une grande fille, la félicita le dentiste en apparaissant soudain dans son champ de vision. Dans une heure, vous pourrez enlever la ouate. Faut juste éviter de boire ou de manger des affaires trop chaudes ou trop froides avant deux ou trois heures.

Laurette hocha la tête pour signifier qu'elle avait compris tout en ne trouvant pas l'énergie nécessaire pour se lever.

— On va attendre un bon trois mois pour que vos gencives soient bien cicatrisées. À la mi-octobre, vous viendrez faire prendre vos empreintes et on va vous fabriquer de beaux dentiers.

Sous le coup de la surprise, Laurette ouvrit largement les yeux et ses traits se crispèrent. Les dernières paroles du dentiste venaient de la tirer définitivement de son état de somnolence. L'idée ne l'avait jamais effleurée qu'elle devrait attendre aussi longtemps avant de posséder des dents. Il n'avait jamais été question qu'elle doive attendre trois mois.

« Le maudit hypocrite, se dit-elle. Pas de saint danger qu'il me l'aurait dit avant de m'arracher les dents ! »

Elle ferma les yeux. Qu'allait-elle faire durant trois mois sans dents ? Comment allait-elle se nourrir ? Si elle avait pu parler, Émilien Duval en aurait pris pour son grade.

— Es-tu correcte ? lui demanda Gérard un peu inquiet de la voir refermer les yeux, toujours assise dans le fauteuil.

Elle hocha la tête en lui adressant un regard mauvais.

— Si vous vous sentez assez solide sur vos jambes, vous pouvez partir maintenant, offrit Émilien Duval en lui retirant le tablier qu'il avait déposé sur elle avant de procéder à l'intervention. Suivez mes conseils et tout va bien se passer.

Elle se leva doucement, aidée par un Gérard prévenant. Elle adressa un bref signe de tête à son tortionnaire et quitta la pièce.

— Attends-moi pour descendre l'escalier. Il manquerait plus que tu tombes, lui ordonna son mari.

Il remercia le dentiste et se précipita pour lui donner le bras au moment où elle atteignait le palier de l'escalier. Il l'installa dans la Chevrolet avant de se remettre au volant. Le soleil venait de se coucher et l'orage avait sensiblement rafraîchi l'atmosphère. Dès qu'elle s'était assise dans l'automobile, Laurette s'était empressée d'abaisser la glace du côté passager pour chasser l'odeur d'éther qui lui soulevait le cœur. Elle n'avait même pas envie de fumer une cigarette.

À son arrivée à la maison, Gérard prévint Jean-Louis et Carole de l'intervention chirurgicale que leur mère venait de subir.

— Sacrifice, m'man! s'exclama Jean-Louis. Pour quelqu'un qui a peur des dentistes, vous vous êtes arrangée pour pas en revoir un de sitôt.

— Venez, m'man, je vais vous préparer votre lit, offrit Carole pleine de compassion en entraînant sa mère vers sa chambre.

— C'est ça, reprit son père. Je vais t'apporter un verre d'eau et deux des pilules que le dentiste t'a données. Je vais mettre ça sur ton bureau. Tu pourras les prendre quand t'ôteras ta ouate.

Carole enleva le couvre-lit et couvrit sa mère d'une seule couverture avant de refermer les persiennes.

— Dormez un peu si vous le pouvez, m'man. Ça va vous faire du bien. Je vais m'occuper du souper de p'pa.

Laurette s'endormit comme une masse. Son épuisement avait été causé autant par le manque de sommeil de la nuit précédente que par toutes les émotions vécues chez le dentiste. Elle se réveilla en sursaut dans sa chambre plongée dans l'obscurité. Tendant l'oreille, elle perçut des voix en provenance de la cuisine. Elle s'assit dans son lit et se souvint brusquement de tout ce qui s'était passé au début de la soirée.

Elle tendit la main vers la lampe de chevet et l'alluma. Le réveille-matin indiquait dix heures quarante-cinq. Avec mille précautions, elle retira de sa bouche les tampons de ouate imbibés de salive. Elle les regarda: elle ne saignait pas. Sa bouche lui semblait toute bizarre. Elle prit un bon moment à tenter d'analyser l'impression qu'elle éprouvait à n'avoir plus de dents. Puis la faim autant que la curiosité la poussèrent à se lever. Une fois sur pied, elle alluma le plafonnier pour s'examiner dans le miroir suspendu au-dessus de son bureau.

— Ah ben verrat! s'exclama-t-elle en s'apercevant. Ah ben, là, je suis belle! Je suis pas regardable pantoute arrangée comme ça!

Elle s'efforça de s'adresser un sourire dans la glace. Ce dernier se transforma en une grimace. Elle ne voyait que deux gencives nues, enflées et rougies.

— Ouach, calvaire! jura-t-elle. J'ai l'air d'une vraie maudite sorcière. Les enfants vont ben avoir peur de moi!

Totalement démoralisée par ce qu'elle venait de voir dans le miroir, elle se décida enfin à quitter sa chambre et entra dans la cuisine où Gérard regardait la télévision.

— J'étais à la veille d'aller me coucher dans l'ancien lit de Gilles pour pas te réveiller, lui dit-il. Comment tu te sens?

— Pas ben pantoute, lui avoua sa femme avec humeur, d'une voix étrangement changée par le fait qu'elle n'avait plus de dents.

— Qu'est-ce qu'il y a ? T'as mal au cœur ? s'inquiéta-t-il

— Oui, surtout quand je me regarde dans le miroir, bonyeu ! As-tu vu la gueule que ça me fait ? Je pourrai plus mettre le nez dehors de l'été avec cette maudite affaire-là. Tout le monde va rire de moi, arrangée comme ça.

— Exagère donc pas. Là, ça a l'air effrayant parce que t'as les gencives gonflées. Mais ça va désenfler et tu vas t'habituer.

— Avoir su…

— T'es pas pire et pas mieux que tout le monde, l'encouragea son mari. L'important, c'est que ce soit fait.

— Puis là, qu'est-ce que je vais faire pour manger ? J'ai faim, moi. J'ai pas mangé de la journée avec ce maudit mal de dents là.

— Ça fait plus que deux heures que t'es sortie de chez le dentiste. Tu peux manger ce que tu veux.

— T'es drôle, toi. Avec quoi je vais mâcher ? Tu vas me passer tes dentiers, je suppose.

— Ben non. T'as juste à manger des affaires molles.

— Comme quoi, par exemple ?

— Je le sais pas, moi. De la soupane, de la soupe, du Jell-O.

— Bout de viarge ! s'emporta Laurette en retrouvant progressivement toute son agressivité. Il va m'en falloir des tonnes de ces cochonneries-là pour me remplir l'estomac.

— Profites-en. Ça fait des années que tu me parles de faire une diète. Là, t'as pas le choix, tu vas en faire une de force.

— Si tu t'imagines que je vais me laisser mourir de faim pour te faire plaisir, j'ai des nouvelles pour toi, moi, Gérard Morin, s'insurgea-t-elle.

Là-dessus, elle s'alluma une cigarette avant d'aller fourrager dans le garde-manger à la recherche de ce qu'elle pourrait avaler avant de se remettre au lit. Elle ne découvrit qu'une boîte de flocons d'avoine dont elle se versa une bonne mesure dans un bol. Elle les amollit avec beaucoup de lait et se mit à manger en grimaçant de douleur.

— Dis-moi pas que je vais être poignée pour manger comme ça jusqu'au milieu de l'automne? demanda-t-elle à son mari qui venait d'éteindre le téléviseur, prêt apparemment à aller se mettre au lit.

— Ben non. Tu vas voir que demain, ça va déjà aller pas mal mieux. Viens-tu te coucher?

— Je m'endors pas. Je viens de me lever. Va te coucher. Je vais rester debout une heure ou deux.

Dès que Gérard eut refermé la porte de la chambre à coucher, elle se releva pour aller explorer le réfrigérateur, en quête d'un aliment qu'elle pourrait consommer. Elle trouva des œufs. Elle s'en fit cuire deux qu'elle parvint à manger en les coupant en morceaux minuscules.

Lorsqu'elle retourna se mettre au lit un peu après minuit, elle s'était plus ou moins résignée à son nouvel état.

Chapitre 12

L'inattendu

Évidemment, la nouvelle fit le tour de la famille les jours suivants, pour le plus grand dépit de Laurette. Elle aurait bien voulu tenir la chose secrète, mais il suffisait de l'entendre au téléphone pour inciter son correspondant à lui demander pourquoi sa voix était si changée.

Dès le lendemain de l'extraction, Pierre, Denise et leurs enfants vinrent lui rendre visite en début de soirée pour lui remonter le moral. Ils tombaient particulièrement à propos. Laurette avait à peine mis fin d'une façon un peu abrupte à un appel téléphonique de sa belle-sœur, Colombe, dont les jérémiades affectées lui avaient mis les nerfs en boule.

— Je te dis que ta tante Colombe s'améliore pas avec les années, dit-elle à sa fille après que cette dernière lui ait fait raconter dans le détail l'extraction de ses dents.

— Qu'est-ce qu'elle a encore fait ? demanda Denise en prenant sa cadette sur ses genoux.

— Imagine-toi donc que la pauvre peut pas passer tout son été au chalet parce que ton oncle doit venir s'occuper du garage au moins quatre jours par semaine. C'est ben effrayant d'être obligée de venir voir si la bonne fait ben le ménage et lave ben la vaisselle. Maudite fraîche ! Je sais pas ce que Rosaire fait pour être capable de l'endurer à l'année longue.

— Laurette, c'est de ma sœur que tu parles, dit Gérard, sévère. Lâche-la un peu, veux-tu ?

— Ta sœur, elle me tombe sur les nerfs, reprit sa femme. Moi, quelqu'un qui trouve le moyen de se plaindre tout le temps quand elle a juste à se faire servir, je trouve ça écœurant. Son monde, c'est ses amies, son bridge et son piano. À quoi ça sert du monde comme ça dans la vie, veux-tu ben me le dire, toi ?

Son gendre s'empressa de changer de sujet de conversation quand il vit que son beau-père allait se fâcher. Il lui demanda s'il était satisfait de la réparation faite au radiateur de sa Chevrolet avant d'annoncer que Denise et lui avaient renoncé à l'idée d'amener les enfants au Lac-Saint-Jean, chez ses parents, durant les vacances. Toute la famille allait camper sur le lot de Notre-Dame-de-la-Merci durant les deux premières semaines du mois d'août pour faire progresser le défrichage. Il avait même l'intention de commencer la construction d'un chalet rudimentaire s'il en avait le temps.

— Comment vous vous débrouillez pour manger, m'man ? demanda Denise, hors de propos.

— Qu'est-ce que tu veux ? Tout ce que je peux manger, c'est du Jell-O et de la soupe, répondit sa mère en prenant un air misérable auquel les siens étaient peu habitués.

— Il y a tout de même d'autres affaires molles que vous pouvez manger.

— Comme quoi, par exemple ?

— Une omelette, du gruau, du *pudding*...

— Je vais ben mourir de faim si je mange juste ça pendant trois mois, rétorqua sa mère. Quand est-ce que je vais pouvoir manger de la viande, d'après toi ? Tout le reste, c'est pas soutenant pantoute. Dix minutes après le repas, j'ai déjà tellement faim que je mangerais les murs.

Viarge, avec un régime comme ça, je vais ben avoir les deux joues collées ensemble rendue à l'automne !

— Ah ! Il y a quand même pas mal de chemin à faire avant que ça t'arrive, osa dire Gérard sur un ton plaisant.

— Qu'est-ce que tu veux dire par là ? lui demanda sa femme en lui jetant un regard féroce.

— Rien, s'empressa-t-il de répondre en réprimant difficilement un sourire.

— En tout cas, vous pouvez toujours manger du bœuf haché mêlé à des patates pilées, intervint son gendre.

— Ouais, laissa tomber sa belle-mère sans grand enthousiasme. Sauf qu'à la longue, ça va finir par me tomber sur le cœur. Le pire, ajouta-t-elle, c'est que je sais pas ce que je vais faire pour mes commissions le vendredi. Qui va aller acheter le manger ?

— Pourquoi vous dites ça, madame Morin ? demanda Pierre, surpris.

— Je veux pas envoyer mon mari, il est pas fiable pour deux cennes. Il va me revenir avec n'importe quoi.

— Mais pourquoi vous voulez pas aller acheter vos affaires chez Tougas comme d'habitude ? fit Denise, aussi intriguée que son mari.

— Aïe ! Tu t'imagines tout de même pas que je vais sortir arrangée en folle comme ça. J'ai pas envie de faire rire de moi, tu sauras.

— Voyons donc, m'man. Vous faites un drame avec rien, la réprimanda son aînée. Ma voisine est comme vous depuis presque deux mois et elle fait ses affaires comme avant sans que personne rie d'elle.

— En tout cas, je vais peut-être aller faire mes commissions parce que j'ai pas le choix, concéda-t-elle, mais il est pas question que j'aille me promener dans l'ouest de la ville sans dents, tint à préciser Laurette à son entourage.

Elle venait subitement de songer que ses courses en solitaire du samedi n'auraient plus aucun charme si elle ne pouvait s'arrêter dîner dans son restaurant préféré, non loin de chez Dupuis frères.

— Maudit que le reste de l'été va être long, poignée entre les quatre murs de la maison, ajouta-t-elle, l'air pitoyable.

Au moment où Denise allait formuler un encouragement, on sonna à la porte.

— Va ouvrir, mon cœur, dit Laurette à son petit-fils Alain.

Le petit garçon alla ouvrir la porte et revint en annonçant:

— C'est mon oncle Richard et ma tante Jocelyne.

— Dérangez-vous pas pour nous autres, on arrive, dit Richard en s'avançant dans le couloir. On vient juste voir si la malade va survivre.

Vêtu proprement d'une chemisette à col ouvert, le benjamin de la famille pénétra dans la cuisine en compagnie de sa femme. Tous les deux embrassèrent Laurette à tour de rôle et saluèrent les autres membres de la famille présents dans la pièce.

— Tabarnouche, m'man, vous ressemblez à grand-mère Brûlé quand on la poignait sans ses dentiers! s'exclama Richard en affichant un air horrifié.

Un éclat de rire général salua la remarque.

— Aïe, toi! C'est pas le temps de venir rire de moi en pleine face, le prévint sa mère. Tu sauras que c'est pas drôle pantoute ce que je traverse.

— Voyons, m'man, vous êtes ben plus solide que ça. Vous allez passer à travers, l'encouragea son plus jeune fils, redevenu sérieux.

— Ben oui, madame Morin, reprit sa bru. À part ça, ça paraît presque pas que vous avez plus vos dents.

Laurette lui jeta un regard mauvais pour vérifier si la jeune femme ne se moquait pas d'elle.

— Puis, comment marchent les affaires ? demanda Pierre Crevier à son beau-frère, l'air intéressé.

— Pas trop mal, reconnut Richard en s'assoyant près de lui. Remarque, c'est pas le Pérou, mais il y a moyen de faire une piastre si on fait pas de folie.

— Tu conduis plus pantoute ? lui demanda son père.

— J'ai pas le temps, p'pa. Je cours du matin au soir. Tenir trois *trucks* sur la route et m'arranger pour que mes six chauffeurs fassent chacun leurs douze heures, ça demande pas mal d'ouvrage et ça finit par coûter cher. Par exemple, mon dernier *truck*, celui que j'ai acheté au mois de juin, il m'a coûté un bras cette semaine. J'ai été obligé d'acheter quatre *tires* neufs. Les vieux étaient lisses comme des fesses de bébés. Mes chauffeurs voulaient plus le conduire.

— C'est sûr qu'on peut pas gagner de l'argent les deux pieds sur la bavette du poêle, reconnut Gérard, approbateur.

— Là, j'ai un autre trouble, ajouta Richard, la mine soudainement assombrie.

— Quel trouble ? lui demanda son beau-frère.

— Mes gars savent qu'ils auront aucun mal à se faire engager par d'autres s'ils me lâchent. Ils veulent que je les paye temps et demi quatre heures par jour et les fins de semaine.

— Et t'es pas capable ? demanda Pierre.

— C'est pas ça, tabarnouche ! Si j'accepte ça, ça mange une bonne partie de mes profits. Tiens, j'y pense. T'as des vacances, toi, au mois d'août, non ?

— Deux semaines à partir de la semaine prochaine, répondit le débardeur.

— Ça te tenterait pas de venir chauffer un de mes *trucks* ? demanda Richard, plein d'espoir. Je te paierais ben.

— Aïe, toi ! Mets-lui pas ça dans la tête, l'avertit sa sœur. On a prévu d'aller passer ses quinze jours de vacances à Notre-Dame-de-la-Merci. Il est pas question que je reste en ville, plantée sur mon balcon avec les trois petits.

— T'as entendu ? fit Pierre. Mon *boss* vient de décider.

— C'est correct. Moi, je disais ça pour parler.

— À propos de parler, intervint Jocelyne en tournant vers son mari sa petite figure un peu chafouine, raconte donc à ta mère ce qu'on a vu hier soir, au parc Lafontaine.

À la surprise de tous, Richard eut subitement l'air gêné et lança à sa femme un regard de reproche.

— Envoye ! insista cette dernière, peu intimidée.

— Bon. Accouche qu'on baptise ! lui ordonna sa mère, intriguée. Qu'est-ce que vous avez vu de si intéressant ?

Richard laissa passer un assez long moment avant de se décider à parler, même si tous les regards étaient braqués sur lui.

— Ben, on a vu Louise avec un nouveau *chum*, finit-il par dire.

— Louise Brûlé ? lui demanda sa mère.

— Oui.

— En v'là toute une affaire ! Ta cousine a presque vingt-trois ans. Elle a ben le droit d'aller où elle veut avec son *chum*. La seule bonne nouvelle, c'est que ça a tout l'air qu'elle a fini par oublier son Robert et par se faire un nouveau *chum*.

— C'est tout de même drôle que Carole nous en ait pas parlé, fit remarquer Denise. Elles ont toujours été comme les deux doigts de la main. Elle devait savoir que la cousine était retombée en amour avec un autre gars.

— En tout cas, le moins qu'on puisse dire, madame Morin, reprit Jocelyne, c'est que votre nièce est pas barrée à quarante. Elle l'embrassait à pleine bouche devant tout le monde. Ça avait pas l'air de la déranger pantoute.

— Une chance que sa mère et son père ont pas vu ça, fit remarquer Laurette, désapprobatrice. Dire que Pauline s'est donné tant de mal pour ben élever ses filles. Elle aurait ben poigné les nerfs si elle avait vu ça. Pour moi, la Louise aurait mangé une claque derrière le chignon pour lui apprendre à se tenir devant le monde.

Au même moment, Carole entra dans l'appartement. Elle salua les visiteurs et ne put faire autrement que de venir prendre place à la table de cuisine autour de laquelle tout le monde était assis.

— De quoi vous parlez ? demanda-t-elle en feignant une bonne humeur et un dynamisme qu'elle était loin d'éprouver.

— De Louise Brûlé, lui dit sa sœur Denise. Savais-tu qu'elle s'est fait un nouveau *chum* ?

— Non, mentit Carole.

— Comment ça se fait que tu le savais pas ? T'es toujours avec elle, s'étonna Denise.

— Depuis qu'elle reste toute seule en appartement, je la vois plus.

— Richard et Jocelyne l'ont vue en train d'embrasser son *chum* devant tout le monde, au parc Lafontaine, lui expliqua sa sœur.

— Comme une vraie dévergondée, ajouta sa mère avec une moue dégoûtée. Une autre tête folle qui comprend pas qu'une fille doit protéger sa réputation. S'il y a quelqu'un qui la connaît qui l'a vue faire ça, elle va passer pour une guidoune… Et ce sera ben bon pour elle.

— Et c'est pas ça le plus beau, reprit Jocelyne, les yeux brillants d'excitation.

— Quoi encore ? lui demanda sa belle-mère.

— Demandez à votre garçon, madame Morin. Lui, il va vous le dire. Moi, j'ose pas.

La figure de Carole pâlit légèrement. Elle devinait ce que son frère allait révéler au reste de la famille.

— Envoye, Richard! lui ordonna sa femme en le poussant du coude. Dis-le.

— Puis? s'impatienta Gérard qui commençait à en avoir assez des ragots. Est-ce qu'on va finir par le savoir un jour?

Pierre eut un petit rire sans joie.

— Vous devinerez jamais qui était le gars que Louise embrassait, reprit finalement Richard.

— Vas-tu finir par nous le dire? lui demanda sa mère, agacée par tant de tergiversations.

— L'abbé Vermette, dit-il à mi-voix, comme s'il était honteux de faire une telle révélation.

— Quoi? Qu'est-ce que tu viens de dire là? lui demanda sa mère en élevant la voix.

— Le gars que Louise embrassait, c'était l'abbé Vermette, l'ancien vicaire de notre paroisse.

— Voyons donc, verrat! C'est pas possible ce que tu dis là. T'as dû te tromper. Ça peut pas être un prêtre.

— Les prêtres sont des hommes comme les autres, avança Jocelyne.

— Pantoute, ma fille, s'insurgea sa belle-mère. Un prêtre, c'est pas un homme.

— En tout cas, madame Morin, ça avait pas l'air d'être l'avis de votre nièce à voir de quelle façon elle l'embrassait.

— J'arrive pas à croire une affaire comme ça, finit par dire Denise. C'est presque impossible. Un si bon prêtre. Moi, j'allais toujours me confesser à lui.

— T'es sûr de ça, toi? demanda Laurette à son fils d'une voix sévère.

— Ben oui, m'man. Je suis pas aveugle. Je sais encore reconnaître quelqu'un quand je le vois. Jocelyne l'a reconnu, elle aussi. Ça nous a tellement gênés qu'on n'a pas osé aller dire bonsoir à Louise. On a viré de bord et on a pris une autre allée.

— Je l'espère pour toi, dit sa mère. Salir la réputation d'un prêtre, c'est grave, ça. Je suis sûre que c'est même un péché mortel.

Gérard n'avait pas prononcé un mot durant tout cet échange entre sa femme et son fils. Il finit par dire:

— Armand et Pauline le savent probablement pas, mais quand ils vont apprendre ça, ils vont être tout à l'envers.

— Déjà qu'ils prenaient ben mal que Louise soit partie vivre seule en appartement, fit remarquer Pierre qui se souvenait encore des mines d'enterrement des parents lors des noces de Gilles, trois semaines auparavant.

— En tout cas, il faut pas que personne de nous autres ouvre sa trappe là-dessus. On est mieux de faire semblant de pas le savoir, recommanda Laurette en s'allumant une cigarette.

— Moi, ça me surprendrait pas qu'elle reste avec lui, osa dire Jocelyne au grand scandale de ses beaux-parents.

— Va pas raconter ça nulle part, toi, lui ordonna sèchement sa belle-mère. T'as pas de preuve.

Vers dix heures, les invités prenaient congé au moment où Jean-Louis rentrait.

— Maudit, mon frère, t'as ramené ta blonde ben de bonne heure, plaisanta Richard en voyant apparaître son aîné dans le couloir. Elle était pas de bonne humeur?

— Ben non. T'oublies que le jeudi soir, la banque est ouverte.

— Je veux ben le croire, mais seulement jusqu'à huit heures, non? Il est dix heures. Tu me feras pas croire que ça t'a pris deux heures pour revenir.

— Dis donc, Richard Morin. Travailles-tu pour la police, toi? lui demanda Jean-Louis, en esquivant la question de son frère.

— Bon. Ça a tout l'air qu'on saura pas à soir ce que t'as fait après l'ouvrage, répliqua son jeune frère en riant. J'ai ben peur qu'un de ces jours, on reçoive un faire-part...

— T'es ben drôle.

— On va y aller, déclara Pierre Crevier en prenant sa cadette endormie dans les bras de sa femme. Les enfants en peuvent plus.

En moins de cinq minutes, la maison se vida de ses invités qui promirent de revenir voir Laurette le plus tôt possible.

Après leur départ, la mère de famille ne put s'empêcher de dire:

— Moi, si une affaire comme ça était arrivée à une de mes filles, je l'aurais étranglée de mes propres mains. Il faut être une maudite sans-cœur pour faire une affaire pareille à ses parents.

Quelques minutes plus tard, Carole se réfugia dans sa chambre. Les dernières paroles de sa mère résonnaient encore à ses oreilles. «Il faut être une maudite sans-cœur pour faire ça à ses parents», pensa-t-elle en s'examinant longuement dans le miroir avant de mettre sa robe de nuit. Le renflement de son ventre commençait légèrement à paraître. Elle allait devoir aller s'acheter une jupe plus ample en fin de semaine au cas où...

— Elle va ben vouloir m'étrangler quand elle va savoir, murmura-t-elle, angoissée.

En cet instant, elle se sentit submergée autant par la honte que par la crainte de ce que lui réservait l'avenir. Tout ça pour un instant de faiblesse! La vie était injuste! Elle n'était pas une dévergondée. Elle était une fille honnête, elle l'avait toujours été. Si encore elle avait pu compter sur André Cyr pour l'aider à traverser l'épreuve qui approchait. Un maudit lâche! Là, elle n'avait pas le choix. Elle allait devoir mettre au monde un enfant... Pendant un bref moment, elle pensa à l'avortement. Si le docteur Leduc avait pu... Mais non, c'était un péché mortel, elle n'aurait jamais été capable de vivre avec la culpabilité... Non, il ne lui restait plus qu'à trouver le courage de partir et d'accoucher quand le moment viendrait.

Pendant un instant, la jeune fille fut distraite par des rires tonitruants en provenance d'une galerie, à l'autre bout de la grande cour. Son esprit prisonnier de son drame revint au problème qu'elle n'était pas encore parvenue à résoudre. Allait-elle ou non garder l'enfant après sa naissance?

Son angoisse ne disparut pas quand elle se mit au lit. Elle imagina les réactions violentes de ses parents s'ils découvraient son état. Il fallait absolument qu'elle se décide bientôt à trouver un appartement. Il le fallait avant qu'il ne soit trop tard. Mais où allait-elle trouver l'argent nécessaire pour le meubler et y vivre? Il était certain que son maigre salaire de secrétaire ne suffirait jamais.

Dire que pendant tout ce temps André Cyr faisait la belle vie à Québec... Avant de s'endormir, elle se promit de tenter d'entrer en contact avec lui une dernière fois. Les deux derniers mois, elle n'avait pas cherché à avoir de ses nouvelles, persuadée qu'il finirait peut-être par avoir des remords et regretter de l'avoir abandonnée. Après tout, l'enfant qui allait naître était aussi le sien, qu'il le veuille ou non.

Dans le noir, la jeune fille pleura silencieusement sur sa vie gâchée, incapable d'imaginer ce que l'avenir lui réservait. Avant de sombrer dans le sommeil, elle se vit aller vivre dans une autre ville après avoir donné son enfant en adoption. Un garçon ? Une fille ? Aucune importance. Allait-elle avoir la force de l'abandonner ? Il le faudrait bien. Elle voulait tout effacer et recommencer sa vie à zéro.

Chapitre 13

L'impasse

Au début de la seconde semaine d'août, la canicule revint. Les Montréalais n'avaient connu que quelques jours de sursis. Le mercure frôla les 90 °F et une humidité de plus en plus lourde rendit l'atmosphère presque irrespirable. Même si elle s'était promis de s'enfermer chez elle pour dissimuler son absence de dents, Laurette ne tint parole que quelques jours. Le jeudi suivant, elle n'en pouvait plus.

— Que le diable emporte les voisins ! se dit-elle. Je suis tout de même pas pour crever de chaleur en dedans parce que j'ai pas de dents. Il y a déjà ben assez que je suis en train de mourir de faim avec cette maudite niaiserie-là.

Sur ces paroles bien senties, elle avait sorti sa chaise berçante sur le trottoir et s'y était laissée tomber, en quête du moindre souffle de fraîcheur. Gérard, installé comme d'habitude sur le balcon arrière, lisait son journal. Il avait encore prêté la Chevrolet à Jean-Louis pour la soirée.

— Je voudrais ben savoir où il va avec notre char, avait demandé Laurette.

— J'aime autant pas lui poser la question, reconnut son mari. D'abord qu'il remplace le *gas* qu'il prend et qu'il m'aide à le laver en fin de semaine, je lui en demande pas plus.

Laurette avait haussé les épaules et s'était réfugiée sur son bout de trottoir. Elle venait à peine de s'installer avec un grand verre de cola qu'elle vit la voiture de son frère Armand venir s'immobiliser devant sa porte.

— Bon. V'là de la visite, à cette heure, se dit-elle sans aucune joie. Encore, si c'était Bernard et Marie-Ange…

Depuis qu'elle avait appris l'aventure de Louise avec l'abbé Vermette, elle s'était bien gardée de téléphoner à son frère et à sa belle-sœur. Elle craignait trop de leur révéler la moindre information à ce sujet par inadvertance.

— On veut pas te déranger longtemps, annonça son frère Armand en posant le pied sur le trottoir. On arrête juste en passant pour voir comment tu vas.

— Entrez et venez boire un verre de liqueur, offrit Laurette en quittant péniblement sa chaise berçante. Gérard est en arrière.

Pauline et son mari la suivirent à l'intérieur et Gérard, prévenu par sa femme, vint les rejoindre dans la cuisine.

— Ça fait six jours que je me suis fait arracher les dents, dit l'hôtesse. Je commence à pouvoir mâcher un peu, mais pas des affaires dures comme de la viande, par exemple.

— Et ça, c'est ben plate, se plaignit Gérard, à demi sérieux. Ça veut dire qu'on mangera pas de jambon ou de rôti de porc tant qu'elle aura pas ses dentiers.

— Une folle! s'exclama sa femme. Tu t'imaginais tout de même pas que j'étais pour me mettre au poêle pour te faire cuire des gros morceaux de viande quand je suis même pas capable d'en manger. De toute façon, tu le sais aussi ben que moi, le rôti de porc, on n'en mange pas l'été parce que ça donne le ver solitaire.

— C'est vrai ce que dit ta femme, confirma Pauline. Moi aussi, je fais jamais cuire de rôti de porc l'été à cause de ça. De toute façon, l'été, c'est le temps de manger du bon bouilli de légumes.

Ensuite, la conversation roula sur les enfants. Armand et sa femme parlèrent librement de leur Louise avec qui ils semblaient s'être raccommodés après son départ précipité de la maison.

— Je suis même allée voir son appartement, annonça fièrement Pauline.

— Puis ? demanda Laurette, cherchant à deviner si elle savait que sa fille fréquentait un prêtre.

— C'est pas parce que c'est ma fille, mais elle l'a ben arrangé. Tout est ben placé et ben propre. C'est ben simple, je la reconnais plus. J'aurais jamais cru qu'elle aurait autant d'ordre. T'aurais dû voir sa chambre à la maison quand elle restait avec nous autres. Je passais mon temps à la chicaner. Il faut croire que ça a servi à quelque chose.

Laurette ne disait rien, guettant la moindre allusion au fait que sa nièce fréquentait ou habitait avec un homme. Rien. Elle finit par demander :

— Louise vit toute seule ?

— Ben oui.

— Elle a pas encore remplacé son Robert ?

— Elle l'a pas encore oublié, je pense ben, dit Pauline sur un ton convaincu.

— Elle doit trouver ça plate de se retrouver toute seule dans son appartement après sa journée d'ouvrage, ajouta hypocritement Laurette.

— Si elle trouve ça plate, c'est tant pis pour elle, intervint Armand. Elle avait sa chambre à la maison et on lui chargeait pratiquement rien de pension. Si elle s'ennuie trop, elle sait quoi faire. Elle a qu'à revenir.

— En tout cas, on l'a ben avertie de pas chercher à entraîner sa sœur, Suzanne, à aller vivre avec elle, reprit Pauline d'une voix tranchante. Ça, par exemple, on l'endurerait pas.

Le lendemain matin, Carole prévint sa mère qu'elle rentrerait plus tard ce soir-là.

— Le *boss* est pas de bonne humeur depuis une couple de jours. Il nous a averties hier après-midi qu'on travaillait pas assez vite à son goût. On va être obligées de faire de l'*overtime* au moins à soir et on sera même pas payées pour ça.

— En plein vendredi ! s'étonna Laurette. Il me semble qu'il aurait pu vous faire faire ça un autre soir.

— On n'a pas le choix.

— Au moins, ma petite fille, tu vas profiter de l'air climatisé, lui fit remarquer sa mère au moment où sa cadette s'emparait du sac en papier kraft dans lequel elle venait de mettre son repas du midi. Il est même pas huit heures, et il fait déjà chaud.

À ce moment-là, rien ne laissait présager que cette journée de la mi-août allait devoir être marquée d'une croix noire dans la vie de Carole Morin.

Vers trois heures, Laurent Pronovost, son patron, ouvrit la porte de son bureau.

— Mademoiselle Morin, vous passerez me voir dans dix minutes, lui commanda-t-il avant de refermer sa porte.

Surprise, la jeune fille jeta un coup d'œil interrogateur à Germaine Longpré, la secrétaire personnelle du patron. Cette dernière haussa les épaules en signe d'ignorance.

L'homme était frigorifiant et avait la réputation, justifiée, d'être d'un abord peu facile. Il n'avait pas l'habitude de convier inutilement dans son bureau l'une des douze secrétaires de son département. Habituellement, il se contentait de remettre le travail à exécuter à sa secrétaire personnelle et cette dernière faisait la répartition des tâches avec une impartialité digne de mention.

— D'après toi, qu'est-ce qu'il me veut ? demanda Carole à mi-voix à la jeune femme qui travaillait au bureau voisin.

Son amie Valérie, celle qui lui avait fait rencontrer André Cyr, avait l'air aussi surprise qu'elle par cette convocation.

— Je le sais pas, se contenta-t-elle de lui répondre. Il veut peut-être te donner une augmentation…

— Moi, je pense plutôt qu'il veut encore me faire changer la date de mes vacances, avança Carole, pessimiste. Là, j'ai des nouvelles pour lui. Il me fera pas le coup qu'il m'a fait les deux dernières années. Je suis peut-être la moins ancienne au bureau, mais j'ai tout de même le droit d'avoir au moins une semaine de vacances durant l'été.

Cette semaine prévue à la fin du mois d'août, elle l'avait demandée dans l'intention de s'en servir pour se trouver un petit appartement et y emménager. Elle en avait absolument besoin. Plus tard que ça, sa grossesse se verrait et…

— Mademoiselle Morin, je pense que vous êtes mieux d'y aller, dit Germaine Longpré en lui montrant la porte du bureau.

Carole se leva et se dirigea vers le bureau de son patron, bien déterminée à défendre sa semaine de vacances. Elle frappa à la porte et entendit Laurent Pronovost l'inviter à entrer.

— Vous voulez me voir, monsieur?

— Fermez la porte, mademoiselle, et assoyez-vous, lui ordonna-t-il en repoussant ses lunettes sur son nez.

Carole lui obéit et prit place sur la chaise placée devant le bureau en acajou de son patron.

— Depuis combien d'années êtes-vous avec nous? lui demanda-t-il d'entrée de jeu.

— Quatre ans, monsieur.

— Vous êtes donc la secrétaire du *pool* qui a le moins d'ancienneté, si je me trompe pas.

— Oui, monsieur, répondit Carole, qui ne savait absolument pas où l'homme voulait en venir.

— Vous êtes pas sans savoir qu'on vit une période difficile, mademoiselle Morin.

Carole se contenta de hocher la tête.

— Les grands patrons de Toronto trouvent que les affaires vont pas bien et ils ont décidé de couper dans le personnel, à Toronto, comme à Montréal.

Le cœur de la jeune fille eut un raté en entendant ces paroles.

— Ils ont décidé de couper dans tous les départements, dans les *pools* de secrétaires comme ailleurs. Comme vous êtes la moins ancienne, je pourrai malheureusement pas vous garder.

— C'est pas vrai ! s'exclama Carole dans un souffle.

— Bien oui, mademoiselle. Si ça ne dépendait que de moi, je vous garderais. J'ai rien à vous reprocher, mais je dois y aller avec la liste d'ancienneté. Si ça peut vous consoler, vous êtes pas la seule à partir. Votre collègue, mademoiselle Gervais, perd aussi son emploi.

— J'en reviens pas, avoua Carole, les larmes aux yeux.

— C'est des choses qui arrivent dans la vie, fit son patron avec une compassion assez inattendue chez un homme aussi froid. Ne vous en faites pas trop. Le service du personnel va vous remettre une bonne lettre de recommandation et vous allez vous trouver un emploi très facilement.

Sur ce, Laurent Pronovost se leva pour signifier la fin de l'entrevue et il lui tendit la main.

— Bonne chance, mademoiselle. Même s'il est pas encore cinq heures, vous pouvez prendre vos affaires et passer immédiatement au bureau du personnel. Voulez-vous demander à mademoiselle Gervais de venir me voir ?

— Oui, monsieur. Merci, monsieur, balbutia Carole avant de quitter le bureau.

À sa sortie de la pièce, plusieurs têtes se levèrent pour la regarder. Elle fit un effort considérable pour adopter une expression neutre en se dirigeant vers son poste de travail. Au passage, elle dit à Valérie Gervais :

— Valérie, va voir le *boss*. Il veut te parler.

Elle n'ajouta rien. Elle s'assit derrière son bureau et se mit en devoir de retirer des tiroirs ses effets personnels qu'elle laissa tomber pêle-mêle dans un sac. Elle n'accorda pas un seul regard à l'une ou l'autre de ses compagnes de travail, intriguées par son comportement. Valérie était la seule camarade avec qui elle entretenait des relations personnelles, et elle venait d'entrer à son tour dans le bureau du patron.

Lorsqu'elle eut fini de ramasser ses affaires, elle se dirigea vers le bureau de Germaine Longpré, la salua au passage et quitta le département. Elle monta à l'étage supérieur où était installé le service du personnel. La responsable de l'endroit lui remit sa dernière paye et une lettre de recommandation avant de lui souhaiter, elle aussi, bonne chance. Au moment de sortir de la pièce, elle ne parvenait pas encore à réaliser ce qui lui arrivait tant tout était survenu de façon soudaine. En quelques minutes, on venait de bouleverser sa vie… comme si elle n'en avait pas déjà assez à supporter.

Lorsqu'elle franchit la porte de l'édifice où elle avait travaillé durant les quatre dernières années, elle ne remarqua même pas la chaleur humide qui lui tomba dessus comme une chape de plomb. Elle fit quelques pas dans le soleil éblouissant de cette fin de vendredi après-midi d'août, incapable de se décider à rentrer chez elle ou à attendre Valérie.

Cependant, la seule pensée que cette dernière allait probablement être aussi démoralisée qu'elle par la perte de son emploi lui enleva toute envie de l'attendre. Comme une automate, la jeune femme couvrit la courte distance qui la séparait de l'arrêt d'autobus et se mit à fixer d'un regard absent les véhicules qui passaient devant elle sur le boulevard Dorchester. Elle ne chercha même pas à voir si un autobus approchait.

Le visage figé et vide de toute expression, elle songeait au gâchis qu'était devenue sa vie. Elle venait de perdre l'unique moyen qu'elle avait de fuir le toit familial. Sans emploi, il lui était impossible de songer à emménager quelque part. Comment allait-elle faire pour accoucher du petit qu'elle portait ? Il n'existait plus aucune solution à son problème. C'était sans espoir... Mieux valait en finir pour tout oublier...

Elle était si perdue dans ses pensées qu'elle n'avait même pas remarqué les deux jeunes hommes et la vieille dame qui avaient pris place à ses côtés, attendant comme elle le prochain autobus.

Soudain, elle eut une envie irrépressible de se jeter devant la première voiture qui allait passer devant elle. Elle tourna la tête et aperçut une grosse Buick noire qui approchait rapidement en longeant le trottoir. Quand l'automobile ne fut plus qu'à quelques dizaines de pieds, elle ferma les yeux et fit un pas en avant pour descendre du trottoir, attendant le choc qui allait mettre fin à tous ses malheurs.

Une solide poigne la tira brusquement vers l'arrière au moment où un coup de klaxon rageur se faisait entendre. Le cœur battant la chamade, Carole ouvrit soudain les yeux pour découvrir un jeune homme au visage inquiet qui la tenait encore par un bras. Un autre homme et une vieille dame la regardaient avec curiosité.

— Est-ce que ça va, mademoiselle ? lui demanda l'homme sans la lâcher pour autant.

— Oui, merci, balbutia Carole, bouleversée par ce qu'elle avait tenté de faire.

— Vous en êtes sûre? insista son voisin qui ne semblait guère convaincu.

— Oui, je suis correcte, fit la jeune fille. J'ai juste eu un étourdissement.

Un autobus vint s'immobiliser près du trottoir. Le bon Samaritain lâcha le bras de Carole et cette dernière le remercia d'un sourire un peu figé avant de monter à bord. Toujours aussi ébranlée, elle trouva un siège libre et se plongea dans ses sombres pensées dès que le véhicule se remit en marche.

Elle était horrifiée à la pensée de son geste. Il y avait sûrement d'autres solutions. André en était une. Maintenant, elle n'avait plus le choix. Il fallait absolument qu'elle trouve le moyen de lui parler. Elle devait à tout prix apprendre où il demeurait et aller le voir pour le persuader de prendre ses responsabilités.

Elle ne voyait qu'un seul moyen d'y arriver: retourner chez Ronald Cyr et convaincre Lorraine, la belle-sœur d'André, de lui dire où il se trouvait à présent. Quand elle aurait ce renseignement, elle allait lui téléphoner ou, mieux, aller le voir à Québec, s'il était toujours là. C'était certain qu'il ne pourrait pas rester insensible. Il avait toujours dit qu'il l'aimait…

Carole se mit à élaborer plusieurs scénarios qui avaient en commun de conclure son histoire par une fin heureuse. Elle était si perdue dans ses pensées qu'elle en oublia de descendre coin Fullum.

— Il est juste quatre heures et demie, se dit-elle en consultant sa montre. Je suis aussi ben d'aller tout de suite chez son frère. À cette heure-là, Ronald sera pas revenu de son ouvrage et ça va être plus facile de parler à sa femme. Elle, elle va me le dire si elle sait où est André.

Elle descendit au coin de Frontenac et, malgré la chaleur étouffante, se mit en marche vers la rue Logan. Elle ne se soucia même pas de marcher du côté ombragé de la rue. À faible distance de la vieille maison en brique où demeuraient les Cyr, elle eut un coup au cœur en apercevant un Oldsmobile rouge décapotable, identique à celle que possédait André.

Arrivée au pied de l'escalier qui conduisait chez le frère de son amoureux, elle prit un court moment pour rassembler son courage avant de sonner et de monter à l'étage.

— C'est ça, ma fille, mets ton orgueil en dessous de ton mouchoir et vas-y, s'encouragea-t-elle. T'as pas le choix.

Elle sonna et, presque immédiatement, la porte s'ouvrit. Elle vit la tête couverte de bigoudis de Lorraine Cyr apparaître en haut de l'escalier.

— Tiens, si c'est pas la belle Carole, dit la femme de Ronald Cyr. Monte. Tu tombes ben. Si tu viens voir André, il vient d'arriver. Il est assis sur la galerie, en arrière. Il est en train de boire une bière.

En apprenant la nouvelle, le cœur de Carole cessa de battre un court instant.

— T'es ben fine, Lorraine, mais je voudrais pas te déranger dans la préparation de ton souper.

— Tu déranges personne. Viens.

Le cœur battant, Carole monta l'escalier et pénétra dans l'appartement des Cyr.

— André ! héla Lorraine. Il y a quelqu'un pour toi à la porte.

Il y eut un raclement de chaise sur le balcon et la porte-moustiquaire livra passage à un André Cyr inchangé. Vêtu d'une chemisette à demi déboutonnée, la cigarette au bec, le jeune homme à l'épaisse chevelure blonde en broussaille entra dans la cuisine.

— Qui veut me ?... commença-t-il à demander de sa voix lente habituelle en s'avançant dans le couloir. Ah !

c'est toi, laissa-t-il tomber, sans grand enthousiasme en reconnaissant Carole, debout sur le palier.

— Tu parles d'une façon de parler à sa blonde ! le rabroua sa belle-sœur. Installez-vous dans le salon. Pendant ce temps-là, je vais aller m'occuper de mon souper.

L'air boudeur, André Cyr précéda Carole dans la pièce voisine et se laissa tomber dans un fauteuil sans lui offrir de s'asseoir.

— Je savais pas que t'étais revenu à Montréal, dit cette dernière en s'efforçant de faire bonne figure.

— Je suis revenu juste depuis trois jours.

— T'es en vacances ?

— Pantoute. Je suis venu me chercher une *job*.

— T'en avais pas trouvé une à Québec ? Lorraine m'a dit que...

— Laisse faire ce que ma belle-sœur t'a dit, la coupa-t-il sèchement. C'était encore une *job* qui payait pas. Si t'es venue pour que je te rembourse ton argent, j'ai pas une maudite cenne. Mais inquiète-toi pas, je vais te le remettre ton argent et...

— Je suis pas venue pour l'argent que tu me dois, l'interrompit Carole. Je suis venue pour le petit.

— Quel petit ? demanda-t-il avec effronterie.

— Aïe, André Cyr ! Fais-moi pas parler pour rien, s'emporta la jeune fille, à bout de patience. Je te parle du petit que j'attends.

— Pourquoi tu m'achales avec ça ? Il y a rien qui prouve que je suis le père de ce petit-là, eut le culot de rétorquer son ex-amoureux en passant ses doigts dans sa tignasse.

— Ah ben ! T'es un bel écœurant, ne put s'empêcher de dire Carole. On dirait que t'as oublié ce qu'on s'est dit avant que tu disparaisses comme un lâche.

— Whow, les nerfs ! s'écria le chômeur. J'ai rien oublié pantoute. Je me rappelle que t'es venue me dire en pleine face que tu voulais qu'on se marie parce que t'attendais un petit.

— Puis ?

— Puis, je te dis, moi, que j'ai rien à voir là-dedans et que je veux plus que tu reviennes m'achaler avec ça. Si t'as fait la folle avec un autre gars, c'est tes affaires, mais viens surtout pas essayer de m'embarquer là-dedans.

Outrée au-delà de toute expression, Carole se leva, le visage blanc de fureur.

— Si c'est comme ça, laisse faire, lui jeta-t-elle, la voix chargée de mépris. Je veux plus jamais te revoir.

— Ça tombe ben, moi aussi, répliqua-t-il en se levant à son tour.

Carole, les yeux pleins d'eau, se dirigea vers la porte et quitta l'appartement des Cyr. Elle entendit la porte claquer derrière elle et elle descendit l'escalier sans trop voir où elle posait les pieds. Parvenue au trottoir, elle prit la direction de la rue Frontenac en s'essuyant les yeux à de nombreuses reprises. Elle ne pouvait s'empêcher de pleurer tout en marchant.

Au comble du désespoir, elle ne voyait plus aucune issue à sa situation. Sans emploi et sans amie à qui se confier, elle ignorait ce qu'elle allait devenir. Aucun des scénarios échafaudés durant son trajet en autobus ne s'était réalisé. Le père de l'enfant qu'elle attendait refusait de prendre ses responsabilités et même de l'aider à se sortir de l'impasse dans laquelle elle se trouvait.

— L'écœurant ! Le maudit écœurant ! ne cessait-elle de se répéter avec une rage impuissante.

Arrivée au coin de la rue Sainte-Catherine, elle ne vit pas son frère Jean-Louis attablé à l'intérieur du restaurant, près de la vitrine, en compagnie de Marthe Paradis. Les deux amis avaient décidé, comme il leur arrivait à deux ou trois reprises chaque semaine, d'aller boire un rafraîchissement à la fin de leur après-midi de travail. Ils envisageaient même de souper ensemble à cet endroit avant de retourner à la banque au début de la soirée.

— C'est pas ta sœur, Carole? demanda Marthe à son collègue quand elle vit la jeune fille longer la vitrine, à l'extérieur.

Jean-Louis tourna la tête et regarda.

— Ben oui, c'est elle.

— Mais elle pleure, lui fit remarquer la jeune femme, intriguée.

— On le dirait.

— Va la chercher. Ramène-la boire quelque chose avec nous autres, lui ordonna-t-elle.

Après un bref instant d'hésitation, il se leva et se précipita à l'extérieur. Marthe le vit échanger quelques mots avec sa sœur qui commença par faire quelques signes de dénégation avant de se décider finalement à le suivre.

— Allô, Carole. Viens donc t'asseoir avec nous deux minutes, lui dit Marthe en lui faisant une place sur la banquette, à ses côtés. Voudrais-tu une liqueur?

Les yeux gonflés, Carole accepta l'invitation et se glissa près d'elle.

— Je veux pas être indiscrète, reprit Marthe Paradis, mais ça a pas l'air d'aller bien fort. Est-ce que je me trompe?

Carole se contenta de hocher la tête.

— Si j'étais toi, j'irais aux toilettes me passer le visage à l'eau froide, lui suggéra Marthe, pleine de sollicitude. Ça te ferait du bien.

Carole se rendit compte soudain que quelques clients du restaurant la dévisageaient avec curiosité. Elle se leva et se dirigea vers les toilettes de l'établissement.

— Je pense que ta sœur a besoin de parler à quelqu'un, dit la monitrice à Jean-Louis.

— On le dirait, reconnut ce dernier. Je sais pas ce qui lui arrive.

— Ce serait peut-être plus facile pour elle si elle pouvait me parler seule, tu penses pas ?

— Ça se peut.

— Qu'est-ce que tu dirais si on soupait ensemble un autre soir ?

Jean-Louis sembla tout à coup réaliser qu'elle lui demandait de s'esquiver pour laisser la place à sa jeune sœur.

— C'est peut-être une bonne idée, admit-il sans enthousiasme.

— Ça te dérange pas trop ? s'enquit Marthe, soucieuse de ne pas le froisser.

— Pantoute. J'ai le temps d'aller souper chez nous. On se verra à la banque tout à l'heure.

Là-dessus, il se leva, paya sa consommation à la caisse et sortit du restaurant au moment même où sa sœur quittait les toilettes. Cette dernière revint vers la table encore occupée par l'amie de son frère.

— Jean-Louis est déjà parti ? demanda-t-elle.

— Il tenait à aller souper chez vous, mentit Marthe. Assis-toi. Moi, j'ai tout mon temps. Je reste trop loin pour avoir le temps d'aller manger à la maison le jeudi et le vendredi soir quand je dois revenir à la banque pour sept heures moins quart.

Un silence un peu emprunté tomba sur les deux jeunes femmes. À la vérité, elles ne se connaissaient pratiquement pas. Elles s'étaient parlé aux noces et avaient sympathisé, mais rien de plus. Marthe avait près de dix ans de plus que Carole et faisait plutôt figure de sœur aînée.

— Veux-tu bien me dire ce que t'avais à pleurer comme une Madeleine ? finit-elle par demander à voix basse à la sœur de Jean-Louis.

— Je viens de perdre ma *job*, dit Carole d'une petite voix.

— Qu'est-ce que tu faisais comme travail ?

— Secrétaire.

— Et c'est ça qui te met tant à l'envers ? Voyons donc ! Tu vas te trouver facilement de l'ouvrage. Il y a pas de quoi pleurer, voulut la réconforter Marthe. J'ai pensé en te voyant que c'était une peine d'amour que t'avais.

— Il y a ça aussi, avoua Carole d'une voix hésitante.

Il était évident qu'elle mourait d'envie de se confier à quelqu'un.

— Bon. Une chicane avec ton *chum*, c'est pas la fin du monde, l'encouragea Marthe. Ça arrive à toutes les filles. Depuis combien de temps est-ce que tu sors avec lui ?

— Presque un an.

— Qu'est-ce qui est arrivé ?

— Il veut plus me voir pantoute.

— Il te l'a dit ? demanda Marthe.

— Oui.

— Et tu l'aimes encore ?

— Non. Je l'haïs, ne put s'empêcher de dire Carole avec rage. C'est un écœurant.

— Dans ce cas-là, tu serais peut-être aussi bien de l'oublier, lui conseilla Marthe. Il y a des centaines de gars à Montréal qui seraient contents de sortir avec toi. Pourquoi tu t'occuperais encore de lui ? Trouve-toi un autre gars qui va t'apprécier.

— C'est pas aussi simple que ça, murmura Carole en se remettant à pleurer à chaudes larmes.

Marthe lui tendit une serviette en papier pour qu'elle essuie ses larmes et jeta un coup d'œil autour d'elle pour vérifier si les clients qui envahissaient peu à peu le restaurant à l'heure du souper avaient remarqué sa compagne.

— Pourquoi tu me dis que c'est pas si simple que ça ? demanda-t-elle sans réelle curiosité.

Carole garda le silence un long moment avant de chuchoter :

— Il y a le petit...

— Hein ? Quel petit ? lui demanda la monitrice en sursautant.

— Le petit que j'attends, avoua Carole en se mettant à pleurer de plus belle.

Cet aveu fait à une pure étrangère venait de la libérer d'un poids énorme. Enfin, quelqu'un partageait son secret. Elle n'était plus seule à savoir. Stupéfaite, Marthe Paradis demeura silencieuse durant un long moment avant de reprendre la parole.

— T'attends vraiment un petit ?

— Oui.

— Pour quand ?

— Décembre, répondit Carole à voix basse.

— Naturellement, personne est au courant chez vous ?

— Si jamais ils savaient ça, ils me tueraient ben.

— Il va pourtant falloir que tu le dises un jour à ta mère et à ton père, reprit Marthe, sur un ton raisonnable.

— Je vois pas pourquoi, s'entêta Carole.

— Tu pourras pas leur cacher ça indéfiniment, non ? Quelqu'un va finir par s'en apercevoir.

— Pas si je pars de la maison avant la fin de l'été. Ça paraît pas encore.

— T'as de l'argent pour t'installer ailleurs ?

— Non. J'en avais un peu, mais je l'ai prêté à mon *chum* qui peut même pas me le remettre. En plus, je viens de perdre mon ouvrage.

— Il y a une solution, c'est sûr, dit Marthe pour encourager la jeune fille.

Durant quelques instants, les deux jeunes femmes regardèrent les badauds passer devant la vitrine, comme si elles recherchaient ensemble la solution au problème qui risquait de ruiner la vie de l'une d'elles.

— Je pense que ça sert à rien de chercher de midi à quatorze heures, finit par dire Marthe sur un ton décidé. D'après moi, il y a juste une façon de te sortir de là: tout avouer à tes parents.

— Es-tu folle, toi? s'exclama Carole, atterrée par cette perspective. On voit ben que tu connais pas mon père et ma mère... surtout ma mère.

— Qu'est-ce que tu veux qu'ils te fassent? Ils te tueront pas. Le pire qui peut t'arriver, c'est qu'ils te mettent à la porte.

— Juste ça, fit Carole, un brin sarcastique.

— Puis après? Tu veux partir de toute façon, lui expliqua Marthe.

— D'accord, mais j'ai pas une cenne.

— Tu me feras pas croire que ta sœur ou un de tes frères serait pas prêt à te garder chez eux le temps que tu te trouves de l'ouvrage et un petit appartement, non?

Carole réfléchit un long moment à ce que venait de lui dire l'amie de son frère Jean-Louis et elle reconnut, bien malgré elle, qu'elle avait raison.

— Tout ça, c'est facile à dire, mais le faire, c'est une autre paire de manches, reconnut-elle en réprimant difficilement un frisson d'appréhension.

— Voyons, Carole! dit Marthe. T'as l'air d'une fille courageuse. C'est juste un mauvais moment à passer. Pourquoi tu continuerais à cuire dans ton jus comme tu le fais depuis des mois? Attends pas que ta mère ou ton père le découvre. Dis-leur carrément et ça va être fini une fois pour toutes.

— Ils vont me traiter de tous les noms. Je vais être la honte de la famille, geignit Carole.

— Ce qui est fait est fait, dit résolument Marthe. À ta place, j'attendrais pas.

La jeune femme tira un crayon de son sac à main et nota un numéro sur un coin du napperon en papier déposé devant elle. Elle le déchira et le tendit à Carole.

— Tiens. Je te donne mon numéro de téléphone, ajouta-t-elle. Appelle-moi quand ça te tentera de parler. Moi, j'ai pas de *chum* et c'est plutôt rare que je sorte le soir.

Carole semblait avoir repris un peu courage. Elle avait encore les yeux gonflés d'avoir tant pleuré, mais elle esquissa un sourire de reconnaissance.

— Veux-tu souper? lui demanda-t-elle.

— J'ai pas faim, admit Carole en se levant. Je pense que je vais rentrer chez nous.

— Prends confiance, l'encouragea Marthe encore une fois. Tu vas passer à travers. Oublie pas de m'appeler pour me donner des nouvelles. Dis-toi que si personne dans ta famille veut t'aider, moi, je vais le faire. OK?

— T'es ben fine, dit Carole, émue, en se penchant pour l'embrasser sur une joue avant de quitter le restaurant.

Chapitre 14

L'aveu

Lorsque Carole Morin rentra à la maison quelques minutes plus tard, elle retrouva ses parents et Jean-Louis attablés devant une assiette de fèves au lard. Il régnait une chaleur étouffante dans la cuisine. Dès son entrée dans la pièce, la jeune fille alla déposer le montant de sa pension hebdomadaire sur le comptoir.

— Je t'attendais pas pour le souper, lui fit remarquer sa mère en quittant la table. Tu m'as dit à matin que tu ferais de l'*overtime* à soir. Mais c'est pas grave, il en reste en masse pour toi, ajouta-t-elle en ouvrant une porte d'armoire pour y prendre une assiette.

— Sortez rien pour moi, m'man, dit la jeune fille. J'ai pas faim. Il fait trop chaud.

— Même s'il fait chaud, il faut que tu manges parcil.

— Je me ferai une sandwich aux tomates plus tard.

— Comme tu voudras. Comment ça se fait que t'arrives si de bonne heure ? Tu devais pas faire de l'*overtime* ? s'enquit Laurette, curieuse.

— Non et j'en ferai plus jamais à cette place-là, ajouta Carole. Ils viennent de me mettre à la porte.

Gérard, sa femme et leur fils suspendirent leurs gestes et se tournèrent vers elle.

— Comment ça ? lui demanda son père. Ils étaient pas contents de ton ouvrage ?

— C'est pas ça, p'pa, se défendit la jeune fille. Ils ont juste décidé qu'on était trop au bureau et ils ont mis dehors les deux plus jeunes.

— C'est le *fun* encore, dit Laurette en s'épongeant le front avec le large mouchoir qu'elle venait de tirer de la poche de son tablier fleuri. Tu vas être obligée de te chercher une *job* en plein été.

— C'est tout de même moins pire que de le faire en hiver, m'man, lui fit remarquer Jean-Louis à qui c'était arrivé plusieurs années auparavant.

— Elle a de l'instruction, ajouta Gérard. Elle devrait pas avoir trop de misère à se trouver quelque chose.

— On verra ben, conclut Laurette dont le pessimisme pointait. En attendant, tu ferais ben mieux de manger quelque chose pour te soutenir. T'as tes dents, toi. T'es capable de mâcher ce que tu veux, poursuivit-elle avec envie.

— J'ai pas l'impression que ça t'a empêché de ben manger, intervint Gérard, malicieux. Il me semble t'avoir vue te servir deux bonnes assiettées de bines que t'as pas eu trop de misère à avaler.

— Mêle-toi donc de tes affaires, le rembarra sa femme avec humeur.

— Chicanez-vous pas pour moi, dit Carole. J'ai trop chaud pour manger. Je pense que je vais aller m'étendre dans ma chambre. Je mangerai plus tard.

Sur ces mots, elle entra dans sa chambre, referma la porte derrière elle et s'empressa de mettre en marche son petit ventilateur. Elle retira ses souliers et s'étendit sur le couvre-lit dans l'espoir que le sommeil lui ferait oublier sa situation. Rien à faire. Elle ne cessait de revivre sa brève rencontre avec André Cyr et, chaque fois, elle en tremblait de rage. Elle se rappelait aussi chaque mot de la conversation qu'elle avait eue avec Marthe Paradis.

Elle entendit soudain la porte-moustiquaire claquer quand son père alla s'installer sur le balcon, probablement pour lire *La Presse* en paix. Jean-Louis quitta la maison quelques minutes plus tard pour la banque. Les bruits de vaisselle heurtée lui apprirent que sa mère était occupée à ranger la cuisine. Dans quelques instants, elle allait sûrement retourner s'asseoir dans sa chaise berçante, sur le trottoir, en face de la porte d'entrée, au moins jusqu'au coucher du soleil…

— Pourquoi pas crever l'abcès dès ce soir ? se demanda-t-elle à voix basse.

Marthe Paradis avait peut-être raison. Il ne servait à rien de continuer à attendre. Il ne se produirait pas de miracle. Les conditions ne seraient jamais bonnes pour leur apprendre une pareille nouvelle. Au moins, son père et sa mère étaient seuls à la maison. Elle s'assit brusquement sur son lit, inondée de sueur malgré le ventilateur qui tournait près d'elle. Elle posa les pieds par terre, incapable de se décider. Si elle se levait, elle irait jusqu'au bout, quelles que soient les conséquences.

Elle demeura une longue minute assise sur son lit, espérant malgré tout que sa mère quitterait rapidement la cuisine pour aller s'asseoir à l'extérieur avant qu'elle se décide à sortir de sa chambre pour tout lui dire… Mais cela n'arriva pas. Elle entendit sa mère ouvrir une porte d'armoire puis tirer une chaise de cuisine.

— J'y vais ! dit-elle, les dents serrées, en se levant.

Elle avait conscience d'être toute pâle et ses jambes avaient de la peine à la porter lorsqu'elle ouvrit la porte de sa chambre à coucher. Elle entra dans la cuisine et découvrit sa mère attablée devant le contenu d'une boîte de tabac Matinée qu'elle avait répandu sur une feuille de journal. Elle s'apprêtait à confectionner sa provision hebdomadaire de cigarettes.

— Tiens. Je pensais que t'avais fini par t'endormir, lui dit Laurette en l'apercevant. Si t'as faim, prends-toi quelque chose dans le frigidaire.

Carole ne répondit rien et s'assit en face de sa mère. Cette dernière remarqua soudainement le visage décomposé de sa fille et déposa le tube métallique avec lequel elle fabriquait ses cigarettes.

— Veux-tu ben me dire ce que t'as, toi ? lui demanda-t-elle, un regard suspicieux fixé sur son visage. T'es ben pâle.

Carole déglutit péniblement et osa à peine lever les yeux sur sa mère.

— J'ai quelque chose à vous dire, fit-elle, la voix éteinte.

— Qu'est-ce que tu dis ?

— J'ai quelque chose d'important à vous dire, répéta la jeune fille, le visage de plus en plus pâle.

— Quoi ? lui demanda sa mère, soudain alarmée. Dis-moi pas que tu penses encore aller vivre en appartement !

— Non, c'est pas ça, m'man.

— C'est quoi, d'abord ? Envoye ! Accouche !

Carole baissa les yeux et dit dans un souffle :

— Je suis en famille, m'man.

— Quoi ? Qu'est-ce que tu viens de dire là ? explosa Laurette en commençant à lever sa masse imposante de la chaise sur laquelle elle était assise.

— Vous avez ben entendu. Je suis en famille, répéta Carole, d'une petite voix.

La cadette de la famille Morin ne fut pas assez rapide pour éviter la gifle retentissante que lui décocha sa mère. Elle poussa un cri et s'éloigna précipitamment de la table que Laurette avait entrepris de contourner pour se rapprocher d'elle, rouge de fureur. Terrifiée, Carole se protégea la figure des deux mains en reculant vers une encoignure de la pièce.

— Gérard ! cria Laurette en tournant la tête vers la porte-moustiquaire. Entre une minute.

— Taboire ! Je peux même pas avoir la paix pour lire mon journal tranquille, jura le père de famille en rentrant dans la maison, son exemplaire hâtivement plié sous le bras. Qu'est-ce que t'as à crier ? Qu'est-ce qu'il y a encore ?

Laurette se précipita vers la porte qu'elle referma à la volée avant de fermer ensuite la fenêtre.

— Es-tu devenue folle, toi ? lui demanda son mari. On va crever ici dedans.

— Laisse faire. Il est pas question que les voisins entendent ce que ta fille va te dire. Envoye, toi ! Dis à ton père ce que tu viens de me raconter, ordonna-t-elle d'une voix sifflante à Carole, toujours réfugiée dans un coin de la cuisine.

— Bâtard ! Qu'est-ce qui se passe encore ? demanda le père de famille, incapable de comprendre la raison de la fureur de sa femme.

— Envoye ! Dis-lui ! répéta Laurette à sa fille.

Gérard Morin regarda sa fille qui finit par balbutier :

— J'attends un petit, p'pa.

— Quoi ?

— Maudit viarge, tu comprends rien ! s'emporta sa femme. Elle vient de te dire qu'elle est en famille. Ta fille est en famille ! Rien que ça. Elle est pas mariée, mais elle a trouvé le moyen de se ramasser en famille !

— Ah ben, maudit cybole, par exemple ! s'écria Gérard en réalisant à son tour le drame qui venait de frapper les siens. C'est pas vrai ? Tu nous as pas fait ça ?

Carole se taisait, aussi blanche que le chemisier qu'elle portait. Debout dans le coin, elle pleurait en tremblant, s'attendant à recevoir d'autres coups.

— Tu te crèves pour faire instruire ça, reprit Laurette d'un air dégoûté, et c'est comme ça que t'es remerciée.

— Une putain! On a élevé une putain! murmura le père de famille qui ne réalisait toujours pas tout à fait ce qui lui arrivait.

— On va avoir l'air fin. Tout le monde va nous montrer du doigt. Le père et la mère d'une maudite guidoune, renchérit Laurette, loin d'être calmée.

Un silence pénible tomba sur la pièce. Le visage soudainement fermé, Gérard ordonna à sa fille:

— Va ramasser tes guenilles et va-t'en. Je veux plus jamais te revoir. Disparais!

Carole rentra dans sa chambre et se mit en devoir de vider les tiroirs de son bureau. Épuisée par cette scène, Laurette se laissa tomber sur une chaise au bout de la table tandis que son mari, ne sachant plus que faire, restait debout, au milieu de la pièce. L'un et l'autre demeurèrent silencieux un long moment, à l'écoute des bruits en provenance de la chambre à coucher de leur fille.

— On peut pas faire ça, finit par dire Laurette d'une voix blanche.

— De quoi tu parles?

— On peut pas la sacrer dehors comme un chien sans savoir si elle a assez d'argent pour vivre. Elle vient de perdre sa *job*.

— Puis?

— Puis, c'est encore notre fille, bonyeu! On n'est pas pour la mettre dans la rue sans être sûrs qu'elle va avoir de quoi manger.

— C'est ça! s'emporta Gérard à demi-voix. Défais ce que je viens de faire.

— Je défais rien pantoute, tu sauras, répliqua sa femme en élevant légèrement la voix. Mais je veux pas l'avoir sur la conscience si elle fait une folie.

— Ouais ! C'est peut-être ta faute aussi, si ta fille a mal tourné, taboire ! dit-il sur un ton accusateur. T'as toujours été trop molle avec elle. Regarde ce que ça donne…

— Toi, répète-moi jamais ça, Gérard Morin, s'emporta Laurette à son tour. Mes enfants, je les ai ben élevés, tu sauras. J'ai rien à me reprocher. C'est pas ma faute pantoute si celle-là a pas suivi le droit chemin.

— Bon. Fais comme d'habitude à ta maudite tête de cochon ! renonça Gérard en ouvrant la porte pour laisser pénétrer un peu d'air dans la cuisine.

— On lui a même pas demandé qui était le père de cet enfant-là, reprit sa femme, comme si elle n'avait rien entendu.

Elle quitta sa chaise et ouvrit la porte de la chambre de sa fille.

— Lâche tes affaires une minute et viens ici, lui commanda-t-elle.

Carole hésita un court moment avant d'obéir à sa mère. Cette dernière éprouva un brusque remords en apercevant la marque rouge causée par sa gifle sur la joue droite de sa fille.

— C'est qui le père de cet enfant-là ? lui demanda-t-elle au moment où elle passait le seuil de sa chambre.

Le jeune fille garda le silence.

— Envoye ! Réponds ! lui ordonna son père, à son tour.

— André Cyr.

— Ah ben, l'enfant de chienne ! s'écria Laurette. J'aurais dû m'en douter qu'il ferait une affaire comme ça. Un maudit sans-cœur même pas capable de travailler et de gagner sa vie !

— Quand est-ce qu'il va venir te demander en mariage ? demanda Gérard à sa fille.

— Il viendra pas, p'pa, avoua piteusement Carole.

— Comment ça ?

— Il dit que le petit est pas de lui et il veut pas me marier.

— Ah ben, c'est ce qu'on va voir ! dit son père d'une voix menaçante. Il va te marier, veut, veut pas, même si je dois le traîner par les cheveux au pied de l'autel, le bâtard !

— Il dit qu'il a pas une cenne et pas d'ouvrage, expliqua Carole. Il m'a emprunté cent cinquante piastres et...

— Et toi, la niaiseuse, tu lui as prêté cet argent-là, dit sa mère, sarcastique. Ben sûr, il te l'a pas remis.

— Non, avoua la jeune fille.

— Où est-ce qu'il reste exactement ? lui demanda sèchement son père.

— Il vient de revenir de Québec. Il a l'air de rester chez son frère.

— Où ça ?

— Je suis pas sûre, mais je pense que c'est 2535, Logan, au deuxième étage.

— Bon. En attendant qu'on éclaircisse tout ça, tu vas aller remettre tes affaires dans tes tiroirs de bureau et attendre que ton père lui ait parlé, reprit Laurette sur un ton décidé, sans même consulter son mari.

— Je pense que je suis mieux de partir tout de suite, avança Carole, indécise.

— Pour aller rester où ?

— Je le sais pas encore, avoua-t-elle. Je pourrais peut-être me trouver une chambre à louer quelque part.

— Ça peut attendre, trancha sa mère. Il y a pas le feu. Ça se voit pas encore que t'es en famille. En tout cas, ton André, il est mieux de pas se trouver sur mon chemin parce que je vais lui faire passer le goût du pain à ce maudit agrès-là. Lui, quand je vais lui mettre la main dessus, sa mère elle-même le reconnaîtra plus. En attendant, pas un mot à personne sur ça.

Domptée et soulagée jusqu'à un certain point, Carole rentra dans sa chambre dont elle referma la porte derrière elle. Elle remit de l'ordre dans la pièce. Elle était soulagée d'avoir enfin avoué sa faute, mais elle ne s'était pas attendue à ce que ses parents la gardent à la maison. Elle était certaine qu'ils la mettraient dehors en apprenant ce qu'elle avait fait. Son père se promettait d'aller persuader André de l'épouser, mais elle n'en voulait plus. Elle préférait donner son bébé en adoption et l'oublier.

Au même moment, dans la pièce voisine, Laurette, toute colère envolée, désemparée, se mettait à pleurer à chaudes larmes, incapable de maîtriser sa peine plus longtemps.

— Arrête de brailler comme un veau pour rien, lui intima son mari toujours en proie à une rage froide. Le mal est fait. Ça sert à rien de pleurer jusqu'à demain, maudit taboire !

Le visage fermé, il s'alluma une cigarette et retourna s'asseoir sur le balcon.

Chapitre 15

La riposte

Durant un long moment, Gérard n'entendit plus que les pleurs de sa femme, demeurée dans la cuisine. Ils faisaient une sorte de contrepoint à ceux de sa fille, étendue sur son lit. Assis près de la fenêtre de la chambre de cette dernière, le père de famille éprouvait à son endroit un mélange de rancune et de pitié.

Il y eut un raclement de chaise sur le balcon et, un instant plus tard, Laurette entendit claquer la porte de la clôture. Elle leva la tête juste au moment où la Chevrolet démarrait dans la grande cour.

— Où est-ce qu'il s'en va, lui? demanda-t-elle à voix haute en reniflant.

Elle aurait dû deviner que Gérard n'attendrait pas durant des lunes pour aller parler au séducteur. Il avait décidé d'aller tout de suite le rencontrer pour mettre les choses au clair. Elle le connaissait assez pour savoir que son mari avait décidé de passer à l'action pendant qu'il bouillait de rage, sinon il n'aurait pas le courage d'aller affronter André Cyr.

Quelques minutes avant huit heures, Gérard Morin immobilisa sa voiture à quelques pas du 2535, Logan et en descendit. En ce chaud vendredi soir du mois d'août, presque tous les balcons étaient occupés par des gens à la recherche d'un peu de fraîcheur. Conscient d'être l'objet de la curiosité générale, le père de famille se rendit jusqu'à la porte et sonna. Il dut attendre une ou deux minutes avant qu'un homme vienne lui répondre, debout sur le palier de l'escalier intérieur.

— Oui? lui demanda l'homme à la chemise déboutonnée.

— Je voudrais parler à André Cyr, dit Gérard.

— Il vient de partir.

— Savez-vous quand il doit revenir?

— Il me l'a pas dit.

— Bon. OK. Je repasserai, reprit Gérard, déçu de ne pouvoir régler l'affaire tout de suite.

En retournant vers la Chevrolet, il se demanda s'il n'aurait pas été préférable de parler un peu avec celui qui lui avait répondu. C'était sûrement le frère. Il avait peut-être plus de bon sens. Il pourrait même l'aider à convaincre André Cyr de marier celle qu'il avait séduite.

Il allait retourner sur ses pas pour parler à Ronald Cyr quand il remarqua l'Oldsmobile rouge décapotable stationné un peu plus loin. Il n'y avait pas à se tromper: c'était l'automobile de l'ami de sa fille.

— L'enfant de chienne! s'exclama-t-il à mi-voix. Il était là et son frère le couvre. Une maudite belle famille!

Le père de famille jeta un coup d'œil au balcon du second étage de la maison qu'il venait de quitter. Il aperçut le frère d'André Cyr qui venait de retrouver sa femme qui l'attendait. Il reprit le volant de la Chevrolet et rentra chez lui. Son expédition avait duré moins de vingt minutes.

Une surprise l'attendait toutefois à son retour à la maison. En poussant la porte-moustiquaire, il découvrit son fils Richard assis près de sa mère, dans la cuisine. Il lui caressait un bras, cherchant, de toute évidence, à la consoler. Tous les deux parlaient à voix basse.

Gérard eut une grimace de contrariété à la pensée que sa femme n'avait pu cacher leur honte.

— T'aurais pas pu te taire ? lui reprocha-t-il, amer, en s'assoyant dans sa chaise berçante. On n'est pas pour crier ça sur les toits.

— Je suis pas un étranger, p'pa, protesta Richard. Je suis son frère. Ça me regarde autant que vous autres. Je pense même que ça regarde toute la famille.

— Je veux ben le croire, répliqua son père d'une voix soudainement lasse, mais c'est tout de même ta mère et moi qui allons être poignés pour régler ce problème-là. La honte, c'est sur nous autres qu'elle tombe.

— Sur nous autres aussi, p'pa, répliqua Richard d'une voix assurée. Êtes-vous allé parler à son *chum* ?

— J'en arrive. L'écœurant était caché chez son frère et il m'a fait dire qu'il était pas là. Son frère a l'air de le protéger.

— M'man m'a dit qu'en plus, il lui devait de l'argent ?

— C'est pas ça le plus important, trancha sèchement son père. Il faut qu'il répare. Il doit marier ta sœur.

Au même moment, Jean-Louis entra dans l'appartement, heureux que sa semaine de travail à la banque soit terminée. À la vue de l'air grave des siens assis autour de la table de cuisine, son sourire s'effaça.

— Qu'est-ce qui se passe ? demanda-t-il, intrigué.

— Pas si fort, lui ordonna sa mère. Ta sœur dort.

— Déjà ?

— Ben oui. Je pense qu'on est aussi ben de lui dire, ajouta Laurette en se tournant vers son mari.

— Un coup parti...

— Me dire quoi ? demanda Jean-Louis, intrigué.

En quelques mots entrecoupés de reniflements, sa mère lui raconta la catastrophe qui venait de frapper leur famille. Elle termina en s'épongeant les yeux.

— Ah ! C'est pour ça qu'elle pleurait tant, ne put s'empêcher de dire Jean-Louis.

— De quoi tu parles ? lui demanda son père.

Le caissier prit un instant avant de lui répondre.

— Avant le souper, j'étais assis avec Marthe Paradis au restaurant au coin de Frontenac quand on l'a vue passer en pleurant. Marthe m'a dit d'aller la chercher.

— Puis ?

— Marthe m'a demandé de les laisser toutes seules pour qu'elles puissent se parler. J'en sais pas plus.

— Dis-moi pas, bonyeu, que cette maudite sans-dessein-là est allée raconter ça à une pure étrangère ! s'emporta soudain Laurette, les yeux flamboyants.

— Je le sais pas, reconnut son fils. Marthe, en tout cas, m'a rien dit quand je l'ai vue à la banque tout à l'heure.

Il y eut un court silence dans la pièce avant que Richard ne reprenne la parole.

— Vous avez pas peur qu'il sacre son camp à soir, l'animal, et qu'on soit plus capable de lui mettre la main dessus ? demanda-t-il à la ronde sans sentir le besoin de préciser de qui il parlait.

— Ce serait ben dans sa façon de faire, laissa tomber sa mère.

— Je pense que c'est pas plus tard qu'à soir qu'on devrait aller le chercher par la peau du cou, cet écœurant-là.

— Je viens de te dire que j'arrive de chez son frère, répliqua son père avec impatience.

— Je le sais, p'pa, mais vous étiez tout seul… Mais si on arrive en *gang*, ça va être une autre paire de manches.

— En *gang* ?

— J'appelle Gilles et Pierre. C'est sûr qu'ils vont accepter de venir nous donner un coup de main s'ils sont pas déjà partis dans le Nord.

— Whow ! Je veux pas que tout le monde soit au courant de ça, s'interposa aussitôt Laurette.

— Mais, m'man, ils font partie de la famille. De toute façon, vous savez ben qu'ils vont finir par l'apprendre un jour ou l'autre.

— Qu'est-ce que t'en penses, Gérard ? demanda-t-elle à son mari.

— Je le sais plus, reconnut le père de famille, nettement dépassé par les événements.

— Moi aussi, je vais y aller, annonça Jean-Louis, à la surprise de tous. Où est-ce qu'il reste ?

— Sur Logan, murmura son père.

— Bon. Je les appelle tout de suite, dit Richard en s'approchant du téléphone mural.

Il eut de la chance. Son frère et son beau-frère étaient encore à la maison et n'avaient prévu de partir pour Notre-Dame-de-la-Merci que le lendemain matin. Il refusa de donner des explications à l'un comme à l'autre. Il se limita à déclarer qu'il les attendait chez ses parents, rue Emmett, qu'il s'agissait d'une urgence et qu'il était préférable qu'ils viennent sans leur femme.

Un peu après neuf heures trente, Pierre Crevier et Gilles Morin entrèrent dans l'appartement, intrigués par l'étrange demande de Richard. Ce dernier s'empressa de les mettre au courant de la situation sans donner le temps à ses parents d'intervenir.

— Est-ce que vous venez avec nous autres le chercher ? finit par leur demander Richard. Jean-Louis est prêt à venir avec moi.

— Certain, déclarèrent en même temps les deux nouveaux arrivés en se levant. On y va tout de suite, à part ça.

— C'est pas nécessaire que vous veniez, p'pa, dit Gilles. À quatre, on est ben assez pour s'occuper de lui.

— Inquiétez-vous pas, monsieur Morin, poursuivit son gendre. Tout va se faire dans le calme.

Ces paroles du colosse semblèrent rassurer le père de famille.

— On va tous embarquer dans mon char, annonça Richard.

Lorsque les quatre hommes se furent entassés dans la Pontiac blanche, le jeune homme expliqua aux autres le plan qu'il venait de mettre rapidement au point.

— Je propose que Gilles et moi, on aille sonner à la porte d'en avant pour le faire sortir. Ou il sort, ou il va chercher à se sauver par en arrière. C'est pour ça que j'ai pensé que Pierre, tu pourrais être là avec Jean-Louis. S'il cherche à se pousser par la ruelle, vous pourrez toujours lui mettre la main dessus.

— C'est correct. On fait comme ça, accepta Pierre.

La Pontiac tourna au coin de Fullum et Logan, et longea lentement la petite rue tranquille éclairée par de rares lampadaires. Comme il faisait encore passablement chaud, la plupart des balcons étaient toujours occupés par les résidants, même s'il était déjà un peu plus de dix heures.

— On est chanceux, dit Jean-Louis, en montrant l'Oldsmobile décapotable rutilant de propreté. Son char est là. Il doit être encore chez son frère.

— On crie pas et on s'énerve pas, prévint Pierre. C'est pas le temps que le monde appelle la police. Il manquerait plus qu'on se ramasse en dedans.

— On lui fera pas mal, dit Richard, sarcastique. On va être doux, doux, doux.

Pendant que Jean-Louis et Pierre se dirigeaient nonchalamment vers la ruelle voisine dans l'intention de couper le chemin au possible fuyard, Gilles et Richard allèrent sonner sans se presser. Au-dessus de leur tête, il y eut un bruit de chaises repoussées sur le balcon et une femme apparut sur le palier, en haut de l'escalier. Elle ne les invita pas à monter.

— Bonsoir, madame, dit poliment Gilles. Est-ce qu'on pourrait parler à André, s'il vous plaît ?

— Il est sorti, répondit une voix d'homme qui venait de prendre place auprès de la femme.

— Pourtant, son char est là, fit sèchement remarquer Richard.

— Je t'avais dit que ton maudit *bum* de frère nous causerait juste du trouble, dit-elle à son mari qui venait d'apparaître à ses côtés. Nous autres, on n'a rien à voir avec ce qu'il a pu faire, poursuivit-elle en se tournant vers les deux frères Morin. Il vient de sortir par en arrière. Si vous avez quelque chose à lui dire, arrangez-vous avec lui.

— Merci, madame, la remercia Gilles en faisant signe à son frère de descendre l'escalier.

Tous les deux se dirigèrent immédiatement vers la ruelle. À l'instant où ils arrivaient au coin, Pierre et Jean-Louis en sortaient en tenant solidement un André Cyr passablement secoué.

— Tiens ! Vous l'avez poigné à temps, l'enfant de chienne, dit Richard avec un contentement évident.

— Ben oui. On aurait dit qu'il cherchait à s'en aller sans nous dire bonsoir, répliqua Pierre en resserrant sa poigne sur le bras de l'ami de cœur de sa belle-sœur.

— Mais c'est pas beau, ça, partir sans avertir, se moqua Richard qui semblait avoir du mal à réprimer son envie de frapper André Cyr.

Ce dernier chercha à s'ébrouer pour tenter de se libérer quand il se vit entouré des quatre hommes.

— À ta place, je ferais pas ça, lui conseilla Gilles Morin sur un ton qui se voulait amical.

— Lâchez-moi ! cria-t-il d'une voix forte. J'ai rien fait.

— Tu baisses tout de suite le ton ou je te sacre la volée de ta vie tout de suite, le menaça Pierre d'une voix sourde. Je te conseille pas de me tenter…

Le ton utilisé par celui qui le tenait eut le don d'enlever passablement d'agressivité au figitif. On le poussa en avant, en direction de sa voiture.

— De toute façon, on veut juste te parler, déclara Jean-Louis.

— Donne-moi tes clés de char, lui ordonna Richard au moment où ils s'immobilisaient tous les cinq près d'une portière de l'Oldsmobile.

— Je les ai pas.

— Maudit menteur ! Je suppose que t'avais l'intention de te sauver à pied ! Envoye ! Tes clés ! Attends pas que je te fouille parce que tu vas le regretter.

André Cyr, dompté, extirpa un maigre trousseau de clés de l'une des poches de son pantalon et le tendit au plus jeune frère de Carole.

— OK, dit Richard en faisant basculer le dossier de la banquette du passager après avoir déverrouillé la portière du véhicule. Jean-Louis, tu ramènes mon char à la maison. Nous autres, on va te suivre avec le sien. Ce disant, Pierre poussa sans ménagement le tailleur sur la banquette arrière et prit place à ses côtés. Gilles s'assit près de son frère qui s'était installé derrière le volant de l'Oldsmobile.

— Où est-ce que vous m'amenez ? demanda André Cyr d'une voix subitement tremblante.

— Si c'était juste de moi, j'irais te noyer dans le fleuve, fit Richard en lui jetant un regard par le rétroviseur.

— Tu le verras ben, se contenta de répondre Pierre Crevier.

— Vous avez pas le droit de faire ça !

— Et toi, t'avais le droit de mettre ma sœur en famille ? demanda Richard d'une voix rageuse.

— C'est pas moi, mentit le lâche.

— Non. C'est le Saint-Esprit, je suppose? dit Gilles à son tour.

— C'est un autre gars, c'est sûr, reprit Cyr.

— Es-tu en train de dire que ma sœur est une putain? demanda Richard en arrêtant la voiture, coin Fullum et Sainte-Catherine. Là, je te conseille de fermer ta gueule parce que si tu l'ouvres encore, je t'en sacre une tout de suite!

Le silence revint dans l'Oldsmobile qui descendit Fullum et tourna dans la grande cour avant de venir s'immobiliser près de la clôture des Morin. Richard sortit du véhicule et Gilles abaissa le dossier de la banquette pour permettre aux deux occupants du siège arrière de sortir à leur tour. Déjà, Jean-Louis venait d'ouvrir la porte de la clôture et laissait passer son père et sa mère devant lui.

Dès qu'elle aperçut André Cyr, Laurette se précipita sur lui et l'empoigna par le devant de sa chemise.

— Toi, mon écœurant, tu vas m'expliquer ce que t'as fait à ma fille! lui ordonna-t-elle d'une voix sourde pour ne pas alerter les voisins.

Elle lui décocha une taloche qui l'envoya heurter sa voiture. Les genoux du jeune homme avaient légèrement plié sous le choc.

Carole s'était endormie malgré la chaleur pendant que son père était parti essayer de rencontrer son ex-petit ami. Son épuisement avait été tel qu'elle ne s'était même pas réveillée à l'arrivée de Richard, ni à celle de ses autres frères. Les claquements des portières de voiture près de la clôture l'avaient tirée de son sommeil. Elle s'était levée et avait légèrement écarté les persiennes pour tenter de voir ce qui se passait dans la grande cour, si près de la maison. Il lui fallut quelques instants pour réaliser que pratiquement tous les membres de sa famille étaient debout, près de ce qui semblait être l'automobile d'André Cyr.

— Mais qu'est-ce qui se passe là ? dit-elle, stupéfaite, à mi-voix, en reconnaissant subitement ce dernier.

Cependant, elle ne bougea pas. Elle se contenta d'écarter un peu plus les persiennes pour voir ce qui se passait.

— M'man ! Attendez ! s'interposa immédiatement Gilles quand il vit sa mère prête à revenir à la charge. Tuez-le pas tout de suite.

Les gens de la rue Notre-Dame encore assis sur leur balcon devinèrent qu'il se passait quelque chose d'anormal devant la cour des Morin. Certains se levèrent même, prêts à venir assister de plus près au spectacle.

— Calme-toi, Laurette, lui commanda Gérard en s'apercevant qu'ils attiraient l'attention.

Le père de famille s'approcha du coupable qui leva peureusement les mains à la hauteur de son visage dans l'intention évidente de se protéger de nouveaux coups.

— Pourquoi t'es pas sorti me parler tout à l'heure ?

— J'étais pas là, monsieur Morin, répondit l'autre d'une voix misérable.

— Maudit menteur, t'étais là. J'ai vu ton char sur le bord de la rue.

Soudain, devant la famille Morin, André Cyr se mit à pleurer comme un enfant, sans aucune fierté.

— Mais c'est quoi cette maudite tapette-là ? demanda Richard en lui adressant un regard de mépris.

— Ça a rien dans les veines, ce gars-là, monsieur Morin, reprit Pierre Crevier, non moins méprisant.

Gérard jeta un regard à sa femme dont les yeux flamboyaient de rage.

— On n'est pas pour faire marier ça à Carole, finit par dire Gérard. Je veux pas de cette maudite race-là dans ma famille. Qu'est-ce que t'en penses, Laurette ?

— Je trouve qu'il s'en tire trop ben, l'enfant de chienne ! dit-elle d'une voix sifflante.

— Et l'argent qu'il doit à Carole? intervint Jean-Louis qui n'avait encore rien dit.

— C'est vrai, ça, dit Richard. Il paraît que tu dois cent cinquante piastres à ma sœur.

— Je vais lui remettre. Là, j'ai pas une cenne, mais je jure que je vais lui remettre son argent.

— On a ben confiance en toi, persifla Gilles.

Personne ne parla durant un bref moment.

— Bon. Je pense qu'on a assez vu sa maudite face de rat, déclara Richard. Écoute-moi ben, mon beau André en or, ajouta-t-il d'une voix moqueuse. On est tellement sûrs que tu vas rembourser ma sœur qu'on va garder ton char tant que tu lui auras pas remis son argent.

— J'ai pas de *job* et...

— Est-ce qu'on peut te dire qu'on s'en sacre pas mal? reprit Richard. Mais à ta place, je me dépêcherais à la rembourser parce que vois-tu, ici, dans la grande cour, les enfants sont ben malfaisants... ben ben malfaisants.

Pierre et les Morin étaient comme hypnotisés par les paroles du cadet de la famille.

— Tu sais pourquoi je te dis ça? Il y en a qui, juste pour mal faire, sont capables de donner un bon coup de pied, comme ça, dans une des portes de ton char.

Ce disant, Richard s'élança et asséna un vigoureux coup de pied dans l'une des portières de l'Oldsmobile. Un mince sourire de satisfaction mauvaise apparut sur son visage quand André Cyr poussa un cri d'horreur en apercevant le creux important qui décorait maintenant la portière.

— Vous avez pas le droit! s'insurgea le propriétaire.

— Tu sais qu'il y a pire, à part ça, reprit Pierre Crevier à son tour. Moi, je les connais les morveux du coin. Il y en a des vicieux qui se promènent avec une roche dans les mains et qui s'amusent à grafigner les chars comme ça, juste pour mal faire.

L'homme à la stature imposante avait pris l'une de ses clés et fait une longue éraflure sur le capot de l'automobile. Les spectateurs grincèrent des dents en entendant le crissement.

— Faites pas ça, les supplia Cyr. Je vous jure que je vous paye en fin de semaine.

— Oui. Je pense que ce serait plus prudent, le prévint Gilles Morin en sortant un canif de l'une de ses poches et en l'ouvrant ostensiblement. Il y a du monde de la rue Notre-Dame qui ose même pas laisser leur char dans la grande cour parce qu'il arrive souvent que les *bums* du coin percent leurs pneus à coups de couteau.

— Tu peux toujours appeler la police et dire que ton char vient d'être volé, lui suggéra Pierre Crevier. Nous autres, on n'est au courant de rien. On sait même pas pourquoi il est dans la grande cour. Mais si tu fais ça, on va te retrouver un jour, et là, j'aimerais pas être dans ta peau. M'as-tu compris?

— Oui, oui, balbutia André Cyr.

— À cette heure, on t'a assez vu, débarrasse, lui ordonna Laurette dont la folle envie de lui sauter dessus était trop évidente.

L'ancien ami de cœur de Carole ne se fit pas répéter l'invitation. Il fit deux ou trois pas à reculons avant de s'enfuir à toutes jambes de la grande cour.

Cachée dans sa chambre, Carole avait assisté à toute la scène. Elle referma silencieusement les persiennes pour ne pas être surprise par les siens. Elle éprouvait maintenant un profond mépris pour le lâche qu'elle avait fréquenté.

— Sacrifice! Il aurait le diable à ses trousses qu'il courrait pas plus vite, conclut Richard en tendant les clés de l'Oldsmobile à son père. C'est drôle, p'pa, mais j'ai l'impression que ça lui prendra pas une éternité à rembourser Carole.

— Ouais, mais ça règle pas le plus gros problème, cette affaire-là, laissa tomber Gérard d'un air sombre en rentrant dans la cour des Morin.

Personne ne dit mot. On revint dans l'appartement. Quelques minutes plus tard, Richard, Gilles et Pierre prirent congé et rentrèrent chez eux.

Cette nuit-là, Laurette et son mari ne trouvèrent le sommeil qu'aux petites heures du matin, et la chaleur qui régnait dans leur chambre à coucher n'était pas l'unique responsable de leur insomnie.

— J'ai pensé que ça pressait pas comme un coup de couteau de la mettre dehors, dit Gérard à voix basse, après avoir bu sa première gorgée de café, le lendemain matin.

Il n'avait pas à préciser de qui il parlait.

— C'est sûr qu'on peut lui donner le temps de se virer de bord, reconnut Laurette en prenant place au bout de la table.

— D'après toi, quand est-ce que ça va commencer à se voir ?

— Je le sais pas. Peut-être pas avant la fin de septembre. Je sais même pas à combien de mois elle est rendue.

— Ouais. Bon. Ça va lui donner le temps de se trouver une autre *job* et une place où aller rester. À part ça, qu'elle me demande rien. Elle va se débrouiller toute seule. Là, je veux plus entendre un mot là-dessus. Je veux même plus lui parler.

— Voyons donc, Gérard, protesta sa femme. C'est ta fille.

— Non. C'est plus ma fille après nous avoir fait une affaire comme ça, affirma-t-il sur un ton sans réplique. Je lui pardonnerai jamais ça.

Laurette ne dit rien. Elle savait qu'il était inutile de chercher à discuter avec son mari quand il était dans cet état d'esprit. Elle le regarda manger ses rôties sans dire un mot. Perdue dans ses pensées, elle songeait à tout ce qui attendait sa fille. L'angoisse lui étreignait le cœur. Sa Carole allait être une fille-mère. Selon toute vraisemblance, elle allait accoucher d'un petit bâtard, à l'Hôpital de la Miséricorde. Ce qui était certain, c'était qu'elle pourrait pas garder le bébé. On allait sûrement le lui enlever pour l'envoyer dans une crèche en attendant une adoption éventuelle... Quel gâchis!

— Je souhaite juste une chose, reprit Gérard en finissant de boire sa tasse de café. J'espère que personne d'autre dans la famille va apprendre ce qui nous arrive, cybole! T'imagines-tu comment ma mère aurait pris ça si elle avait vécu?

— Elle est morte depuis des années, ta mère, lui fit sèchement remarquer sa femme.

— Et Colombe...

— Ah ben, ça, par exemple, je m'en sacre pas mal de ce que ta sœur pourrait penser! s'emporta Laurette. Qu'elle vienne surtout pas m'écœurer, la pincée! Si jamais elle l'apprend et vient me faire une remarque sur ça, tu vas voir comment je vais l'envoyer chez le diable. Ça m'achalerait ben plus que Bernard ou Armand l'apprenne.

— Armand et Pauline ont pas de leçon à venir nous donner après ce qui arrive à leur Louise qui vit avec le petit prêtre, lui fit remarquer avec justesse son mari.

— Je veux ben te croire, mais ils le savent pas.

— Pour ce qui est de Bernard et de Marie-Ange...

— Eux autres me fatiguent moins, l'interrompit Laurette. Ils sont pas du genre à faire toute une histoire avec ça. De toute façon, je vois pas pourquoi on parle de ça. Il y a personne d'assez bête chez les enfants pour aller raconter ce qui nous arrive à gauche et à droite.

Gérard se leva et se dirigea vers les toilettes pour aller se raser. Elle le vit ensuite entrer dans leur chambre à coucher pour finir de s'habiller. Moins de dix minutes plus tard, le père de famille quitta la maison pour aller travailler au garage de Rosaire Nadeau.

Quand Carole pénétra dans la cuisine un peu plus tard, sa mère n'eut qu'à lui jeter un coup d'œil pour comprendre qu'elle n'avait pas mieux dormi qu'elle.

— P'pa est déjà parti travailler ? demanda-t-elle.

— Oui.

— Bon. Je déjeune et après, je vais aller me chercher une chambre quelque part, dit-elle.

— Ton père m'a dit avant de partir qu'il y a rien qui presse. Commence par te trouver une *job* et, après ça, tu t'occuperas de te trouver une place où rester.

Carole ne protesta pas. Elle déjeuna du bout des lèvres sans rien dire pendant que sa mère commençait à laver la vaisselle. Elle s'était attendue à ce que sa mère lui raconte comment on était parvenu à traîner André Cyr jusqu'à la cour arrière, mais, contre toute attente, elle ne dit pas un mot sur ce qui s'était produit.

Après avoir mangé, la jeune fille sortit sur le balcon arrière et feignit de découvrir l'Oldsmobile stationné près de la clôture. Elle rentra pour dire à sa mère :

— C'est drôle, mais on dirait que c'est le char d'André qui est proche de notre clôture.

— C'est le sien, répondit Laurette avec brusquerie.

— Qu'est-ce qu'il fait là ?

— Il va être là aussi longtemps qu'il t'aura pas remboursé l'argent qu'il te doit, laissa sèchement tomber sa mère avant de lui tourner le dos pour poursuivre sa tâche.

Laurette se déplaçait dans la cuisine, le visage fermé et le geste impatient. Au moment où Jean-Louis apparut dans la pièce, la jeune fille choisit de retraiter dans sa chambre pour y faire son ménage hebdomadaire.

— Je resterai pas ici dedans une journée de plus qu'il faut, se dit-elle en rangeant les vêtements qu'elle n'avait pas pris le temps de remettre dans ses tiroirs la veille.

À la fin de l'avant-midi, la jeune fille crut entendre la voix d'André Cyr, de l'autre côté de la clôture qui ceinturait la petite cour des Morin.

— Sacrement ! l'entendit-elle jurer, as-tu vu ce que ces maudits sauvages-là ont fait à mon char ? Ils m'ont fait une grosse bosse dans la porte et regarde la grafignure sur le *hood* !

— Va leur donner l'argent que tu leur dois, demande tes clés et ferme ta gueule, dit une voix que la jeune fille crut identifier comme étant celle de son frère, Ronald.

Elle entrouvrit les rideaux juste à temps pour apercevoir André Cyr en train de pousser la porte de la clôture. Ronald Cyr s'était immobilisé et ne semblait pas décidé à franchir la clôture ceinturant la cour des Morin.

— Tu viens pas avec moi ? lui demanda son frère.

— Non. Je t'attends, répondit le frère aîné. Tes affaires me regardent pas. Dépêche-toi. J'ai pas juste ça à faire, moi.

André Cyr pénétra dans la cour et monta les trois marches de l'escalier qui conduisait au balcon. Après une brève hésitation, il frappa à la porte-moustiquaire. Laurette avait bien vu les deux jeunes hommes faire lentement le tour de l'Oldsmobile stationné dans la grande cour, près de la clôture. Elle cessa de touiller sa sauce à spaghetti sur la cuisinière électrique et vint à la porte.

— Oui ? demanda-t-elle sur un ton peu amène.

— J'apporte l'argent que je dois à votre fille, dit André. Je voudrais avoir mes clés.

Laurette poussa la porte-moustiquaire, l'obligeant à reculer brusquement et fit un pas sur le balcon en tendant la main. Cyr s'empressa de tirer un petit rouleau de dollars de l'une des poches de son pantalon. Il le lui tendit en gardant un espace prudent entre lui et la femme au visage sévère qui lui faisait face. Elle n'avait pas eu un seul regard pour le frère qui attendait près de la voiture.

Laurette compta la somme sans se presser avant d'extraire les clés de la poche de son tablier.

— Écoute-moi ben, toi, l'apostropha-t-elle d'une voix sourde pour ne pas alerter les voisins. Cet argent-là répare pas ce que t'as fait à ma fille. T'es un bel écœurant ! Arrange-toi pour que je revois plus jamais ta maudite face dans le coin, tu m'entends ?

Elle lui lança violemment les clés. Trop énervé, André Cyr les échappa et le trousseau tomba dans la cour, derrière lui. Laurette lui tourna le dos pour rentrer dans la maison pendant qu'il se précipitait dans l'escalier pour récupérer son trousseau.

Ce moins que rien ne méritait même pas qu'elle le regarde s'enfuir la queue entre les jambes et les cent cinquante dollars n'allaient pas réparer tout le mal qu'il avait fait à sa Carole.

Une fois les clés en main, André ne perdit pas un instant. Il sortit de la cour en faisant claquer la porte de la clôture, déverrouilla les portières de l'Oldsmobile et fit signe à son frère de monter à bord. Le véhicule démarra brutalement en soulevant un nuage de poussière.

Dans l'appartement, Laurette se contenta d'entrouvrir la porte de la chambre de sa fille et de déposer en silence sur le bureau l'argent qu'on venait de lui remettre.

Chapitre 16

Une solution

Les jours suivants, une masse d'air frais apporta un heureux répit aux Montréalais qui avaient passablement souffert de la chaleur exceptionnelle qui avait écrasé le sud du Québec depuis plusieurs semaines. La période des vacances scolaires tirait déjà à sa fin. À les entendre, beaucoup de mères de famille ne rêvaient plus qu'au jour où leurs enfants reprendraient le chemin de l'école.

Chez les Morin, l'atmosphère familiale s'était transformée depuis le soir où Carole avait avoué sa faute à ses parents. En règle générale, un lourd silence pesait sur l'appartement. Depuis les deux dernières semaines, le père de famille ne disait pas un mot quand il se retrouvait en présence de sa fille. Il ne la regardait même pas.

Par ailleurs, même s'il n'était pas dans la nature dc Laurette d'être rancunière, elle ne parvenait toujours pas à pardonner à sa cadette. Elle n'adressait la parole à la coupable que lorsqu'elle ne pouvait faire autrement. De plus, elle supportait de plus en plus difficilement d'être privée de ses dents.

Dans les circonstances, il fallait reconnaître que les épouses de Gilles et de Richard s'étaient montrées d'une discrétion rare en évitant d'aborder ce sujet scabreux en présence de leurs beaux-parents. Il n'y avait eu que Denise, l'aînée, qui avait cherché maladroitement à consoler sa mère le dimanche suivant, au retour de sa famille de Notre-Dame-de-la-Merci.

— C'est des choses qui arrivent, m'man, avait-elle murmuré à sa mère alors que Carole s'était cantonnée dans sa chambre.

— Arrête-moi ça, toi, avait répliqué sa mère avec humeur. Ça arrive pas chez les filles qui savent se tenir, bonyeu ! Veux-tu ben me dire ce qu'on a fait au bon Dieu pour mériter une épreuve comme ça ?

— Je le sais ben, m'man, avait repris l'aînée, mais le mal est fait et…

— Et rien nous oblige à accepter ça, tu m'entends ? Rien ! Ça fait que reviens pas là-dessus.

Denise se l'était tenu pour dit et n'avait plus osé aborder le sujet avec sa mère. Dans un sens, elle enviait l'aisance de son mari qui était allé rejoindre son beau-père sur le balcon ce soir-là et s'était entretenu avec lui du travail qui avait été effectué sur son lot durant la fin de semaine. À aucun moment, il n'avait mentionné sa participation à l'expédition du vendredi soir ni le fait que l'Oldsmobile d'André Cyr n'était plus dans la cour.

Il était tout de même à noter que la sœur aînée n'avait pas cherché à parler à sa cadette. Ce qui arrivait à cette dernière heurtait trop fortement ses valeurs pour qu'elle l'accepte. Elle craignait qu'une trop grande compréhension de sa part soit interprétée comme une approbation.

Bref, Carole était aussi isolée après son aveu qu'elle l'avait été avant. Pire, maintenant, les membres de sa famille l'évitaient comme une pestiférée. Depuis le fameux vendredi soir, aucun de ses frères n'avait proposé de lui venir en aide. Par exemple, Jean-Louis, toujours aussi près de ses sous, avait même pris la précaution de la prévenir qu'il n'avait pas les moyens financiers de lui prêter de l'argent pour qu'elle aille vivre ailleurs.

Dès le lundi matin suivant, la jeune fille s'était mise à la recherche d'un emploi. Pour elle, c'était devenu une question de survie. Dès qu'elle aurait trouvé quelque chose, elle pourrait plier bagage et fuir le climat empoisonné qui régnait à la maison.

La chance lui sourit enfin après une dizaine de jours de démarches stériles et épuisantes.

Au moment où elle désespérait de se trouver un emploi, elle avait décroché un poste de secrétaire à la Commission de transport de Montréal. Elle avait commencé à travailler au bureau de l'organisme de la rue Bleury le jour même. Ce retour de la chance avait été un véritable rayon de soleil pour la future mère.

Le soir, la jeune femme dressa des plans. Elle allait occuper la fin de sa première semaine de travail à se trouver une chambre à louer hors du quartier qui l'avait vue naître. Évidemment, elle aurait préféré un appartement, même minuscule, mais elle avait beau scruter les petites annonces de *La Presse*, elle ne dénichait rien que son maigre budget aurait pu lui permettre de louer.

Le premier jeudi de septembre, Carole rentra à la maison à l'heure du souper. Son père, sa mère et son frère Jean-Louis finissaient leur repas. Elle les salua. Seuls sa mère et son frère lui répondirent.

Chez les Morin, on soupait toujours un peu plus tôt les deux derniers jours de la semaine parce que le caissier devait retourner à la banque pour six heures trente ces soirs-là.

La jeune fille alla déposer son sac à main et enlever ses souliers à talons hauts dans sa chambre avant de revenir dans la pièce.

— Il y a du pâté chinois sur le poêle, lui dit sa mère déjà en train de déposer la vaisselle souillée sur le comptoir.

Son père avait aussi quitté la table et venait d'allumer le téléviseur pour écouter Gaétan Montreuil en train de lire les nouvelles de la journée à Radio-Canada.

Carole alla se servir et vint manger à sa place, à côté de Jean-Louis.

— Marthe Paradis aimerait ça que tu viennes la voir à soir, après l'ouvrage, lui dit son frère d'une voix neutre.

— Pourquoi ?

— Je le sais pas. Elle m'a rien dit.

— Ça me tente pas. Je suis fatiguée, dit-elle d'une voix lasse.

— Fais ce que tu veux, répliqua-t-il avec un certain agacement. Moi, je fais juste la commission.

Sur ce, le jeune homme se leva, endossa son veston suspendu au dossier de sa chaise et sortit. Après son repas, Carole lava sa vaisselle avant d'aller se réfugier dans la pièce voisine. Elle occupa l'heure suivante à examiner les pages des petites annonces tirées d'un journal abandonné au bureau. Elle avait pris soin de les plier et de les ranger dans son sac à main avant de quitter l'endroit.

Une seule annonce lui convint à peu près. Il s'agissait d'une chambre rue Beaudry, à la hauteur du boulevard Dorchester. Le propriétaire demandait un prix raisonnable, mais il fallait vraiment aller voir. À son avis, il devait s'agir d'une très vieille maison et la chambre pouvait fort bien être dans un état lamentable et infestée de vermine.

Vers sept heures trente, elle en eut brusquement assez d'être enfermée dans sa chambre alors qu'il faisait si beau à l'extérieur. Elle décida de sortir.

— Tu sors ? lui demanda sa mère, assise devant le téléviseur. Il commence déjà à faire noir.

— Oui. Je serai pas longtemps partie.

Elle quitta la maison et prit la direction de la rue Archambault. Dès ses premiers pas, elle avait décidé d'aller voir Marthe Paradis pour savoir ce qu'elle lui voulait. Après tout, la jeune femme lui avait manifesté beaucoup de sympathie lors de leur précédente rencontre. Elle avait même été la seule à ne pas chercher à la juger et à faire montre de compréhension.

Elle longea la rue Archambault et rejoignit la rue Dufresne en empruntant la rue Grant. Arrivée coin Sainte-Catherine, elle hésita un moment avant de tirer la porte de la succursale de la Banque d'Épargne où travaillait son frère. À son entrée dans les lieux, une quinzaine de clients formaient des queues devant les trois caisses. Elle aperçut Jean-Louis debout derrière la troisième en train de servir une petite dame. Elle chercha Marthe Paradis des yeux et la découvrit, retranchée derrière un long comptoir en noyer, en train d'expliquer quelque chose à un client apparemment mécontent et nerveux. Elle demeura en retrait jusqu'au départ de l'homme, ce qui sembla intriguer le vieux garde de sécurité posté près de la porte d'entrée.

Quand la monitrice parvint à se libérer du client, Carole s'avança vers elle en affichant un sourire incertain.

— Bonsoir, la salua Marthe en lui adressant un sourire chaleureux.

— Bonsoir. Jean-Louis m'a dit que t'aimerais me parler.

— Oui. On ferme dans cinq minutes. Peux-tu m'attendre ? On va aller boire un café.

— OK. Je t'attends à la porte, dit Carole, sans grand enthousiasme.

Elle sortit de la banque et fit les cent pas en attendant l'arrivée de l'amie de son frère. Elle se promit de mettre fin rapidement à l'entretien si Marthe voulait revenir sur leur dernière discussion et jouer à la moralisatrice. Elle avait bien assez de supporter la mauvaise humeur des siens sans, en plus, endurer les leçons d'une pure étrangère.

— Je t'ai pas trop fait attendre? lui demanda Marthe Paradis en apparaissant soudain à ses côtés en compagnie de Jean-Louis.

— Non.

— Si ça te tente, on va aller boire quelque chose au restaurant, reprit la monitrice.

— Bon. Moi, je vous laisse, intervint Jean-Louis, prêt à tourner les talons.

— Viens donc avec nous autres, l'invita Marthe. T'es le bienvenu. Aie pas peur, on t'ennuiera pas longtemps avec nos histoires de filles, ajouta-t-elle sur un ton plaisant. C'est moi qui paye. On va fêter quelque chose.

— C'est correct, accepta le frère de Carole, sans plus se faire prier.

— Qu'est-ce que vous fêtez? demanda Carole, surprise.

— Ton frère t'en a pas parlé? s'étonna Marthe Paradis en se mettant en marche entre le frère et la sœur. Au mois d'octobre, il va faire son *training* comme moniteur. Le directeur du personnel l'a appelé cet avant-midi pour lui apprendre la nouvelle. Ça me surprendrait pas qu'il devienne moniteur à notre succursale.

— Est-ce que ça veut dire que tu perdrais ta *job*? lui demanda Carole sans montrer grand intérêt.

— Non. De toute façon, je suis ici seulement en remplacement de Paul Labrie qui est toujours en congé de maladie. J'ai entendu dire qu'il pourrait être nommé comptable à une nouvelle succursale qui va ouvrir à Montréal-Nord à la fin de l'automne. Ça me surprendrait pas mal qu'on me garde ici parce que la banque se sert de moi pour remplacer à gauche et à droite. D'après moi, Jean-Louis a une bonne chance d'être nommé à la place de Labrie. Il a l'âge et l'expérience pour devenir moniteur. La banque s'est rendu compte que Neveu, qui était passé par-dessus Jean-Louis, était pas capable de faire le travail. J'ai une amie au siège social qui m'a dit qu'il vient d'être retourné comme caissier.

Carole s'aperçut alors que son frère débordait de fierté et qu'il lui avait sûrement fallu déployer beaucoup d'efforts pour ne pas aborder le sujet à la maison.

— Pourquoi t'en as pas parlé ? lui demanda-t-elle en se tournant vers lui.

— Parce que je suis pas encore moniteur. Quand j'aurai la *job*, je le ferai. J'aimerais mieux que tu dises pas un mot là-dessus à la maison.

— Inquiète-toi pas, le rassura la jeune fille, amère. J'ai assez de mes troubles sans m'occuper des affaires des autres.

Tous les trois pénétrèrent dans le restaurant *Rialto* et allèrent s'installer à une table libre, près de l'une des vitrines.

— Qu'est-ce que vous prenez ? demanda Marthe avec entrain.

Ils optèrent tous pour un morceau de tarte aux pommes et un café. Ils mangèrent en discutant à bâtons rompus des nouvelles émissions télévisées que Radio-Canada annonçait à grand renfort de publicité depuis quelques jours.

— J'ai vu la nouvelle bâtisse sur Dorchester où Radio-Canada vient d'entrer, se vanta Jean-Louis. Ça a l'air pas mal beau.

— Moi, ce qui m'intéresse, c'est de savoir si leur programme *Moi et l'autre* avec Dominique Michel et Denise Filiatrault va être aussi bon qu'ils le disent, reprit Marthe.

Carole ne fit aucun commentaire, insensible aux nouveautés automnales promises autant par Radio-Canada que par Télé-Métropole. Le drame qu'elle vivait lui faisait apparaître ces préoccupations comme bien légères.

— Je voudrais ben trouver une nouvelle télévision pour voir le premier programme en couleurs que le Canal 10 promet pour cet automne, reprit Jean-Louis en buvant une gorgée de café. Ça, ça va être ben plus intéressant que n'importe quoi.

La conversation finit par tomber à plat parce que Carole ne semblait guère intéressée à y participer. Elle en était encore à se demander pourquoi Marthe Paradis tenait tant à lui parler quand cette dernière finit par aborder la raison de son invitation à la rencontrer.

— Je voudrais pas me mêler de ce qui me regarde pas, finit par dire cette dernière d'une voix hésitante, mais Jean-Louis m'a laissé entendre que t'étais à la veille d'être obligée de partir de chez vous.

Carole jeta un regard de reproche à son frère.

— Ben oui, dit-il. C'est pas un secret pour Marthe. C'est toi-même qui lui as dit que t'étais en famille et…

— C'est correct, le coupa-t-elle, avec une trace de mauvaise humeur dans la voix. C'est vrai, ajouta-t-elle sèchement à l'intention de Marthe.

Elle n'avait absolument pas le goût de discuter de ses affaires ce soir-là. Ça ne regardait personne.

— As-tu une idée où tu vas aller rester ? lui demanda Marthe après avoir adressé un signe discret à Jean-Louis lui signifiant de ne pas intervenir.

— Oui.

— Est-ce que t'as trouvé un appartement ?

— Non. Ils sont trop chers, admit Carole à contrecœur. J'ai trouvé une chambre à louer que je veux aller voir demain soir.

— Je voulais te parler pour te proposer quelque chose, avança Marthe.

— Quoi ?

— Je reste toute seule dans un grand quatre et demi au deuxième étage, sur Saint-Denis, près de Rachel. J'ai une cuisine, un salon et deux belles grandes chambres.

— T'es ben chanceuse, dit Carole d'une voix neutre.

— Même si le loyer est raisonnable, c'est pas mal trop grand pour moi. Ton frère m'a dit que tu venais de te trouver de l'ouvrage sur la rue Bleury. C'est pas loin d'où je demeure.

Carole crut avoir mal entendu et devint subitement plus attentive aux paroles de la monitrice. Elle n'osait pas encore croire à ce qu'elle devinait.

— Qu'est-ce que tu dirais de venir rester avec moi ? poursuivit Marthe Paradis. L'autobus passe à la porte et tu serais pas trop loin de ta nouvelle *job*.

Le cœur de la jeune fille eut un raté. Elle ne s'était pas trompée. Elle lui proposait d'aller demeurer chez elle…

— Je le sais pas trop, répondit-elle en réalisant subitement que le prix à payer pour aller vivre dans ce havre de paix dépasserait sûrement ses capacités financières. Je gagne pas un gros salaire…

— T'as pas à t'inquiéter pour ça, reprit Marthe, chaleureuse. Je suis sûre que ça te coûterait pas plus cher que de louer une chambre et tu serais chez toi. Je suis certaine qu'on s'entendrait bien.

— Tu me tentes ben gros, admit Carole, saisie tout à coup par un fol espoir.

— Écoute, reprit Marthe. Samedi avant-midi, tu pourrais venir voir l'appartement et s'il fait ton affaire, tu emménages quand ça te tente.

Le surlendemain, Carole quitta l'appartement un peu après neuf heures sans dire à sa mère où elle se rendait.

Son père était parti une heure plus tôt pour aller travailler au garage de Rosaire Nadeau. De toute évidence, l'homme de cinquante-six ans commençait à trouver passablement pénible d'aller laver des voitures tous les samedis, même pour payer sa vieille Chevrolet à laquelle il tenait tant.

Quelques minutes plus tard, la jeune femme se retrouva devant un immeuble de deux étages, bien tenu, de la rue Saint-Denis. Après avoir hésité un moment, elle se décida à gravir l'escalier extérieur et à sonner à la porte. Marthe Paradis vint lui ouvrir, tout sourire.

— J'espère que je te réveille pas ? lui demanda Carole, un peu intimidée d'entrer chez l'amie de son frère.

— Absolument pas. Je viens même de finir mon ménage de la semaine. Entre et viens voir.

L'hôtesse lui fit visiter chacune des quatre pièces largement éclairées de l'appartement. Tout était d'une propreté méticuleuse.

— J'ai tout peinturé ce printemps, expliqua Marthe et j'ai changé les rideaux. J'ai un balcon en avant et un autre en arrière. La rue est passante, mais la maison est pas mal tranquille. Les locataires du troisième et du premier sont deux vieux couples qui font jamais de bruit.

— Mais t'as même l'eau chaude ! s'exclama Carole qui venait d'ouvrir le robinet de la salle de bain.

— Oui.

— Chez nous, on l'a jamais eue, se sentit-elle le besoin d'expliquer.

— Ici, je manque jamais d'eau chaude et je peux te dire que le propriétaire nous fait pas geler durant l'hiver. C'est bien chauffé. Bon, viens t'asseoir dans la cuisine. J'ai du café qui est prêt.

Les deux jeunes femmes revinrent dans la pièce voisine. Carole s'assit à une extrémité de la table, devant l'un des deux napperons bleus sur lequel étaient posées une tasse et une soucoupe. De toute évidence, Marthe avait étalé ces napperons sur le meuble pour en protéger le bois verni. Elle déposa une cafetière, du lait et du sucre au centre de la table avant de s'asseoir à son tour.

Après avoir servi le café, la locataire des lieux offrit à son invitée impatiente les explications qu'elle attendait.

— La chambre libre est celle qui donne sur la façade. Elle est aussi grande que celle d'en arrière et elle est aussi bien éclairée.

— C'est une belle grande chambre, reconnut Carole.

— Bon. Parlons maintenant d'argent. J'ai signé un bail de deux ans. Je t'ai dit que je payais pas cher. Le propriétaire reste en bas. Il me demande cinquante dollars par mois. Comme tu vois, c'est pas un prix exagéré.

Carole songea subitement que c'était tout de même dix dollars de plus que ce que payaient les Morin pour une pièce de plus… Mais il fallait reconnaître que la maison était beaucoup plus récente et bien mieux entretenue.

— Penses-tu que t'es capable de payer vingt-cinq dollars par mois ? lui demanda Marthe.

— C'est sûr, répondit Carole sans un instant d'hésitation.

— Est-ce que ça te plairait de vivre ici, avec moi ?

— Certain, répondit Carole avec un enthousiasme qui n'était pas feint.

— Si c'est comme ça, tu peux venir t'installer quand tu veux. Aujourd'hui, si ça te tente. En passant, tu peux oublier le loyer du mois de septembre. Je l'ai déjà payé.

— Je voudrais tout de même pas exagérer, dit Carole, gênée par tant de générosité.

— T'exagères pas. Quand est-ce que tu veux venir rester ici ?

— Si je m'écoutais, ce serait aujourd'hui.

— Rien t'en empêche.

— En tout cas, tu peux être certaine que je perdrai pas de temps. Je vais me trouver un *set* de chambre et mettre mes affaires dans des boîtes. J'ai pas grand-chose, mais je peux pas les transporter en autobus.

— Jean-Louis m'a dit qu'un de tes frères avait des camions. Tu pourrais peut-être t'arranger avec lui pour qu'il te déménage, suggéra Marthe.

— Je vais lui en parler.

— En passant, il y a quatre tablettes dans le frigidaire. Je vais prendre les deux premières pour mes affaires et te laisser les deux dernières.

— Ça va être parfait. J'ai hâte de venir… Est-ce que je peux te poser une question ? demanda soudain Carole.

— Bien sûr.

— Pourquoi tu m'invites à venir rester chez vous quand tu dis que ça fait cinq ans que tu restes toute seule ?

— Parce que ça fait mon affaire, répondit évasivement Marthe Paradis.

— Est-ce que c'est parce que t'as pitié de moi ?

— Pas du tout.

Devant l'air sceptique de la jeune fille, la monitrice finit par avouer ses motivations.

— Écoute. On est entre femmes. On peut se dire des affaires, pas vrai ?

— Certain.

— Bon. C'est sûr que j'ai pensé à t'offrir de venir rester avec moi parce que je savais que t'étais mal prise. C'est correct. Mais j'ai une raison plus importante que ça : Jean-Louis.

— Mon frère Jean-Louis ?

— Oui, ton frère. Il m'intéresse. Je pense même que je l'aime.

Carole prit alors un air malheureux.

— Ton frère, c'est le genre d'homme que je veux, avoua Marthe à voix basse.

— Je sais pas si tu le sais, Marthe, mais mon frère est jamais sorti avec une fille, même s'il a déjà trente-deux ans.

— Je le sais. Il me l'a dit.

— Ça t'inquiète pas.

— Non. Je suis certaine que c'est parce qu'il est trop gêné avec les filles, dit Marthe Paradis sur un ton assuré. C'est un bon gars qui a pas de défaut. Il boit pas, il fume pas et il court pas les filles. Qu'est-ce qu'une femme peut demander de plus ? Il va finir par se dégeler et j'ai décidé que c'était avec moi qu'il était pour sortir. On est déjà sortis trois fois en amis depuis les noces de ton frère Gilles. Je sens que ça s'en vient. Il est à la veille de me demander de sortir régulièrement avec lui.

— Moi, je pense que tu vas avoir ben de la misère à lui faire sortir une cenne de ses poches.

— Inquiète-toi pas. Quand il restera juste ça à régler, je vais y voir.

— En tout cas, j'espère pour toi que ça va marcher, dit Carole au moment de prendre congé.

— T'as encore mon numéro de téléphone ? lui demanda Marthe.

— Oui.

— Quand tu seras prête à t'en venir, donne-moi juste un coup de téléphone.

— Je sens que je vais être ben ici dedans, déclara une Carole rayonnante avant de partir.

En rentrant à la maison, à l'heure du dîner, Carole ne put éviter d'annoncer son prochain départ à sa mère, occupée à réchauffer un reste de bouilli de légumes sur la cuisinière électrique.

— M'man, je vais déménager la semaine prochaine, lui dit-elle de but en blanc.

— Quoi ?

— Je vais partir la semaine prochaine.

— Ça paraît pas encore, laissa tomber Laurette. Tu peux rester un petit bout de temps, si tu veux. Ton père dira rien.

— J'ai trouvé une place où rester. J'ai juste à aller m'acheter un *set* de chambre et je vais demander à Richard s'il peut déménager mes affaires.

— Commence par t'asseoir et manger quelque chose, lui ordonna sa mère avec une certaine brusquerie.

Devant l'imminence du départ de sa fille, la mère de famille avait soudain le cœur gros et beaucoup de mal à cacher son émotion. Carole, un peu excitée par la nouvelle vie qui s'ouvrait devant elle, obéit tout de même à sa mère et mangea avec appétit.

— Où est-ce que Jean-Louis est passé ? demanda-t-elle à sa mère après avoir vidé son assiette.

— Il est parti s'acheter une chemise.

— Vous mangez pas, m'man ?

— Bonyeu ! Comment tu veux que je mange pas de dents ? explosa Laurette, qui n'aurait jamais avoué que c'était l'émotion qui l'empêchait d'avaler quoi que ce soit.

— Vous pouvez écraser les légumes dans le jus, m'man.

— Laisse faire. La semaine prochaine, je vais avoir enfin mes dentiers. Tu m'as pas dit où t'allais rester, reprit-elle en se servant une tasse de thé.

— Sur Saint-Denis, proche de Rachel.

— Ça va te coûter un bras dans ce coin-là, lui fit remarquer sa mère. Penses-tu être capable de payer autant ?

— Je serai pas toute seule, avoua Carole.

— Hein ! Comment ça ? Avec qui tu t'en vas rester ? lui demanda Laurette, soudain inquiète.

— Vous la connaissez, m'man. Je m'en vais avec Marthe Paradis, la fille qui a accompagné Jean-Louis aux noces de Gilles.

— Qu'est-ce qu'elle vient faire dans le portrait, cette fille-là ?

— Elle vit toute seule dans un grand quatre et demi et elle m'a offert d'aller demeurer avec elle.

— Est-ce qu'elle est au courant pour le petit ?

— Oui.

— Maudit verrat, toute la ville va ben finir par le savoir si ça continue !

— Ben non, m'man. Marthe est ben fine. Je suis sûre qu'on va ben s'entendre.

— En tout cas, pour ton *set* de chambre, va pas en acheter un. Tu vas partir avec celui que t'as dans ta chambre.

— P'pa va vouloir ?

— Ton père a beau être en maudit contre toi, il est pas dur pantoute. Il dira pas un mot. De toute façon, ce *set* de chambre là vient de ma mère. Je te le donne.

— Vous êtes ben fine, m'man, dit Carole en allant embrasser sa mère sur une joue. Il me reste juste à demander à Richard de me déménager quand il va en avoir le temps.

— Ce que je comprends pas, reprit Laurette, c'est pourquoi cette fille-là t'offre de venir rester chez elle quand elle te connaît même pas.

— Mais on se connaît, m'man, protesta la jeune fille. En plus, elle connaît ben Jean-Louis. Elle travaille avec lui depuis longtemps.

— Ça fait rien, conclut sa mère, songeuse.

Le lundi suivant, un peu après sept heures, Richard vint immobiliser son camion près de la porte de la cour arrière. Après avoir salué sa mère, il s'étonna de ne pas voir son père.

— Où est passé p'pa? demanda-t-il. Moi, j'ai besoin d'aide pour charger le *set* de chambre de Carole. Je peux pas faire ça tout seul.

— Ton père est parti faire une commission. Je pense que tu ferais mieux de demander à Jean-Louis de te donner un coup de main.

En fait, Gérard Morin s'était esquivé de la maison dès qu'il avait eu fini de souper en prétextant une course. Laurette n'avait pas été dupe de son manège. Elle lui avait jeté un regard de reproche sans toutefois dire un mot pour l'empêcher de partir. Elle avait déjà eu bien assez de mal à lui faire accepter que leur fille quitte la maison avec son mobilier de chambre à coucher. Elle ne chercha donc pas à le forcer à apporter son aide au déménagement.

Tiré de sa chambre, Jean-Louis accepta d'aider son frère sans manifester un grand enthousiasme. En quelques minutes, le mobilier se retrouva dans la benne du camion en compagnie d'une demi-douzaine de boîtes.

Quand vint le moment du départ, Carole, les yeux pleins de larmes, s'approcha de sa mère pour l'embrasser.

— Whow! dit sa mère en la repoussant légèrement. Tu te débarrasseras pas aussi facilement de ta mère, ma fille. Je monte dans le *truck* avec toi. Je veux voir où tu vas te retrouver.

— Vous pouvez embarquer, m'man, dit Richard avec bonne humeur, ce sera pas plus cher.

Jean-Louis se dirigeait déjà vers sa chambre d'où l'avait tiré son frère quelques minutes plus tôt quand ce dernier l'arrêta.

— Où tu t'en vas, toi?

— Ben, tout a été chargé, non ?

— Je le sais, mais comment tu penses que je vais monter ça dans un deuxième étage ? lui demanda son frère, sarcastique. Je suis tout de même pas pour demander à des femmes de forcer pour monter des gros meubles dans les escaliers.

— Bâtard ! jura le caissier. Viens pas me dire que je vais perdre toute ma soirée à jouer au déménageur ?

— C'est pas pire que moi, rétorqua son jeune frère. Arrive qu'on en finisse. En plus, tu vas avoir la chance de voyager dans la boîte parce que m'man vient avec Carole.

— Il manquait plus que ça ! dit Jean-Louis, fataliste, en montant difficilement dans la benne.

— Viens pas te lamenter, répondit son jeune frère avec bonne humeur. C'est pas tous les jours que tu vas avoir la chance de faire un beau tour de *truck* gratis.

Richard aida sa mère et sa sœur à se hisser dans la cabine de son gros camion avant de se glisser derrière le volant. Par la lunette arrière, il constata que Jean-Louis s'était assis au fond de la benne pour ne pas être vu. Le camion emprunta la rue Fullum jusqu'à Rachel et tourna vers l'ouest pour aller rejoindre la rue Saint-Denis. Le conducteur eut la chance de découvrir un espace libre juste devant l'immeuble dans lequel Carole allait demeurer.

— Vous pouvez monter, dit Richard à sa mère et à sa sœur en les aidant à descendre du mastodonte. Jean-Louis va m'aider à transporter toutes les affaires.

— On peut toujours s'occuper des boîtes, proposa sa sœur.

— Laisse faire. On est capables de le faire, Jean-Louis et moi.

Les deux jeunes hommes transportèrent dans la chambre en avant de l'appartement les meubles de Carole ainsi que la demi-douzaine de boîtes contenant tous ses effets personnels. Ils poussèrent même la gentillesse jusqu'à installer le lit de leur sœur.

Le soleil était couché depuis quelques minutes quand ils quittèrent la pièce.

— Venez boire une tasse de café avec nous autres, les invita Marthe Paradis qui venait de déposer une cafetière sur la table autour de laquelle avaient déjà pris place Carole et sa mère.

— Vous l'avez ben gagné, insista Carole. À cette heure que vous avez monté mon lit, il me reste juste à vider mes boîtes.

Quelques instants plus tôt, pendant que Carole était aux toilettes, Marthe Paradis s'était retrouvée seule avec la mère de sa colocataire. Elle en avait profité pour rassurer celle qu'elle avait cherché à conquérir depuis qu'elle avait passé le pas de sa porte.

— Vous en faites pas, madame Morin, lui avait dit la jeune femme. Je vais bien prendre soin de votre fille.

— Tu sais qu'on l'oblige pas à partir parce qu'on l'aime plus, voulut se défendre la mère de famille.

— Je suis certaine de ça.

— Son père, comme moi, on aurait ben voulu la garder, mais pour les voisins et le reste de la famille, on aurait eu l'air de l'encourager.

— Je comprends.

— Je vais être ben inquiète pareil, poursuivit nerveusement Laurette.

— Écoutez, madame Morin. Je vous donne mon numéro de téléphone. Si vous voulez avoir des nouvelles, appelez n'importe quand. Si Carole est pas là pour vous répondre, je le ferai à sa place. En plus, vous savez où on reste. Il y a rien qui vous empêche de venir nous voir aussi souvent que vous voudrez.

— T'es ben fine, conclut Laurette au moment où Jean-Louis apparaissait dans le couloir, tenant une extrémité du bureau triple en érable.

Marthe et Laurette n'eurent plus ensuite un seul moment en tête-à-tête. Les deux hommes s'étaient chargés de monter à l'étage la table de toilette, la commode, le sommier, les composantes du lit ainsi que le matelas.

Après une courte pause, les apprentis déménageurs et leur mère saluèrent Marthe et Carole avant de prendre congé.

— Prends ben soin de toi, ma fille, lui recommanda Laurette quand celle-ci l'embrassa sur le pas de la porte. Téléphone-moi si t'as besoin de quelque chose.

— Merci pour tout, murmura Carole, aussi émue que sa mère. Et toi, Richard, tu me diras combien je te dois, ajouta-t-elle à l'endroit de son frère.

— Tu me dois rien pantoute, dit Richard sur un ton enjoué. Je suis juste content d'avoir fait plaisir à Jean-Louis qui voulait absolument voir l'appartement où restait son amie.

Jean-Louis rougit un peu, mais ne trouva rien à répliquer. Il salua Marthe et sa sœur, et descendit avec sa mère et Richard prendre place dans la cabine du camion. Au moment où ce dernier démarrait, une petite pluie fine se mit à tomber. Le conducteur laissa sa mère et Jean-Louis à la maison avant de rentrer chez lui.

À son arrivée, Laurette découvrit Gérard tranquillement installé devant le téléviseur, en train de regarder un vieux film de Bourvil.

— T'aurais pu au moins lui dire bonjour, lui dit-elle sèchement, la voix pleine de ressentiment. C'est ta fille après tout.

— Je t'ai dit que je voulais plus lui parler. Pas après ce

qu'elle nous a fait. C'est déjà ben beau que je l'aie gardée ici dedans pendant presque trois semaines de plus pour lui donner le temps de se trouver une *job* et une place où rester. Demande-moi rien de plus.

— T'es un maudit sans-cœur, Gérard Morin, l'accusa-t-elle en se dirigeant vers le comptoir pour se préparer une tasse de café.

Le silence retomba dans la pièce. Laurette but son café en fumant une cigarette. La maison lui semblait tout à coup étrangement vide. Bien sûr, Jean-Louis était toujours là, mais il passait le plus clair de son temps enfermé dans sa chambre. Elle se leva lourdement et poussa la porte de la chambre de sa fille. Elle alluma le plafonnier et regarda longuement la pièce vide.

— Qu'est-ce qu'il y a ? lui demanda son mari, intrigué par son comportement.

— As-tu pensé que c'est la première fois depuis presque trente-cinq ans qu'il y a rien dans cette pièce-là, lui répondit-elle, la gorge serrée.

Son mari ne dit rien. Il se borna à tourner de nouveau la tête vers le petit écran. Elle s'avança dans la chambre dont le plancher résonna étrangement sous ses pas. Elle alla fermer la fenêtre demeurée ouverte et sortit de la pièce.

— À partir de demain, on va mettre la télévision dans l'ancienne chambre des filles, annonça-t-elle d'une voix décidée. On mettra là aussi les deux chaises berçantes pliantes. Ce sera notre salle de télévision. Comme ça, on aura un peu plus de place pour se grouiller dans la cuisine.

— Comme tu voudras, concéda son mari.

— J'aurais jamais cru qu'un jour, je trouverais notre appartement presque trop grand. C'est rendu qu'on a presque deux chambres de trop, bonyeu ! Jean-Louis prend deux chambres en avant et il y a celle-là qu'il va falloir meubler.

Chapitre 17

Un anniversaire

Deux jours plus tard, Laurette quitta son appartement quelques minutes après le départ de son mari pour le port. Elle n'avait pas fait de grands frais de toilette pour se rendre chez sa fille Denise, rue Frontenac. Il avait été entendu la veille que la grand-mère viendrait chercher le petit Denis pour le conduire à l'école Champlain. Le bambin faisait son entrée officielle à l'institution qu'avaient fréquentée ses trois oncles plusieurs années auparavant.

— Je trouve ça ben de valeur de vous déranger comme ça, s'excusa Denise après lui avoir ouvert la porte.

— C'est rien, la rassura sa mère. C'est pas de ta faute si Sophie a attrapé la varicelle et tu peux tout de même pas la traîner avec toi pour l'entrée de Denis à l'école.

— J'aurais pu l'envoyer avec Alain. Il a presque neuf ans. Il aurait ben été capable d'emmener son petit frère.

— Ben non, s'opposa la grand-mère. Ça aurait été trop de valeur d'envoyer le petit comme ça pour sa première journée d'école. Est-ce qu'il est prêt?

— Oui. Ça fait longtemps, à part ça. Il s'est levé en même temps que son père, répondit Denise en entraînant sa mère vers la cuisine.

Le garçon de six ans, proprement vêtu et soigneusement coiffé, était assis dans une chaise berçante, au fond de la pièce. Le visage fermé, il regardait dans le vide.

— Tu te lèves pas pour venir embrasser grand-mère? lui demanda Laurette en s'approchant de son petit-fils.

— Non.

— Bon. Qu'est-ce qui se passe encore? lui demanda-t-elle, surprise.

— Il veut pas aller à l'école, répondit sa mère pour lui. Il dit que c'est plate.

— Comment tu peux le savoir? demanda la grand-mère. Tu y es jamais allé.

— Alain me l'a dit, se contenta de répondre le bambin.

— Toi, mon énergumène, attends que je dise ça à ton père quand il va revenir de son ouvrage, menaça Denise en se tournant vers son fils de huit ans qui venait de sortir des toilettes.

— C'est vrai que c'est plate, dit son aîné, frondeur.

— De toute façon, que vous aimiez ça ou pas, il va falloir que vous y alliez un bon bout de temps, trancha Laurette. Envoyez, tous les deux, on s'en va.

— Moi, j'ai pas besoin de personne pour aller à l'école. Je connais le chemin, reprit l'aîné avec impudence.

— Aïe! mon comique, t'es mieux de te calmer à matin, le prévint sa grand-mère à qui la moutarde commençait à monter au nez. Si tu continues, tu vas t'apercevoir que j'ai pas la patience de ta mère, et tu vas finir par avoir une claque sur les oreilles. Tu t'en viens avec moi et avec ton frère. Grouille-toi. J'ai pas juste ça à faire, moi, vous attendre.

Momentanément domptés, les deux enfants empoignèrent leurs sacs d'école et se dirigèrent vers la porte d'entrée.

— Embrassez votre mère avant de partir.

Tous les deux s'exécutèrent de mauvaise grâce, comme s'ils tenaient leur mère responsable de l'existence de l'école.

— Bon, arrivez à cette heure, leur ordonna leur grand-mère en ouvrant la porte.

En ce lendemain de la fête du Travail, le temps était particulièrement doux, comme si le ciel désirait faire regretter aux enfants les vacances estivales disparues. Le soleil brillait de tous ses feux et une légère brise charriait des odeurs indéfinissables. Des groupes d'écoliers et d'écolières surexcités avaient envahi les trottoirs et chahutaient sur le chemin de l'école. Des mères de famille accompagnaient celui ou celle qui commençait sa première année.

«Je me demande si je verrai pas Marie-Ange en train de tenir par la main son Germain, songea Laurette en esquissant un sourire moqueur. Le pauvre petit gars, il a juste dix ans après tout...»

Puis elle s'en voulut un peu de cette méchanceté gratuite. Sa belle-sœur avait bien le droit de couver un peu son fils. C'était son unique enfant.

Lorsqu'elle parvint à la cour de l'école Champlain, Alain voulut immédiatement lui fausser compagnie pour courir vers des camarades qu'il venait de reconnaître. Elle le retint un petit moment.

— Oublie pas ce que t'a dit ta mère, l'avertit-elle. Tu dois attendre ton petit frère après l'école et vous devez revenir ensemble à la maison pour dîner.

— Oui, grand-mère.

— Bon. Tu peux aller rejoindre tes *chums*.

Sans plus se préoccuper de son frère, le garçon partit comme une flèche en hélant certains de ses amis.

Pour sa part, Denis demeura près de sa grand-mère. Cette dernière le sentait malheureux, rempli de craintes devant ce monde inconnu qu'il allait aborder dans quelques minutes. Elle se souvint alors avec nostalgie de la première journée d'école de ses propres enfants. Il lui semblait qu'il y avait des siècles de cela. Elle se rappelait avoir accompagné

Jean-Louis, puis Gilles… Pas Richard. Pourquoi ? Elle ne le savait plus. Par contre, elle avait encore frais à la mémoire le retour précipité de ce dernier à peine une heure après le début des classes et la colère de Jean-Louis qui avait dû venir le chercher à la maison, sur l'ordre du directeur de l'école.

— Mon Dieu, que le temps passe vite ! Que c'est loin tout ça ! murmura-t-elle.

Des mères qui attendaient à ses côtés tournèrent la tête dans sa direction, croyant, durant un bref instant, qu'elle s'était adressée à elles.

Une sonnerie se fit entendre et les enfants furent rassemblés à l'autre extrémité de la cour et répartis par groupes. Une jeune institutrice souriante vint vers les petits, demeurés aux côtés de leur mère. Elle les rassembla rapidement autour d'elle et les entraîna vers l'école.

Laurette demeura debout près du treillis jusqu'à ce que Denis ait passé la porte de l'établissement. Avant de disparaître, le petit garçon fit un timide « Au revoir » à sa grand-mère.

Cette dernière retourna chez elle et s'empressa de téléphoner à sa fille pour lui apprendre que ses deux fils étaient à l'école et que l'aîné lui avait promis d'attendre son petit frère pour revenir à la maison à la fin de l'avant-midi.

Après avoir raccroché, elle se rendit compte que sa fille aînée s'était bien gardée de demander des nouvelles de sa sœur, aussi bien la veille que le matin.

— Je vais lui donner le numéro de téléphone de Carole, se promit-elle en se dirigeant vers sa chambre à coucher pour y mettre de l'ordre. Elle est tout de même pas pour faire comme son père et bouder sa sœur.

Trois semaines plus tard, l'été n'était plus qu'un vague souvenir. Les journées pluvieuses avaient commencé à se faire plus nombreuses et les soirées étaient devenues si fraîches qu'il n'était plus question d'aller s'asseoir à l'extérieur. Depuis quelques jours, un temps gris persistant annonçait que l'automne s'était déjà bien installé.

Cet avant-midi-là, la radio jouait dans la cuisine des Morin. Frenchie Jarraud venait de promettre à une auditrice de lui faire jouer *Paris en colère*, le nouveau succès de Mireille Mathieu, au moment où Laurette finissait de laver le linoléum de sa cuisine. Le téléphone sonna.

— Maudit verrat! jura-t-elle, me v'là poignée pour marcher sur mon plancher même pas sec.

Pendant un court instant, elle eut la tentation de ne pas aller répondre. Puis devant la sonnerie insistante, elle finit par se rendre à l'appareil.

— Bonjour, madame, je suis la secrétaire du dentiste Duval, se présenta une voix féminine.

— Oui.

— Je vous appelle pour vous dire que vos prothèses sont déjà prêtes. Si vous voulez venir les chercher, elles sont arrivées.

— Quand est-ce que je peux passer? demanda Laurette.

— Aujourd'hui, si vous le voulez, madame. Justement, un client du dentiste vient d'annuler son rendez-vous à une heure et demie cet après-midi. Il peut vous prendre à cette heure-là, si ça vous convient.

Laurette accepta avec empressement. Trois mois sans dents, c'était plus que suffisant. Dommage qu'elle n'ait pas su la veille qu'elle aurait ses prothèses pour la fin de semaine, elle aurait accepté l'invitation à souper le samedi soir suivant chez Gilles et Florence. Y être allée édentée l'aurait obligée à rappeler à sa bru qu'elle ne pouvait manger « que du mou », comme elle le répétait souvent.

Le jeune couple avait passé pratiquement tout l'été sur son lot de Notre-Dame-de-la-Merci. Elle ne l'avait vu qu'en de rares occasions durant les vacances. Selon Pierre et Denise, leurs voisins dans le Nord, Gilles et sa femme étaient non seulement parvenus à déboiser la plus grande partie de leur lot, mais ils avaient construit un petit chalet rudimentaire en contreplaqué.

— En tout cas, se dit-elle après avoir raccroché, c'est peut-être plate de pas avoir de dents, mais ça fait maigrir. T'as pas le choix, ajouta-t-elle pour elle-même avec une jubilation certaine. Ça peut pas faire autrement, tu peux même pas manger la moitié de ce que tu manges d'habitude.

Elle entra dans les toilettes pour y vider son seau d'eau sale et s'arrêta un bref instant pour s'examiner dans le miroir. À la vue de ses joues un peu rentrées, elle s'adressa un petit sourire édenté heureux.

— C'est ben ce que je disais, j'ai maigri. J'ai le visage ben moins rond qu'avant.

Elle rentra le ventre et releva les épaules. Le reflet qu'elle voyait ne lui déplaisait pas trop.

— Un bon coup de peigne et un peu de rouge à lèvres, et je suis encore pas mal présentable pour une femme qui va avoir cinquante-quatre ans dimanche prochain. Ce qui est sûr, c'est qu'on me les donnerait pas, ajouta-t-elle avec une vanité un peu naïve.

Soudain, elle eut envie de vérifier par elle-même la quantité de livres qu'elle avait perdue durant les trois derniers mois.

— C'est certain que je suis descendue en bas de cent quatre-vingt-dix, se dit-elle en se dirigeant vers sa chambre à coucher. Là, je vais être obligée de faire rapetisser mes robes que j'ai pas mises de l'été. C'est sûr que j'ai au moins perdu vingt-cinq livres…

Laurette se mit à genoux près de son lit, se pencha et parvint à tirer vers elle le pèse-personne qu'elle y cachait. Elle essuya la poussière qui couvrait l'appareil. Elle s'en servait si peu souvent qu'elle ne se souvenait pas d'être montée dessus une seule fois depuis la veille de Pâques, le printemps précédent.

Elle se remit péniblement sur pied, retira ses souliers et monta sur le pèse-personne. Elle se pencha, mais ne parvint pas à voir les chiffres indiqués.

— J'ai oublié mes lunettes, dit-elle à voix haute en descendant de l'appareil pour aller les chercher dans la cuisine. Si j'arrête pas de marcher sur mon plancher, je vais finir par être obligée de le laver encore, bonyeu !

Elle retourna dans la chambre et monta encore une fois sur le pèse-personne. Elle guetta avec impatience le chiffre que l'appareil allait indiquer entre ses deux pieds.

— C'est pas vrai ! s'exclama-t-elle. Cette maudite bébelle-là marche pas pantoute ! Ça a pas d'allure ! Voyons donc ! Pour moi, l'aiguille est collée. Ça fait trop longtemps que cette balance-là a pas servi.

Elle descendit de l'appareil, le saisit à pleines mains pour le secouer dans tous les sens avant de le poser à nouveau sur le parquet. Elle se pesa une autre fois : même résultat.

Elle sentit une folle colère l'envahir.

— Deux cent dix livres ! Je le crois pas ! C'est pas possible ! Ça voudrait dire que j'ai perdu juste deux livres. Cette patente-là vaut rien.

Dans sa rage, la quinquagénaire oubliait qu'elle avait largement compensé le fait de ne pouvoir manger certaines viandes par des sucreries, beaucoup de sucreries. D'ailleurs, si elle avait vraiment été franche avec elle-même, elle aurait dû convenir qu'elle entrait encore avec peine dans ses « robes de semaine », comme elle disait.

— C'est pas juste ! finit-elle par s'exclamer avec mauvaise foi. Il y en a qui ont mangé comme des cochonnes durant tout l'été et qui ont pas engraissé d'une once pendant que moi, je me suis privée... Il y a pas de bon Dieu !

Elle faisait allusion à sa belle-sœur Marie-Ange qui avait un appétit d'ogre et qui ne parvenait jamais à engraisser d'une seule livre.

— Elle mange comme dix et elle reste maigre comme un chicot, disait souvent Laurette avec envie. Moi, j'ai juste à regarder une pâtisserie pour engraisser.

Mise de mauvaise humeur par ce qu'elle venait de constater, la quinquagénaire repoussa le pèse-personne sous le lit d'un solide coup de pied avant de retourner dans la cuisine où elle se prépara rapidement à dîner tout en rabâchant sa rancœur.

— Pour moi, ils ont raison à la télévision. C'est une question d'hormones. Il y en a qui sont venues au monde pour être grosses et d'autres pour rester maigres, conclut-elle. Il y a rien à faire avec ça.

Après avoir mangé un reste de bœuf haché accompagné de pommes de terre rissolées, elle rangea la cuisine et alla se préparer pour se rendre chez le dentiste. Sa colère s'était déjà dissipée.

— À soir, c'est Gérard qui va être surpris quand il va me voir avec mes dentiers, se dit-elle en verrouillant la porte de l'appartement.

En posant le pied à l'extérieur, un petit crachin déplaisant l'accueillit et la fit frissonner. Elle prit tout de même la direction de la rue Sainte-Catherine où se trouvait le bureau du dentiste. À son arrivée chez ce dernier, la secrétaire au visage marqué par l'acné l'accueillit.

— Si vous voulez bien vous asseoir dans la salle d'attente, lui dit-elle sans lui faire l'aumône du moindre sourire, le dentiste va vous recevoir dans quelques minutes.

La jeune femme se rendit brusquement compte que la pièce était sombre et elle se leva pour allumer le plafonnier.

— Toujours l'air aussi bête, celle-là, marmonna Laurette en prenant place sur l'une des chaises placées près des fenêtres. Est-ce qu'elle a peur que le visage lui craque si elle sourit?

Elle était venue au même endroit deux semaines auparavant pour qu'Émilien Duval puisse réaliser un moule pour ses prothèses. D'ailleurs, elle avait trouvé l'expérience passablement désagréable.

«Ouach!» s'était-elle exclamée en réprimant difficilement un haut-le-cœur lorsqu'il lui avait rempli la bouche avec une sorte de pâte au goût détestable.

— J'ai jamais eu si mal au cœur, avait-elle dit à son mari en rentrant à la maison.

Elle jeta un coup d'œil par l'une des deux fenêtres qui donnaient sur la rue Sainte-Catherine. Son regard tomba sur la succursale de la Banque d'Épargne où travaillait Jean-Louis… et Marthe Paradis.

— Elle est ben fine, cette fille-là, se dit-elle.

Tout en regardant l'immeuble en pierres grises, de l'autre côté de la rue, elle pensa au samedi précédent. Au début de l'avant-midi, elle avait téléphoné à Carole pour avoir de ses nouvelles. Marthe avait répondu et lui avait appris que sa fille venait de sortir pour aller acheter sa nourriture de la semaine. Elle l'avait invitée à venir passer l'après-midi à la maison et, ainsi, à faire une surprise à sa fille. Laurette, seule à la maison, n'avait pas hésité une minute. Son samedi après-midi habituellement réservé à faire du lèche-vitrine s'était transformé en une visite agréable chez les deux jeunes femmes.

La mère n'avait pas vu sa fille depuis trois semaines et elle avait été surprise de voir jusqu'à quel point l'apparence de cette dernière s'était transformée en si peu de temps. Carole abordait le sixième mois de sa grossesse et ne faisait plus rien pour dissimuler son état. Son ventre prenait de l'ampleur.

— Comment ils prennent ça à ta nouvelle *job* ? lui avait-elle demandé, en lui indiquant son ventre.

Elle s'inquiétait de savoir comment elle avait pu justifier sa grossesse.

— Il y a pas de problème, m'man, avait répondu Carole en l'invitant à s'asseoir dans le salon.

— Votre fille leur a raconté qu'elle venait de perdre son mari, intervint Marthe. Je pense qu'elle a bien fait.

— T'as raison, n'avait pu s'empêcher de dire Laurette, satisfaite du subterfuge. As-tu commencé à lui préparer des affaires à ce petit-là ?

— C'est pas nécessaire, m'man, je vais le donner en adoption. Je le garderai pas.

Carole ne jugea pas utile de révéler à sa mère les déchirements qu'elle vivait quant à l'avenir du bébé qu'elle portait. Certains jours, elle décidait de le garder et de l'élever malgré toutes les embûches qui l'attendaient. Le lendemain, elle reculait devant les difficultés et se résignait à ne pas le garder. Elle aurait pu en discuter avec Marthe, mais à quoi bon ? Ce bébé-là allait être le sien et personne n'allait décider à sa place.

Depuis quelques jours, elle avait finalement pris la décision de le donner en adoption. Pour bien montrer la fermeté de ses intentions, elle s'était refusée à constituer un trousseau à l'enfant à naître.

— Mais il faut tout de même que tu prépares quelque chose pour lui, avait insisté sa mère, le visage assombri. Avant d'être adopté, il va ben avoir besoin de couches et d'un peu de linge, cet enfant-là. Il est pas pour partir tout nu, comme le petit Jésus.

— J'ai commencé à lui tricoter un petit ensemble, était intervenue Marthe Paradis, en jetant un regard d'avertissement à sa colocataire.

— Vous avez peut-être raison, avait reconnu Carole, mal à l'aise. Je vais m'en occuper.

— Fais-en pas trop quand même, l'avait prévenue sa mère. J'ai gardé un peu de votre linge de bébé. Je t'en apporterai quand je reviendrai te voir.

Avant de quitter l'appartement à la fin de l'après-midi, il avait été entendu que Laurette serait la bienvenue chaque samedi après-midi. À aucun moment, il n'avait été question de Gérard durant la visite. Carole semblait garder une rancune tenace contre son père.

— Pauvre petite fille! se dit Laurette en secouant doucement la tête. Ça va avoir un petit et c'est même pas capable de voir plus loin que le bout de son nez. C'est ben trop jeune de caractère. À son âge, moi, j'avais déjà deux enfants sur les bras…

Elle s'ébroua pour chasser ses pensées pessimistes. Elle cessa de regarder à l'extérieur et tourna la tête pour voir si la réceptionniste était toujours à son bureau. Elle découvrit alors avec étonnement une femme âgée d'une quarantaine d'années qui avait pénétré dans la salle d'attente sans qu'elle l'entende, tant elle était absorbée par ses réflexions.

Il y eut un court silence embarrassé entre les deux patientes d'Émilien Duval avant que la dame demande à Laurette:

— Pouvez-vous me dire à quelle heure est votre rendez-vous?

— À une heure et demie.

— Il est presque deux heures moins quart, fit remarquer l'autre en jetant un coup d'œil à l'horloge murale. Il a pris pas mal de retard. Je suis supposée passer à deux heures.

— Vous restez dans le coin ? s'informa Laurette plus par envie de passer le temps que pour savoir.

— Non, je suis sur Hochelaga depuis le printemps passé, répondit la dame. Mais j'ai vécu quinze ans sur Parthenais, proche de la rue Notre-Dame, avant de déménager.

— Est-ce que ça veut dire que vous restiez dans une des maisons de la Dominion Oilcloth ?

— En plein ça.

— Je suppose que vous êtes partie parce qu'ils parlaient de démolir la maison ?

— Oui, reconnut la dame. Quand ils ont dit au mois d'avril qu'on n'aurait pas de bail, mon mari a décidé de déménager. On a trois enfants et on n'avait pas envie de se ramasser à la rue en plein été et même cet automne. Et vous, madame ?

— Morin.

— Et vous, madame Morin, est-ce que vous demeurez près d'ici ?

— Je reste rue Emmett. Nous autres aussi, on habite une maison de la Dominion Oilcloth. Chaque mois, je me demande si on n'aurait pas été mieux de partir. Ça m'énerve sans bon sens cette affaire de démolition là. On sait jamais sur quel pied danser. Il y a rien qui nous dit qu'ils nous mettront pas dehors cet automne...

— Vous pensez ?

— S'ils ont dans la tête de commencer à démolir les maisons à la fin de l'hiver ou le printemps prochain, ils pourraient ben décider de mettre tout le monde dehors le mois prochain pour faire place nette.

— Je peux peut-être vous rassurer un peu, dit la femme en baissant inutilement la voix.

— Comment ça ?

— Un de mes neveux travaille pour un des grands *boss* de la Dominion Oilcloth. Il paraît qu'il lui a dit qu'il était pas question que la compagnie fasse démolir ses maisons avant au moins l'été prochain, peut-être même plus tard. Il semblerait que la compagnie a des problèmes pour s'agrandir à Farnham et qu'elle fera rien dans votre coin tant que ce sera pas réglé.

— Êtes-vous ben sûre de ça ? demanda Laurette, pleine d'espoir.

— Mon neveu est pas mal fiable d'habitude. Il est pas le genre à chercher à se donner de l'importance. S'il l'a dit, c'est que ce doit être vrai. En tout cas, nous autres, on regrette de s'être autant dépêchés à partir. Si on avait pris plus notre temps, on aurait pu trouver un meilleur appartement, conclut la dame au moment où la porte du bureau d'Émilien Duval s'ouvrait enfin pour en laisser sortir une adolescente à l'air frondeur.

— Madame Morin ! appela le petit homme chauve en repoussant sur son nez ses lunettes à monture de corne qui avaient légèrement glissé.

Laurette se leva, salua la dame à qui elle parlait depuis quelques minutes et entra dans la pièce voisine sans aucune crainte. Le dentiste ne pouvait lui faire aucun mal puisqu'elle n'avait plus de dents.

— Assoyez-vous, madame Morin. Vous allez essayer vos prothèses. Tenez. Qu'est-ce que vous en pensez ? ajouta-t-il en lui présentant deux prothèses aux dents un peu jaunies artificiellement.

— Mais les dents sont ben jaunes ! ne put s'empêcher de s'exclamer Laurette.

— C'est la couleur de dents que vous avez choisie, madame, répliqua Émilien Duval. Remarquez, cette couleur-là fait plus naturel que le blanc. Si vous aviez choisi des dents bien blanches, ça aurait eu l'air bizarre. Bon. Vous allez d'abord essayer la prothèse du haut.

Le dentiste passa l'une des prothèses sous l'eau du robinet et la lui tendit. Laurette l'enfourna dans sa bouche et réprima difficilement un haut-le-cœur.

— Elle est bien en place ?

— Ça me donne mal au cœur, répliqua-t-elle d'une voix légèrement changée. On dirait que j'ai un morceau de carton collé au palais.

— C'est tout à fait normal. Vous allez vous habituer, la rassura Émilien Duval en lui tendant la prothèse de la mâchoire inférieure. Bon. Placez bien celle-là aussi et fermez bien les mâchoires.

Laurette s'exécuta avec un air de dégoût assez comique.

— Montrez-moi vos dents, lui demanda le dentiste pour juger de l'effet.

Laurette eut un sourire contraint qu'il lui fit voir dans un petit miroir qu'il venait de prendre sur une étagère située derrière lui.

— Qu'est-ce que vous en pensez ? s'enquit-il. L'effet est pas mal, ajouta-t-il sur un ton encourageant. On dirait presque que ce sont vos dents naturelles.

Un peu rassurée, Laurette ouvrit et ferma la bouche à quelques reprises pour être certaine que les prothèses tenaient bien en place. Émilien Duval ne perdit pas de temps et se mit à lui débiter les recommandations d'usage.

— Tout d'abord, madame, je vous conseille de toujours porter vos prothèses durant le jour, même quand vous êtes seule à la maison. Ne les retirez que la nuit et faites-les toujours tremper dans l'eau. Faites attention de ne pas les échapper, elles se brisent assez facilement. Brossez-les régulièrement et si vous sentez que la prothèse du haut a tendance à bouger un peu, mettez un peu de colle et elle devrait bien tenir

— De la colle ?

— À dentier, madame Morin. De la colle à dentier. S'il y a le moindre problème, vous revenez me voir.

Là-dessus, il lui ouvrit la porte et fit entrer la dame avec laquelle elle s'était entretenue quelques minutes auparavant. Laurette s'arrêta au bureau de la secrétaire et régla les trente dollars qu'il lui restait à payer.

— Maudit verrat ! je trouve que c'est payer pas mal cher pour avoir l'air d'une maudite folle avec des dents jaunes, s'insurgea-t-elle en descendant l'escalier.

Cependant, parvenue au trottoir, elle n'en décida pas moins de traverser la rue et d'aller dire un petit bonjour à Jean-Louis et à Marthe en passant. Il n'y avait que deux clients dans la succursale lorsqu'elle en poussa la porte. Par chance, son fils était inoccupé à sa caisse. Elle s'y rendit. Il sursauta en apercevant sa mère face à lui, de l'autre côté du comptoir.

— J'arrête juste une minute pour te montrer mes nouvelles dents, lui chuchota-t-elle en écartant un peu les lèvres pour les lui faire voir.

— Elles sont pas mal belles, m'man, dit-il sans grand enthousiasme, en jetant un regard gêné autour de lui pour s'assurer que personne n'avait remarqué la présence de sa mère.

— Eh ben ! On peut pas dire que t'es ben encourageant, lui reprocha cette dernière qui, tournant la tête, aperçut Marthe Paradis du coin de l'œil.

La jeune femme lui faisait signe de venir la voir au comptoir, à l'avant.

— Bon. On se verra à la maison, dit-elle en quittant son fils pour se diriger vers la monitrice.

— Bonjour, madame Morin, la salua la monitrice. Dites-moi pas que vous allez devenir une de nos clientes ?

— Es-tu folle, toi ? dit Laurette avec un sourire. Pour ça, il faudrait que j'aie de l'argent à mettre de côté. Ça me prend tout mon petit change pour payer les comptes qui me tombent dessus. Non. Je suis juste venue montrer mes nouveaux dentiers à Jean-Louis.

— Il me semblait aussi que vous aviez quelque chose de changé, reprit Marthe. Ils vous font bien, madame Morin.

— T'es ben fine de me dire ça.

— Est-ce que vous venez nous voir samedi après-midi ?

— Ben, je voudrais pas vous déranger, dit Laurette, reconnaissante de l'invitation.

— Vous nous dérangez pas, madame Morin. Votre visite va faire du bien à Carole. Je pense qu'elle s'ennuie pas mal de la maison.

— Si c'est comme ça, tu peux être certaine que je vais passer vous voir.

Ce soir-là, au plus grand plaisir de sa femme, Gérard remarqua sa transformation dès son entrée dans la maison.

— Dis-moi pas que t'as enfin tes dentiers ? lui dit-il après l'avoir examinée avec soin.

— Puis ?

— Ils te font ben. C'est comme si t'avais tes dents.

Mise de bonne humeur par ces remarques de son mari, elle en oublia l'inconfort d'avoir en bouche ses prothèses et trouva même un certain plaisir à pouvoir enfin mastiquer presque normalement sa nourriture au souper.

— Ça empêche pas que c'est achalant en bonyeu ces affaires-là dans la bouche, se plaignit-elle en lavant la vaisselle.

— Inquiète-toi pas. Ça te prendra pas de temps à t'habituer, l'encouragea Gérard. On passe tous par là et personne en est encore mort.

— Ah ! j'allais l'oublier, reprit-elle en changeant complètement de sujet de conversation. J'ai rencontré une femme chez le dentiste. Son neveu travaille pour un des grands *boss* de la Dominion Oilcloth. Il paraît qu'ils démoliront pas avant l'année prochaine, et peut-être même plus tard.

— Je te l'ai toujours dit que tu t'énervais pour rien avant le temps, lui fit remarquer son mari, tout de même soulagé d'apprendre la nouvelle.

— En attendant, ça veut surtout dire qu'on va avoir la paix pour une couple de mois, conclut Laurette… À moins que cette femme-là m'ait raconté n'importe quoi pour se rendre intéressante.

Durant la soirée, elle apprit la bonne nouvelle à son frère Armand qui avait le don de toujours lui téléphoner au milieu de l'une de ses émissions préférées.

— On dirait qu'il fait exprès, dit-elle avec humeur à son mari en revenant prendre place à ses côtés dans leur nouvelle salle de télévision.

Au moment où elle s'assoyait, le générique de *Rue des Pignons* commençait à défiler à l'écran.

— Maudite affaire ! J'ai encore manqué la fin de mon meilleur programme. La semaine passée, il m'a appelée en plein milieu de *Symphorien*. J'ai jamais su comment ça avait fini. On dirait qu'il regarde pas la télévision, lui.

— En parlant de ton frère, tu trouves pas ça drôle qu'ils nous parlent jamais de Louise. Il y a des fois que je me demande s'ils sont pas au courant qu'elle vit avec le petit prêtre.

— S'ils le savent, c'est sûr qu'ils en parleront pas. Ils en parleront pas plus qu'on parle de Carole.

— Ouais, se contenta de dire Gérard.

Le dimanche suivant, Laurette arborait une humeur assez sombre à la messe de neuf heures. Assise aux côtés de son mari, il y avait un bon moment qu'elle n'écoutait plus la longue homélie du curé Perreault portant sur les devoirs des parents envers leurs enfants. Elle songeait avec nostalgie à sa vie passée.

En ce 3 octobre 1966, elle célébrait sans plaisir son cinquante-quatrième anniversaire de naissance.

«Mon Dieu que le temps passe vite! se dit-elle. Ça va faire vingt ans que m'man est morte dans deux mois. J'ai presque l'âge qu'elle avait quand elle est partie.»

Ce rappel du passé lui mit presque les larmes aux yeux.

«Je suis rendue une vieille à cette heure. J'ai la tête pleine de cheveux blancs et les enfants sont partis de la maison. Il me reste juste Jean-Louis qui va ben finir par partir lui aussi.»

Elle s'apitoyait sur son sort et se laissa submerger par une vague de tristesse.

«C'est pas croyable. On va être mariés depuis trente-six ans, se remémora-t-elle en regardant le profil de son mari qui somnolait un peu. Pendant ce temps, il s'en est passé des affaires. Deux fausses couches. Cinq enfants. P'pa et m'man qui sont morts, comme monsieur et madame Morin. Les vieux, à cette heure, c'est nous autres...»

Cette constatation eut le don de la déprimer encore plus.

«Si encore, après toutes ces années-là, on avait la paix. Pantoute. Carole qui attend un petit sans être mariée. On risque d'être forcés de déménager d'un mois à l'autre. On n'a pas une maudite cenne de côté et il faut encore se casser la tête pour savoir comment on va payer le chauffage cet hiver. C'est pas une vie, ça! Là, l'hiver s'en vient. S'il nous arrive la moindre malchance, on va être mal pris parce qu'on n'a pas d'argent. Comme tous les maudits hivers, on va geler tout rond et je vais être poignée pour écouter les parties de hockey...»

Gérard la tira par la manche pour qu'elle se lève. Elle sursauta en apercevant le curé Perreault retourné derrière l'autel pour célébrer l'offertoire. Elle reprit le cours de ses pensées, un moment interrompu.

« Puis là, aujourd'hui, je vais avoir toute une journée de fête. Gilles et sa femme sont partis passer la fin de semaine dans le Nord. La même chose pour Pierre, Denise et les enfants. Si Richard travaille pas, il va peut-être trouver le temps de venir faire un petit tour à la maison avec Jocelyne. Pour Carole, c'est sûr qu'elle viendra pas. Elle me l'a dit hier. Elle, au moins, a pensé à ma fête. Elle m'a acheté une boîte de chocolats Laura Secord, ceux que j'aime le plus. Il reste Jean-Louis. J'espère qu'il a été assez fin pour faire penser à ma fête à Gérard. Lui, il l'oublie une fois sur deux. C'est vrai qu'il a travaillé jusqu'à six heures, hier soir, au garage de Rosaire… »

La messe prit fin et les Morin revinrent à la maison. Le ciel était nuageux, mais il ne pleuvait pas. Quelques feuilles jaunies venant des érables de la cour arrière du presbytère jonchaient le trottoir de la rue Fullum et craquaient sous les pieds.

— L'hiver s'en vient, dit Laurette. Il va encore falloir penser à poser les châssis doubles et à nettoyer les tuyaux.

— La fin de semaine prochaine, se contenta de dire Gérard, qui détestait toujours autant cette tâche.

— Il va falloir que tu fasses ça un soir de la semaine si tu travailles au garage samedi prochain, lui fit-elle remarquer.

— J'achève de travailler là, reprit Gérard. Si je me trompe pas, je vais avoir fini de payer le char dans trois semaines.

— Tu pourrais continuer, si tu le voulais, dit Laurette en serrant son manteau noir contre elle. Richard travaillait pour Rosaire tous les samedis, hiver comme été.

— Richard a pas mon âge, se rebiffa son mari. Moi, j'ai pas envie de passer l'hiver à déneiger les bagnoles du beau-frère. Il se trouvera un jeune pour faire ça.

— C'est de valeur, dit Laurette. On aurait ben eu besoin de cet argent-là, à cette heure qu'on n'a plus la pension de Carole.

— Eh ben ! on s'en passera, déclara son mari sur un ton définitif. On vivra avec mon salaire et la pension de Jean-Louis, que tu pourrais peut-être augmenter un peu.

— Exagère pas, bonyeu ! Des plans pour qu'il décide, lui aussi, d'aller vivre ailleurs.

Le couple fit le reste du trajet qui les séparait de la maison en silence. Dès qu'elle posa les pieds dans l'appartement, Laurette enleva son manteau et mit un tablier pour préparer le dîner. Son humeur ne s'était guère améliorée depuis son réveil. Rien n'indiquait que son mari se rappelait que c'était son anniversaire ce jour-là. Aucun de ses enfants ne s'était donné la peine de lui téléphoner pour lui souhaiter un bon anniversaire. Même ses frères semblaient l'avoir oubliée.

— Maudite bande de sans-cœur ! marmonna-t-elle en brassant les œufs qui allaient constituer l'essentiel du repas du midi. Pas un pour souhaiter bonne fête à la servante ! Ben non ! Moi, je me fends en quatre pour leur faire un gâteau quand c'est leur fête. Ça, c'est normal !

Elle jeta un regard plein de rancune à Gérard en train de finir de lire le journal de la veille. Au moment où elle s'apprêtait à dresser le couvert, on sonna à la porte.

— Bonyeu ! lève-toi au moins pour aller répondre, lui dit-elle, pleine de hargne. Tu vois ben que je suis occupée à préparer le dîner.

Gérard se leva sans aucun empressement et se dirigea vers la porte d'entrée qu'il ouvrit.

— Laurette, c'est pour toi, lui cria-t-il du fond du couloir.

— Qu'est-ce que c'est ? lui demanda-t-elle sur un ton rogue.

— Viens voir.

Elle déposa les assiettes sur la table en maugréant et s'avança dans l'étroit couloir pour se retrouver tout à coup en face d'une douzaine de personnes massées silencieusement devant la porte d'entrée. Sur le coup de la surprise, son cœur se gonfla d'émotion en reconnaissant les membres de sa famille et elle demeura sans voix durant un court moment. Elle en eut même les larmes aux yeux quand ils entonnèrent tous ensemble « Bonne fête, maman ».

— Ah ben verrat, vous autres ! ne put-elle s'empêcher de s'exclamer. Voulez-vous me faire mourir d'une crise de cœur ? Qu'est-ce que vous faites là ?

— On s'en vient te fêter, ma sœur, dit Bernard qui portait ostensiblement un paquet à première vue fragile.

Immédiatement, Laurette fut aux abois. Qu'allait-elle bien pouvoir servir à tout ce monde ? Elle n'avait rien de prêt.

— Inquiétez-vous pas pour le dîner, intervint Denise qui semblait avoir deviné les préoccupations de sa mère. On a tout ce qu'il faut.

— Si tu finis par nous inviter à entrer, ben sûr, poursuivit Armand.

— Ce que je suis bête. Ben sûr, entrez, dit Laurette en reculant dans le couloir pour laisser pénétrer dans l'appartement ses visiteurs inattendus. Dites donc, vous autres, vous étiez pas supposés aller dans le Nord en fin de semaine ? demanda-t-elle à Florence, Gilles, Pierre et Denise.

— On y est allés, madame Morin, répondit l'épouse de Gilles, mais on s'était donné le mot de revenir de bonne heure ce matin ou hier soir pour vous faire une surprise.

— Vous êtes ben fins d'avoir pensé à ma fête, reconnut Laurette en les suivant dans la cuisine.

Puis, les uns après les autres, chaque invité embrassa Laurette et lui souhaita un joyeux anniversaire. Les derniers à lui donner un baiser sur une joue furent ses trois petits-enfants.

— J'ai apporté des chaises pliantes, annonça Pierre.

— À cette heure que la surprise est faite, on pourrait peut-être aller chercher le reste du dîner qu'on a préparé, suggéra Pauline, la femme d'Armand.

— Bernard tient déjà le gâteau, annonça Marie-Ange en faisant signe à son mari de le déposer sur la table de cuisine.

— Richard est parti chercher les plats de salade dans le char, fit remarquer Jocelyne.

— As-tu besoin d'aide pour apporter les sandwichs, Gilles ? lui demanda Florence.

— Non. Jean-Louis va venir me donner un coup de main. Il arrive avec la liqueur.

— Comme on s'était entendus, reprit Pauline, j'ai préparé deux assiettes de sandwichs au jambon. Je vais aller les chercher dans le char pendant qu'Armand va apporter ses bouteilles de Baby Duck. Il tenait absolument à ce qu'on boive une coupe de vin à ta santé, ajouta-t-elle en s'adressant à sa belle-sœur.

En quelques minutes, la table de cuisine fut surchargée de victuailles de toutes sortes.

— Bon. Comment on va faire ? demanda Laurette, un peu débordée par tous ces gens qui avaient apporté tellement de choses.

— Le mieux est de se servir comme dans un buffet, suggéra Florence.

— Mais pas avant qu'on ait donné à la fêtée ses cadeaux, poursuivit Pauline en regardant autour d'elle pour s'assurer que tout le monde était bien d'accord. Est-ce qu'on attend Carole avant de commencer ? demanda-t-elle à

Denise. Denise, c'est toi qui as organisé tout ça. Qu'est-ce qu'on fait ?

Le visage de Gérard eut un rictus involontaire en entendant ces paroles.

— On l'attendra pas, ma tante. Carole m'a téléphoné vendredi et m'a dit qu'elle pouvait pas venir aujourd'hui, mentit-elle. Elle est partie depuis hier matin chez des amis.

— Ah, les enfants ! intervint Armand. C'est la même chose avec Louise. Chaque fois qu'on organise quelque chose, elle a toujours une bonne raison pour pas venir. Il faut croire qu'aujourd'hui les amis sont plus importants que la famille.

— Il faut pas dire ça, mon oncle, le contredit Jocelyne, la femme de Richard. Regardez, on est presque tous là.

— De toute façon, une chance qu'il en manque, fit remarquer Denise pour orienter la conversation dans une autre direction. On est déjà tassés comme des sardines ici dedans.

— En plus, oubliez pas que ça va en faire plus à manger et à boire pour ceux qui sont venus, dit Bernard avec son bon gros rire habituel.

— Est-ce qu'on peut aller jouer dans la cour en attendant le dîner ? demanda Germain à sa mère.

— Qu'est-ce que t'en penses, Laurette ? s'enquit Marie-Ange.

— Ils peuvent ben y aller, concéda sa belle-sœur.

— Mettez votre manteau et faites ben attention de pas vous salir comme des cochons, les mit en garde Denise en voyant ses trois enfants prêts à suivre leur cousin dans la cour arrière. Germain, t'es le plus vieux, ajouta-t-elle à l'endroit de son jeune cousin, tu les surveilles.

Les quatre jeunes s'empressèrent de disparaître et la porte arrière se referma sur eux.

— Bon. OK. On donne les cadeaux, suggéra Denise après la sortie des enfants. Qui commence ? lança-t-elle avec bonne humeur.

— Je peux ben commencer, offrit Pauline en tendant à sa belle-sœur un paquet enveloppé dans un papier blanc orné d'un ruban rouge. C'est pour toi, Laurette.

Cette dernière, debout devant la table, défit avec soin l'emballage-cadeau pour découvrir un ensemble de produits Yardley.

— Merci, Pauline. Merci, Armand. Grâce à vous autres, je vais sentir bon.

— C'est rien. Ça nous fait plaisir.

Bernard Brûlé se déplaça et entrouvrit la porte de la cuisine.

— Germain, va chercher le paquet dans le char, ordonna-t-il à son fils en train de s'amuser avec ses cousins dans la cour.

— Bon. En attendant, je vais te donner mon cadeau, annonça Gérard à sa femme.

Il disparut un moment dans leur chambre à coucher avant de revenir en portant deux boîtes qu'il avait enveloppées maladroitement dans du papier doré.

— Regarde pas l'enveloppage. Tu sais que j'ai jamais été ben bon là-dedans, lui dit-il en lui tendant les deux boîtes.

Laurette tira de la première boîte une robe de chambre rose un peu matelassée et, de la seconde, une paire de pantoufles de la même couleur.

— C'est en plein ce que je voulais, déclara sa femme en déposant un baiser sur l'une de ses joues.

— J'espère juste que ça va te faire, dit ce dernier.

Sa femme consulta un bref moment la taille de la robe de chambre et la pointure des pantoufles avant de dire :

— C'est sûr que tout ça va me faire.

Pendant ce temps, Germain était revenu dans l'appartement, portant un petit paquet. Quand il le tendit à sa mère, cette dernière lui dit:

— Non. C'est toi qui vas le donner à ta tante.

Dès que Laurette eut déposé sur le comptoir les cadeaux offerts par son mari, son neveu, un peu rougissant, s'avança vers elle et lui tendit le paquet qu'il était allé chercher dans l'auto.

— Bon. Qu'est-ce que c'est? lui demanda sa tante.

— Ça, ma sœur, c'est pour flatter un de tes vices, répondit Bernard.

— Tu sauras que j'en n'ai pas, plaisanta-t-elle.

— Ça, c'est ce que tu dis.

Elle ouvrit le paquet pour découvrir à l'intérieur deux cartouches de cigarettes Matinée, une marque qu'elle s'était mise à apprécier depuis la fin de l'hiver précédent.

— Verrat! Je vais ben en avoir pour un bon mois avant d'être obligée de faire mes cigarettes, dit-elle, reconnaissante, après avoir embrassé Marie-Ange, Germain et Bernard.

— Pas au rythme où tu fumes, lui fit remarquer Gérard. Dans une semaine, une semaine et demie, il en restera plus une et tu vas être poignée pour fumer des rouleuses.

— Pas si tu m'en voles pas, répliqua Laurette du tac au tac.

— Bon. Avant que la chicane poigne, je pense qu'on est aussi ben de donner notre cadeau, plaisanta Denise.

— Qui vient me donner un coup de main? demanda son mari en se levant.

— Je peux ben y aller, répondit Richard en l'imitant.

Les deux hommes sortirent de l'appartement et revinrent un instant plus tard en portant difficilement un gros fauteuil recouvert de cuir noir qu'ils déposèrent devant une Laurette absolument charmée par le cadeau. Il y eut des « oh ! » et des « ah ! » dans l'assistance.

— Vous nous excuserez de pas l'avoir enveloppé, madame Morin, dit Florence, mais c'était un peu gros.

— Et ça nous aurait ruiné en papier d'emballage, compléta Jocelyne pour plaisanter.

— Vous devez l'essayer, m'man, proposa Denise. C'est supposé être un *Lazy-Boy* ben confortable.

Laurette s'assit précautionneusement dans le fauteuil en arborant un air de ravissement inimitable.

— Mon Dieu qu'on est ben là-dedans ! Il me semble qu'on pourrait dormir là facilement.

— C'est rien, ça, m'man, reprit Richard. Regardez. Vous avez un bras à côté. Si vous le tirez, vous avez un repose-pied qui se lève. Ça fait presque comme un lit.

Laurette testa le levier.

— C'est fameux ! parvint-elle à dire, à demi couchée dans son fauteuil. Vous avez fait des folies, les enfants ! Vous aviez pas d'affaire à dépenser autant pour ma fête.

— Ben non, madame Morin, vous méritiez ben ça, intervint Jocelyne, qui, immédiatement, parut plus sympathique à sa belle-mère. C'est Jean-Louis qui l'a trouvé chez Faucher. Richard et Pierre sont allés le chercher jeudi soir.

— Bon. Si vous voulez vous lever, m'man, reprit Gilles, on va le mettre dans votre salle de télévision... à moins que vous aimiez mieux l'avoir dans les jambes dans la cuisine.

Laurette quitta son nouveau fauteuil avec un regret évident pour permettre qu'on le transporte dans la pièce voisine.

— Cybole, vous autres, je vous trouve pas ben fins ! déclara Gérard en feignant la mauvaise humeur. Avez-vous pensé que pendant que votre mère va s'étendre dans son fauteuil en cuir, votre pauvre père va être poigné dans sa chaise berçante en bois ? Je trouve pas ça ben juste.

— On a ce qu'on mérite, trancha Laurette en riant.

— Elle va ben vous le prêter de temps en temps, monsieur Morin, dit Pierre en lui adressant un clin d'œil.

— Penses-tu? Je la connais, ma femme. Ce qui est à elle est à elle et ce qui est à moi est à elle aussi. Ça me surprendrait ben gros qu'elle me laisse poser mes fesses dans son fauteuil.

— On verra, conclut Laurette en adoptant un air dominateur assez comique. À cette heure, qu'est-ce que vous diriez si on mangeait?

— C'est une maudite bonne idée que t'as là, l'approuva Bernard Brûlé, reconnu pour sa gourmandise.

Jocelyne et Florence posèrent des assiettes cartonnées et des ustensiles en plastique sur le comptoir et chacun se mit en devoir de remplir abondamment son assiette en faisant le tour de la table couverte de victuailles.

— Les enfants, rentrez vous laver les mains et venez manger, ordonna Denise en ouvrant la porte pour être bien entendue des jeunes qui chahutaient dans la cour.

Au même moment, Pauline s'arrêta brusquement de remplir son assiette pour regarder Laurette.

— C'est pourtant vrai. T'as tes dentiers, à cette heure! s'exclama-t-elle.

Elle s'approcha pour examiner sa belle-sœur de plus près.

— Ils te font ben de première classe.

— C'est vrai ce que tu dis là, l'approuva Marie-Ange. On dirait tes vraies dents, Laurette.

— Tu dois être contente en bonyenne de pouvoir manger à peu près n'importe quoi, reprit Pauline.

— C'est sûr que c'est ben plus commode, reconnut Laurette.

— Pauvre Gérard! s'exclama Bernard Brûlé. Ton bon temps est fini. À cette heure, ma sœur est capable de te mordre si tu lui dis quelque chose qui fait pas son affaire.

— Avec ou sans ses dents, elle a jamais été ben commode, plaisanta son beau-frère.

— Toi, attends que la visite soit partie, le menaça Laurette pour plaisanter.

Dans une bonne humeur générale, les invités, chargés de leur assiette bien garnie, se répartirent entre la cuisine et la salle de télévision pour manger. Au moment où Jean-Louis venait prendre place entre son père et son frère Gilles, son oncle Bernard l'apostropha.

— Dis donc, le vieux garçon, où est-ce que t'as caché la belle fille qui était avec toi aux noces de Gilles ?

— Elle est chez eux, mon oncle, se contenta de répondre le caissier, un peu gêné.

— Comment ça se fait que tu l'as pas invitée à venir fêter avec nous autres aujourd'hui ? As-tu peur qu'on te la vole ?

— Pantoute, mon oncle. C'est pas ma blonde. C'est juste une fille qui travaille à la banque avec moi.

— Moi, à ta place, je perdrais pas trop de temps pour lui mettre la main dessus, lui conseilla le gros homme débonnaire. Une belle fille comme ça, ça restera pas toute seule ben longtemps. J'ai l'impression qu'il y a une bonne affaire qui est en train de te passer sous le nez, mon garçon.

— C'est vrai, ça, renchérit Armand Brûlé. Je lui ai parlé à cette fille-là aux noces. Elle est intelligente et pas mal fine. Fais ben attention de pas t'organiser pour vieillir tout seul dans ton coin comme un vieux garçon, Jean-Louis, ajouta-t-il, sérieux. Ce genre de vie-là doit être pas mal plate.

Jean-Louis jeta un regard à son père, à ses deux frères et à Pierre Crevier. Il remarqua sans grand plaisir qu'ils avaient l'air d'approuver les paroles des deux oncles.

— Et si on parlait du Canadien ? suggéra Richard, toujours aussi partisan de l'équipe montréalaise. Ça commence la semaine prochaine et j'ai ben hâte de voir ce que Béliveau et Laperrière vont faire cette année.

— Moi, j'ai pas confiance pantoute dans Gump Worsley devant le *net*, déclara Armand Brûlé. J'aime mieux Hodge.

— En tout cas, on va ben voir si Henri Richard va être encore capable de surveiller Bobby Hull cette année, ajouta Gilles.

— Et Gordie Howe, ajouta son père.

— Ce qui m'écœure le plus, intervint Bernard, aussi fanatique partisan du Canadien que les Morin, c'est que c'est la dernière année qu'on va avoir juste six équipes. Il paraît que l'année prochaine, il va y en avoir un paquet d'autres. Campbell appelle ça l'expansion.

— Moi, je suis sûr que les parties vont être pas mal moins bonnes, déclara Gérard. Au lieu d'avoir les meilleurs joueurs dans six équipes, on va les avoir éparpillés dans je sais plus combien de clubs.

— Il faut pas s'en faire, p'pa, chercha à le consoler Richard. Avec Pollock, le Canadien est pas prêt à se faire battre par aucune équipe. Vous allez voir qu'il va encore s'arranger pour aller chercher les meilleurs joueurs. L'équipe va encore gagner la coupe Stanley, cette année.

— Ce qui est sûr, c'est que j'ai ben hâte que ça commence, reconnut son père.

— Moi, le hockey, j'haïs pas ça, intervint Bernard, mais le bon temps, c'était quand on avait la lutte à la télévision le mercredi soir. Maudit que j'aimais ça ! Moi, voir Johnny Rougeau, Larry Moquin ou Little Beaver se battre, il y avait rien pour m'ôter ça.

— Il y a rien qui vous empêche d'aller à la lutte au Forum, mon oncle, lui fit remarquer Gilles.

— Ça coûte cher, mon garçon, ce genre de soirée-là et j'ai pas les moyens d'y aller.

— Moi, la lutte, ça me dit rien, déclara l'instituteur. J'aime cent fois mieux regarder le hockey et, après ça, *Les Couche-tard*.

— C'est quoi, cette affaire-là ? lui demanda son oncle Armand, curieux.

— C'est un programme pas mal drôle avec Jacques Normand et Roger Baulu, mon oncle, répondit Richard. Nous autres aussi, on regarde ça, le samedi soir, même si c'est un peu tard.

Après cela, la conversation bifurqua vers la politique provinciale et municipale qui passionnait autant Gérard que ses deux beaux-frères.

— On rit pas, déclara Armand à un certain moment. Drapeau s'est tellement démené que son métro va ouvrir dans une dizaine de jours. Tu peux être certain que je vais aller essayer cette affaire-là.

— Moi aussi, dit son frère. Cette patente-là va nous coûter assez cher. Tu peux être sûr que je vais y aller moi aussi… Toi, Richard, tu m'as pas déjà dit que tes *trucks* charriaient de la terre du métro ?

— Oui, mon oncle, reconnut ce dernier. Mais ça fait au moins un mois et demi que mon contrat est fini. Mes *trucks* transportent à cette heure de la terre qui vient du pont-tunnel jusqu'à ce qu'ils appellent la promenade Bellerive. Je vous dis que c'est tout un chantier. C'est tellement gros que ça me donne la chair de poule. Mais ça marche. D'après les ingénieurs, il paraît que cette affaire-là va être finie pour le mois de mars prochain et que ça va coûter pas loin de soixante-quinze millions. Moi, j'ai hâte d'essayer ça. Plus besoin de passer par le pont Jacques-Cartier. On va passer en dessous du fleuve. Y avez-vous pensé ?

— Ça me fait peur, moi, reconnut Armand. Il y a rien qui dit que ça nous tombera pas sur la tête, cette affaire-là.

— En tout cas, il y a personne qui va dire que ça change pas à Montréal par les temps qui courent, affirma Gérard avec une certaine satisfaction. L'Expo qui s'en vient, le métro qui va ouvrir et le pont-tunnel aussi. Il y a des fois que je me dis que si mon père vivait encore, il reconnaîtrait plus pantoute la ville.

Pour leur part, les femmes s'étaient installées dans la cuisine, autour de la table, autant pour voir à ce que les enfants ne s'empiffrent pas trop que pour échapper aux discussions futiles sur le sport.

— Moi, quand je me suis fait arracher les dents, commença Pauline, j'ai perdu seize livres durant les trois mois où j'ai été obligée d'attendre mes dentiers.

— Moi, une dizaine de livres, intervint Marie-Ange. Et Dieu sait si j'en n'ai jamais eu à perdre, ajouta la grande femme maigre.

— Moi aussi, j'en ai perdu pas mal, mentit Laurette. Je me suis pas pesée, mais j'ai juste à voir comment mes robes me font.

Florence jeta un coup d'œil à sa belle-sœur Jocelyne en réprimant difficilement un petit sourire entendu. Il était bien évident que leur belle-mère avait perdu très peu de poids durant les trois derniers mois. Soudain, elle prit son sac à main et en tira un paquet de cigarettes. Elle s'en alluma une sous le regard vaguement réprobateur de Pauline et de Marie-Ange.

— Tiens, tu fumes à cette heure ? lui demanda sa belle-mère qui avait évité jusque-là d'allumer une cigarette malgré sa forte envie de fumer après le repas.

— Seulement pendant que je fais l'école, madame Morin, reconnut sa bru sans aucune gêne. Fumer une cigarette me calme quand les enfants me tapent un peu trop sur les nerfs.

— Je te comprends, l'approuva sa belle-mère, heureuse de trouver une occasion de fumer sans être la seule femme à le faire.

— Moi, j'ai jamais essayé, affirma Denise. Il faut dire que Pierre fume pas et j'ai l'impression qu'il aimerait pas me voir avec une cigarette entre les doigts.

— Ça te fait quel âge aujourd'hui, Laurette ? demanda Pauline Brûlé, hors de propos.

Laurette eut un moment d'hésitation avant d'avouer qu'elle avait cinquante-quatre ans.

— C'est pas ben vieux, l'encouragea sa belle-sœur. T'as encore ben des belles années devant toi. Moi, je me dis que nos enfants sont grands maintenant et ils peuvent se débrouiller. À cette heure, on a juste à s'occuper de nous autres. C'est peut-être le meilleur temps de notre vie qui commence à cinquante ans, ajouta celle qui avait célébré son cinquantième anniversaire de naissance au début de l'été précédent.

— C'est aussi ce que je pense, déclara Marie-Ange.

— Tant qu'on est en santé, on n'est pas vieux, précisa Laurette.

Durant cet échange, Denise, Florence et Jocelyne ne prononcèrent pas un mot. Il était bien évident qu'il s'agissait d'une conversation que des jeunes femmes de leur âge n'étaient pas en mesure de vraiment comprendre. À leurs yeux, cinquante ans était pratiquement un âge canonique.

Un peu après trois heures, Florence et Gilles annoncèrent leur départ. Ils avaient des devoirs à corriger. Denise et Pierre les imitèrent en précisant que Sophie avait besoin d'une sieste et que leurs deux garçons commençaient à être un peu trop agités. Les deux couples venaient à peine de partir quand on sonna à la porte.

— Bon. Il y en a un qui a oublié quelque chose, dit Laurette en se levant pour aller répondre.

Elle eut la surprise de découvrir devant sa porte Colombe et Rosaire Nadeau.

— Mon Dieu ! Mais c'est de la visite rare, ça ! s'exclama-t-elle en apercevant la sœur de Gérard et son mari. Ça fait une éternité que vous êtes pas venus. Je suis surprise que vous vous souveniez encore de notre adresse.

L'hôtesse s'effaça pour laisser entrer Rosaire et Colombe. Cette dernière, vêtue d'un chic manteau d'automne gris souris, embrassa sa belle-sœur du bout des lèvres et s'avança dans l'étroit couloir en direction de la cuisine. Un nuage de fumée de cigarette planait près du plafond.

— Sacrifice ! je me demandais justement si j'étais à la bonne place, dit en riant le vendeur de voitures après avoir enlevé de sa bouche son cigare malodorant. Je viens de voir partir Denise et les nouveaux mariés. Est-ce que vous faites une autre noce aujourd'hui ? J'ai eu de la misère à trouver une place pour parquer mon char.

— Si vous aviez un char normal plutôt que votre gros corbillard noir, mon oncle, intervint Richard en tendant la main à son oncle, vous auriez pas manqué de place.

— Toi, mon petit maudit ! dit en riant le petit homme, viens pas appeler mon Cadillac un corbillard. Bonjour, la compagnie, ajouta-t-il à l'endroit des gens rassemblés autant dans la cuisine que dans la pièce voisine. J'espère qu'on vous dérange pas trop ?

— Pantoute, le rassura Gérard, heureux de voir sa sœur et son beau-frère. Je pensais te voir au garage hier.

— Ben non. J'ai été poigné toute la journée avec des clients qui m'avaient invité à leur chalet de Val-David. On a pas mal bu et à matin, je peux te dire que j'avais mal au bloc en sacrifice.

— Il a couru après, se contenta de dire Colombe en affichant son air dédaigneux habituel. Il passe son temps à boire avec des amis ou des clients…

— Ça, je te l'ai expliqué mille fois, rétorqua Rosaire. Je bois avec eux autres pour pas être impoli. Mais changement de sujet, est-ce qu'il y a une raison pour que tout le monde se soit ramassé chez vous aujourd'hui ?

— C'est la fête de Laurette, se contenta de dire Gérard.

— Ah ben maudit ! On l'avait complètement oublié, avoua-t-il. Bonne fête, la belle-sœur, ajouta-t-il en l'embrassant sur les deux joues. Je te souhaite ben de la santé.

— Merci, Rosaire.

— Bonne fête, Laurette, dit Colombe à son tour en imitant son mari.

— Qu'est-ce que je vous sers ? demanda Gérard aux deux nouveaux arrivants.

— Si t'as un peu de fort, ça me ferait pas de tort, répondit Rosaire.

— Si t'as du Seven-Up, j'en prendrais un verre, dit Colombe.

Pauline, Jocelyne et Marie-Ange firent assaut d'amabilités envers la sœur de Gérard. Cependant, cela ne dura pas. L'autre, affichant toujours son petit air supérieur déplaisant, découragea rapidement leur bonne volonté. Pauline et Marie-Ange se remirent à discuter avec Jocelyne comme si Colombe Nadeau n'avait pas été là.

— Carole est pas ici ? demanda cette dernière à sa belle-sœur en regardant autour d'elle.

— Non. Elle pouvait pas venir aujourd'hui, répondit Laurette un peu sèchement.

— Elle est même pas venue pour la fête de sa mère ? s'étonna l'épouse de Rosaire.

— Ben non. Elle passait la fin de semaine avec des amis, mentit Laurette. Il faut croire qu'elle est en train de devenir comme toi, Colombe. Les amis passent avant la famille.

Colombe Nadeau fit comme si elle n'avait pas perçu la critique et poursuivit.

— C'est drôle, Laurette, j'ai cru avoir aperçu ta fille mercredi après-midi passé. Elle attendait l'autobus sur Saint-Hubert. En tout cas, la femme que j'ai vue lui ressemblait comme c'est pas croyable.

Comme s'il avait eu des antennes, Gérard était apparu à la porte de la pièce voisine, l'air un peu inquiet.

— Ça me surprendrait pas mal, commenta Laurette, nettement sur la défensive. À cette heure, Carole travaille ben proche de son appartement et elle a pas à prendre l'autobus.

Jocelyne, Pauline et Marie-Ange avaient cessé de parler entre elles pour écouter l'échange.

— Je me disais aussi, reconnut Colombe, comme si elle n'attachait aucune importance à l'affaire. J'étais en taxi. Quand je suis passée devant, j'ai cru remarquer que la femme portait une robe de maternité. Je me suis tout de suite dit que ça pouvait pas être Carole.

— Ben sûr, confirma rapidement Laurette. Carole est pas mariée. Peut-être, Colombe, que t'aurais besoin de porter des lunettes ? À notre âge, on a souvent de la misère avec notre vue.

En entendant ces paroles, Colombe ne put réprimer un rictus de mécontentement. L'hôtesse sut qu'elle venait d'offenser sa belle-sœur. Celle-ci se faisait toujours une gloire d'être beaucoup plus jeune qu'elle.

La conversation dévia immédiatement sur d'autres sujets moins sensibles, ce qui permit à l'épouse de Rosaire de jeter de la poudre aux yeux de ses auditrices en parlant avec volubilité des miracles réalisés chez elle par le décorateur qu'elle avait engagé au début de l'été.

— Il faudrait ben que tu nous invites une fois pour qu'on aille voir ça, dit Laurette, sarcastique.

— Tu le sais, Laurette. T'es toujours la bienvenue, lui répondit sa belle-sœur.

— Le problème, c'est que t'es jamais chez vous, laissa tomber Laurette en adressant un clin d'œil discret aux autres femmes présentes dans la pièce.

Colombe allait répliquer quand Richard invita sa femme à rentrer à la maison. Marie-Ange et Pauline décidèrent, elles aussi, qu'il était bien assez tard et qu'il leur fallait aller préparer leur souper. Colombe se leva à son tour.

— Nous aussi, il faut retourner à la maison, dit-elle. La femme de ménage est venue samedi pendant qu'on y était pas. Je veux vérifier si elle a bien tout nettoyé avant de partir.

Quelques minutes plus tard, Gérard referma la porte derrière le dernier invité.

— J'espère que t'as aimé le *party* que Denise t'a organisé? demanda-t-il à sa femme en se mettant à ramasser les verres sales laissés un peu partout dans la cuisine et la salle de télévision.

— C'était une ben belle fête. Vous m'avez pas mal gâtée, à part ça.

— Tant mieux si t'es contente, reprit son mari en arborant un air satisfait.

— C'est juste de valeur que ta sœur soit venue la gâcher.

— Pourquoi tu dis ça? Parce qu'elle a oublié de t'apporter un cadeau?

— Pantoute. C'est juste qu'elle fait suer tout le monde avec ses grands airs. «Mon décorateur est génial!» «Je dois surveiller ma femme de ménage qui fait les coins un peu ronds!» Maudit viarge ce qu'elle peut me faire enrager! As-tu déjà vu une maudite fraîche comme ça?

— Elle est pas si pire, dit Gérard. T'exagères, comme d'habitude.

— Non, j'exagère pas. Aussitôt qu'elle met les pieds quelque part, c'est « regardez-moi comme je suis riche ! » Ça en est gênant. Même Pauline et Marie-Ange savaient plus où se mettre.

— En tout cas, tu peux pas dire qu'elle vient ici dedans trop souvent.

— Une chance ! En plus, il a fallu qu'elle tombe sur Carole, sur la rue Saint-Hubert, la maudite fouine !

Gérard ne dit rien, conscient qu'ils avaient frôlé la catastrophe. S'il avait fallu que sa sœur reconnaisse vraiment leur fille vêtue d'une robe de maternité, toute la famille l'aurait appris en quelques jours.

— J'ai comme l'impression que Pauline et Armand savent que leur Louise reste avec l'abbé Vermette, reprit Laurette, comme si le fait d'avoir pensé à sa fille lui avait rappelé l'existence de sa nièce.

— Pourquoi tu dis ça ?

— Quand Armand a mentionné que leur fille était difficile à attirer chez eux pour les fêtes de famille, j'ai ben regardé Pauline, elle a pâli tout d'un coup, comme si elle avait eu peur qu'il en dise trop. D'ailleurs, je pense que Marie-Ange est au courant, elle aussi, parce qu'elle a eu l'air tout de suite mal à l'aise quand il a été question de Louise.

— On a ben assez de nos troubles sans commencer à se faire des cheveux blancs pour ceux des autres, trancha Gérard en déposant les verres sales sur le comptoir.

Chapitre 18

Le vol

La semaine suivante, la température se réchauffa à un tel point durant quelques jours qu'on crut presque à un retour de l'été. Évidemment, Gérard en profita pour remettre de jour en jour la pose des contre-fenêtres et l'enlèvement des persiennes, ce qui eut le don de faire rager Laurette. Finalement, elle se résigna à extraire du vieux hangar les contre-fenêtres le jeudi après-midi de la troisième semaine d'octobre et se mit à les nettoyer à fond. Quand son mari rentra de son travail, un peu après quatre heures, elle ne lui laissa aucune échappatoire.

— T'enlèves les jalousies tout de suite et tu poses les châssis doubles avant le souper, pendant qu'il fait encore clair. À force de traîner, il va finir par neiger avant que tu te décides, verrat! Les vitres sont propres, t'as juste à les poser.

— Je suis fatigué de ma journée, plaida mollement Gérard.

— Imagine-toi que moi aussi, je suis fatiguée, mais il faut que ça se fasse, cette *job*-là. Je vais t'aider. J'ai même déjà préparé les guenilles pour les calfeutrer tout le tour.

— Et le souper de Jean-Louis? demanda-t-il dans une ultime tentative pour échapper à la corvée. Tu sais ben qu'il faut qu'il soupe de bonne heure avant de retourner à la banque.

— Il vient pas souper à soir. Il a apporté son lunch à matin.

— T'aurais peut-être pu faire ça avec Jean-Louis après-demain, pendant que je suis au garage de Rosaire, suggéra-t-il. Le samedi, il a jamais rien à faire.

— Peut-être lui, mais moi, je sors magasiner le samedi, rétorqua-t-elle.

Elle lui mentait pour ne pas avoir à lui avouer qu'il était maintenant entendu qu'elle allait rendre une courte visite à Carole chaque samedi après-midi.

À bout d'arguments, Gérard alla retirer son uniforme de gardien du port. Quelques minutes plus tard, armé d'un tournevis et d'un marteau, il se mit en devoir d'enlever les vieilles persiennes vertes à la peinture craquelée pour les remplacer par les contre-fenêtres.

— Essaye de pas mettre tes mains dans mes vitres propres, lui ordonna sa femme qui, de l'intérieur, obstruait les interstices avec des lanières de tissu taillées dans des chiffons.

Le travail prit fin un peu avant six heures. La porte-moustiquaire avait même été enlevée pour être remplacée par la contre-porte vitrée.

— Un coup partis, on est aussi ben de nettoyer les tuyaux, dit Laurette.

Cette suggestion avait quasiment la forme d'un ordre.

— On pourrait ben attendre un autre soir, dit son mari, peu enthousiaste.

— Il faut en profiter pendant qu'on chauffe pas, déclara Laurette sur un ton qui ne souffrait aucune contestation. En plus, j'ai pas envie de mettre de la suie partout quand je viens de faire mon ménage. À soir, ça tombe ben, je fais mon ménage demain.

Pendant plus de trente minutes, le mari et la femme, montés sur des chaises, enlevèrent une à une des sections de tuyaux pour aller les nettoyer dans la cour, au-dessus des poubelles, avant de revenir les installer. Ces derniers, suspendus à quelques pouces du plafond, allaient de la fournaise du couloir jusqu'à la cheminée située derrière le poêle de la cuisine.

— Tu parles d'une heure pour souper, se plaignit Gérard en s'assoyant à table un peu après sept heures. On va ben juste avoir le temps de digérer avant d'aller se coucher.

Sa femme fit comme si elle ne l'avait pas entendu et lui servit une assiette de spaghettis réchauffés.

Une heure plus tard, Jean-Louis rentra à la maison. Il retira son manteau, salua ses parents et s'empressa de se retirer dans sa chambre après s'être préparé une tasse de café. Gérard attendit d'entendre claquer la porte de la chambre de son fils avant de dire à sa femme :

— Il a ben le taquet bas de ce temps-là. Qu'est-ce qu'il y a qui marche pas avec lui ?

— Je le sais pas. Il dit jamais un mot.

— Peut-être que si tu lui passais ton fauteuil une heure ou deux le soir, ça le mettrait de bonne humeur… Comme moi. J'ai pensé qu'on devrait peut-être l'avoir chacun notre tour, ajouta-t-il en guise de plaisanterie.

— Que j'en voie un mettre la main sur mon fauteuil ! menaça Laurette. Ce fauteuil-là est à moi. C'est un cadeau de fête. Je vois pas pourquoi je vous le passerais. Si t'en veux un, demandes-en un aux enfants pour Noël. Jean-Louis, lui, il a ben assez d'argent pour s'en payer un.

L'humeur chagrine du caissier s'expliquait pourtant. Depuis plusieurs semaines, Jean-Louis Morin attendait l'appel du siège social pour commencer son apprentissage du travail de moniteur. Chaque jour qui passait sans nouvelles le mettait sur des charbons ardents. Marthe Paradis avait toutes les peines du monde à le calmer.

— Pour moi, ils m'ont oublié, répétait-il. La première chose que je vais savoir, c'est qu'ils en auront choisi un autre à ma place.

— Mais non, disait Marthe pour le rassurer. J'ai parlé à Colette Béliveau du siège social pas plus tard que la semaine passée. Il paraît qu'ils ont un problème avec le *training*, mais ça s'en vient.

Cependant, Jean-Louis s'inquiétait de plus en plus tant il craignait que cette possibilité d'une promotion lui échappe. S'il acceptait d'aller boire une tasse de café au restaurant *Rialto* trois ou quatre fois par semaine en compagnie de Marthe, c'était en grande partie pour l'interroger sur les difficultés que dissimulait son poste de monitrice. Il voulait tout savoir. De plus, même s'il n'en disait pas un mot, il n'en restait pas moins qu'il était très préoccupé par le fait que l'augmentation de salaire qu'allait lui valoir son nouvel emploi continuait à lui filer sous le nez tant qu'il ne l'occupait pas.

Le lendemain matin, Laurette se réveilla à six heures en frissonnant. À son entrée dans la cuisine, elle s'empressa d'allumer le poêle pour réchauffer l'appartement. Même s'il faisait encore noir, un coup d'œil à l'extérieur lui apprit qu'il pleuvait abondamment.

— Je pense ben que l'été indien est fini, dit-elle à Gérard quand il entra dans la pièce en se grattant la tête. Il mouille et il a pas l'air de faire chaud. J'espère que ça va se calmer cet après-midi pour que je puisse aller faire mes commissions chez Tougas. S'il mouille encore, je vais t'attendre et on va essayer le Dominion sur Sainte-Catherine. Pauline m'a dit qu'ils ont de la belle viande.

— La température a encore le temps de changer, se contenta de dire Gérard en se versant une tasse de café.

Ce vendredi d'octobre fut une journée sans histoire à la succursale de la Banque d'Épargne de la rue Sainte-Catherine. Il y eut un flot continu de clients durant toute la journée avec des moments forts à l'heure du dîner et un peu avant trois heures. Comme d'habitude, leur nombre allait être beaucoup plus important de sept à huit heures. Les travailleurs avaient l'habitude d'envahir les lieux pour monnayer leur chèque et payer leurs comptes à ce moment-là de la semaine. Les trois caissiers allaient être débordés, comme tous les jeudis et vendredis soirs.

Par chance, la pluie avait cessé au début de l'après-midi et les nuages avaient été chassés par un petit vent du nord qui incitait les badauds à hâter le pas. Jean-Louis s'empressa de manger la sauce aux œufs que sa mère venait de lui servir au souper avant de retourner à la succursale un peu après six heures trente.

Lorsqu'il arriva devant la porte de la banque, il dut se frayer un chemin au milieu d'une trentaine de personnes attendant avec impatience la reprise des activités de la succursale. Il sonna et la comptable vint lui ouvrir. Elle referma immédiatement derrière lui.

À son entrée dans les lieux, les commis étaient déjà au travail sous la direction de Marthe Paradis et les deux autres caissiers attendaient devant la voûte que Huguette Bélanger fasse la combinaison pour l'ouvrir. Cette dernière consulta l'horloge murale et ouvrit l'imposante porte en acier qui maintenait à l'abri le chariot sur lequel les caissiers avaient déposé leur caisse à la fin de l'après-midi.

— Perdez pas de temps, leur commanda-t-elle. Il reste juste cinq minutes avant que je laisse entrer les clients.

Marcelle Desjardins poussa son chariot hors de la voûte et alla immédiatement préparer sa caisse. Quand Olivette Poirier voulut l'imiter, l'une des roues du sien bloqua et Jean-Louis, impatient de regagner sa caisse, dut tout de même l'examiner et enlever ce qui empêchait l'une des roues de tourner librement. La seconde caissière le remercia et sortit à son tour de la voûte.

Au moment où le jeune homme allait pousser son chariot, des bruits de voix et de galopades envahirent la succursale.

— Une vraie bande de sauvages, songea-t-il en croyant qu'il s'agissait, comme d'habitude les soirs de grande affluence, du flot de clients courant aux caisses pour être les premiers servis dès leur entrée dans l'immeuble.

Il allait franchir la porte de la voûte quand un cri le figea sur place.

— Personne bouge ! C'est un *hold-up* !

Ce cri fit l'effet d'un coup de tonnerre éclatant dans la succursale. Jean-Louis n'entendit plus rien. C'était comme si les lieux s'étaient soudainement vidés par miracle. Son cœur cessa de battre un court moment et il sentit la sueur lui couler dans le dos.

Depuis quelques années, les succursales bancaires étaient victimes d'un véritable raz-de-marée de vols à main armée. Toutes les banques avaient eu beau engager un garde de sécurité posté à la porte, cela n'avait rien changé. Les voleurs savaient bien que ces gardiens sous-payés s'empressaient de déposer leur arme dès qu'ils se sentaient menacés. C'était une véritable épidémie que rien ne semblait en mesure d'enrayer. Certaines succursales bancaires de Montréal avaient même reçu jusqu'à trois fois la visite de voleurs le mois précédent. Le conseil d'administration des grandes banques en était encore à chercher un moyen efficace pour contrer ce fléau. En attendant, on conseillait aux employés de ne pas tenir tête aux voleurs et de leur remettre le contenu de leur caisse sans résister.

Par un heureux concours de circonstances, la succursale où travaillait Jean-Louis Morin n'avait jamais été victime d'un vol. Le caissier savait depuis longtemps que cela pouvait arriver, mais il ne s'agissait que d'une vue de l'esprit qui n'avait rien à voir avec la réalité.

Ce soir-là, terrifié, il était figé dans la voûte, s'attendant à tout moment à y voir entrer l'un des malfaiteurs armés. Il y eut un coup de feu suivi d'un ordre hurlé.

— Vous autres en avant, à terre ! entendit-il crier tout près de la voûte.

Il y eut le bruit d'un choc sourd, comme si quelqu'un heurtait un meuble en bois. Incapable de s'en empêcher, Jean-Louis tendit le cou pour voir ce qui se passait. Au même moment, il aperçut un homme cagoulé de noir en train de sauter du comptoir sur lequel il était juché. Il lui tournait le dos.

— Toi, la noire, je t'ai dit de te coucher à terre ! cria l'homme en sautant du comptoir pour empoigner rudement Marthe Paradis par la nuque dans l'intention de la projeter sur le sol en marbre.

Le sang de Jean-Louis ne fit qu'un tour. Oubliant les directives de ses supérieurs en même temps que sa peur, il se jeta sur le voleur dans l'intention de lui faire lâcher prise. Ce dernier, beaucoup plus costaud que lui, eut d'abord un bref moment de panique à la vue de l'énergumène qui venait de sortir de la voûte comme d'une boîte à surprises. Il projeta Marthe par terre avant d'empoigner son agresseur d'une main et de le frapper à la tempe à la volée avec son arme. Il y eut un cri de stupéfaction chez la trentaine de clients tenus en respect par son complice armé d'une mitraillette, de l'autre côté du comptoir.

Jean-Louis s'écroula comme une poupée de son, aux côtés de Marthe Paradis. La comptable et le gérant de la succursale avaient tout vu, eux aussi. Comme les deux caissières et les commis, ils avaient déjà obtempéré à l'ordre de se coucher par terre et n'avaient pas bronché. Léopold Lozeau s'était même cruellement brûlé avec la cigarette qui avait continué à se consumer entre ses lèvres sans qu'il pense à la retirer. Marthe, blanche de terreur, regarda le visage de Jean-Louis, inconscient. Du sang coulait de son nez et de son front.

Celui qui surveillait le gardien de sécurité et les clients cria à l'autre de se dépêcher à vider les tiroirs-caisses.

En moins de deux minutes, le cagoulard rafla le contenu des deux caisses déjà en opération, sans se soucier de celle de Jean-Louis demeurée dans la voûte. Puis, son complice ordonna aux gens présents de ne pas bouger et il ponctua son ordre d'un coup de feu tiré dans le plafond. Les deux hommes détalèrent.

Pendant quelques secondes, nul n'osa bouger. La plupart des personnes présentes croyaient que l'un des malfaiteurs les surveillait encore, prêt à faire feu sur le premier qui ferait mine d'esquisser un geste quelconque. Puis on se rendit compte que les bandits étaient vraiment partis. Les employés se relevèrent les uns après les autres, heureux de s'en être tirés indemnes. Plusieurs clients se précipitèrent alors vers le comptoir pour tenter de voir de ce qu'il était advenu de celui que le cagoulard avait frappé.

— J'ai eu le temps de déclencher l'alarme avant de me jeter à terre, déclara Marcelle Desjardins, au bord de la crise de nerfs.

— Que quelqu'un s'occupe de Morin pendant qu'on appelle une ambulance, ordonna le gérant en tentant de rassembler tant bien que mal les parcelles de son orgueil malmené.

— Vous êtes blessé à la bouche, monsieur Lozeau, lui fit remarquer Olivette Poirier en aidant Marthe Paradis à se relever.

— Je m'occupe de l'ambulance, dit Marthe. Madame Poirier, allez donc chercher la trousse de premiers soins dans la cuisine.

— Appelez aussi la police, ajouta le gérant en remettant de l'ordre dans sa tenue.

Sur ce, la monitrice se précipita sur le téléphone posé sur son bureau.

À peine venait-il de prononcer ces paroles que Léopold Lozeau aperçut des policiers, fortement armés, glisser un coup d'œil prudent par la porte vitrée.

— Inutile d'appeler la police, madame Paradis, elle est déjà là, dit le gérant. Madame Bélanger, allez donc leur dire qu'ils peuvent entrer et que les voleurs sont partis, commanda-t-il à sa comptable, non sans laisser percer une bonne dose de mépris dans sa voix. On dirait bien qu'ils se sont arrangés pour pas les rencontrer.

Une dizaine de policiers envahirent alors les lieux et furent accueillis par un brouhaha assourdissant. Les clients, énervés, voulaient savoir ce qu'ils devaient faire pour avoir leur argent.

— Ils sont partis avec mon chèque de paye, les écœurants ! dit un gros homme furieux en s'approchant d'un policier.

— Attendez qu'on vous interroge, monsieur, lui commanda sèchement ce dernier.

— Est-ce qu'on peut s'en aller ? demanda une vieille femme un peu tremblante.

— Non, madame. Vous devez attendre.

— Comment on va faire pour avoir notre argent ? l'interrogea une autre dame d'une voix un peu hystérique.

— La banque est fermée, répondit un inspecteur habillé en civil qui venait d'entrer. Est-ce qu'il y a quelqu'un de blessé ? ajouta-t-il après s'être rapidement présenté au gérant.

— Oui, un de mes caissiers. On a demandé une ambulance.

Marthe Paradis, agenouillée par terre aux côtés de Jean-Louis, toujours inconscient, avait pris sur elle de lui glisser un coussin sous la tête et elle appliquait un pansement temporaire sur la tempe du blessé. Quelques minutes plus tard, deux ambulanciers, munis d'une civière, firent leur entrée dans la succursale. Après avoir rapidement examiné l'état du caissier, ils le déposèrent sur la civière.

— Est-ce qu'il y a quelqu'un qui va l'accompagner à l'hôpital? demanda l'un des ambulanciers à la ronde.

— Moi, se contenta de dire Marthe après avoir consulté du regard son patron qui lui fit signe d'y aller.

La jeune femme suivit la civière et profita de la trouée que firent les ambulanciers à travers la foule de curieux qui s'était massée devant les portes de la banque. Quatre autos-patrouilles stationnées à la diable, moitié sur le trottoir, moitié dans la rue, les gyrophares allumés, nuisaient à la circulation.

— Je pense qu'il est mort, dit une femme à sa voisine au passage de la civière devant elle.

— Ça me surprendrait pas, reconnut l'autre. Il paraît que c'est plein de sang partout en dedans.

Marthe, follement inquiète du sort de Jean-Louis, se contenta de suivre les deux ambulanciers jusqu'à l'arrière du véhicule. Après avoir glissé la civière à l'intérieur, ils l'aidèrent à prendre place avant que le conducteur referme la portière sur elle et sur l'autre ambulancier. L'homme s'installa derrière le volant, actionna la sirène et le véhicule prit rapidement de la vitesse.

— Où est-ce que vous l'amenez? demanda Marthe à l'ambulancier installé près de la civière.

— À Notre-Dame, madame. C'est l'hôpital le plus proche.

En ce vendredi soir, le silence dans l'appartement de la rue Emmett n'était brisé que par la voix de Réal Caouette qui clamait haut et fort à la télévision que le premier ministre du Canada, Lester B. Pearson, devait absolument s'inspirer du *credo* créditiste en matière d'économie s'il voulait redresser les finances publiques. Selon lui, il suffisait d'imprimer des dollars.

— Il est fou à enfermer, ce maudit-là, déclara Gérard à l'intention de sa femme, attablée dans la cuisine.

Laurette ne dit rien, toujours aussi peu intéressée au monde de la politique. Après avoir collé durant près d'une heure des timbres Gold Star dans des livrets, elle consultait le catalogue pour savoir à quelle prime elle pouvait aspirer avec les six livrets complets qu'elle possédait maintenant.

— Maudit verrat, je ramasse des timbres depuis l'hiver passé et ils me donnent presque rien pour ! explosa-t-elle.

— T'as juste à continuer à en ramasser, lui conseilla Gérard, toujours assis dans sa chaise berçante dans la pièce voisine. Lâche ça et viens voir le programme qui commence, c'est sur l'Expo.

Au même moment, elle entendit le « Un jour, un jour, quand tu viendras... », la chanson-thème de l'exposition universelle de Montréal qui allait ouvrir ses portes au mois d'avril suivant. « Terre des hommes. Là où le monde entier va se donner rendez-vous dans moins de cinq mois », affirmait avec grandiloquence Jean-Paul Nolet, le commentateur.

— Bonyeu, on va ben se marcher sur les pieds si tout le monde vient à Montréal, s'exclama Laurette en entendant cette présentation. À part ça, est-ce qu'ils vont nous achaler encore ben longtemps avec cette exposition-là ?

— Arrête donc de chialer, lui lança son mari. Tu vas être la première à te garrocher là pour tout voir quand ça va commencer.

— Je dis pas le contraire, affirma-t-elle en pénétrant dans la salle de télévision après avoir rangé ses livrets de timbres dans l'armoire, mais je suis fatiguée de voir leurs maudits reportages dessus. Moi, les pavillons thématiques et toutes leurs bébelles, je vais aller les voir quand ils auront fini de les bâtir. Je tiens pas à en entendre parler avant pendant des heures.

— À soir, ils parlent de La Ronde. Viens t'asseoir. Ça vaut la peine. Il paraît que ça va être au moins cinq fois plus gros que le parc Belmont. Ils disent aussi qu'il va y avoir un train dans les airs pour faire le tour des îles. Est-ce que c'est assez fort pour toi, une affaire comme ça ? poursuivit un Gérard enthousiaste.

— J'ai passé l'âge des jeux, décréta sa femme.

— Mais tu vas aller voir quand même, affirma Gérard, sarcastique.

— Ben sûr, si je trouve assez d'argent pour payer les vingt piastres que le passeport va coûter.

— Il paraît qu'ils vont étamper les passeports dans chaque pavillon qu'on va visiter.

— Les étampes me font pas un pli et…

La sonnerie du téléphone lui coupa la parole.

— Bon. Qui est-ce qui vient encore nous achaler à cette heure-là ? maugréa-t-elle en quittant à regret son fauteuil où elle venait de s'asseoir pour aller répondre dans la cuisine.

— Non, c'est pas vrai ! s'exclama-t-elle après avoir écouté. On arrive.

Le ton de Laurette alerta Gérard qui se leva pour baisser le son du téléviseur. Lorsqu'il tourna la tête vers la porte, il aperçut sa femme, debout, apparemment en état de choc.

— Qui c'était ? lui demanda-t-il.

— Marthe Paradis.

— C'est qui, cette fille-là ?

— La fille qui travaille avec Jean-Louis. Elle est à l'hôpital avec lui, ajouta Laurette, la voix éteinte.

— Qu'est-ce qu'ils font là, tous les deux ?

— Il paraît qu'il y a eu un *hold-up* à la banque. Jean-Louis a été blessé.

— Hein ? Est-ce que c'est grave ? fit Gérard en s'avançant vers sa femme.

— Elle m'a dit que non, mais je veux aller à l'hôpital tout de suite. Dépêche-toi, lui ordonna-t-elle.

Gérard, aussi bouleversé que sa femme, s'empressa de s'habiller. Tous les deux montèrent à bord de la vieille Chevrolet et prirent la direction de l'Hôpital Notre-Dame, rue Sherbrooke. À leur arrivée à l'urgence, Marthe Paradis se porta à leur rencontre.

— Bonsoir, les salua la jeune femme en leur adressant un sourire rassurant. Le docteur vient d'examiner votre garçon. Tout va bien, comme je vous l'ai dit au téléphone. Il a pas de fracture du crâne. Le docteur a dit qu'il avait juste une sérieuse commotion.

— Ah bon, dit Laurette en poussant un soupir de soulagement.

— Il vient de lui faire une dizaine de points de suture sur la tête. La garde-malade m'a dit que, dans dix minutes, il va pouvoir retourner à la maison.

— Comment c'est arrivé, cette affaire-là ? lui demanda Gérard, encore passablement secoué.

Marthe Paradis entraîna les Morin vers des chaises libres et leur raconta ce qui s'était produit lors du vol à main armée.

— C'est en voulant me défendre que ça lui est arrivé, conclut-elle son récit avec une certaine émotion.

— Cybole, il aurait pu se faire tuer comme rien ! s'écria Gérard.

Marthe se contenta de hocher la tête.

— Je suis ben fière que mon Jean-Louis se soit montré aussi courageux, dit Laurette, les larmes aux yeux.

Au même moment, Jean-Louis apparut dans la salle d'attente, le col de sa chemise blanche souillé par du sang et un large bandage autour de la tête. Ses parents et Marthe se levèrent immédiatement et vinrent vers lui.

— Comment te sens-tu? lui demanda Marthe.

— Un peu étourdi, lui répondit-il. Le docteur m'a prescrit des pilules contre le mal de tête.

Puis, prenant conscience de la présence de ses parents, il ajouta:

— C'était pas nécessaire de vous déranger.

— Es-tu capable de marcher normalement? lui demanda sa mère. Si t'es pas capable, il y a des chaises roulantes à l'entrée.

— Non. Je suis capable de marcher, m'man.

— Bon. Je vais rapprocher le char, déclara son père, prêt à se diriger vers la sortie. Mademoiselle, partez pas. On va aller vous reconduire chez vous, ajouta-t-il. Il a commencé à mouiller.

Marthe ne protesta pas. Lorsqu'elle sortit de l'urgence de l'hôpital en compagnie de Laurette et de Jean-Louis, elle constata que la température était singulièrement plus fraîche qu'au début de la soirée. Le vent s'était levé et poussait à l'horizontale une petite pluie froide très désagréable.

Moins de cinq minutes plus tard, Jean-Louis se retrouva assis sur la banquette arrière de la Chevrolet bleue, aux côtés de Marthe qui avait indiqué au chauffeur qu'elle demeurait rue Saint-Denis, près de Rachel.

Lorsque la voiture arriva à proximité de la demeure de la monitrice, ce fut Laurette qui indiqua à son mari où s'arrêter exactement. Après l'avoir remerciée, les Morin rentrèrent à la maison et Jean-Louis se mit immédiatement au lit, chouchouté par sa mère.

— Il ferait ben mieux de lâcher cette *job* de fou là, déclara Laurette en revenant rejoindre son mari devant le téléviseur quelques minutes plus tard. Il risque de se faire tuer.

— Calme tes nerfs, lui conseilla son mari, agacé par cette sortie. Il y a pas plus de danger là qu'ailleurs. À part ça, à son âge, t'as pas besoin de le couver. Il sait ce qu'il a à faire.

— Ça, c'est toi qui le dis, répliqua sa femme sur un ton catégorique.

— En tout cas, j'ai trouvé pas mal étrange que tu saches exactement où demeurait cette fille-là, lui fit remarquer Gérard, soupçonneux. Comment ça se fait que tu sais exactement dans quelle maison elle reste?

— Bâtard, Gérard, réveille-toi! explosa Laurette. Tu sais aussi ben que moi que c'est là que Carole vit. Je te l'ai dit quand elle est partie. Si, au lieu de te sauver, tu nous avais donné un coup de main à la déménager, t'aurais reconnu la maison.

Le visage du père de famille se ferma immédiatement en entendant le prénom de sa fille. Il ne lui avait toujours pas pardonné la honte qu'elle avait apportée sur sa famille. De fait, Laurette lui avait peut-être dit que Carole allait vivre chez Marthe Paradis, mais il s'était empressé de l'oublier, comme il cherchait à oublier l'existence même de sa fille.

Sur ces mots, sa femme quitta la pièce. Elle téléphona à la plupart des membres de la famille pour leur raconter ce qui venait d'arriver à Jean-Louis.

— Est-ce qu'on peut passer le voir? demanda Richard, qui venait de rentrer chez lui.

— Il vient de se coucher. Je lui ai fait prendre des pilules qui vont le faire dormir, lui expliqua sa mère.

Le lendemain avant-midi, Gilles, Denise et Richard téléphonèrent tôt pour prendre des nouvelles de leur frère. Comme leur mère se faisait rassurante, ils ne jugèrent pas opportun de venir déranger sa routine bien connue du samedi, d'autant plus que les deux premiers avaient projeté d'aller dans le Nord.

Pour sa part, la mère de famille se retrouva ce jour-là devant un choix déchirant. Devait-elle abandonner Jean-Louis seul à la maison pour aller rendre visite à Carole, comme elle le faisait chaque samedi après-midi ? Lequel de ses enfants avait le plus besoin d'elle ?

Après le départ de Gérard pour aller travailler au garage de Rosaire, elle remit de l'ordre dans l'appartement et cuisina le reste de l'avant-midi. Jean-Louis s'était réveillé tôt. Comme il se plaignait d'une horrible migraine, elle avait insisté pour qu'il demeure au lit après avoir avalé deux des pilules prescrites par le médecin, la veille. Il avait fini par se rendormir.

Pendant son dîner, Laurette décida finalement de demeurer auprès de son fils pour le soigner en cas de besoin. Ce dernier avait fait sa toilette avant de manger légèrement et il s'était empressé de retraiter dans sa chambre après le repas.

Un peu avant deux heures, on sonna à la porte. Laurette eut alors la surprise de découvrir Marthe Paradis sur le pas de sa porte.

— Mon Dieu ! s'exclama-t-elle après l'avoir priée d'entrer. Il est rien arrivé à Carole, au moins ?

— Mais non, madame Morin, la réconforta immédiatement la jeune femme. Je me doutais bien que vous viendriez pas nous voir cet après-midi après ce qui est arrivé à votre garçon hier soir. Ça fait que je me suis dit que ce serait peut-être pas une mauvaise idée de venir voir s'il allait bien aujourd'hui. En même temps, je vais pouvoir rassurer Carole en lui rapportant des bonnes nouvelles. J'espère que je vous dérange pas trop.

— Pantoute. Enlève ton manteau et viens t'asseoir. Je vais aller voir si mon garçon s'est rendormi.

Marthe Paradis longea l'étroit couloir qui conduisait à la cuisine et prit place sur l'une des chaises en bois placées autour de la table. Pendant que son hôtesse disparaissait quelques instants, la jeune femme regarda avec curiosité l'endroit où vivait son camarade de travail.

Laurette ouvrit la porte de la chambre de son fils. Il y eut des chuchotements et elle referma la porte avant de revenir dans la cuisine, toute souriante.

— Il s'en vient. Je nous fais une tasse de café en attendant. Comment va Carole ?

— Elle va bien, madame Morin, mais elle commence à avoir hâte que ça finisse. Son huitième mois débute la semaine prochaine et ça paraît.

— Elle est pas malade ?

— Non. Je dirais même que plus ça va, plus elle est en forme. Il y a juste qu'elle sait pas encore quand son patron va décider qu'elle doit lâcher son ouvrage.

— C'est vrai. J'avais pas pensé à ça pantoute, reconnut la mère de famille, la mine soudainement assombrie. Comment elle va faire pour arriver quand elle pourra plus travailler ?

— Inquiétez-vous pas pour ça, lui conseilla la jeune femme, l'air affable. Elle a eu le temps d'économiser un peu et je suis là. Une amie, ça sert à quelque chose.

— T'es ben fine.

Jean-Louis vint enfin rejoindre les deux femmes attablées dans la cuisine en affichant un sourire un peu contraint.

En fait, il était gêné de montrer à son amie l'endroit misérable où il habitait. Après avoir vu l'appartement confortable qu'elle louait rue Saint-Denis, il réalisait à quel point elle pouvait trouver minable la maison de la rue Emmett. En fait, c'était la dernière place où il aurait voulu la voir, mais le mal était fait.

En le voyant, Marthe s'empressa de prendre des nouvelles de sa santé tout en tirant une feuille du *Montréal-Matin* de son sac à main.

— Si ça peut te remonter le moral, dit-elle avec un large sourire, on parle de toi dans le journal d'aujourd'hui.

— Ah oui ? demanda Laurette en tendant déjà la main pour s'emparer de l'article.

— Le journaliste vante pas mal le courage de votre garçon, madame Morin. Il écrit qu'il a pas eu peur de se jeter sur un des bandits armés.

Jean-Louis ne put s'empêcher de rougir devant le regard admiratif des deux femmes et il éprouva toutes les peines du monde à ne pas se jeter sur l'article consacré au vol à main armée pendant la visite de Marthe.

La jeune femme demeura plus d'une heure chez les Morin et ne se décida à les quitter que lorsque Laurette l'invita à souper.

— Vous êtes bien gentille, madame Morin, mais je peux pas aujourd'hui, la remercia Marthe en se levant. J'ai promis d'aller voir *La Mélodie du bonheur* au Château avec Carole, ce soir. C'est dommage que tu sois trop amoché pour venir avec nous autres, ajouta-t-elle avec un regret apparent en s'adressant à Jean-Louis.

— Ben là, dit ce dernier, hésitant.

— T'aurais pu venir souper à la maison et on serait sortis tous les trois.

Le fils de Laurette hésita encore un bref moment avant de se décider à dire :

— Si tu m'attends cinq minutes, je vais y aller avec vous autres. N'importe quoi pour pas être obligé d'écouter la partie de hockey de ma chambre.

Tout heureuse, Marthe continua à bavarder quelques instants avec Laurette pendant que Jean-Louis se préparait. Lorsqu'il parut dans la cuisine, son bandage avait disparu et il avait étalé ses cheveux de manière à ce que les points de suture sur sa tempe ne soient pas trop visibles.

— T'es sûr que t'es capable de sortir ? lui demanda sa mère en examinant l'importante ecchymose qui ornait le front de son fils.

— Ben oui, m'man. Si j'ai mal à la tête pendant la soirée, je prendrai mes pilules. Je les ai apportées.

Quand Gérard rentra à l'heure du souper, sa femme déposa, devant lui, avec une fierté évidente, l'article de journal consacré à l'exploit de leur fils.

— Je l'ai lu, se contenta de répondre Gérard, fatigué d'avoir lavé des voitures toute la journée.

— Et c'est tout l'effet que ça te fait de voir notre garçon dans le journal ? fit-elle sur un ton de reproche.

— Bâtard, Laurette, il y a pas de quoi grimper dans les rideaux ! Je sais pas si t'as lu la même chose que moi, mais c'est écrit que c'était pas ce qu'il y avait de plus intelligent à faire que de se garrocher sur un gars armé en plein *hold-up*. Il aurait pu se faire tuer pour rien. Les banques ont des assurances, cybole ! C'est pas pour rien.

Le lendemain soir, Laurette et son mari venaient à peine de s'installer devant leur téléviseur quand Richard et Jocelyne arrivèrent.

— J'espère qu'on vous dérange pas trop, madame Morin ? lui demanda sa bru en retirant son manteau.

— Pantoute. C'est *L'Heure du concert* qui commençait. Moi, il y a rien que j'haïs plus que d'entendre Claire Gagné et Yoland Guérard me casser les oreilles pendant deux heures à crier comme si on les égorgeait. Venez vous asseoir.

— On sera pas longtemps, dit Richard.

— D'où est-ce que vous venez à cette heure-là ? leur demanda Gérard.

— On vient d'aller essayer le nouveau métro, p'pa. Je vous dis que ça va vite en sacrifice, cette affaire-là ! Puis, à part ça, c'est beau. Vous l'avez pas encore essayé ?

— On n'a pas eu grand temps, intervint sa mère. En plus, avec ce qui est arrivé à ton frère.

— C'est vrai. Comment il va ? demanda Jocelyne.

Laurette apprit aux visiteurs que Jean-Louis s'était couché très tôt parce qu'il désirait être en forme à son retour au travail le lendemain. Elle passa volontairement sous silence qu'il avait été suffisamment remis la veille pour sortir avec Marthe et Carole. Elle en profita cependant pour raconter le vol à main armée de telle manière que son préféré prenait des allures de héros dont l'exploit n'avait pas été assez mis en valeur.

Les visiteurs l'écoutèrent jusqu'à la fin sans dire un mot, se contentant de hocher la tête d'un air pénétré. À la fin, Richard ne put s'empêcher de dire à sa mère :

— Tabarnouche ! m'man, à votre place, je demanderais au gouvernement qu'il donne une médaille à mon frère. À vous entendre, il a l'air de l'avoir méritée.

— J'espère que t'es pas jaloux de ton frère, lui fit remarquer Laurette.

— Pantoute, m'man. Moi, à sa place, j'aurais jamais fait ça.

Après le départ du jeune couple, une heure plus tard, Gérard ne put s'empêcher de dire à sa femme :

— Ça me fait rien, mais si j'étais toi, je m'arrangerais pour pas beurrer trop épais quand je raconte ce que notre gars a fait pendant le *hold-up*.

— Est-ce que t'as envie de dire que j'exagère ? demanda Laurette, agressive.

— Ben oui, cybole ! À force d'en mettre, tu vas finir par faire rire de toi.

Le lendemain matin, le retour au travail de Jean-Louis se fit sans tambour ni trompette. Bien sûr, les employés de la succursale évoquèrent les événements du vendredi soir précédent en entrant au travail. Certains demandèrent des nouvelles de sa santé au troisième caissier, mais personne ne sembla vouloir le transformer en héros. En d'autres mots, il semblait bien que seules sa mère et Marthe Paradis le considéraient comme tel.

Léopold Lozeau et Huguette Bélanger vinrent tout de même s'assurer qu'il était suffisamment remis pour reprendre normalement son travail avant que la banque n'ouvre ses portes à ses premiers clients de la semaine. Ni l'un ni l'autre n'allèrent toutefois jusqu'à lui reprocher d'avoir enfreint les directives des patrons en essayant de résister lors d'un vol à main armée.

Un peu avant l'heure du dîner, le gérant fit appeler Jean-Louis à son bureau. À l'entrée de ce dernier dans la pièce vitrée, Lozeau l'invita à fermer la porte avant de s'asseoir. Le jeune homme était aussi mal à l'aise que lors de son dernier passage dans le bureau du gérant, le printemps précédent.

— Le bureau-chef vient de m'appeler, lui dit abruptement le gérant. Il paraît que vous commencez votre entraînement comme moniteur demain matin.

En apprenant la nouvelle, Jean-Louis poussa une grand soupir de soulagement. On ne l'avait pas oublié. Il allait enfin pouvoir leur prouver qu'il était capable d'occuper ce poste.

— Le directeur du personnel vous demande d'être au bureau-chef à huit heures et demie, demain matin.

— Oui, monsieur.

— Je vous souhaite bonne chance, finit par dire le gérant comme si ces mots lui coûtaient.

— Merci, monsieur.

Naturellement, Marthe Paradis était déjà au courant de la nouvelle quand il avait pénétré dans le bureau de Léopold Lozeau. Lorsqu'il en sortit, elle lui adressa un chaud sourire pour lui prouver qu'elle participait à sa joie.

Le caissier flottait littéralement sur un nuage. Il était si heureux qu'il alla jusqu'à inviter Marthe à dîner au restaurant ce midi-là. Si un membre de la famille Morin avait pu assister à l'événement, il n'en aurait jamais cru ses yeux. Personne n'aurait eu l'idée saugrenue de gager un seul cent sur cette probabilité tant sa réputation de grippe-sou était bien implantée chez les siens.

Tout le monde aurait été bien surpris de voir qu'il ne s'était même pas préoccupé du prix du plat choisi par son invitée. Durant toute l'heure du repas, la conversation ne roula que sur ce qui l'attendait durant sa formation. Marthe Paradis ne se montra pas avare de conseils et lui offrit son aide.

À la fin du repas, la mine de la jeune femme s'assombrit légèrement en évoquant l'avenir.

— C'est juste plate pour une chose, finit-elle par dire.

— Quoi ?

— On se verra plus, avoua-t-elle en rougissant légèrement. C'est dommage, on s'entendait si bien tous les deux.

— C'est vrai, reconnut Jean-Louis en réalisant ce qu'elle venait de lui dire.

— Quand tu vas revenir à la succursale, s'ils te nomment à Dufresne, je vais être obligée d'aller travailler dans une autre caisse, dit-elle tristement.

— On peut peut-être essayer de se voir de temps en temps les fins de semaine, hasarda son compagnon d'une voix mal assurée.

— C'est sûr. Tu sais où je reste et tu as mon numéro de téléphone, reprit Marthe, en retrouvant le sourire.

Sur ces mots, Jean-Louis s'empara de l'addition que venait de lui laisser la serveuse, se leva et se dirigea vers la caisse. Lorsqu'il vit la somme à débourser, il eut une grimace significative.

À la fin de l'après-midi, il revint à la maison au moment où son frère Richard s'y arrêtait quelques instants, entre deux rendez-vous.

— Comment ça se fait que t'es pas venu dîner? lui demanda sa mère. Je t'ai attendu jusqu'à une heure.

— J'ai invité Marthe Paradis à dîner au restaurant, laissa-t-il tomber, comme si c'était un geste habituel.

— Hein! C'est pas vrai! s'exclama Richard en s'étreignant le cœur comme s'il craignait de succomber à un malaise cardiaque.

— En quel honneur? lui demanda Laurette, tout aussi surprise que son fils Richard.

— Pour rien. Comme ça, mentit Jean-Louis, toujours aussi décidé à ne rien dire tant et aussi longtemps qu'il n'aurait pas réussi le stage de moniteur.

— Ah ben, là, j'en reviens pas! reprit Richard en s'assoyant comme si ses jambes ne pouvaient plus le porter. Mon grand frère qui garroche son argent dans les restaurants et qui, en plus, paye la traite à une fille...

— OK. Ça va faire! le rembarra sèchement son aîné.

— Ça a dû te coûter un bras, insista l'incorrigible. À moins qu'elle ait mangé juste des patates frites, ajouta-t-il en faisant un clin d'œil à son frère.

— Ça va faire, Richard! lui ordonna Laurette. Bois ton Coke et laisse ton frère tranquille.

Deux semaines plus tard, Jean-Louis rentra à la maison à la fin de l'après-midi en affichant un air heureux que ses parents ne semblèrent pas remarquer.

Quelques minutes plus tard, au moment de passer à table, le jeune homme ne put s'empêcher d'annoncer fièrement à ses parents :

— J'ai une grande nouvelle à vous apprendre. À partir de demain, je suis plus caissier à la Banque d'Épargne.

— Dis-moi pas qu'ils t'ont mis à la porte ! s'exclama sa mère en déposant devant Gérard une assiette de rigatonis.

— Ben non, m'man. C'est le contraire. Je viens d'être nommé moniteur. J'ai fini mon *training* au siège social aujourd'hui.

— De quoi tu parles, bonyeu ? lui demanda Laurette, un peu perdue. C'est quoi cette affaire-là ?

Alors, Jean-Louis raconta à ses parents qu'il avait postulé pour avoir une promotion et qu'il venait de l'obtenir après avoir subi un entraînement durant près de deux semaines.

— Demain, je commence à notre succursale sur Beaubien. Je vais être le troisième de la succursale, juste derrière le gérant et le comptable.

— C'est plate, ça. Je suppose que tu pourras plus venir dîner à la maison ? lui fit remarquer sa mère.

— Oui. En plus, les jeudis et vendredis, je vais être obligé de manger deux lunchs parce que j'aurai pas le temps de venir souper non plus. Mais c'est pas grave, ajouta-t-il, enthousiaste. Dans deux ou trois ans, je vais essayer d'être nommé comptable.

— Pourquoi tu nous as fait cette cachette-là ? lui demanda son père.

— Ben. Je voulais vous en parler seulement si je réussissais.

— Si je comprends ben, tu vas avoir la même *job* que Marthe Paradis ? fit sa mère en s'assoyant à table après avoir servi son fils.

— Ben oui, m'man.

— Si je me trompe pas, ça veut dire que tu vas avoir toute une augmentation de salaire, ajouta-t-elle, réjouie.

Aussitôt, le visage de son fils se rembrunit. Il crut voir venir sa mère. Si elle parlait de son salaire…

— Si vous me dites ça parce que vous pensez augmenter ma pension, m'man, j'aime autant vous dire tout de suite…

— Whow ! Prends pas le mors aux dents ! lui ordonna sa mère, la fourchette levée. Je t'ai rien demandé encore, même si ça nous aiderait pas mal si tu pouvais nous donner un peu plus chaque semaine. Depuis que ta sœur est partie, j'ai de la misère à joindre les deux bouts.

— Je comprends, m'man, dit Jean-Louis en retrouvant son calme. Mais cette *job*-là va me donner juste une petite augmentation.

— Elle doit pas être si petite que ça, reprit sa mère, soupçonneuse. Si je me fie au bel appartement que Marthe Paradis peut se payer avec son salaire…

— Peut-être, mais elle, ça fait un bon bout de temps qu'elle est monitrice. Elle gagne pas mal plus que moi.

— Ton père et moi, on te charge pas une si grosse pension que ça, raisonna Laurette. Vingt piastres par semaine, c'est pas la mer à boire.

— C'est tout de même pas mal d'argent, m'man, se défendit l'ex-caissier. Oubliez pas que je gagne un tout petit salaire. Avec le petit peu que la banque va me donner de plus, je veux m'habiller et me payer enfin un fauteuil qui a de l'allure dans ma chambre.

— Moi qui pensais que t'étais pour m'offrir de me payer la moitié de la Chevrolet, intervint son père, non sans un certain humour.

— Pourquoi je ferais ça ? s'étonna Jean-Louis en tournant la tête vers son père, assis au bout de la table.

— Ben, cybole, parce que tu t'en sers presque aussi souvent que moi !

— C'est de valeur, p'pa, mais je suis pas assez riche pour ça, dit le jeune homme en ignorant volontairement le sarcasme que la remarque paternelle contenait.

Chapitre 19

Une célébration mémorable

Pour la première fois depuis plusieurs années, il n'y avait pas la moindre trace de neige au sol le 14 novembre, date du trente-sixième anniversaire de mariage de Laurette. Ce vendredi-là, il n'y avait pas un seul nuage dans le ciel montréalais et il régnait un froid sec qui faisait rougir rapidement le nez et les oreilles.

Avec les années, Gérard avait appris à ne pas oublier cet anniversaire s'il ne désirait pas avoir à supporter la mauvaise humeur de sa femme durant plusieurs jours. Avant de partir à son travail, il avait tiré de dessous le lit une boîte enrubannée qu'il avait déposée sur la table de cuisine pendant que Laurette préparait le déjeuner.

— T'aurais ben pu attendre à soir, lui dit sa femme. Mon cadeau est même pas encore enveloppé.

— Toi, tu me le donneras à soir, fit-il, magnanime. J'aime autant te le donner avant de partir travailler. Comme ça, tu passeras pas toute la journée à te pomper en te disant que j'ai oublié notre anniversaire de mariage.

— T'es ben fin, dit-elle en choisissant volontairement de ne pas relever la pique.

Elle ouvrit la boîte pour découvrir un très beau châle en laine.

— Ah ! Ça, c'est une bonne idée, déclara-t-elle, visiblement heureuse du choix de son mari.

— J'ai ben pensé que ça ferait ton affaire. Tu te plains souvent que c'est pas chaud le soir quand on regarde la télévision, à côté.

À la fin de l'après-midi, à son retour à la maison, Gérard découvrit une paire de pantoufles en cuir au pied de sa chaise berçante. Comme ses anciennes étaient tout éculées, le cadeau lui fit grand plaisir.

Durant la soirée, Gilles et Florence vinrent rendre une courte visite au couple. Cette dernière était d'autant plus surprenante que les deux instituteurs semblaient avoir érigé comme règle de ne venir les voir qu'un dimanche sur deux, durant l'après-midi, ce qui avait le don de mettre Gérard de mauvaise humeur parce qu'il devait renoncer à sa sacro-sainte sieste.

— On vient vous souhaiter un bon anniversaire de mariage, dit Florence en les embrassant tous les deux.

— Bon anniversaire, dit Gilles à son tour en embrassant sa mère et en serrant la main de son père.

— On a pensé vous faire un petit cadeau pour l'occasion, reprit la jeune femme après avoir accepté la tasse de café que lui tendait sa belle-mère.

— Ben voyons donc! protesta Gérard. Vous avez pas à nous faire de cadeau pour ça. Il y a ben assez que vous nous avez fêtés l'année passée et même l'année d'avant à notre anniversaire de mariage. Vous êtes pas pour faire ça chaque année.

— Disons que c'est un cadeau un peu spécial, reprit Gilles. C'est aussi en remerciement pour tous les sacrifices que vous avez faits pour me faire instruire.

Laurette, émue, ne sut quoi dire.

— Ce cadeau-là, c'est Florence qui en a eu l'idée, poursuivit Gilles en tirant de sa poche intérieure de veston une enveloppe blanche qu'il tendit à sa mère.

Cette dernière se leva, prit ses lunettes de lecture déposées en permanence sur le réfrigérateur et ouvrit l'enveloppe.

— Qu'est-ce que c'est? demanda-t-elle à sa bru. Un souper pour deux?

— En plein ça, madame Morin, dit la jeune femme. Gilles et moi, on est allés souper au restaurant *Altitude 737* de la Place Ville-Marie, le soir de la fête du Travail pour célébrer la fin de nos vacances. On a tellement aimé ça qu'on a pensé que ce serait une bonne idée de vous offrir un souper pour deux à la même place.

— On vous a pris des réservations pour demain soir, six heures et demie, précisa Gilles. Vous allez vous apercevoir que c'est pas mal spécial. Le restaurant est au quarante-deuxième étage. Ils disent qu'ils l'ont appelé *Altitude 737* parce qu'il est à sept cent trente-sept pieds de hauteur. Vous allez voir toute la ville illuminée si vous demandez d'être assis proches des fenêtres.

— Et c'est pas mal chic, madame Morin, dit Florence. Vous allez être obligée de mettre votre plus belle robe.

— J'ai jamais entendu ce nom de restaurant là, affirma Gérard, peu enthousiaste.

— Vous aurez jamais vu un buffet comme ça, reprit Florence qui connaissait la gourmandise de sa belle-mère. Vous avez des fruits de mer, du homard, du rôti de bœuf, du jambon, de la dinde, du poisson. Et là, je vous parle pas des salades, des pâtés...

— Et les desserts! intervint Gilles. Vous avez une grande table pleine de toutes sortes de desserts. Vous pouvez manger de tout aussi longtemps que vous le voulez. Vous pouvez rester là jusqu'à minuit si ça vous tente.

— Arrêtez, vous me donnez la faim! s'exclama Laurette... Maudite affaire, reprit-elle après un moment de silence. J'ai rien d'assez *swell* pour aller dans une place comme ça.

— Voyons donc, madame Morin. La robe que vous avez mise à nos noces va faire amplement l'affaire. Pas vrai, Gilles ?

— Ben oui, m'man. C'est pas tous des millionnaires qui vont manger là... Bon, nous autres, on va y aller. On doit aller préparer nos bagages. Demain, on monte dans le Nord jusqu'à dimanche après-midi.

— Votre chalet est assez chaud pour ça ? demanda Gérard, surpris.

— On peut encore se débrouiller avec notre petite fournaise, mais quand il va faire vraiment froid, on pourra plus y aller, reconnut son fils. C'est peut-être la dernière fois qu'on y va avant le printemps. Je pense que c'est la même chose pour Denise. Son chalet est pas plus chaud que le nôtre et elle veut pas prendre le risque de faire attraper la grippe aux enfants.

Avant de quitter l'appartement de la rue Emmett, le jeune couple leur souhaita un bon repas d'anniversaire. Gérard et Laurette remercièrent leur fils et leur bru avec effusion.

— Vous nous en donnerez des nouvelles, dit Gilles en refermant la porte derrière lui et sa femme.

Après leur départ, Laurette laissa éclater un peu sa mauvaise humeur.

— J'avais ben besoin de ça, se plaignit-elle en mettant une bouilloire d'eau à chauffer. Me v'là poignée pour me laver la tête à soir et me mettre des rouleaux. Bonyeu que j'haïs ça dormir avec ça sur la tête !

— T'es pas obligée, lui fit remarquer Gérard en allumant le téléviseur pour regarder la fin des informations à Radio-Canada.

— Ben non ! fit sa femme, sarcastique. Je suppose que je vais aller là demain soir pas peignée, arrangée comme une vraie folle. Ils ont ben bon cœur, mais je trouve que c'est ben des troubles pour juste manger un repas. Ils auraient pu nous payer à souper au *New Napoléon* de la rue Sainte-Catherine, ça m'aurait fait autant plaisir et ça leur aurait coûté peut-être moins cher.

— C'est ça, plains-toi donc, cybole ! Tous les ans, c'est la même rengaine. Tu brailles parce qu'on fait presque rien pour fêter et quand quelqu'un te fait un cadeau, tu trouves encore le moyen de te lamenter.

Laurette haussa les épaules et disparut dans sa chambre pour aller chercher ce qui lui était nécessaire pour se coiffer.

Le lendemain matin, elle suggéra fortement à son mari de revenir tôt du garage de Rosaire de manière à avoir le temps de faire sa toilette avant d'aller souper.

— Puis gêne-toi pas pour lui dire qu'on va manger à soir au *Altitude 737* et oublie pas d'ajouter que c'est un restaurant chic, dit-elle au moment où il boutonnait son manteau avant de sortir. Quand il va dire ça à ta sœur, elle va s'apercevoir qu'elle est pas toute seule à aller dans les belles places.

Ce matin-là, elle attendit neuf heures pour téléphoner à Carole pour la prévenir qu'elle ne pourrait pas aller lui rendre visite durant l'après-midi. Elle en profita pour lui demander des nouvelles de sa visite chez le médecin, l'avant-veille.

— Tout a l'air correct, m'man. Il pense que je suis capable de continuer de travailler au bureau encore deux ou trois semaines, répondit la jeune femme. Le petit pourrait être pour la deuxième ou troisième semaine de décembre, d'après lui.

— Si t'as besoin de quelque chose, tu m'appelles tout de suite, lui ordonna sa mère.

Cet après-midi-là, Gérard revint à la maison un peu après quatre heures.

— Est-ce que c'était ton dernier samedi au garage ? lui demanda sa femme en train de se coiffer. Il me semble que tu m'as dit que c'était aujourd'hui que tu finissais de rembourser le char.

— C'est vrai, reconnut son mari. J'aurais pu dire à Rosaire que j'arrêtais aujourd'hui, mais j'ai pensé à mon affaire et je me suis dit que je continuerais un petit bout de temps pour compenser la pension qu'on n'a plus de « tu sais qui ».

— Tu peux ben dire « Carole », se rebella sa femme. C'est encore ta fille, après tout.

— Laisse faire.

— As-tu dit au moins à Rosaire où on allait souper ? lui demanda-t-elle, bien décidée à ne pas gâcher cette sortie par une dispute au sujet de leur fille enceinte.

— Ben oui.

— Puis, qu'est-ce qu'il a dit ?

— Il a dit qu'on était pour aimer ben ça. Il paraît qu'il amène Colombe là au moins une fois par mois.

— Bout de viarge ! s'exclama Laurette. J'aurais dû m'y attendre ! Ben sûr, ta sœur connaît déjà la place. Il y a rien de trop beau pour elle...

— Ça change quoi qu'elle y aille de temps en temps ? lui demanda Gérard, agacé. Ça nous enlève rien.

À cinq heures, Laurette et son mari, tout endimanchés, décidèrent de partir.

— Vous m'aviez pas dit que votre réservation était pour six heures et demie ? demanda Jean-Louis à sa mère.

— Ben oui.

— Vous avez pas peur d'arriver ben trop de bonne heure?

— Pantoute. Le temps de trouver où il est, ce restaurant-là, on sera pas trop d'avance.

Laurette ne croyait pas si bien dire. On aurait juré que depuis qu'il faisait plus froid, Gérard avait encore ralenti quand il se mettait au volant de sa vieille Chevrolet. Rien ne semblait le réjouir autant que de pouvoir s'installer confortablement dans le sillage d'un autobus et d'effectuer les mêmes arrêts. Le nez presque appuyé dans le pare-brise, les mains crispées sur le volant, le quinquagénaire conduisait avec une telle lenteur que sa présence soulevait très souvent un concert de klaxons.

— Verrat, Gérard, grouille-toi un peu! s'impatienta sa femme. Si tu continues à te traîner comme ça, on va ben arriver là-bas après le jour de l'An, lui dit sa femme, agacée.

— Calme-toi les nerfs, lui ordonna sèchement son mari, énervé par la circulation. Moi, venir dans l'ouest de la ville en plein samedi soir...

Finalement, le couple n'arriva à destination qu'un peu après six heures. Après s'être informé, il finit par trouver le bon ascenseur qui l'expédia dans les hauteurs de la Place Ville-Marie. Quand Laurette se rendit compte qu'elle devait emprunter un second ascenseur pour se rendre au quarante-deuxième étage, elle ne parvint pas à dissimuler son inquiétude.

— Mon Dieu! dit-elle à mi-voix, mais c'est ben haut, cette affaire-là.

À leur arrivée dans le hall du restaurant, les Morin, intimidés par le cadre luxueux, durent attendre l'apparition d'un maître d'hôtel à l'air compassé. Vêtu d'un costume noir, l'homme replaça du bout des doigts la petite boucle qui ornait sa chemise blanche avant de leur demander leur nom. Il consulta la feuille placée devant lui sur un lutrin et cocha leur nom.

Laurette lui tendit le coupon-cadeau après l'avoir tiré de son sac à main.

— Merci, madame, lui dit-il. Vous le remettrez à la caisse, à la fin de votre repas. Si vous voulez bien laisser votre manteau au vestiaire, ajouta-t-il en désignant de la main un comptoir derrière lequel officiait une jeune femme.

Gérard et sa femme s'exécutèrent.

— J'espère qu'on se fera pas voler notre manteau, chuchota Laurette, en effaçant du plat de la main les plis de sa robe bleue qui la boudinait un peu. Replace ta cravate, ajouta-t-elle. Elle est de travers.

Tous les deux s'avancèrent vers le maître d'hôtel qui les attendait près de l'entrée. L'homme leur fit signe de le suivre.

— Est-ce qu'on peut être proches d'une fenêtre ? lui demanda Laurette qui venait de se rappeler le conseil de Gilles.

— Je vais voir, madame, répondit l'homme qui, de toute évidence, s'attendait à un pourboire pour satisfaire ce type de demande.

Il installa les Morin près d'une baie vitrée et ne se décida à les quitter que lorsqu'il fut certain qu'aucune gratification ne lui serait offerte. Le couple eut à peine le temps de se rendre compte qu'une vingtaine de tables étaient occupées autour d'eux qu'un serveur assez âgé se présenta à sa table.

— Est-ce que je peux vous offrir un apéritif ?

Gérard consulta sa femme du regard avant de refuser.

— Voulez-vous choisir un vin pour votre repas ? demanda-t-il en tendant à Gérard une carte des vins insérée dans un étui en cuir rouge foncé.

Gérard consulta rapidement la carte en concentrant toute son attention sur le prix exigé pour chaque bouteille. Après un moment d'hésitation, il pointa du doigt le vin le moins coûteux. Le sommelier les quitta après avoir repris possession de sa carte des vins. Gérard ne put s'empêcher de dire à voix basse:

— Cybole! T'as pas vu le prix du vin? C'est écœurant comme c'est cher. J'ai pris une bouteille à douze piastres, c'était la moins dispendieuse. Ça, c'est pas payé par Gilles et Florence.

— T'aimes pas le vin et moi non plus, lui fit aigrement remarquer Laurette.

— Je le sais ben, mais presque tout le monde a l'air d'en commander. Si je l'avais pas fait, on aurait eu l'air de deux pauvres.

L'ambiance était agréable. Peu à peu, les tables se remplissaient. Les serveurs, l'air affairé, exécutaient un véritable ballet. Un pianiste et un violoniste venaient de monter sur une petite scène et avaient entrepris de jouer en sourdine. L'air bruissait des conversations tenues à voix basse.

— C'est chic en pas pour rire, admit Laurette, vivement impressionnée par tout ce luxe ambiant.

Après avoir admiré le panorama de Montréal tout illuminée à ses pieds, elle ne cessait de regarder autour d'elle en s'attardant sur la décoration de l'endroit et sur les toilettes portées par les femmes présentes.

Un serveur d'un certain âge se matérialisa soudain près de leur table au moment où un couple très âgé prenait place à la table voisine.

— Madame et monsieur viennent-ils pour le buffet ou mangent-ils à la carte?

— Pour le buffet, dit Laurette.

— Parfait, fit-il en déposant un seau à glace sur un trépied, près de Gérard.

Avec des gestes maniérés, le serveur en tira une bouteille de vin dont il retira le bouchon avant d'en verser quelques gouttes dans la coupe placée devant Gérard.

Durant un moment, ce dernier le regarda, ne sachant pas trop ce qu'il attendait, debout près de lui.

— Si monsieur veut se donner la peine de goûter, finit par dire le serveur d'un air hautain.

Gérard but et lui dit qu'il était bon.

Le serveur remplit les coupes après leur avoir fait remarquer, toujours de son petit ton déplaisant, qu'ils pouvaient aller se servir quand bon leur semblerait.

— Aïe ! Je lui aime pas la face à celui-là, déclara Laurette à voix basse. On dirait qu'il a avalé un balai. C'est peut-être pour ça qu'il marche les fesses serrées. À part ça, j'ai l'impression que ce maudit restaurant-là engage son monde à l'hospice d'à côté.

— Exagère pas, Laurette. Le gars est pas si vieux que ça. Il doit avoir à peu près notre âge.

— Il fait plus vieux, trancha sa femme sur un ton qui ne souffrait aucune contestation.

— Moi, je commence à avoir faim, déclara Gérard. Est-ce qu'on y va ?

— Je veux ben, répondit Laurette, mais dans quoi on va manger. Il y a même pas d'assiette sur notre table. Il me semble que le pingouin aurait dû s'occuper de ça plutôt que de faire le frais.

— On va aller voir au buffet. Les assiettes sont peut-être là.

— C'est correct, dit Laurette en se levant. D'après toi, est-ce que je peux laisser ma sacoche à côté de ma chaise sans risquer de me la faire voler ?

— Je pense pas qu'il y ait du danger, affirma son mari après avoir jeté un coup d'œil au couple de vieilles personnes assis à la table voisine.

Ils se dirigèrent tous les deux vers la section du restaurant où étaient disposées plusieurs longues tables couvertes de nombreux plats plus appétissants les uns que les autres.

— Regarde, chuchota Gérard en s'emparant d'une assiette. Ils les ont mises au bout des tables. Essayes-tu un homard ?

— Ben non. J'en n'ai jamais mangé et ça a l'air trop compliqué à défaire, dit Laurette en commençant à déposer dans son assiette divers hors-d'œuvre.

Lorsqu'elle revint à sa table, son assiette était surchargée de mousse au saumon, de diverses salades et de tranches de viande froide. Gérard la rejoignit un instant plus tard.

À la table voisine, le vieux monsieur venait d'intercepter le serveur pour qu'il leur apporte des pinces nécessaires pour décortiquer les homards que sa femme et lui venaient de prendre au buffet. L'homme fit signe qu'il avait entendu et se dirigea vers une autre table occupée par un jeune couple.

Il ne fallut que quelques minutes à Laurette pour vider son assiette. Elle émit un rot discret et recula discrètement de deux crans la ceinture de sa robe.

— Verrat que c'est bon ! ne put-elle s'empêcher de dire après avoir vidé sa coupe de vin. Je pense que je vais aller me servir unc autre fois.

— Prends ton temps, lui conseilla son mari. Si tu manges trop vite, tu vas être bourrée dans dix minutes. Fume une cigarette. Il y a rien qui presse.

Laurette décida d'en griller une en attendant que Gérard ait terminé son assiette. Pour s'occuper, elle regarda le couple voisin. Les deux vieillards attendaient encore que le serveur veuille bien apporter les pinces demandées.

— Je te dis qu'il est pas pressé de leur apporter ce qu'ils ont demandé, murmura-t-elle à son mari en se penchant légèrement au-dessus de la table.

Gérard ne fit aucun commentaire. Il fuma une cigarette, lui aussi, avant de retourner au buffet. Cette fois-ci, le couple se dirigea résolument vers les plats chauds.

— As-tu vu le gros *roast beef*? s'extasia Laurette en affichant une mine gourmande.

— Moi, je pense que je vais prendre de la dinde. Elle a l'air trop bonne, répondit son mari en tendant son assiette vers l'un des cuisiniers doté d'une haute toque blanche qui officiait derrière la table.

Laurette imita son geste et un second cuisinier mit deux tranches de bœuf dans son assiette.

— Est-ce que je peux en avoir plus? demanda-t-elle.

— Bien sûr, madame, répondit le jeune homme en lui servant deux autres tranches.

Laurette s'arrêta au passage pour prendre une large portion de pommes de terre en purée et une tranche de jambon avant de regagner sa table. Gérard la rejoignit un moment plus tard. Tous les deux se mirent en devoir de dévorer le contenu de cette seconde assiette sans trop se préoccuper de la musique d'ambiance et des clients qui ne cessaient d'arriver.

Soudain, Laurette leva la tête de son assiette à demi vide et remarqua que le couple voisin attendait encore les pinces demandées au serveur.

— Ça a pas d'allure de rire du monde comme ça! s'exclama-t-elle à mi-voix.

— De quoi tu parles? s'étonna Gérard.

— Des vieux, à côté. Ils ont pas encore les pinces qu'ils ont demandées il y a au moins vingt minutes.

— Ils ont juste à les redemander, dit son mari, indifférent.

Laurette ne l'écouta pas. Elle venait d'apercevoir leur serveur en train de faire des courbettes devant un gros homme chauve assis seul à une table située à une douzaine de pieds de la leur.

— Aïe ! l'interpella-t-elle assez fort pour attirer l'attention de l'employé.

Ce dernier leva la tête pour tenter de trouver qui osait le héler de façon aussi vulgaire. Lorsqu'il s'aperçut que l'appel venait de la femme habillée en bleu au tour de taille imposant, il voulut faire semblant de l'ignorer.

— Aïe chose ! Est-ce que tu vas te réveiller ? dit Laurette assez fort pour que plusieurs têtes se tournent dans sa direction.

— Laurette ! fit Gérard, rouge de honte.

Mais sa femme ne l'entendait plus, toute à sa colère. Le serveur ne put feindre plus longtemps de ne pas l'avoir entendue. Il s'excusa auprès du client avec un sourire contraint et vint vers la table des Morin en affichant une mine réprobatrice qui en disait long sur ce qu'il pensait des manières de l'occupante.

— Madame ?

— Dis donc, chose, est-ce que t'es sourd ? l'apostropha Laurette. Ça fait une demi-heure que le monsieur à côté de nous autres t'a demandé des pinces pour son homard. Qu'est-ce que t'attends pour les apporter ?

— Mais, madame ! protesta l'autre dont le visage avait subitement pâli.

— Laisse faire tes « madame », lui ordonna-t-elle sèchement. Est-ce qu'il va falloir que j'aille les chercher moi-même dans la cuisine, maudit verrat ?

— Mais j'y allais, madame, protesta le serveur en jetant un coup d'œil vers le couple âgé qui ne disait rien.

— T'es mieux d'y aller et surtout de revenir vite, le menaça Laurette, un ton plus bas.

L'employé disparut entre les tables et revint moins d'une minute plus tard pour déposer sur la table voisine les pinces tant attendues.

— Merci, madame, dit la vieille dame à Laurette après que le serveur eut tourné les talons pour s'occuper de ses autres clients.

Gérard renonça à finir son assiette tant la sortie de sa femme l'avait mis mal à l'aise.

— Bâtard que t'es pas sortable, Laurette ! finit-il par lui dire, les dents serrées.

— J'ai rien fait de mal, protesta cette dernière. Le pingouin est là pour servir les clients. Il a juste à faire sa *job* comme du monde s'il veut pas se faire écœurer. Bon, toi, tu fais ce que tu veux, mais moi, j'ai encore faim pour du dessert.

Sur ces mots, elle le planta là et se dirigea, pleine de dignité, vers la longue table où gâteaux, tartes et crèmes à diverses saveurs attendaient les gourmands. Devant un tel étalage de pâtisseries, Laurette ne sut d'abord quoi choisir. Gérard finit par venir la rejoindre. Il la regarda déposer sur son assiette un morceau de gâteau au chocolat, une portion de tarte au sucre, deux éclairs à la crème pâtissière et un bol de pudding au riz.

— Es-tu sûre que tu vas en avoir assez ? lui demanda-t-il, sarcastique.

— C'est juste un commencement, lui répondit-elle. Je vais revenir, ajouta-t-elle avant de retourner à leur place en s'avançant entre les tables comme un vaisseau amiral.

Laurette ne retourna pas une, mais bien deux fois à la section buffet réservée aux desserts. Ses allers-retours finirent par attirer l'attention des gens assis aux tables voisines qui chuchotaient entre eux après chacun de ses passages.

— Tabarnouche, l'estomac va t'éclater si t'arrêtes pas, lui fit remarquer Gérard qui s'était contenté d'un morceau de tarte aux raisins. Le gérant va finir par venir nous sacrer dehors avant que le restaurant fasse faillite.

— Laisse faire, lui répondit sa femme en s'essuyant la bouche avec sa serviette de table. Gilles et Florence ont payé le gros prix pour ce repas-là. Le moins qu'on puisse faire, c'est de manger à notre faim.

Finalement, un autre serveur s'approcha d'eux et leur proposa du thé ou du café après avoir discrètement déposé l'addition près de Gérard. Ce dernier sursauta en la consultant.

— Qu'est-ce qu'il y a? lui demanda sa femme.

— Cybole! Sais-tu combien coûte le repas?

— Non.

— Cinquante-quatre piastres avec le vin.

— Combien Gilles a payé là-dessus, d'après toi?

— Quarante.

— Verrat, c'est ben cher! s'exclama Laurette. Pour ce prix-là, on aurait pu aller manger trois ou quatre fois dans un autre restaurant.

— Puis encore, là, j'ai pas compté le *tip*.

— Que je te voie donner un *tip*, lui dit sa femme. Je vois pas pourquoi on en donnerait un. On a été obligés d'aller se servir tout seuls au buffet.

— Le serveur est quand même venu ramasser les assiettes sales une couple de fois, lui fit remarquer Gérard en sortant à regret de sa poche de pantalon les quinze dollars qu'il devait payer en surplus.

— Lui, qu'il aille au diable! trancha Laurette en se levant péniblement.

Gérard s'arrêta un instant à la caisse pour régler l'addition et il prit au passage les manteaux au vestiaire.

— Ce qui m'écœure le plus, chuchota-t-il à sa femme alors qu'ils attendaient l'ascenseur, c'est d'avoir pris du vin. Comme tu l'as dit, on n'aime pas ça ni l'un ni l'autre. Si j'avais pas fait ça, le repas nous aurait rien coûté.

Le retour à la maison ne fut guère facile pour une Laurette qui avait de la difficulté à digérer. La descente ultrarapide en ascenseur lui avait mis l'estomac à l'envers et la balade en voiture qui suivit n'avait guère amélioré les choses. Dès son arrivée à l'appartement, elle se précipita aux toilettes en disant :

— J'ai besoin d'un Bromo-Seltzer. Pour moi, il y avait quelque chose de pas frais dans ce que j'ai mangé, osa-t-elle avancer avec une mauvaise foi évidente.

— T'es sûre que c'est pas plutôt d'avoir un peu trop forcé sur les desserts qui te met l'estomac à l'envers ? se moqua Gérard.

— Laisse-moi tranquille, toi ! J'en ai mangé juste un peu, protesta-t-elle.

— Pour moi, t'en oublies des bouts, conclut Gérard en se dirigeant vers leur chambre à coucher dans l'intention de se préparer pour la nuit.

La semaine suivante, tous les membres de la famille eurent droit à un récit extraordinairement coloré de cette soirée de fête célébrée au *Altitude* 737. La voix de Laurette pouvait prendre des accents lyriques pour décrire les mets offerts dans leurs moindres détails. Évidemment, le couple se garda bien de mentionner l'intervention un peu brusque de Laurette auprès de l'un des serveurs.

Chapitre 20

Les fêtes

Cette année-là, les Montréalais durent attendre la fin novembre pour assister à la première chute de neige de la saison et encore... Il en tomba alors à peine plus d'un pouce, juste assez pour recouvrir la grisaille d'un automne qui n'en finissait plus.

— On n'a vraiment plus les hivers qu'on avait, fit remarquer Laurette ce matin-là après avoir jeté un coup d'œil à la cour à peine couverte de blanc.

— Plains-toi donc, fit Gérard en finissant de manger son déjeuner. Il y a peut-être pas mal moins de neige, mais on gèle autant que d'habitude. Cette semaine, il y a eu deux matins que la Chevrolet a pas voulu partir.

— À ta place, je ferais ce qu'Armand t'a conseillé, dit sa femme. Laisse donc ton char dans la cour et va travailler à pied. T'es pas si loin de ton ouvrage que ça.

— Je vois pas pourquoi je ferais ça quand mon gendre prend son char, lui, pour aller travailler à la même place que moi, s'entêta Gérard.

Cependant, à la mi-décembre, il devint évident pour tous que la vieille Chevrolet avait développé une nette aversion pour la saison froide. Dès que le mercure descendait à moins de 10 °F, elle refusait obstinément de démarrer. Vaincu, son propriétaire finit par renoncer à l'utiliser et demanda à Richard de venir la remorquer avec l'un de ses camions pour la ranger dans la grande cour arrière, près de la clôture. Dès le lendemain, la vieille guimbarde bleue se retrouva à cet endroit, à l'abri des chasse-neige municipaux.

Une semaine plus tard, l'hiver fit une entrée fracassante dans le sud du Québec. Ce jour-là, de lourds nuages noirs, poussés par un fort vent du nord, s'amassèrent dans le ciel de la métropole dès le début de la matinée. Puis quelques flocons épars se mirent à tomber doucement, comme s'ils étaient chargés d'ouvrir la voie à ceux qui allaient les suivre. En moins de dix minutes, le ciel s'obscurcit et la neige se mit à tomber en si grande quantité qu'il était presque impossible de voir de l'autre côté de l'étroite rue Emmett.

— Si ça a de l'allure, se plaignit Laurette en allumant le plafonnier de la cuisine. V'là qu'il faut allumer la lumière en plein jour pour voir clair, à cette heure.

Elle allait se décider à envelopper les cadeaux qu'elle avait achetés lors de ses sorties des deux samedis précédents quand on sonna à la porte. Elle eut alors la surprise de découvrir Richard portant une grande boîte en carton. Son fils entra et se secoua sur le paillasson pour ne pas mettre de neige sur le parquet propre de sa mère.

— Ma foi du bon Dieu ! Veux-tu ben me dire ce que tu fais dehors par un temps pareil ? lui demanda cette dernière.

— Même s'il neige, m'man, la vie continue, lui répondit son fils cadet en enlevant ses couvre-chaussures après l'avoir embrassée sur une joue.

— Naturellement, tu continues à sortir avec rien sur la tête, lui reprocha-t-elle.

— Vous m'avez toujours dit que j'avais rien entre les deux oreilles, blagua son fils cadet. Pourquoi je m'encombrerais d'un chapeau ?

— T'es ben drôle, répliqua sa mère. À part ça, qu'est-ce que tu traînes dans cette boîte-là ?

— Ça ? C'est une petite surprise pour vous et p'pa.

Le jeune homme retira son lourd manteau d'hiver, le suspendit au crochet, derrière la porte et suivit sa mère dans la cuisine.

— Assis-toi, je vais te faire une tasse de café.

Richard lui obéit sans se faire prier et Laurette remarqua soudain que son fils portait exceptionnellement une chemise blanche et une cravate.

— Tu m'as toujours pas dit ce que tu fais dehors, habillé comme le dimanche, lui dit-elle en déposant devant lui une tasse de café.

— J'arrive de signer un nouveau contrat. Je vous ai pas dit ça, mais j'ai acheté un autre *truck* avant-hier,

— Maudit que tu vas vite ! s'exclama sa mère. T'as pas peur d'avoir les yeux plus grands que la panse, des fois ?

— Pantoute, m'man. D'abord, c'est pas un *truck* neuf et j'ai déjà un contrat de la Ville pour qu'il serve au déneigement tout l'hiver. J'ai même un autre bon chauffeur.

— C'est toi qui le sais, dit Laurette, tout de même peu rassurée. Il me semble juste que tu vas vite en affaires en verrat ! Ça fait même pas un an que t'as lâché la compagnie de tabac...

— Ayez pas peur, je prends pas de chance. Je sais où je m'en vais. Ah ! pendant que j'y pense, ajouta son fils, j'ai rencontré un entrepreneur en démolition à matin quand je suis allé signer mon contrat aux bureaux de la Ville. Le gars venait là pour la même raison que moi. La seule différence, c'est qu'il a demandé que le contrat pour ses deux *trucks* mis sur le déneigement dépasse pas le 15 mars.

— Pourquoi ? demanda Laurette, d'une voix assez indifférente. C'est presque sûr qu'on va avoir encore un peu de neige après cette date-là.

— C'est ce que je lui ai dit aussi, répliqua Richard. Il m'a raconté qu'un *boss* de la Dominion Oilcloth allait lui donner un gros contrat de démolition à partir de cette date-là.

— Est-ce que ça veut dire... ? commença Laurette, soudain très inquiète.

— J'en ai ben peur, m'man. De toute façon, vous le savez depuis le mois d'avril passé que la compagnie va faire démolir la maison. Il va ben falloir qu'un jour ça se fasse, cette affaire-là. Vous avez même pas de bail, c'est pas pour rien.

— Aïe ! C'est pas une bonne nouvelle que tu m'apportes là, se plaignit sa mère en s'allumant une cigarette.

— Peut-être, mais il y a rien qui dit qu'ils vont commencer par démolir les maisons de la rue Emmett. Ils peuvent aussi ben se mettre à jeter à terre celles de la rue Notre-Dame ou même les bâtisses de la compagnie. S'ils commencent par là, ça va prendre un bon bout de temps avant d'arriver chez vous. Ça devrait vous donner le temps de vous virer de bord avant d'être obligée de déménager.

— Ouais ! fit Laurette, peu consolée par cette perspective.

— Bon. On va changer de sujet, si vous le voulez. Est-ce que ça vous tente de savoir ce qu'il y a dans ma grosse boîte ? lui demanda son fils cadet en se levant avec un air enjoué.

— Qu'est-ce que c'est ?

— Ben, je me suis aperçu que vous aviez pas encore acheté votre arbre de Noël dimanche passé. Ça fait que j'ai pensé à vous quand je suis passé chez Pascal hier après-midi, lui expliqua son fils en ouvrant la boîte devant elle. Je vous ai acheté un arbre artificiel.

— Ben, voyons donc! protesta Laurette.

— Là, vous pourrez plus vous lamenter que vous trouvez des aiguilles partout sur votre plancher. En plus, il va pouvoir vous servir chaque année. Où est-ce que vous allez l'installer?

— J'avais pas l'idée d'en faire un cette année, reconnut sa mère. Mais si tu me fais ce cadeau-là, on va le mettre dans un coin, dans l'ancienne chambre de Carole.

— Bon, je vais vous aider à le monter avant de partir, affirma Richard après avoir jeté un coup d'œil à sa montre. J'ai de l'ouvrage cet après-midi et je voudrais pas rester pris dans le trafic à cause de la neige.

Le jeune homme transporta la boîte dans la pièce voisine et se mit au travail.

— Regardez, m'man. C'est pas ben compliqué. Vous avez deux bâtons pleins de trous que vous vissez ensemble. On a juste à commencer par en bas et à planter les grandes branches. Elles ont des bouts peinturés de la même couleur. Plus on monte, plus les branches sont petites. On suit le plan.

En moins de dix minutes, Laurette se retrouva en face d'un arbre argenté installé dans sa salle de télévision.

— Ça fait tout de même drôle d'avoir un arbre de Noël de cette couleur-là, ne put-elle s'empêcher de dire à son fils en train de mettre ses couvre-chaussures au moment de son départ.

— C'est la grosse mode, m'man. Vous allez voir qu'un coup décoré, ça va être ben beau.

— En tout cas, t'es ben fin de nous avoir fait ce cadeau-là, lui dit-elle en l'embrassant.

— Ça me fait plaisir.

— Moi, ce qui me ferait plaisir, c'est que tu te mettes quelque chose sur la tête la prochaine fois que tu sortiras dehors.

— Je vais essayer d'y penser, lui promit-il avant de refermer la porte derrière lui.

Laurette souleva le rideau qui masquait la vitre de la porte et observa durant un court moment son fils en train de déneiger vigoureusement sa voiture avant de s'installer derrière le volant. Elle ne laissa retomber le rideau que lorsque la Pontiac se mit en route.

Elle décida alors de décorer sans plus attendre ce sapin de Noël nouveau genre. Malgré sa peur des rats, elle descendit à la cave chercher la boîte de carton dans laquelle elle avait rangé les boules décoratives, les séries de lumières multicolores et les guirlandes. En descendant l'escalier, elle fit le plus de bruit possible pour chasser les rats que son intrusion dans leur domaine n'aurait pas incités à détaler. Malgré tout, elle demeura sur le qui-vive et jeta des regards apeurés durant toute sa brève expédition dans le sous-sol. De retour au rez-de-chaussée, passablement essoufflée, elle referma vivement la porte derrière elle.

Elle termina la décoration de l'arbre à l'heure du dîner, au moment où Roger Lebel commençait à répondre à des auditeurs sur une ligne ouverte au poste CKVL.

— Il est pas laid pantoute, dit Laurette à haute voix en se plantant, les mains sur les hanches, devant son nouvel arbre de Noël bien décoré. Mais il reste que ça fait drôle quand même un arbre de Noël qui sent rien et qui a cette couleur-là.

Pour dîner, elle fit réchauffer un reste de pommes de terre qu'elle mangea avec quelques tranches de *baloney*. Après avoir lavé sa vaisselle, elle alla jusqu'à sa chambre et regarda la rue Emmett par la fenêtre pour évaluer la quantité de neige tombée depuis le début de la tempête.

Il neigeait toujours avec la même intensité. L'accumulation semblait déjà importante. Un client sortait au moment même du dépanneur Lemieux. L'homme avait de la neige à mi-jambes et avançait péniblement en baissant la tête pour se protéger des flocons qui tombaient toujours aussi serrés.

— Si la charrue passe pas ben vite sur notre rue, il y a plus un char qui va être capable de rouler, dit-elle.

À l'instant où elle finissait de parler, le grondement d'un chasse-neige municipal fit trembler les vitres de la façade de la vieille maison. Après son passage, Laurette abandonna son poste d'observation et se mit à retirer les cadeaux de Noël dissimulés sous son lit. Elle passa l'après-midi à les envelopper avec soin avant d'aller les déposer au pied de l'arbre, dans la pièce voisine.

Pendant qu'elle accomplissait cette tâche annuelle, ses pensées se dirigèrent tout naturellement vers Carole qui vivait ses derniers jours de femme enceinte. Elle était inquiète, très inquiète. Depuis deux semaines, sa fille avait cessé de travailler et était confinée dans l'appartement qu'elle partageait avec Marthe Paradis, mais l'amie de son fils était absente toute la journée. Qu'allait-il lui arriver si les douleurs faisaient leur apparition alors qu'elle était seule ? Qui allait s'occuper d'elle ? Maintenant, elle lui téléphonait au moins deux fois par jour pour s'enquérir de son état et vérifier si elle avait vraiment tout ce dont elle avait besoin.

— Bonyeu que ça m'énerve ! Je devrais être avec elle, là-bas, ne cessait-elle de se répéter.

Elle aurait voulu pouvoir persuader son mari d'accueillir leur fille à la maison durant ces jours cruciaux avant sa libération, mais elle le connaissait assez pour savoir qu'il ne fléchirait pas.

— On est le 16. C'est pour ces jours-ci. Que ça lui plaise ou pas, je me dépêche demain à faire la cuisine pour les fêtes et, après ça, je vais aller passer toutes mes journées avec elle. Je voudrais ben le voir essayer de m'empêcher d'y aller !

Quand Gérard revint à la maison après sa journée de travail, il était de fort méchante humeur. Non seulement il avait dû patrouiller à l'extérieur une bonne partie de la journée, malgré la tempête, mais il avait été obligé d'attendre l'autobus plus d'une demi-heure.

— Une maudite journée de fou ! se plaignit-il en enlevant son manteau. Il me semble qu'il faut pas avoir la tête à Papineau pour s'apercevoir qu'il y a pas un chat qui va venir voler quelque chose sur le port quand t'as de la misère à rouler, cybole !

— Dis-moi pas que t'étais dehors par un temps pareil ? lui demanda sa femme.

— Tout l'après-midi, bâtard ! Je suis gelé comme un *popsicle*.

— Bon. Ben, prends le temps de te dégeler un peu, lui suggéra Laurette en lui tendant une tasse de café et va voir mon ouvrage dans la salle de télévision.

Gérard but une bonne gorgée de café avant de pousser la porte de la pièce voisine.

— Qu'est-ce que c'est ça ? demanda-t-il en apercevant l'arbre de Noël illuminé dans le coin de la chambre.

— Un cadeau de Richard. C'est un arbre artificiel.

Gérard l'examina un long moment avant de déclarer :

— Sais-tu que c'est pas laid pantoute, cette affaire-là. Mais il faut dire que tu l'as pas mal ben décoré.

Laurette sourit de plaisir en entendant ce compliment.

— Et j'ai eu le temps d'envelopper tous les cadeaux de Noël à part ça.

— Est-ce que je peux tâter pour essayer de deviner ce que tu m'as acheté ? demanda-t-il, malicieux.

— Que je te voie essayer ! le menaça-t-elle. Tu touches à rien. Tu le sauras après la messe de minuit, comme les autres.

Vers sept heures, la neige cessa pratiquement de tomber. À l'extérieur, tout était blanc et le vent semblait s'être calmé. Au moment où un documentaire débutait à la télévision, les Morin entendirent des cris excités d'enfants en provenance de la cour arrière.

— Le programme a l'air pas mal plate, déclara Gérard en quittant sa chaise berçante. Je pense que je vais aller déneiger le balcon en arrière et ouvrir un chemin jusqu'au hangar.

Il s'habilla chaudement et sortit. Moins d'une minute plus tard, Laurette sursauta en entendant, à l'extérieur, des cris de colère proférés par son mari.

— Maudit verrat! Qu'est-ce qui se passe encore? demanda-t-elle à haute voix en quittant péniblement son fauteuil.

Elle n'eut pas à s'interroger très longtemps. Soudain, la porte arrière s'ouvrit pour laisser passer un Gérard fou de rage.

— Les petits maudits vicieux! s'écria-t-il. Sais-tu ce qu'ils faisaient?

— De qui tu parles? lui demanda sa femme en entrant dans la cuisine.

— Des jeunes du coin, bâtard! s'emporta-t-il. Ils étaient montés sur le *top* de mon char avec leur traîne-sauvage et ils s'en servaient comme glissoire. Faut-il qu'ils soient malfaisants!

— Ça te sert à rien de te mettre à l'envers pour ça, lui conseilla sa femme. Pour moi, tu vas être poigné pour le nettoyer chaque fois qu'il va neiger cet hiver, sinon les enfants vont s'en servir.

— Si jamais j'en poigne un à monter dessus, je vais le reconduire chez eux à grands coups de pied dans le cul, je te le garantis, promit-il en sortant de nouveau pour aller déneiger sa Chevrolet.

Quelques minutes plus tard, Denise téléphona à sa mère, tant pour s'informer de l'état de santé de sa sœur cadette que pour se plaindre.

— Vous savez pas ce qui vient de me tomber sur la tête ? dit-elle à sa mère.

— Non. Qu'est-ce qu'il y a ?

— Alain m'est arrivé de l'école avec des poux, dit la jeune mère de famille sur un ton découragé.

— C'est pas la fin du monde, cette affaire-là, fit Laurette. Sors de l'huile à lampe et un peigne fin, et vérifie ben comme il faut. Après, tu lui laveras la tête comme il faut. Il y a pas autre chose à faire. À part ça, à ta place, je ferais la même chose avec Sophie et Denis.

— Mes enfants sont propres, protesta Denise.

— Ben oui, mais tu devrais savoir depuis longtemps qu'ils attrapent toujours ça à l'école.

— Et pour Carole ? demanda l'aînée.

— Toujours pareil.

— J'ai pas eu le temps de l'appeler aujourd'hui.

— Moi, je l'ai appelée deux fois, la rassura sa mère. Tout a l'air normal.

Laurette était heureuse de constater que sa fille aînée avait cessé de bouder sa jeune sœur. On aurait dit que le comportement trop sévère de son père à l'endroit de la future mère l'avait incitée à changer de comportement, comme poussée par la solidarité féminine. Bref, depuis un mois ou deux, elle téléphonait régulièrement à Carole et elle l'avait même reçue à souper en deux ou trois occasions. De toute évidence, Pierre était d'accord avec le comportement généreux de sa femme.

Le lendemain matin, dès le départ de Gérard et de Jean-Louis pour le travail, Laurette se dépêcha de remettre de l'ordre dans la maison avant d'entreprendre ce qu'elle appelait son «chemin de croix», soit la confection des pâtés à la viande et des tartes qu'elle allait servir durant le temps des fêtes. Elle éprouvait toujours autant de difficulté à réussir ces plats *fancy*, comme elle disait, probablement parce qu'elle ne les cuisinait toujours qu'une fois par année.

À l'extérieur, le ciel était enfin dégagé et la neige étincelait sous le froid soleil de décembre.

— Maudit verrat! Si on était riches, j'aurais juste à acheter des tourtières La Belle Fermière et des tartes toutes faites, dit-elle à voix haute en commençant à mélanger les ingrédients dans un grand bol.

Dès le départ, elle savait qu'elle allait finir par s'enrager devant les pauvres résultats obtenus et invoquer l'aide de sa mère qui la voyait sûrement du haut du ciel.

Cette année-là ne fit pas exception. Son porc et son bœuf accompagnés d'oignons finement hachés mijotaient depuis longtemps sur la cuisinière quand elle parvint enfin à rouler une pâte convenable. Elle confectionna six pâtés qu'elle s'empressa de déposer dans le four avant de se mettre à la préparation des traditionnelles tartes aux dattes et aux raisins. Elle ne termina son travail qu'un peu après une heure de l'après-midi et le fait d'avoir cuisiné aussi longtemps lui avait enlevé tout appétit. Après avoir nettoyé la cuisine et déposé ses tartes et ses pâtés dans le coffre en bois placé sur le balcon, près de la porte, elle décida de ne pas dîner et de se contenter d'une tasse de café.

Après un court repos, elle entreprit de préparer son ragoût de pattes de cochon et la petite dinde qu'elle avait achetée en spécial le lundi précédent, chez Steinberg.

Lorsque Gérard rentra en compagnie de Jean-Louis, à l'heure du souper, il trouva un appartement où flottaient toutes sortes d'odeurs appétissantes.

— Sacrifice que ça sent bon ici dedans ! s'exclama-t-il en retirant son manteau. Ça sent la tourtière et la dinde, ajouta-t-il, l'air gourmand.

— Dites-moi pas, m'man, que c'est ce qu'on va manger à soir, dit Jean-Louis, tout autant mis en appétit que son père.

— Il y a personne qui va toucher à mon *stock* des fêtes avant le réveillon de Noël, les prévint Laurette. Je cuisine depuis à matin.

— C'est ben de valeur, se plaignit son mari. On aurait pu manger juste une petite pointe de tourtière… Ça t'aurait évité de préparer à souper.

— Laisse faire, toi ! Vous allez manger du pâté chinois. Il est prêt.

Ce soir-là, après avoir regardé *La Poule aux œufs d'or* animée par Roger Baulu, Laurette attendit que son fils se soit retiré dans sa chambre pour prévenir son mari.

— À partir de demain, je serai pas à la maison avant six heures le soir, lui dit-elle sans aucun ménagement.

— Qu'est-ce que c'est cette histoire-là ? lui demanda Gérard, surpris. Où est-ce que tu vas être ?

— Chez Carole. Elle passe ses journées toute seule. Son temps approche. J'aime pas ça qu'elle soit toute seule. Ça m'énerve. J'ai décidé qu'à partir de demain, je vais aller passer la journée avec elle tant qu'elle aura pas accouché.

— C'est parfait, ça, fit son mari, amer. Encourage-la donc à continuer. Comme ça, quand elle en aura un deuxième et même un troisième bâtard, elle pourra toujours compter sur sa mère.

— Aïe ! Ça va faire ! s'écria-t-elle, hors d'elle. C'est notre fille après toute ! Je la laisserai pas crever comme un chien toute seule dans son coin parce qu'elle nous a fait honte une fois, bonyeu ! Reviens-en ! Là, tout le manger est prêt pour les fêtes et c'est pour ça que j'ai travaillé comme une folle toute la journée. Je veux pas la laisser toute seule. Il me semble que c'est facile à comprendre, ça. La fin de semaine, Marthe est là, mais la semaine, il y a personne avec elle.

— C'est correct! C'est correct! Tu feras encore à ta tête, comme d'habitude! dit Gérard sur un ton sec. Moi, je m'en mêle pas.

— De toute façon, on soupera pas tellement plus tard que d'habitude. Je vais préparer le souper d'avance et j'aurai juste à le faire réchauffer en arrivant, expliqua-t-elle.

Le lendemain matin, la mère de famille se leva encore plus tôt que d'habitude dans un appartement glacial où le givre avait fait son apparition dans chaque fenêtre de la maison. Elle se dépêcha de faire sa toilette et Gérard la trouva déjà habillée quand il entra dans la cuisine.

— Ton déjeuner est prêt, lui dit-elle. Je pars.

— Pourquoi aussi de bonne heure?

— Je veux arriver là-bas avant que Marthe Paradis soit partie travailler.

— Et qu'est-ce que t'as dans ce sac-là? lui demanda-t-il, intrigué par le sac de papier kraft qu'elle avait déposé sur la table.

— Mon dîner. Tu penses tout de même pas que je vais me faire nourrir par notre fille? Il y a ben assez qu'elle doit tirer le diable par la queue depuis qu'elle travaille pas.

Sur ces mots, Laurette quitta la maison. Il faisait encore noir et le froid était intense. Elle marcha jusqu'à la rue Sainte-Catherine en longeant le trottoir qui n'avait pas encore été dégagé de toute la neige tombée l'avant-veille.

À sept heures trente, elle sonna à l'appartement de la rue Saint-Denis. Marthe, stupéfaite, la découvrit sur le pas de sa porte.

— Mon Dieu! madame Morin, il y a quelqu'un qui vous a jetée en bas de votre lit à matin, plaisanta-t-elle en la faisant entrer dans le couloir.

— Je voulais arriver avant que tu partes, expliqua Laurette, le souffle court d'avoir monté l'escalier. Je me suis arrangée pour venir passer la journée avec Carole pendant que tu vas être à l'ouvrage. Je veux faire ça tous les jours, tant qu'elle aura pas acheté.

— Votre mari a rien dit? demanda la monitrice.

— C'est des affaires de femme, trancha Laurette en retirant son manteau. Ça le regarde pas.

— En tout cas, je vais aller travailler pas mal plus tranquille en vous sachant à la maison, reconnut la jeune femme en la faisant passer dans la cuisine.

À l'instant même, la porte de la chambre de Carole s'ouvrit et la future mère entra dans la pièce, les yeux boursouflés de sommeil.

— M'man! Mais vous faites vos visites de politesse ben de bonne heure aujourd'hui.

— Je viens passer la journée avec toi. J'aime mieux être ici dedans avec toi qu'à me ronger les sangs toute seule à la maison à me demander si t'es correcte.

— Bon. Moi, je vais finir de me préparer, dit Marthe Paradis en se dirigeant vers la salle de bain. Je suis pas en avance.

— Pendant que j'y pense, fit Laurette en déposant son sac de papier sur la table. Je vous ai apporté une tourtière et une tarte aux raisins pour votre réveillon ou pour Noël. Elles sont congelées toutes les deux.

— Vous êtes ben fine, madame Morin, dit Marthe. Ma mère m'a montré comment faire du pain et des beignes, mais pour la pâte à tarte, je suis pas capable.

— Pauvre toi! la plaignit la visiteuse. T'es comme moi. J'ai toujours toute la misère du monde à la réussir.

Après le départ de la monitrice pour la banque, Laurette fut surprise d'apprendre de la bouche même de sa fille que Jean-Louis venait rendre visite aux deux jeunes femmes une ou deux fois par semaine.

— Lui et ses maudites cachettes ! ne put s'empêcher de dire sa mère. Veux-tu ben me dire pourquoi il nous le dit pas ?

— Vous le changerez pas, m'man, il est comme ça. Il y a même pas moyen de savoir s'il est en amour avec Marthe. Moi, en tout cas, je suis sûre que Marthe est la fille qu'il lui faudrait. Elle le comprend et l'encourage. Je sais pas si vous le savez, mais c'est elle qui l'a poussé à demander la *job* de moniteur.

— Non, je le savais pas. D'abord, tu dois pas t'ennuyer s'il vient aussi souvent, lui fit remarquer sa mère.

— Ah ! Il est pas tout seul, m'man. Richard et Jocelyne viennent aussi à peu près une fois par semaine. Même Gilles et Florence sont venus avant-hier.

— Eh ben !

— Dimanche, Pierre est supposé venir me chercher avec Marthe parce que Denise nous a encore invitées à souper. Je commence à trouver ça pas mal gênant.

— S'ils t'invitent, vas-y. Ça va te changer les idées. C'est vrai qu'ils ont ben bon cœur.

— Presque autant que Jocelyne et Richard, reprit Carole. Chaque fois qu'ils viennent, eux autres, ils trouvent le moyen de me laisser de l'argent quelque part. J'ai beau leur téléphoner après pour leur dire que j'en n'ai pas besoin, ça sert à rien. Vous connaissez Richard. Il dit que c'est pas pour moi, mais pour le petit et que j'ai pas le droit de refuser.

À l'évocation du petit à qui elle allait donner naissance dans quelques jours, le visage de la jeune femme s'assombrit et elle sembla brusquement la proie d'une profonde tristesse. Il était évident qu'elle redoutait l'épreuve qui approchait. Sa mère remarqua son changement d'expression et se demanda si sa fille était torturée par la crainte de l'accouchement ou par le fait qu'elle avait prévu donner son enfant en adoption.

Toutefois, pendant quelques secondes, Laurette éprouva beaucoup de fierté devant la générosité manifestée par tous ses enfants pour soutenir leur sœur dans un moment particulièrement difficile. Dieu seul savait à quel point certains d'entre eux lui avaient donné du fil à retordre, mais aujourd'hui, elle avait l'impression d'être largement récompensée pour tous les sacrifices qu'elle avait consentis pour « en faire du monde », comme elle disait.

Le lendemain, il y eut tout de même un changement de ton dans les entretiens entre la mère et la fille.

Au milieu de la matinée, Carole eut à se pencher pour prendre une casserole dans une armoire et elle n'y parvint qu'avec beaucoup de peine.

— Maudit que je suis écœurée d'être poignée comme ça ! s'écria-t-elle en donnant une bonne tape sur son ventre proéminent. Est-ce que je vais finir par m'en débarrasser un jour de cette affaire-là ?

— Whow ! lui cria sa mère. Fais attention à ce que tu fais !

— J'en peux plus d'endurer ça, se plaignit la jeune femme, à bout de nerfs.

— Ça, c'est pas la faute du petit. Lui, il a pas demandé à venir au monde, lui reprocha sa mère. Il y a déjà ben assez que tu vas l'avoir…

— Pas mariée ? C'est ça que vous voulez dire ? l'interrompit Carole en haussant la voix.

— Oui.

— Je l'ai pas voulu, vous saurez.

— Tu l'as peut-être pas voulu, mais il est là. Déjà que la vie sera pas facile pour lui, ça fait qu'arrange-toi au moins pour qu'il vienne au monde normal, bonyeu ! Pioche pas dessus ! As-tu même pensé au nom que tu vas lui donner ?

— Non, répondit la future mère, sur un ton catégorique. Ça vaut pas la peine, je le donne en adoption, je vous l'ai déjà dit. Je veux même pas le voir quand il va venir au monde.

— Je veux ben croire que t'auras pas le choix de le donner, mais pense que cet enfant-là va peut-être passer ben des années dans une crèche ou qu'il va se faire garrocher d'une famille à l'autre. Au moins, fais attention à lui tant que t'as pas accouché.

Carole se mit à pleurer doucement, à bout de nerfs d'avoir à attendre si longtemps sa délivrance.

— En tout cas, j'ai juste hâte que ce soit fini, avoua-t-elle en reniflant. Après ça, je vais retourner travailler au bureau et avoir une vie normale.

— T'es fatiguée, lui déclara sa mère, sur un ton compatissant. Va donc t'étendre une heure dans ta chambre pour te reposer pendant que je te prépare à dîner.

Carole se leva péniblement de la chaise sur laquelle elle s'était lourdement laissée tomber et se dirigea vers sa chambre en traînant un peu les pieds.

— Pauvre petite fille ! murmura Laurette après qu'elle eut entendu la porte se refermer derrière Carole. Si elle s'imagine que tout va redevenir comme avant, elle va déchanter vite.

La semaine suivante, Laurette se rendit à l'appartement de la rue Saint-Denis tous les jours de la semaine. Le jeudi et le vendredi, elle ne rentra à la maison que vers dix heures trente parce que Marthe avait évidemment dû travailler jusqu'à huit heures à la banque. Chaque fois, la mère de famille trouvait l'appartement plongé dans le noir. Gérard était déjà couché et faisait probablement semblant de dormir pour manifester son mécontentement.

La veille de Noël, Carole avait une semaine de retard sur la date prévue pour son accouchement et elle s'en inquiétait.

— Énerve-toi pas avec ça, lui disait sa mère pour l'apaiser. Ça arrive souvent au premier.

En réalité, Laurette était au moins aussi angoissée que sa fille par cette attente qui ne semblait plus avoir de fin. Elle aurait aimé inviter à son réveillon Carole et sa colocataire, mais l'état de la première lui interdisait tout déplacement et la seconde avait clairement laissé entendre qu'elle demeurerait avec elle ce soir-là. En réalité, cet état de fait avait un peu soulagé la mère de famille qui évitait ainsi une sérieuse dispute avec Gérard qui n'aurait probablement pas accepté facilement de recevoir sa fille à la maison.

Avant de quitter l'appartement pour assister à la messe de minuit, Laurette téléphona chez Carole pour demander qu'on la prévienne sans faute s'il se produisait quelque chose. Après avoir vérifié une dernière fois que la table était correctement dressée et que tout était prêt pour la distribution des étrennes, elle suivit son mari à l'extérieur.

Une petite neige s'était mise à tomber une heure auparavant et les locataires du quartier avaient allumé les guirlandes de lumières multicolores qui décoraient leurs fenêtres ou leur balcon.

— Là, ça a l'air des fêtes, dit Laurette en se cramponnant au bras de son mari par crainte de tomber. Tout est blanc partout.

— Ouais. Je me demande ben pourquoi Rosaire et Colombe sentent le besoin d'aller passer les fêtes à Miami encore cette année, fit son mari.

— Ça fait juste du monde de moins à inviter, répondit sa femme, plutôt heureuse de ne pas avoir à recevoir sa belle-sœur. On est une assez grosse *gang* au réveillon, on peut se passer d'eux autres. Surtout que cette année, on va avoir Armand et Pauline…

— Comment ça se fait qu'ils reçoivent pas leurs deux filles ? lui demanda Gérard. D'habitude, Pauline fait toujours un réveillon, la veille de Noël.

— Je le sais pas, reconnut Laurette. Peut-être qu'ils ont accepté mon invitation parce que j'ai dit qu'on irait à son souper de Noël. Peut-être aussi parce que Louise et Suzanne sont invitées chez des amis.

Un nombre impressionnant de fidèles avait envahi les trottoirs. Tous se dirigeaient sans se presser vers l'église Saint-Vincent-de-Paul. Le bedeau finissait de déneiger les marches conduisant au parvis quand les Morin arrivèrent à l'église. Ils se glissèrent dans le temple tout illuminé pour l'occasion et un marguillier leur trouva deux places dans les premiers bancs, juste en face de la crèche montée devant l'autel de la Vierge.

Il restait près de quarante minutes avant le début de la cérémonie religieuse et la plupart des gens s'entretenaient à mi-voix après avoir retiré leur manteau trop chaud.

— Jean-Louis aurait ben pu venir à la messe de minuit avec nous autres, déclara Gérard.

— Il avait affaire à sortir à soir, mais il m'a promis d'être revenu à temps pour le réveillon.

— Où est-ce qu'il allait ?

— Je le sais pas. Il me l'a pas dit.

Cependant, la mère de famille avait deviné que son fils allait passer la soirée avec sa sœur et Marthe.

Après ce bref échange, Laurette se mit à prier silencieusement pour Carole dont la délivrance tardait tant. Elle était si abîmée dans ses pensées que le passage dans l'allée de l'abbé Latendresse, le nouveau vicaire de la paroisse, la fit sursauter. Elle le vit se diriger vers la porte de la sacristie, l'air affairé, dans le froufrou de son aube blanche.

— Lui, en tout cas, il risque pas qu'une fille de la paroisse lui fasse de l'œil, chuchota-t-elle à son mari.

— Pourquoi tu dis ça ?

— Bonyeu, tu l'as pas regardé ! Il est laid comme un péché mortel.

Finalement, le curé Perreault apparut dans le chœur, escorté par deux adultes qui allaient servir sa messe.

— J'aimais ben mieux quand c'était des jeunes qui servaient la messe, habillés avec une belle soutane et un surplis, dit Laurette.

— Ça m'aurait ben surpris que tu trouves rien à critiquer, répliqua Gérard sur le même ton, mais avec un rien d'agacement dans la voix.

Laurette sortit un mouchoir de son sac à main et s'épongea le front. Il faisait terriblement chaud dans l'église. La chorale paroissiale entonna « Il est né, le divin Enfant » pendant qu'un couple, vêtu comme Joseph et Marie, remontait lentement l'allée centrale. La mère portait un bébé dans ses bras. Les yeux ronds de surprise, Laurette vit l'homme et la femme entrer dans le chœur et aller prendre place devant la crèche, comme s'ils en faisaient partie.

— Ah ben, verrat, on aura tout vu ! murmura-t-elle. V'là qu'à cette heure, il leur faut du vrai monde pour faire la crèche.

— Chut ! fit Gérard.

— Ça me surprendrait pas pantoute que l'année prochaine, ils nous amènent un vrai âne et un vrai bœuf dans l'église, poursuivit-elle sans tenir compte de la réaction de son mari. Tu parles d'une idée de fou! Si le petit se met à brailler pendant la messe, ça va être le *fun* encore.

Elle s'était inquiétée bien inutilement. L'enfant sembla dormir durant toute la cérémonie. Mieux encore, le curé Perreault fit en sorte de ne pas étirer inutilement cette dernière tant la chaleur était devenue presque insupportable, même si les portes, à l'arrière, étaient demeurées ouvertes.

Après une dernière bénédiction, le maître chantre entonna l'incontournable *Minuit, Chrétiens* et la foule entreprit de quitter lentement les lieux. En posant le pied à l'extérieur, les Morin s'aperçurent que la neige avait cessé. Ils se dirigèrent vers la rue Fullum en prenant garde de ne pas glisser sur les trottoirs mal déneigés.

À leur retour à la maison, Gérard et sa femme trouvèrent tous les leurs en train de les attendre devant la porte d'entrée.

— T'as même eu le temps d'aller chercher Denise et les petits après la messe, dit Laurette, étonnée, à son gendre.

— C'est l'avantage d'être assis dans le dernier banc en arrière, madame Morin, dit Pierre Crevier en riant. Je suis sorti avant la fin.

— C'est ce qu'on aurait dû faire nous autres aussi, dirent Richard et sa femme.

— Nous autres, on va aller à la messe demain matin, déclara Florence. De toute façon, on pourra pas dormir tard, ma mère nous attend pour dîner.

Dès l'entrée dans l'appartement, les manteaux et les bottes furent enlevés. On mit à réchauffer les pâtés à la viande, le ragoût et la dinde pendant que Gérard distribuait des boissons gazeuses et de la bière à ses invités. Lorsque

Armand et Pauline Brûlé arrivèrent, Laurette alla les accueillir et les débarrassa de leurs manteaux. Elle remarqua immédiatement l'air contraint et malheureux de son frère et de sa belle-sœur.

— Venez nous rejoindre dans la salle de télévision, leur cria Gérard. Vous arrivez juste à temps, je suis en train de servir à boire.

— On arrive, répondit Armand avec un entrain forcé.

— Qu'est-ce qui se passe ? leur demanda leur hôtesse, curieuse. Vous avez l'air malheureux comme les pierres, tous les deux.

Armand jeta un coup d'œil à sa femme et souleva les épaules en signe d'impuissance. Il y eut un bref silence pendant que les invités entassés dans la salle de télévision s'esclaffaient, probablement après avoir entendu l'une des blagues que Richard adorait raconter.

— Maudits enfants ! ne put s'empêcher de dire Armand, les dents serrées. Je te dis qu'il vient de nous tomber toute une tuile sur la tête.

— Qu'est-ce qu'il y a ? demanda Laurette. Est-ce qu'une de vos filles est malade ?

— Pantoute ! dit sèchement Pauline.

— J'espère que c'est pas encore parce que Louise reste toute seule en appartement ?

— Si c'était juste ça, reprit Armand. Tu devineras jamais ce qu'on a appris la semaine passée…

— Non. Quoi ?

— Elle reste avec un gars.

— On s'en doutait depuis une couple de mois, reprit Pauline.

— Bon, c'est pas la première fille qui fait ça, non ?

— On veut ben le croire, poursuivit la belle-sœur de Laurette, mais on se doutait pas qu'elle restait avec un prêtre défroqué, par exemple, ajouta-t-elle avec rage…

— Avec un ancien prêtre ? demanda Laurette en feignant la surprise la plus complète.

— Ben oui, un ancien prêtre. Et tu devineras jamais avec qui.

— Avec qui ?

— Avec notre ancien vicaire, sainte bénite ! s'exclama Pauline. Avec Serge Vermette ! Est-ce que c'est assez écœurant pour toi, une affaire comme ça ?

— Je veux ben le croire, mais c'est tout de même pas votre faute, cette affaire-là, voulut les raisonner Laurette. Nos enfants, on les élève du mieux qu'on peut, mais après ça, ils font ce qu'ils veulent.

— En tout cas, j'ai pas fait de réveillon à soir à cause de ça. J'étais tout de même pas pour les inviter à la maison comme si c'était un couple marié, dit Pauline, les yeux dans l'eau. Quand Suzanne a vu ça, elle a décidé d'aller réveillonner chez sa sœur. Ça nous fait une belle famille, hein ?

— Moi, à votre place, je m'en ferais pas tant que ça, reprit Laurette. Tout va se replacer. En attendant, oubliez vos troubles et venez fêter avec nous autres.

Tout en poussant devant elle son frère et sa belle-sœur, l'hôtesse eut une folle envie de leur raconter ce qui arrivait à Carole dans l'espoir de les consoler un peu. Elle eut toutefois la sagesse de retenir ses confidences, sachant fort bien que Gérard ne le lui aurait jamais pardonné.

Le réveillon se révéla un succès malgré tout. On prétendit que l'absence de Carole était due au fait qu'elle était invitée dans la famille de sa colocataire et on distribua les présents rassemblés au pied de l'arbre de Noël en commençant évidemment par les enfants.

Si Laurette eut droit à plusieurs cadeaux de la part des siens, Gérard se déclara pour sa part absolument enchanté quand deux de ses fils allèrent chercher dans la chambre de Jean-Louis un fauteuil identique à celui qu'avait reçu sa femme le jour de son anniversaire de naissance.

— Il est fini le temps, m'man, où vous étiez obligée de le surveiller pour qu'il s'assoie pas dans votre fauteuil, plaisanta Gilles au moment où son père étrennait son cadeau.

— Tu connais mal ton père, mon garçon, plaisanta Laurette. Il est ben capable de s'asseoir dans le mien quand j'ai le dos tourné pour pas user son fauteuil neuf.

Un éclat de rire général salua sa repartie.

— Comment ça se fait que le fauteuil était là, dans la chambre de Jean-Louis ? demanda Gérard, intrigué.

— C'est ben simple, p'pa, répondit Richard. On est venus le porter quand vous étiez au garage de mon oncle.

— Bon. On en a fini avec les cadeaux, déclara l'hôtesse en aidant ses brus et sa fille à ramasser les papiers d'emballage qui jonchaient le parquet. À cette heure, on va manger avant que les enfants tombent endormis dans leur assiette.

— Là, m'man, je pense qu'il est trop tard pour Sophie, déclara Denise en montrant sa cadette endormie dans les bras de son mari.

— Tant pis, dit Laurette. Va la coucher sur mon lit, Pierre. C'est vrai qu'il est déjà presque deux heures du matin. Passez à côté, on mange.

On s'entassa tant bien que mal autour de la table de cuisine et de la table à cartes, et les femmes distribuèrent rapidement des assiettes dans lesquelles une généreuse portion de pâté à la viande voisinait avec un morceau de dinde, du ragoût et des pommes de terre.

— Bourrez-vous pas trop, les mit en garde la cuisinière. Oubliez pas qu'il y a des tartes pour dessert.

Évidemment, personne ne tint compte de l'avertissement. Ceux qui jouissaient d'un meilleur appétit ne se gênèrent pas pour demander un supplément de chaque mets. Quand arriva le moment de faire honneur aux desserts cuisinés par Laurette, certains se sentirent obligés de desserrer leur ceinture pour pouvoir respirer plus à l'aise.

— Ça a pas d'allure de manger comme ça ! s'exclama Armand Brûlé. Pour moi, on va rêver au diable cette nuit.

— C'est de valeur que Marie-Ange et Bernard aient pas pu venir, regretta l'hôtesse, mais il paraît que la cousine de Marie-Ange avait ben gros insisté pour qu'ils aillent réveillonner chez eux. Bernard m'a dit que sa femme avait pas vu cette cousine-là depuis au moins quinze ans.

— Ah ben, ils ont dû avoir pas mal d'affaires à se raconter, surtout si la cousine a autant de maladies que notre belle-sœur, fit remarquer Pauline d'un air narquois.

Après le repas, tous aidèrent à remettre de l'ordre dans l'appartement, puis vers trois heures trente, les invités remercièrent leurs hôtes, ayant décidé de rentrer chez eux.

Avant de partir, Pauline invita tous les gens présents à venir souper le soir même à la maison, mais tous avaient des engagements et il fut convenu que Laurette et Gérard seraient les seuls au rendez-vous. La voiture des derniers invités n'était pas encore parvenue au coin d'Emmett que Gérard avait déjà éteint les lumières de l'arbre de Noël et le plafonnier de la cuisine. Moins de cinq minutes plus tard, il rejoignit sa femme dans leur chambre à coucher.

— J'ai ouvert la porte d'en arrière deux ou trois minutes pour faire sortir la boucane et la fournaise est correcte.

Laurette avait déjà eu le temps de mettre son épaisse robe de nuit et venait de se glisser sous les couvertures.

— On a eu un ben beau réveillon. C'était ben bon, la remercia son mari en se déshabillant rapidement.

— En tout cas, à voir comment tout le monde a mangé, ça avait pas l'air trop mauvais, fit-elle remarquer en poussant un soupir de satisfaction.

— Qu'est-ce que Pauline et Armand avaient tant à te raconter quand ils sont arrivés ? lui demanda son mari. Il me semble que ça leur a pris pas mal de temps à nous rejoindre en arrière.

— Imagine-toi que c'est juste la semaine passée qu'ils ont appris pour Louise. Ça les a mis pas mal à l'envers.

— Ça se comprend.

— Ça se comprend peut-être, mais c'est leur fille et il va ben falloir qu'ils lui pardonnent, ajouta-t-elle avec le secret espoir qu'il saisirait l'allusion.

Gérard ne dit rien et se retourna dans le lit, à la recherche d'une meilleure position pour dormir.

Quelques heures plus tard, Laurette fut tirée du sommeil par la sonnerie du téléphone. Immédiatement, elle pensa à Carole et se précipita, pieds nus, dans la cuisine pour répondre. Fausse alerte. Ce n'était que son frère Armand. Lorsqu'elle retourna dans sa chambre pour chausser ses pantoufles, Gérard était assis dans le lit et cherchait à voir l'heure indiquée par son gros Westclock.

— Il est déjà onze heures, lui dit sa femme. Il est temps qu'on se lève.

— Qui est-ce que c'était au téléphone ?

— Armand.

— Qu'est-ce qu'il voulait ?

— Il voulait nous offrir de venir nous chercher avec son char.

— T'as accepté ?

— Non. Je lui ai dit de pas se déranger, qu'un des enfants nous laisserait en passant.

— Mais c'est pas vrai, dit Gérard en se levant. Pourquoi t'as refusé ? S'il était venu, on n'aurait pas été obligés de prendre l'autobus.

— On a une visite à faire avant d'aller chez eux pour souper, dit sèchement Laurette en passant son épaisse robe de chambre. Bon. Je vais préparer le café, ajouta-t-elle en sortant de la pièce.

Moins de deux minutes plus tard, Gérard la rejoignit dans la cuisine.

— Qu'est-ce que tu racontes là ? On n'a pas nulle part à aller avant d'aller souper chez ton frère.

— C'est là que tu te trompes, dit Laurette en déposant sur le comptoir l'unique cadeau enveloppé laissé sous l'arbre de Noël la nuit précédente. On dîne, on s'habille et tu viens avec moi souhaiter un joyeux Noël à ta fille.

— Il en est pas question, déclara tout net son mari en affichant un air buté.

— Écoute-moi ben, Gérard Morin. Ta fille a pas tué personne, tu m'entends ? Je te demande pas de l'approuver. C'est notre fille. Si tu viens pas avec moi cet après-midi, je te jure sur la tête de ma mère que je t'adresserai plus jamais la parole. Il y a tout de même un boutte à être boqué, maudit viarge !

Là-dessus, elle déposa bruyamment le grille-pain sur la table, sortit une poêle et se mit en devoir de faire cuire des œufs. Gérard ne dit rien. Il alla allumer la radio avant de s'enfermer dans la salle de toilettes pour se raser et se laver. Quand il sortit de la pièce, il fut accueilli par la voix sirupeuse de Paolo Noël interprétant *Petit papa Noël.*

— T'es mieux de venir manger tes œufs tout de suite, le prévint sa femme. Ils sont prêts, et tes *toasts* aussi.

Le visage fermé, son mari prit place au bout de la table et mangea sans dire un mot. C'est à peine s'il répondit au bonjour de Jean-Louis quand ce dernier s'approcha pour manger lui aussi.

Vers une heure, Laurette, vêtue de sa plus belle robe, vint remplir son étui à cigarettes dans la cuisine. Gérard n'avait pas desserré les dents depuis qu'elle l'avait menacé. Il avait mis sa chemise blanche et noué sa cravate, mais rien n'indiquait encore que ces frais de toilette étaient motivés par une autre raison que le souper des Brûlé.

— Tu viens ou tu viens pas ? lui demanda-t-elle à mi-voix de manière à ce que Jean-Louis, réfugié dans sa chambre, ne puisse l'entendre.

— J'arrive, maudite fatigante ! dit-il, l'air mauvais.

Elle s'empressa de lui tourner le dos autant pour aller chercher son manteau que pour dissimuler le sourire triomphal qui illuminait son visage. Quand Jean-Louis aperçut ses parents en train de s'apprêter à sortir, il leur demanda, intrigué :

— Est-ce que vous vous en allez déjà chez mon oncle Armand ?

— Non, répondit sa mère. On va s'arrêter cinq minutes chez Carole avant.

Le jeune homme eut du mal à cacher sa surprise devant une pareille nouvelle.

— Ben, voulez-vous dire à Marthe que je vais arriver seulement vers cinq heures pour souper.

— C'est correct.

En route vers la rue Sainte-Catherine pour prendre l'autobus, Laurette maugréa contre le mauvais état des trottoirs pour tenter de tirer son mari du silence dans lequel il semblait décidé à se cantonner.

— Ça a pas d'allure des trottoirs aussi mal nettoyés, se plaignit-elle. Des affaires pour se casser une jambe.

Gérard ne dit rien, se contentant de marcher à ses côtés, le visage fermé.

— Bonyeu, change d'air ! finit-elle par s'impatienter. Tu t'en vas pas à un enterrement. Tu t'en vas voir ta fille.

À leur arrivée à l'appartement que Carole partageait avec Marthe Paradis, elle sonna à la porte et monta l'escalier devant lui sans se préoccuper de savoir s'il la suivait ou pas. Marthe vint ouvrir et les découvrit avec étonnement sur leur palier.

— Carole ! cria-t-elle à sa compagne après leur avoir souhaité un joyeux Noël. Viens voir, t'as de la visite.

Gêné, Gérard ne savait pas trop quelle attitude prendre dans la circonstance. Il venait à peine de tendre son manteau à Marthe Paradis quand sa fille apparut à la porte de sa chambre. Il sembla d'abord hésiter sur le comportement à adopter devant la jeune femme aux traits tirés, dotée d'un gros ventre qu'elle paraissait pousser difficilement devant elle.

Carole s'arrêta soudain quand elle reconnut son père, n'osant pas faire un pas de plus, comme si elle avait craint de le faire fuir en s'approchant.

— On est venus te souhaiter un joyeux Noël avant d'aller souper chez ton oncle Armand, lui dit sa mère en s'approchant d'elle pour l'embrasser.

— Joyeux Noël, m'man, dit Carole sans trop d'entrain.

— Ton père a tenu à ce qu'on t'apporte aujourd'hui ton cadeau de Noël, ajouta Laurette en la poussant légèrement vers Gérard.

— Joyeux Noël, p'pa, fit Carole en l'embrassant sur une joue.

— Joyeux Noël, lui dit son père en lui tendant le paquet que sa femme lui avait remis en quittant la maison.

La glace était brisée. Marthe, d'abord mal à l'aise d'avoir à assister à ces retrouvailles, reprit de l'assurance et invita les visiteurs à passer au salon avant de s'éclipser.

Dans le salon, Gérard parla peu. Il écouta surtout sa femme et sa fille discuter des mesures prises lorsque l'heure de la délivrance allait sonner.

— Gilles est venu nous voir avec Florence, hier après-midi, dit la future mère. Il m'a offert de lui téléphoner à n'importe quelle heure quand les contractions commenceraient. Il va m'amener à l'hôpital. Il a dit qu'il serait presque tout le temps à la maison durant les vacances des fêtes.

— C'est pas mal fin de sa part, reconnut sa mère.

— Pierre et Richard m'ont offert la même chose, se crut obligée de mentionner Carole.

— Je te l'offrirais ben, moi aussi, finit par lui dire son père d'une voix réticente, mais mon char est dans la grande cour et j'ai pas pu le faire marcher depuis un mois.

— Merci, p'pa.

Au moment du départ, une heure plus tard, Laurette songea à prévenir Marthe qui venait d'apparaître à la porte du salon :

— J'allais l'oublier. Jean-Louis te fait dire qu'il sera pas ici avant cinq heures.

La mère de famille prit soin de regarder avec attention la jeune femme en lui disant cela. Elle remarqua aisément la joie qui se peignit sur son visage en apprenant la nouvelle. Au moment de quitter sa fille, Gérard sembla avoir oublié sa rancœur et il lui souhaita bonne chance avant de l'embrasser.

— Tu peux pas savoir combien tu m'as fait plaisir, dit Laurette à son mari, alors qu'ils attendaient l'autobus. Je pense que c'est le plus beau cadeau de Noël que tu pouvais me faire.

Gérard ne lui demanda pas de quel cadeau elle parlait. Il se contenta de dire :

— Va surtout pas t'imaginer que j'ai oublié.

— Oui, je le sais.

— Moi, ce que je sais, c'est que toute ma famille s'occupait d'elle dans mon dos, ajouta-t-il sur un ton vindicatif.

— Ça devrait te faire plaisir. Nos enfants s'aident les uns les autres.

— Ouais, fit-il, la mine revêche.

— Qu'est-ce que tu penses de Marthe Paradis ? lui demanda Laurette pour changer de sujet, après qu'ils eurent pris place dans l'autobus.

— J'ai pas changé d'avis. Elle m'a l'air d'être une femme avec une bonne tête sur les épaules.

— C'est aussi une ben bonne femme, lui fit remarquer sa femme sur un ton pénétré. Cette fille-là a un cœur en or.

— T'as l'air à la connaître pas mal mieux que moi, laissa tomber Gérard.

— Oui, et je peux te dire qu'elle est en amour par-dessus la tête avec Jean-Louis.

— Première nouvelle, fit Gérard, surpris. On peut pas dire que ça paraît ben gros. Il nous en parle jamais.

— Inquiète-toi pas pour ça. Je regarde aller Marthe et elle m'a l'air ben décidée à lui mettre le grappin dessus. À mon avis, il pourrait pas tomber sur mieux. Elle est assez fine mouche pour arriver à l'avoir.

— Je suis pas mal moins sûr de ça que toi, la contredit son mari. On dirait que tu connais mal ton gars. Aussitôt qu'elle va parler de dépenser une cenne, il va prendre le mors aux dents et aller se cacher.

— Attends, lui suggéra Laurette. Tu verras ben. Oublie pas qu'elle gagne plus que lui et qu'elle a pas besoin de son argent.

Chapitre 21

Du nouveau

Il était écrit quelque part que l'année 1967 n'allait pas débuter dans la quiétude chez les Morin.

Trois jours après Noël, Laurette venait à peine d'arriver chez Carole dans l'intention de lui tenir compagnie jusqu'au retour de Marthe de la banque quand les premières contractions survinrent. Brusquement, la jeune femme, occupée à essuyer la vaisselle du déjeuner, émit une plainte en se tenant le ventre à pleines mains. Sa mère abandonna aussitôt le lavage de la vaisselle pour soutenir sa fille jusqu'à son lit.

— Étends-toi un peu, lui commanda-t-elle. On va ben voir si ça revient. Si c'est ça, on va appeler Gilles.

Quelques minutes plus tard, les contractions commencèrent, plus vives, plus douloureuses. Alors, Laurette téléphona à son fils et lui demanda de venir le plus vite possible pour les conduire à l'hôpital.

Quand ce dernier immobilisa sa Toyota en double file sur Saint-Denis, il trouva sa mère et sa sœur l'attendant déjà sur le trottoir, une petite valise à la main. Sans se soucier des coups de klaxon rageurs des automobilistes dont il empêchait le passage, il quitta son véhicule et vint les aider à prendre place dans la voiture.

Il fallut peu de temps au conducteur pour amener les deux femmes devant l'urgence de l'Hôpital de la Miséricorde, coin Saint-Hubert et Dorchester.

— Viens pas attendre pour rien à l'hôpital, lui conseilla sa mère au moment où il faisait asseoir sa sœur dans un fauteuil roulant. Ça peut prendre des heures avant qu'elle accouche.

Après avoir souhaité bonne chance à Carole, Gilles rentra chez lui. Une petite religieuse au visage affable s'approcha aussitôt que Laurette se présenta au comptoir des admissions.

— C'est pour un accouchement ? demanda-t-elle.

— Oui, répondit Carole en réprimant une grimace causée par une contraction.

— Avec quel docteur ?

— Le docteur Leduc.

— Depuis quand le travail est-il commencé ?

— Presque trois quarts d'heure, répondit Laurette à la place de sa fille.

— Vous êtes sa mère ?

— Oui, ma sœur.

— Bon. Je m'occupe d'aller vous installer dans une des salles de travail pendant que votre mère va remplir votre fiche d'admission, dit la religieuse à Carole.

Sur ces mots, elle entreprit de pousser le fauteuil roulant dans le couloir. Laurette vit la responsable des admissions ouvrir un dossier et le déposer sur le comptoir derrière lequel elle était cantonnée. Elle répondit à toutes les questions posées après s'être nommée, encore une fois, comme étant la mère de la patiente.

— Les nom et prénom du père ? demanda la réceptionniste.

— Il a pas de père, dit Laurette à voix basse en guettant la réaction de la dame.

Cette dernière, probablement habituée à ce type de réponse, ne cilla pas.

— Bon. Pour les frais, nous verrons ça avec la mère après son accouchement, dit-elle en refermant le dossier. Vous pouvez aller rejoindre la patiente, si vous le voulez.

Soulagée, la mère de famille suivit le couloir et une petite religieuse à l'air maussade lui indiqua quelle porte pousser pour retrouver sa fille. Quand elle pénétra dans les lieux, Laurette se retrouva dans une salle d'attente commune cernée de plusieurs chambres qui, à entendre les cris et les supplications bruyantes qui en provenaient, devaient être à peu près tout occupées.

Laurette intercepta une infirmière qui lui indiqua la chambre de sa fille.

— Vous pouvez lui tenir compagnie aussi longtemps que vous voudrez, lui dit-elle avec un sourire las. On vous demanderait seulement de quitter la chambre quand une garde-malade ou le docteur aura à lui donner des soins.

Laurette crut d'abord que la délivrance surviendrait assez rapidement parce que les contractions devinrent de plus en plus fréquentes. Mais soudain, le travail cessa et ne reprit que près d'une heure plus tard pour s'arrêter encore une fois au début puis au milieu de l'après-midi. Inquiète au plus haut point, elle cherchait à cacher ses véritables sentiments pour encourager sa cadette à se montrer courageuse. Au bord de l'épuisement total, cette dernière, le visage blême et le front couvert de sueur, cherchait à rassembler ses dernières forces.

— Ce sera plus long maintenant, ne cessait de lui répéter sa mère. Ça achève.

Au retour des contractions, Carole se mettait à crier à fendre l'âme. Lorsque le docteur Leduc vint la visiter pour la seconde fois de la journée, Laurette lui barra le chemin d'un air résolu.

— Voulez-vous ben me dire ce qui se passe avec ma fille ? lui demanda-t-elle, énervée.

— Tout se passe normalement, madame, chercha à la rassurer le praticien.

— Racontez-moi pas n'importe quoi, s'insurgea la mère de famille. J'ai eu cinq enfants et je suis encore capable de me rendre compte quand ça se passe ben ou pas.

— D'accord, madame, dit le médecin sur un ton résigné. Le bébé se présente bien. Là, tout est en ordre. Le problème est que les contractions cessent dès que votre fille arrive à un certain degré d'ouverture.

— Et vous allez faire quoi ?

— Je vais lui donner encore une heure ou deux. Si rien arrive avant la fin de l'après-midi, je vais me contenter de lui faire une épidurale et de la provoquer.

— Vous parlez pas de césarienne, là, j'espère ?

— Pas du tout.

Après le départ du médecin, Laurette, vaguement rassurée, vint retrouver sa fille qui, les yeux fermés, cherchait à reprendre son souffle avant le retour des douleurs.

Un peu avant cinq heures, une infirmière chassa la mère de la chambre de travail. Elle examina Carole qui s'était remise à crier.

— Ça va bien, madame Morin, dit la garde-malade à Laurette en sortant de la chambre. Je la fais transporter tout de suite dans la salle d'opération. Elle aura pas besoin d'épidurale. Dans quelques minutes, tout devrait être fini.

Un instant plus tard, Laurette vit passer sa fille sur une civière. Elle l'embrassa au passage. Elle fouilla nerveusement dans son sac à main à la recherche de son étui à cigarettes qu'elle retrouva vide.

— Viarge ! jura-t-elle tout bas. J'ai rien à fumer.

Elle aurait emprunté une cigarette à l'une ou l'autre des cinq personnes qui se trouvaient dans la salle d'attente, mais aucune ne semblait fumer. Pendant un instant, elle fut tentée de partir à la recherche d'une distributrice dans l'immeuble, mais elle y renonça par crainte qu'il se produise quelque chose pendant son absence. Angoissée, elle se résigna à se priver de tabac et sortit discrètement son chapelet qu'elle se mit à égrener avec ferveur pour demander à Dieu de faciliter l'accouchement de sa fille.

Laurette dut somnoler un bon moment parce qu'une voix connue la ramena soudain à la réalité. Elle sursauta violemment en reconnaissant son mari, debout devant elle.

— Qu'est-ce que tu fais là? lui demanda-t-elle, stupéfaite.

— Je venais d'arriver à la maison quand Gilles a appelé pour te parler. Il pensait que t'étais déjà revenue de l'hôpital. Je lui ai dit que tu devais être encore là et il m'a offert de me prendre en passant pour venir voir ce qui arrivait.

— Où est-ce qu'il est?

— Il est en train de parquer son char. Il s'en vient. Est-ce que c'est fini?

Laurette allait répondre qu'elle ne le croyait pas quand une infirmière lui dit que sa fille venait d'être transportée dans la chambre 216 et que tout s'était bien passé.

— Qu'est-ce qu'elle a eu? demanda Laurette en se levant précipitamment.

— Une petite fille, madame. Vous pouvez aller la voir cinq minutes. On vient de lui apporter son bébé. Après, vous devrez la laisser se reposer.

Gilles entra dans la salle d'attente au même moment et les Morin montèrent rapidement à l'étage pour rendre une brève visite à la nouvelle maman. À leur arrivée dans la chambre, le docteur Leduc quittait les lieux.

— Tout s'est bien passé, dit-il aux visiteurs. Elle a donné naissance à une petite fille de sept livres et deux onces en parfaite santé. Vous pouvez entrer la voir, mais faites ça vite. Les sœurs sont pas patientes avec les visiteurs qui sont en dehors de l'horaire.

Laurette, Gérard et Gilles pénétrèrent dans une chambre commune partagée par quatre jeunes patientes. Un simple rideau séparait chacune des alcôves. Quand ils s'approchèrent du lit de Carole, ils la découvrirent, les traits creusés, en béate admiration devant l'être à qui elle venait de donner la vie.

Laurette s'approcha rapidement et se pencha pour mieux examiner le bébé.

— Mais regardez donc comment elle est belle, cette enfant-là ! s'écria-t-elle. Pas une rougeur. Pas une marque dans le visage. En plus, elle a déjà des beaux cheveux brun foncé. Une vraie poupée ! On a juste une envie en la voyant, c'est la prendre et la bercer.

Carole regarda sa mère avec un mélange de fierté et de tristesse.

— Voulez-vous la prendre, m'man. Je me sens fatiguée.

Laurette s'empressa de prendre le bébé dans ses bras et elle invita son mari et son fils à s'approcher pour mieux l'admirer.

— Elle est ben belle, reconnut Gérard en allant embrasser sa fille. Repose-toi. On reviendra te voir demain soir.

Une religieuse apparut comme par miracle à la porte de la chambre. Sans dire un mot, elle prit le bébé des bras de Laurette et invita les visiteurs à partir.

Le trajet de retour à la maison dans la Toyota orangée de Gilles se fit dans un silence presque complet après que Laurette eut déclaré :

— C'est ben de valeur qu'elle soit obligée de donner ce bébé-là en adoption. Ça me fait mal au cœur de savoir que je le verrai pas grandir.

Lorsque son fils immobilisa sa petite voiture japonaise devant la porte, Gérard ne put s'empêcher de lui dire:

— Sacrifice, qu'on est tassés dans ces chars-là! C'est tellement petit qu'on a l'impression sur le chemin qu'on va passer en dessous des autres.

— Peut-être qu'il est pas mal plus petit que votre grosse Chevrolet, p'pa, mais le moteur de mon char part tous les matins, lui, pendant l'hiver.

Gérard ne trouva rien à répliquer. Gilles refusa de souper à la maison, alléguant qu'il avait promis d'emmener Florence au cinéma Parisien ce soir-là.

Dès son entrée dans la maison, Laurette sentit une alléchante odeur de ragoût et de tourtière en provenance de la cuisine.

— J'espère que tu nous en as laissé, dit-elle à Jean-Louis qu'elle vit attablé seul dans la pièce, au bout du couloir.

— Il en reste en masse, se contenta de dire le jeune homme.

Laurette et Gérard enlevèrent leur manteau et leurs bottes, et vinrent le rejoindre. Avant même que son fils songe à leur demander où ils étaient, elle s'empressa de lui apprendre que sa sœur venait de donner naissance à une belle petite fille.

— Si tu veux aller la voir à l'hôpital, il va falloir quc t'attendes demain soir, le prévint sa mère. Là, je meurs de faim. J'ai rien mangé pour dîner. Mais après le repas, je vais téléphoner à Marthe, à Richard et à Denise pour les mettre au courant.

Après avoir effectué tous ces appels, Laurette, épuisée par cette longue journée, vint rejoindre son mari dans la salle de télévision.

— Je me demande ben comment elle va faire pour payer l'hôpital et le docteur, dit-elle à son mari en s'assoyant dans son fauteuil.

— Ça, ça la regarde, répondit ce dernier. Ce qui est sûr, c'est qu'on n'a pas les moyens de l'aider. T'as même pas encore payé le dernier compte d'huile à chauffage.

— En tout cas, je sens que je vais rêver à la petite cette nuit, ajouta-t-elle d'une voix attendrie.

— …

— As-tu pensé qu'aujourd'hui, c'est le 28 décembre, la fête des Saints Innocents ? reprit-elle, non découragée par le silence de son compagnon. On peut dire que ça pouvait pas mieux tomber.

Gérard ne dit pas un mot. Rien n'indiquait dans son comportement qu'il avait été touché par ce petit être à qui sa fille avait donné le jour quelques heures auparavant.

Le lendemain après-midi, Gilles et Florence eurent encore la gentillesse d'emmener Laurette voir Carole et le bébé à l'hôpital. Tous les trois découvrirent une Carole transformée. Bien coiffée et légèrement maquillée, la jeune mère attendait, de toute évidence, des visiteurs.

— Quand est-ce qu'on va pouvoir voir la petite ? demanda Laurette après avoir retiré son manteau dans la chambre surchauffée.

— La pouponnière ouvre pas avant deux heures et demie, répondit Carole après avoir jeté un coup d'œil à l'horloge murale.

— J'ai bien hâte de la voir, dit Florence, excitée. Ta mère arrête pas de dire que c'est une vraie beauté.

— Elle est pas mal, reconnut Carole sans enthousiasme. Une sœur est passée à matin. Elle m'a dit que je pourrais signer les papiers comme quoi je veux la donner en adoption avant la fin de semaine.

Le cœur de Laurette eut un raté en entendant cette déclaration faite d'une voix neutre.

— On dirait que ça te fait rien ? fit-elle remarquer, mécontente, à sa fille.

— J'ai pas le choix m'man, rétorqua vivement la nouvelle mère.

Gilles et Florence se regardèrent, gênés d'assister à cette scène.

— Lui as-tu au moins choisi un nom, à cette enfant-là ? demanda Laurette à sa cadette.

— J'y ai pas pensé. Je pense pas que ce soit ben important.

— Oui, c'est important, verrat ! s'emporta Laurette. C'est pas un chien, cette enfant-là. Moi, je veux qu'elle ait un nom, comme tout le monde.

— Donnez-lui le nom que vous voulez, m'man, reprit Carole d'une voix lasse. Dans deux ou trois jours, ils vont venir la chercher et je la verrai plus.

— Maudit que t'es sans-cœur, lui reprocha sa mère. Si c'est comme ça, moi, je trouve qu'on devrait l'appeler Catherine. C'est le nom que j'aurais donné à ta sœur si je l'avais pas perdue pendant que je la portais.

— Si vous voulez, m'man, fit Carole d'une voix apparemment indifférente.

Les jours suivants, la jeune mère ne manqua pas de visiteurs, même si certains d'entre eux étaient gênés d'entrer dans l'Hôpital de la Miséricorde, reconnu pour accueillir surtout des filles-mères.

Chaque soir, Marthe Paradis était la première à faire son apparition dans la chambre de son amie. Elle semblait être la seule à mesurer l'ampleur du désarroi de Carole qui voyait approcher inexorablement le moment de se séparer de son bébé. À deux reprises, la monitrice avait surpris sa colocataire plantée devant la vitrine de la pouponnière, les yeux pleins d'eau.

— Je peux pas croire que je la verrai plus, finit-elle par lui avouer, la gorge serrée en s'essuyant les yeux.

Devant sa mère, la jeune femme jouait à l'insensible désireuse avant tout de tourner une page honteuse de sa vie, mais en réalité, elle était déchirée à l'idée que sa petite fille allait disparaître à jamais de son existence.

Le lendemain de l'accouchement, Richard et Jocelyne étaient arrivés à l'hôpital quelques minutes après le départ de Laurette accompagnée par Gilles et Florence. Le couple avait suivi Carole jusqu'à la vitrine de la pouponnière derrière laquelle dormaient une douzaine de nourrissons. La mère avait frappé à la vitre et s'était nommée. La garde-malade avait alors poussé près de la vitre le petit lit de son bébé. Jocelyne et Richard étaient alors tombés en extase devant le poupon et n'avaient pas ménagé leurs louanges.

Le soir même, le couple était revenu visiter Carole, apportant un cadeau de circonstance pour sa fille. Là encore, il avait fait une longue station debout devant la pouponnière. Il n'avait quitté les lieux que lorsque l'infirmière avait refermé le rideau. Quand ils étaient revenus à la chambre de Carole, ils avaient trouvé Pierre, Denise, Marthe et Jean-Louis en train d'attendre. Tout ce monde s'était retiré en compagnie de la nouvelle mère dans une petite salle, au bout du couloir durant l'heure suivante.

La veille du jour de l'An, Carole eut la surprise de voir entrer dans sa chambre son frère et sa femme, hors des heures habituelles des visites.

— Qu'est-ce que vous faites là ? leur demanda-t-elle, surprise. Comment ça se fait que les sœurs vous ont laissés passer ?

— C'est une permission spéciale, dit un Richard affichant un air singulièrement emprunté.

— Pourquoi ?

— Envoye, dis-lui, ordonna Jocelyne, excitée, à son mari.

Aussitôt, Carole fut sur ses gardes. Il se passait quelque chose d'anormal.

— Ben. On voulait te poser une question importante, avoua Richard dont les oreilles avaient subitement rougi.

— Quoi ? lui demanda sa sœur, méfiante.

— Bon. Je vais arrêter de tourner autour du pot. On est tombés en amour avec ta fille, avoua Richard en baissant la voix. La nuit passée, on n'a pas dormi pantoute. On a passé la nuit à en parler.

— Puis ? demanda la jeune mère, méfiante.

— Nous autres, tu comprends, ça fait cinq ans qu'on essaye d'avoir un petit et ça marche pas, intervint Jocelyne d'une voix un peu suppliante.

— Ça fait qu'on s'est demandé si on pourrait pas… si on pourrait pas adopter ta fille.

— Ma fille ? fit Carole, en élevant la voix.

— Ben oui. T'as dit que t'allais la laisser en adoption, reprit Richard en cherchant à se faire persuasif. Pourquoi tu nous la laisserais pas ? Nous autres, on en prendrait ben soin et on l'aimerait. Ce serait notre fille, tu comprends.

Carole regarda son frère et sa belle-sœur à tour de rôle sans dire un mot. Elle avait soudainement pâli. Il était évident que la jeune femme était déchirée. Tout allait trop vite pour elle. Elle se répétait cent fois par jour qu'elle ne pourrait pas garder son bébé, qu'elle serait incapable de pourvoir à ses besoins seule. Et voilà qu'au moment où elle s'apprêtait à renoncer à lui faire une place dans sa vie, à le confier à de purs étrangers, Richard et sa femme lui proposaient de l'adopter.

— Attendez, leur demanda-t-elle d'une voix un peu implorante en se tordant les mains. Laissez-moi le temps de respirer un peu.

Si elle acceptait l'offre de son frère, elle pourrait voir grandir sa fille... Mais ce ne serait plus sa fille, ce serait la fille de Jocelyne et de Richard ! Était-elle prête à supporter de la voir vieillir sans jamais être capable de lui avouer qu'elle était sa vraie mère ? Ça allait être une vraie torture... Par contre, si elle la donnait en adoption à des étrangers, elle ne la reverrait jamais plus, et ça, ce serait pire que tout.

Elle se sentait incapable de prendre une telle décision.

— Ben là, je sais pas si on peut faire ça, finit-elle par dire d'une voix peu assurée.

— C'est pour ça qu'on est venus de bonne heure à matin pour parler à la sœur qui s'occupe de ça, déclara doucement Richard, les yeux brillants d'espoir. Elle nous a dit qu'il y avait pas de problème si t'acceptais. T'aurais juste à signer une formule.

— Signer une formule ? dit Carole en regardant son frère et sa belle-sœur, comme si elle ne comprenait pas trop ce qu'ils lui disaient.

Elle était bouleversée et semblait encore indécise.

— Si tu signes, tu nous ferais un ben beau cadeau, intervint doucement Jocelyne à son tour.

— En plus, penses-y, fit Richard. Au lieu de plus jamais revoir la petite, tu deviendrais sa tante, tu la verrais grandir et tu pourrais venir la voir aussi souvent que tu voudrais...

— Je sais ben, reconnut Carole d'une voix faible.

— En autant que tu lui dises pas que t'es sa mère, tint tout de même à préciser Jocelyne.

— Qu'est-ce que t'en penses ? demanda Richard. Nous autres, on aimerait ben ça l'avoir...

Carole les regarda encore une fois l'un et l'autre durant un long moment, comme pour juger du sérieux de leur proposition.

— C'est correct. Je vous la donne, se décida-t-elle à dire d'une voix résignée et les larmes aux yeux... Vous pouvez dire à la sœur de venir me voir pour me faire signer.

— T'es ben fine ! s'écria Jocelyne, tout excitée à la pensée de devenir la mère du bébé.

Elle se pencha sur sa belle-sœur pour l'embrasser.

— Merci, dit Richard en imitant sa femme. Tu le regretteras jamais, je te le promets.

— Moi aussi, je te le promets, affirma sa belle-sœur.

— Bon. Si ça vous fait rien, j'aimerais dormir un peu avant le dîner, murmura Carole.

— C'est correct. On te laisse. On va revenir te voir demain soir. Parles-en pas à personne. On va faire une surprise à la famille.

Dès qu'ils furent dans le couloir, Jocelyne fut saisie d'une inquiétude subite.

— Tout d'un coup qu'elle change d'idée et qu'elle veut plus nous laisser la petite, dit-elle à son mari.

— Ça me surprendrait qu'elle fasse ça, fit ce dernier, le visage subitement assombri par cette perspective.

Ils descendirent tous les deux au rez-de-chaussée en silence. Au moment de franchir la porte, Richard s'arrêta brusquement.

— Attends. Je pense qu'on est mieux d'aller voir la sœur avant de partir.

Ils se rendirent au bureau de la religieuse à qui Richard confia leur crainte de voir la jeune mère changer d'idée.

— Si ça peut vous rassurer, dit cette dernière, pleine de bonne volonté devant ces futurs parents si enthousiastes, je vais aller lui faire signer tout de suite sa renonciation.

Après cela, elle pourra plus revenir sur sa parole. Assoyez-vous et attendez-moi.

La religieuse revint moins de dix minutes plus tard en arborant un air satisfait.

— Voilà, c'est fait. Pendant que vous êtes là, on est aussi bien de terminer les formalités. Tout à coup, c'est vous qui changez d'idée, ajouta-t-elle, mutine.

— Il y a pas de saint danger ! s'exclama Jocelyne.

Les papiers nécessaires furent signés et la religieuse leur apprit qu'ils pourraient venir chercher l'enfant le surlendemain, soit le jour de la sortie de l'hôpital de la mère.

Ce fut un étrange jour de l'An pour les Morin. Depuis la naissance du bébé, Laurette n'avait pas le cœur à se réjouir et n'avait accepté l'invitation à dîner de Denise et Pierre qu'avec réticence.

— Ça va être juste un buffet froid, m'man, avait plaidé son aînée. C'est déjà tout prêt.

— J'avais prévu aller voir Carole et la petite à l'hôpital durant l'après-midi, lui expliqua sa mère.

— Vous viendrez en char avec nous autres, répliqua Denise. On a pensé y aller, nous autres aussi, durant la soirée.

Bref, Laurette et Gérard avaient pris la direction de l'appartement de la rue Frontenac après la messe de neuf heures et ils y avaient été rejoints progressivement par tous leurs enfants, sauf Carole. Jean-Louis avait été le dernier à faire son apparition à l'appartement de sa sœur parce qu'il était allé chercher Marthe Paradis chez elle.

Tout le monde s'était souhaité une bonne année et une excellente santé. Après avoir laissé les manteaux sur le lit de la chambre des maîtres, on s'était entassés dans le salon. Denise et son mari distribuèrent rapidement de la bière et du vin à leurs invités pendant qu'un microsillon de chansons folkloriques jouait en sourdine sur le tourne-disque.

Chacun semblait bien décidé à faire de son mieux pour que la réunion familiale soit joyeuse. On taquina un peu Gérard sur sa Chevrolet qu'il ne pouvait utiliser l'hiver et il y eut des blagues sur les talents de constructeur de Gilles dont le chalet s'était révélé peu étanche lors des fortes pluies de l'automne précédent.

Soudain, Richard se leva et alla baisser le son du tourne-disque au moment où son neveu Alain entraînait son frère et sa sœur hors du salon pour aller jouer dans une autre pièce.

— Jocelyne et moi, on aurait une grande nouvelle à vous apprendre, annonça-t-il en élevant la voix pour attirer l'attention de toutes les personnes présentes.

Les conversations s'arrêtèrent dans la pièce et toutes les têtes se tournèrent vers lui.

— Bon. On aimerait vous apprendre qu'on va devenir parents, dit-il d'un air triomphant.

— C'est pas vrai ! s'exclama Laurette. Dis-moi pas que t'es en famille ? dit-elle à sa jeune bru.

— Non, madame Morin.

— Là, je comprends plus rien ! s'exclama Laurette, intriguée.

Richard ne laissa pas le temps à sa femme de s'expliquer avant de reprendre la parole.

— Hier, on est allés signer les papiers pour adopter un enfant.

— Ah oui, fit Denise, stupéfaite.

— Pas n'importe quel enfant, reprit Richard. On a décidé d'adopter la petite de Carole. Tout est arrangé. On va aller la chercher demain. La famille Morin vient encore de s'agrandir.

— Ah ben ! Pour une nouvelle, ça en est toute une ! s'écria Laurette, le visage transformé par la joie.

Après le premier moment de stupeur passé, toutes les autres personnes présentes dans la pièce se mirent à parler en même temps.

— Quand est-ce que vous avez décidé ça ? demanda Gérard dont l'expression neutre ne révélait pas ce qu'il ressentait.

— Dès qu'on a vu la petite, monsieur Morin, lui répondit sa bru.

— Pourquoi vous avez fait ça ? fit Laurette dont la mine réjouie était belle à voir.

— Parce qu'on est tombés en amour avec le bébé, répondit son fils. Après cinq ans à attendre, on s'est dit qu'il était temps qu'on fasse quelque chose, m'man.

Laurette fut la première à se lever pour aller embrasser et féliciter les nouveaux parents.

— Si jamais vous avez besoin d'une gardienne, vous me l'apporterez, dit-elle à son fils et à sa bru. Je peux vous garantir que je vous la maganerai pas.

Pierre, Denise, Florence, Gilles, Jean-Louis et Marthe tinrent, à tour de rôle, à offrir leurs bons vœux aux nouveaux parents.

— Avez-vous décidé comment vous allez l'appeler ? demanda Denise.

Richard regarda Jocelyne qui lui adressa un bref signe de tête.

— Cette enfant-là a pas encore une semaine, on va pas s'amuser à lui changer son nom. On voudrait pas qu'elle soit toute mêlée, plaisanta le père. Ça fait qu'on a décidé qu'elle allait s'appeler Catherine, comme m'man avait commencé à l'appeler.

Ce fut là le plus beau moment de la journée de Laurette qui sentit que les larmes lui venaient aux yeux. Seul Gérard ne semblait pas participer à la joie générale. À l'annonce de l'adoption par son fils, un pli soucieux était apparu sur son front. Il ne dit rien, mais il était visible que la nouvelle ne lui plaisait pas particulièrement.

Après ces instants émouvants, l'hôtesse incita ses invités à aller se servir à manger dans la cuisine où des assiettes de viandes froides, des salades et des sandwichs au jambon les attendaient.

Au milieu de l'après-midi, il y eut un court aparté entre Richard, Jean-Louis et Marthe Paradis. Avant que les invités ne quittent les lieux, les futurs parents apprirent aux autres membres de la famille que Jean-Louis et Marthe avaient accepté d'être parrain et marraine de leur fille.

De retour à la maison à la fin de l'après-midi, Laurette finit par remarquer l'air préoccupé de son mari.

— Veux-tu ben me dire ce que t'as, toi ? lui demanda-t-elle en enlevant son manteau. T'as ben l'air bête pour un jour de l'An.

Il ne répondit pas, se limitant à s'allumer une cigarette après avoir vérifié la fournaise du couloir.

— Je suis pas toute seule à l'avoir remarqué, mais on aurait dit que ça te fait pas plaisir que Richard adopte la petite.

— Cybole, Laurette Brûlé, on dirait que t'as rien entre les deux oreilles ! s'écria-t-il avec mauvaise humeur.

— Qu'est-ce qu'il y a ? demanda-t-elle, surprise par cet éclat.

— Il y a qu'on dirait que tu vois pas tous les troubles que cette affaire-là va apporter dans la famille. As-tu pensé une minute à ce qui va arriver si ta fille décide un jour qu'elle veut reprendre la petite ?

— Tu sais ben qu'elle fera jamais ça, répliqua sa femme d'une voix tout de même un peu moins assurée.

— Ah oui ? Qu'est-ce qui va se passer plus tard, le jour où cette enfant-là va entendre quelqu'un de la famille s'échapper et lui apprendre qu'elle est pas la fille de Jocelyne ?

— Tout le monde va se taire.

— C'est ce que tu dis. Mais si jamais ça arrive, ça va faire un drame et toute la famille va être à l'envers. Si c'était juste de moi, je te le dis, cette enfant-là serait donnée tout de suite à des étrangers et ce serait de l'histoire ancienne.

— Bonyeu, Gérard, on dirait que t'as pas de cœur ! s'écria sa femme, les larmes aux yeux. C'est notre petite-fille, cette enfant-là !

Ce soir-là, une foule de visiteurs avait envahi l'Hôpital de la Miséricorde. Les religieuses semblaient être moins strictes dans l'application des règlements et sur le respect de l'horaire. À leur arrivée sur les lieux, Laurette et Gérard apprirent que Richard et sa femme étaient passés voir Carole à la fin de l'après-midi en compagnie de Jean-Louis et de Marthe. Gilles, invité à souper chez sa belle-mère, était le seul Morin à ne pas avoir rendu visite à sa sœur.

Lorsque Denise, Pierre et Laurette quittèrent la chambre pour aller admirer, encore une fois, le bébé à la pouponnière, Gérard demeura seul aux côtés de sa fille cadette. Il y eut d'abord un silence embarrassé entre le père et la fille avant que le premier ne se décide à prendre la parole.

— Quand est-ce que tu sors de l'hôpital ? lui demanda-t-il.

— Après-demain, p'pa.

— Si ça te tente, tu peux revenir vivre à la maison avec nous autres, lui proposa-t-il. Richard est capable de transporter tes affaires et on peut remettre la télévision dans la cuisine.

— Merci, p'pa, mais je pense que je vais continuer à rester avec Marthe. On s'entend ben et je suis plus proche de ma *job*.

— Comme tu veux, répondit Gérard, apparemment soulagé qu'elle ait refusé sa proposition. En tout cas, la porte de la maison est ouverte. Viens quand ça te tentera, ajouta-t-il.

— Merci, répéta Carole.

Il régnait un malaise évident entre le père et la fille depuis qu'il l'avait chassée de la maison. Seul le temps serait peut-être en mesure de le faire disparaître.

À leur retour à la maison, Gérard révéla à sa femme qu'il avait proposé à leur fille de revenir s'installer dans sa chambre et qu'elle avait refusé.

— En tout cas, je lui ai dit qu'elle pouvait revenir quand elle voudrait, conclut-il.

— Il fallait s'y attendre, dit Laurette. Ça faisait longtemps qu'elle voulait aller rester en appartement. Je serais inquiète si elle vivait toute seule, mais avec Marthe, ça me rassure.

Chapitre 22

Un hiver bizarre

Une vague de froid sans précédent s'abattit sur le Québec dès la fin de la première semaine de janvier. Il y eut bien quelques chutes de neige durant le reste du mois, mais elles ne laissèrent qu'une maigre trace au sol. Pire, ce froid polaire sembla vouloir se poursuivre durant février puisqu'il ne lâchait pas prise même s'il y avait déjà dix jours écoulés au second mois de l'année.

Chez les Morin, Laurette avait eu besoin de plusieurs journées avant de reprendre contact avec la réalité après le baptême de la petite Catherine. Carole avait été le seul membre de la famille à refuser d'assister à la cérémonie et à la petite fête offerte par les nouveaux parents. Une semaine après sa sortie de l'hôpital, elle était retournée au travail et semblait en voie de tourner la page. Elle n'était venue chez ses parents qu'en une occasion depuis, et elle n'avait pas cherché à s'informer de la santé du bébé.

Par ailleurs, l'amour de la grand-mère pour Catherine ne se démentait pas. Elle avait d'abord caressé le projet d'en devenir la gardienne attitrée lorsque Jocelyne serait au travail, mais elle avait dû rapidement déchanter quand cette dernière lui avait appris que sa mère allait s'en occuper. Elle avait dû reconnaître, bien malgré elle, que madame Ouellet, demeurant dans la maison voisine du jeune couple, était une gardienne beaucoup plus pratique.

Cependant, il n'en demeurait pas moins qu'à chacune des visites de l'enfant, on avait du mal à la lui arracher des bras.

— C'est un amour! ne cessait-elle de s'exclamer à chacune des visites de sa petite-fille. On l'entend jamais brailler et elle a toujours le sourire. Comment voulez-vous pas aimer une enfant comme ça? On dirait le portrait craché de sa grand-mère...

— Une chance que vous la gardez pas, madame Morin, lui faisait remarquer sa bru. Vous me la gâteriez sans bon sens.

Cela n'empêchait pas les nouveaux parents, fiers de leur fille adoptive, d'en rajouter lorsqu'on la vantait.

Pourtant, la vie continuait. Si la fin de la grossesse de Carole, son accouchement et l'adoption du bébé par Richard et sa femme avaient distrait Laurette de ses problèmes habituels durant quelques semaines, le temps ne les avait pas fait disparaître pour autant. Les sujets de préoccupation ne manquaient pas en ce début d'année 1967.

Maintenant, dès qu'elle se retrouvait seule dans l'appartement, la femme de cinquante-quatre ans ne pouvait s'empêcher de songer à tout ce qui risquait de perturber son avenir et celui de sa famille.

Pour commencer, elle s'inquiétait de l'espèce d'indifférence que Jean-Louis manifestait devant les avances de Marthe Paradis. Elle était tentée de secouer son fils, mais elle sentait qu'un tel comportement ne le pousserait qu'à s'éloigner davantage d'une jeune femme qu'elle appréciait de plus en plus.

— Elle finira ben par trouver le moyen de le mettre à sa main, se disait-elle parfois pour se rassurer.

Il y avait ensuite la hausse continue des prix de tous les produits. Comme d'habitude, Gérard ne se mêlait pas de la gestion du budget familial. Son mari continuait à penser qu'il jouait correctement son rôle. «Moi, je gagne l'argent; toi, tu t'organises pour payer les comptes», répétait-il parfois lorsqu'elle se plaignait de ses fins de mois difficiles. En un mot comme en cent, elle ne parvenait plus à joindre les deux bouts depuis que Carole ne lui payait plus une pension hebdomadaire.

Enfin, il restait la démolition prochaine et plus que probable de la maison. La meilleure preuve qu'elle avait raison de s'en faire était sans doute que le responsable de la collecte des loyers de la Dominion Oilcloth n'était pas encore passé, plus d'une semaine après le début du mois. Évidemment, il ne servait à rien de parler de ses craintes à Gérard parce qu'il se contentait chaque fois de lui dire qu'elle s'énervait inutilement et que rien ne serait probablement démoli sur leur rue avant plusieurs années. Mais rien n'y faisait. Elle se fiait plutôt à ce que Richard lui avait raconté avant les fêtes et elle s'attendait à voir arriver les démolisseurs à la fin du mois de mars.

— On va avoir l'air fin en maudit, ce jour-là ! se répétait-elle. On sera pas prêts à partir avec nos guenilles et on n'aura pas trouvé un autre logement pas cher. On va se ramasser dans la rue. C'est ça qui va nous arriver, bonyeu !

Un lundi matin, Laurette se réveilla en grelottant. La chambre à coucher était encore plongée dans l'obscurité.

— Maudit verrat ! jura-t-elle entre ses dents. Il fait tellement froid ici dedans que j'ai le bout du nez gelé.

Elle se souleva sur un coude en maintenant contre elle les trois couvertures épaisses qui l'avaient protégée du froid durant la nuit pour essayer de voir l'heure au réveille-matin posé sur la table de chevet.

— Cinq heures et cinq !

Pendant un bref moment, elle hésita entre s'enfouir sous les couvertures ou se lever pour aller voir ce qui se passait avec le chauffage. Elle choisit la seconde option, attirée surtout par l'envie de griller sa première cigarette de la journée.

Elle s'assit, glissa ses pieds dans ses vieilles pantoufles, et mit sa robe de chambre avant de sortir de la pièce. Elle alluma le plafonnier du couloir et mit une main au-dessus de la fournaise à huile: Rien.

— Viarge ! Mais elle chauffe pas pantoute, dit-elle à mi-voix.

Elle se dirigea vers la cuisine en maugréant, alluma la lumière. Le poêle était aussi froid que la fournaise.

— Mais qu'est-ce qui se passe tout à coup ? Ils peuvent pas nous avoir lâchés tous les deux en même temps.

Elle brancha la bouilloire et alla réveiller son mari.

— Lève-toi, Gérard. On a des troubles avec le poêle et la fournaise à matin. Ils chauffent pas ni l'un ni l'autre.

— Ça se peut pas, rétorqua ce dernier d'une voix endormie en tendant la main vers ses lunettes déposées sur la table de nuit. Ils peuvent pas être brisés en même temps. T'as ben commandé de l'huile la semaine passée, non ?

— Ben oui. Mongeau-Robert est venu en livrer jeudi avant-midi.

— Cybole, on gèle ben raide ici dedans, constata-t-il en enfilant son pantalon. Bon. Donne-moi une minute, je vais aller voir ce qui se passe. Je te dis que ça commence ben la semaine, une affaire comme ça, ajouta-t-il, de mauvaise humeur.

Sa femme retourna dans la cuisine, prépara deux tasses de café et s'alluma une cigarette pendant que son mari finissait de s'habiller. Il la rejoignit deux minutes plus tard, but une gorgée du liquide bouillant avant de mettre son manteau.

— Je vais aller voir le baril d'huile sur le balcon. Le tuyau est peut-être percé. Ouvre les rideaux pour que je voie quelque chose dehors.

Laurette ouvrit les rideaux et découvrit une épaisse couche de glace dans les vitres et au bas de la fenêtre. Gérard ne demeura absent qu'une minute. Il rentra dans l'appartement, absolument furieux.

— Ah ben, maudit bâtard ! s'écria-t-il. Il a neigé un peu durant la nuit et il y a des traces de pas sur le balcon. Tu me croiras pas, mais il y a un maudit voleur qui est venu siphonner notre huile. Le baril est complètement vide. On n'a plus une goutte d'huile.

— Voyons donc, on l'aurait entendu, dit-elle, refusant de croire une telle chose possible.

— Je te le dis. Le baril est vide, calvaire ! C'est pour ça qu'il y a plus de chauffage dans la maison ! Encore chanceux que l'eau ait pas gelé dans les tuyaux.

Sa femme se rendit au robinet qu'elle tourna : rien. Pas une goutte d'eau.

— Ben. Avec quoi t'as fait le café tout à l'heure ?

— Il y avait de l'eau dans le canard…

— Les tuyaux gelés à cette heure. Ah ben, ça, c'est le boutte ! Je peux même pas me faire la barbe avant de partir pour aller travailler.

— On va ben attraper notre coup de mort, dit Laurette en grelottant. On gèle tout rond.

— Va mettre ton manteau et tes bottes, lui suggéra Gérard. Il y a pas autre chose à faire que d'attendre huit heures et appeler pour qu'ils nous livrent de l'huile. T'appelleras aussi un plombier. Ça sert à rien de prévenir la police, on n'a pas d'assurances.

— Viarge ! Si jamais je mets la main sur l'écœurant qui est venu nous voler notre huile, je l'étripe, promit Laurette, hors d'elle… Puis là, c'est ben beau de se faire livrer de l'huile, mais il y a rien qui dit qu'on se la fera pas voler une autre fois.

— On n'a pas le choix, dit Gérard, fataliste.

— En tout cas, je sais pas comment on va faire pour payer cette huile-là, on n'a même pas encore payé le dernier compte…

Laurette s'absenta de la cuisine un bref moment pour aller mettre son manteau et ses bottes avant de revenir dans la cuisine où son mari venait de finir de boire son café froid. De la buée sortit de sa bouche lorsqu'elle parla.

— Il est juste cinq heures et demie, dit-elle. J'aime pas ben ça réveiller tout le monde chez Denise à cette heure-là, mais on n'a pas le choix. Tu peux pas aller travailler la barbe longue et sans déjeuner, Jean-Louis non plus.

Elle composa le numéro de téléphone de sa fille aînée et laissa sonner longtemps. Pierre vint finalement répondre, la voix tout endormie. Il écouta les explications de sa belle-mère avant de lui dire :

— Bougez pas, madame Morin. Je vais aller vous chercher.

— Ben non, protesta vainement sa belle-mère. Mon mari et Jean-Louis sont ben capables de marcher jusqu'à Frontenac.

— Il fait trop froid. J'arrive, dit-il avant de raccrocher.

— Pierre s'en vient vous chercher, expliqua-t-elle à son mari. On peut toujours compter sur lui, ajouta-t-elle, contente. Je vais aller réveiller Jean-Louis.

Dix minutes plus tard, Pierre Crevier sonnait à la porte de ses beaux-parents.

— Tabarnouche ! Il fait pas chaud chez vous, s'exclama le colosse en se frottant les mains. Voulez-vous me montrer ça ? demanda-t-il à son beau-père en se dirigeant vers la porte arrière.

Les deux hommes ne demeurèrent sur le balcon que deux ou trois minutes.

— Je vais m'occuper de ça cet avant-midi, annonça Pierre en remettant dans la poche de son manteau un ruban à mesurer qu'il avait apporté. Je travaille pas aujourd'hui. J'ai des bouts de *plywood* dans mon hangar qui vont faire l'affaire. Je vais vous organiser quelque chose, promit-il.

— T'es ben *smart*, le remercia Laurette, reconnaissante.

— Bon. On y va. Quand je suis parti, Denise était déjà en train de vous préparer à déjeuner.

Quand Pierre se rendit compte que sa belle-mère demeurait assise, il s'arrêta brusquement.

— Vous venez, vous aussi, madame Morin. Il est pas question que vous restiez ici dedans à claquer des dents. Vous allez attraper votre coup de mort.

— Il faut que je fasse venir Mongeau-Robert et le plombier, affirma cette dernière. L'eau est gelée dans les tuyaux. Il faut tout de même que j'ouvre la porte au plombier…

— Laissez faire. Venez avec nous autres. Vous allez pouvoir téléphoner à votre livreur d'huile de chez nous, tout à l'heure. Pour les tuyaux, je pense pas que ce soit nécessaire de payer un plombier. J'ai une torche. Je devrais être capable de les dégeler. Vous aurez juste à me donner vos clés. Moi, je reviens tout de suite après le déjeuner pour vous construire une boîte autour de votre baril d'huile. Venez.

Les Morin montèrent dans la Malibu de Pierre Crevier et poussèrent un soupir de contentement quand le système de chauffage se mit à répandre une bonne chaleur dans l'habitacle. Ils furent accueillis par une appétissante odeur de bacon lorsqu'ils pénétrèrent chez Denise.

— Les enfants dorment encore, chuchota-t-elle en venant à leur rencontre dans le couloir. Déshabillez-vous et venez vous réchauffer un peu. Le déjeuner est presque prêt. Vous pourrez vous faire la barbe après, ajouta-t-elle à l'intention de son père et de son frère.

À la fin de l'avant-midi, Pierre revint chez lui et tendit les clés de l'appartement de la rue Emmett à sa belle-mère en lui disant:

— Tout est réglé, madame Morin. Le livreur d'huile est passé et vos tuyaux sont dégelés. Il y avait juste l'entrée d'eau qui était gelée. À part ça, j'ai réglé le poêle et la fournaise. Ils chauffent ben tous les deux. Je suis aussi parvenu à faire une boîte ben solide en *plywood* pour votre réservoir d'huile sur le balcon. Elle ferme par un couvercle avec un cadenas. J'ai laissé les clés sur votre table de cuisine. Quand vous attendrez une livraison, à cette heure, vous aurez juste à débarrer le couvercle.

— Je sais pas comment te remercier, fit Laurette, reconnaissante.

— Peut-être en reprenant votre fille, plaisanta son gendre en faisant un clin d'œil à sa femme.

— Ah ça, je peux pas! lui dit sa belle-mère. Tu l'as trop gâtée et elle me coûterait ben trop cher à cette heure.

Les Crevier gardèrent Laurette à dîner et, même si la distance entre leur appartement et le sien n'était pas très grande, Pierre tint à ramener sa belle-mère en voiture.

Dès le départ de son gendre, Laurette décida de laisser tomber le lavage et de faire plutôt une sieste.

— Le lavage attendra demain. Je suis trop fatiguée. Ça doit être parce que je me suis levée ben de bonne heure, dit-elle à voix haute en se glissant sous les couvertures en poussant un soupir d'aise.

La sonnerie du téléphone la tira brutalement du sommeil. Pendant un bref moment, elle ne sut si c'était le jour ou la nuit. Puis elle aperçut un peu de clarté filtrer entre les rideaux tirés devant la fenêtre. Elle se leva et se dépêcha de se rendre dans la cuisine pour répondre.

— Madame Morin? demanda une voix inconnue.

— Oui. Qui parle?

— Maurice Deslauriers, madame. Mon nom vous dit probablement pas grand-chose, mais je suis le *boss* de votre mari.

— Oui.

Laurette était maintenant tout à fait réveillée. Immédiatement, plusieurs idées lui vinrent à l'esprit. Qu'est-ce qui se passait? Pourquoi cet homme-là appelait-il à la maison alors qu'il devait très bien savoir que Gérard était au travail?

— Mon mari est à l'ouvrage, monsieur, sentit-elle le besoin de lui expliquer.

— Oui, je sais, madame. Je vous appelle pour vous dire qu'il a été victime d'un petit accident sur l'heure du midi.

— Un accident!

— Pas très grave, madame, fit l'autre d'une voix qu'il voulait rassurante.

— Qu'est-ce qui est arrivé à mon mari? demanda-t-elle, subitement alarmée.

— Je pense qu'il a eu un moment de distraction en faisant sa ronde. Il a pas vu un camion et…

— Il s'est pas fait écraser?

— Mais non, madame. Rassurez-vous. Mais le chauffeur a pas pu l'éviter tout à fait et votre mari a été frappé au bras par le miroir du camion. C'est son bras droit et son épaule qui ont subi le choc.

— Où est-ce qu'il est, là?

— On l'a fait transporter à l'hôpital de Cartierville. C'est le meilleur hôpital pour soigner les membres brisés.

— Est-ce qu'ils vont le garder longtemps ? fit Laurette, très inquiète.

— D'après le médecin à qui j'ai parlé, ils vont le garder deux ou trois jours pour s'assurer que tout est correct.

— Deux ou trois jours pour un bras brisé ? s'étonna-t-elle. Voyons donc ! Il a certainement autre chose pour le garder aussi longtemps et…

— Mais non, madame. Le docteur m'a dit que le bras était pas brisé. On veut juste s'assurer que son bras et son épaule sont en bon état. Ne vous inquiétez pas. Tout va bien aller.

— Merci de m'avoir appelée, monsieur, dit-elle avant de raccrocher.

Elle s'assit un moment sur une chaise au bout de la table et s'alluma fébrilement une cigarette.

— Bonyeu ! Qu'est-ce qui vient encore de nous tomber sur la tête ? Il nous manquait plus que ça !

Elle jeta un coup d'œil à l'horloge murale avant d'appeler chez Gilles qui devait être revenu de l'école, à cette heure-là. Elle eut la chance de tomber sur son fils.

— Ton père vient d'avoir un accident sur le port, lui annonça-t-elle, énervée. Il paraît qu'il a été accroché par un *truck*. Il est à l'hôpital de Cartierville. Penses-tu que tu pourrais m'amener là ?

L'instituteur lui promit de venir la prendre dans quelques minutes.

Lorsque la Toyota orangée s'immobilisa devant la porte de l'appartement de la rue Emmett, Laurette avait endossé son manteau depuis longtemps et guettait son arrivée, debout derrière la fenêtre de sa chambre à coucher. Elle ne laissa pas à son fils le temps de descendre de son véhicule. Elle se précipita à l'extérieur et monta à bord de la petite voiture japonaise.

— T'es ben fin de venir me conduire à l'hôpital, dit-elle à son fils en refermant la portière.

Au moment où Gilles remettait son automobile en marche, elle remarqua soudain qu'il tombait de gros flocons de neige.

— Je suis tellement énervée que j'avais même pas vu qu'il neigeait à plein ciel, reprit-elle.

— Ça tombe pas mal depuis au moins une heure, m'man, se contenta de dire Gilles en tentant d'immobiliser la Toyota coin Emmett et Fullum.

— Ça a l'air glissant sans bon sens, ajouta-t-elle en constatant que l'automobile patinait au moment où son conducteur tournait au coin de la rue.

— C'est sûr qu'il faut faire ben attention, reconnut Gilles en redoublant de prudence. Bon. Dites-moi donc ce qui est arrivé exactement à p'pa, demanda-t-il au moment où ils arrivaient au coin de la rue Sainte-Catherine.

— Si ça te fait rien, j'aime mieux attendre qu'on soit rendu à l'hôpital pour te raconter ça, fit sa mère, en fixant la rue d'un regard inquiet. Énerve-toi pas. Il paraît que c'est pas trop grave. Contente-toi de conduire ton char sans avoir d'accident. Il manquerait plus qu'on se ramasse à l'hôpital tous les deux. Ce serait ben le boutte !

À leur arrivée à l'hôpital, on leur apprit que Gérard Morin avait déjà été installé dans une chambre du troisième étage. Après avoir doucement poussé la porte de la chambre, Gilles et sa mère découvrirent le blessé, le visage blafard, étendu sur un lit, le bras droit maintenu en extension par un système de poids et de poulies. À leur entrée dans la pièce, Gérard ouvrit les yeux et eut un pauvre sourire.

— Mon pauvre Gérard ! Te v'là ben amanché, le plaignit sa femme en s'approchant de lui. Veux-tu ben me dire comment t'as fait ton compte ?

— Je l'ai pas vu, ce calvaire de *truck*-là ! dit le blessé avec rage. Quand je l'ai entendu venir, j'ai eu juste le temps de me tourner de bord et il m'a frappé. Tu parles d'une maudite malchance !

— Qu'est-ce qu'ils vous ont fait, p'pa ? lui demanda Gilles. Vous avez pas de plâtre ?

— Il paraît que ce sont des muscles qui sont déchirés. Le docteur a parlé aussi de tendons et de je sais pas quoi. Si j'avais juste le bras cassé, je serais déjà revenu chez nous avec le bras dans le plâtre. Là, ils vont me garder un bout de temps pour voir si ça se replace ben. Le docteur avait pas l'air content après les examens.

Découragée, Laurette rentra à la maison et téléphona à chacun de ses enfants pour leur apprendre la mauvaise nouvelle. Après le souper, elle occupa la soirée en tentant de s'intéresser aux émissions télévisées sans grand succès. Un peu avant onze heures, elle se mit au lit, mais elle passa une bonne partie de la nuit à se demander comment elle allait parvenir à boucler son budget sans le salaire de son mari. Cependant, elle fut rassurée deux jours plus tard quand l'agence qui employait Gérard lui fit savoir qu'elle lui verserait le salaire de son mari durant tout le temps que durerait son congé de maladie.

La semaine suivante, autre mauvaise nouvelle : Gérard devait être opéré pour réparer les dommages à son bras et, quelques jours plus tard, Laurette fut prévenue que son mari allait être envoyé à la maison de convalescence Notre-Dame-de-la-Merci à la fin de la semaine pour une période de rééducation. Le spécialiste qu'elle rencontra à l'hôpital, le lendemain après-midi, lui apprit que son mari finirait par retrouver l'usage presque normal de son bras s'il se pliait à des séances de physiothérapie quotidiennes durant quelques mois.

— Maudite malchance ! jura le patient en apprenant qu'il allait quitter l'hôpital pour une maison de convalescence plutôt que pour la maison. Cybole ! Presque quinze ans après la tuberculose, me v'là poigné avec ça.

— Ça va passer, lui dit Laurette pour le réconforter. Le printemps arrive. Tu vas sortir vite de là pour revenir à la maison. Encourage-toi en te disant que t'auras pas de ménage de printemps à faire cette année. Les enfants m'ont offert de se mettre ensemble pour venir m'aider à ôter les châssis doubles et à laver les murs et les plafonds.

— Bâtard ! Je me fais l'impression d'être devenu un petit vieux inutile, se plaignit son mari, la voix chargée d'émotion.

— Tu vas prendre le dessus, inquiète-toi pas.

De fait, durant les premières semaines, le convalescent ne sembla pas se rétablir très rapidement de son accident. L'institution du boulevard Gouin le déprimait et il ne s'en cachait pas.

— As-tu vu ? demandait-il à sa femme à voix basse lors de ses premières visites. Il y a juste des petits vieux ici dedans. J'ai l'impression d'avoir un pied au cimetière juste à les regarder.

Après quelques semaines, il n'en resta pas moins que Laurette s'attendit à entendre son mari lui annoncer qu'il allait rentrer bientôt à la maison, mais il n'en était rien.

Mars prit fin sur plusieurs journées de pluie qui hâtèrent la fonte des amoncellements de neige grise accumulée dans la cour. Les dernières plaques de glace fondirent sur les trottoirs. La Chevrolet bleue, qui avait été entièrement recouverte par les abondantes chutes de neige du début du mois, réapparut peu à peu. La température se réchauffa progressivement et permit aux ménagères du quartier de recommencer à étendre leur linge frais lavé sur les cordes à linge extérieures.

— Tu devrais t'occuper du char de ton père, suggéra Laurette à Jean-Louis, un soir. Demande à Pierre ou à Gilles de te donner un coup de main pour l'arranger. Comme ça, on n'aura plus besoin de quêter une *ride* pour aller voir ton père sur le boulevard Gouin. En plus, tu pourras même t'en servir pour aller travailler.

Le lendemain, il fallut à peine une heure à Pierre Crevier pour remettre la Chevrolet en état de marche et Jean-Louis se mit aussitôt en devoir d'astiquer la vieille voiture.

— La rouille l'a pas manquée cet hiver, dit-il à sa mère après avoir lavé la voiture. Il y a pas mal de taches dans le bas des portes. Je vais arranger ça

Avril arriva enfin en apportant avec lui un avant-goût de l'été. Laurette continuait à guetter le moindre signe avant-coureur indiquant que la Dominion Oilcloth entendait entreprendre bientôt la démolition des vieilles maisons de la rue Emmett. Le responsable de la collecte des loyers était bien passé le second jour du mois, mais il s'était refusé à tout pronostic à ce sujet.

— Tout ce que je sais, madame Morin, avait-il dit, c'est que la compagnie a pas l'intention de vous faire signer un bail au mois de mai, cette année aussi.

Maintenant, depuis près de deux mois, la vie s'était organisée autour de Gérard. Ce dernier ne manquait pas de visiteurs et ne pouvait se plaindre d'être délaissé. Bernard et Armand Brûlé lui rendaient visite aussi régulièrement que Colombe et Rosaire. De plus, chaque enfant se faisait un devoir d'aller voir son père une fois par semaine. Il n'y avait que Carole qui ne s'était présentée à Notre-Dame-de-la-Merci qu'à une occasion. Tout dans le comportement de la jeune femme montrait qu'elle n'avait pas encore pardonné à son père.

Au début du mois, les fils de Laurette avaient tenu parole et l'avaient aidée sans rechigner à faire son grand ménage du printemps. Pour le plus grand plaisir de leur mère, deux soirées leur avaient suffi pour venir à bout de la saleté accumulée dans l'appartement.

— À cette heure, si votre père peut sortir de là-bas, on va pouvoir avoir une vie normale, dit-elle ce soir-là après avoir lavé le linoléum de la cuisine.

Chapitre 23

Le retour

Deux semaines plus tard, au lendemain de l'ouverture officielle de « Terre des hommes », Laurette était occupée dans sa cuisine à repasser les vêtements lavés la veille quand la voix de Donald Lautrec entonna la chanson-thème de l'Expo 67 à la radio. La ménagère se précipita vers l'appareil pour syntoniser un autre poste.

— Aïe, moi, j'en peux plus d'entendre son maudit « Un jour, un jour, quand tu viendras… » ! dit-elle à voix haute. Ça fait trois fois qu'ils font jouer cette chanson-là depuis midi. Il y a tout de même des limites à écœurer le monde avec ça, bonyeu ! C'est ben beau l'Expo, mais il y a pas rien que ça dans la vie.

— Cybole, tu vieillis la mère ! T'es rendue que tu te parles toute seule maintenant, fit la voix de Gérard apparu comme par magie derrière la porte-moustiquaire.

— Seigneur ! Ce que tu m'as fait peur ! s'exclama sa femme en posant une main sur son ample poitrine. Qu'est-ce que tu fais là ?

— Est-ce que je peux entrer au moins ? demanda Gérard en secouant la porte pour lui rappeler de soulever le crochet.

— J'arrive. Attends.

Elle fit le tour de sa planche à repasser et vint lui ouvrir la porte. Au même moment, elle vit la figure hilare de

Richard en train d'entrer dans la cour en portant la valise de son père.

— D'abord, comment ça se fait que vous passez par en arrière ? demanda-t-elle aux deux hommes.

— On voulait vous faire une surprise, m'man.

— Quand est-ce que t'as su qu'ils te laissaient sortir ? fit-elle en embrassant son mari sur une joue.

— À midi.

— T'as pas à y retourner ?

— Non. C'est fini. Le docteur m'a donné une série d'exercices à faire tous les jours et une semaine de congé de plus. D'après lui, je suis à peu près correct.

— Ouf ! enfin, dit Laurette, soulagée au-delà de toute expression.

— Quand j'ai su que je pouvais sortir aujourd'hui, j'ai pris une chance d'appeler Richard pour voir s'il était capable de venir me chercher, expliqua Gérard. Puis, me v'là.

Laurette débrancha son fer à repasser et leur servit un grand verre de boisson gazeuse.

— Tu restes à souper avec nous autres, dit-elle à son fils.

— Pas à soir, m'man. Jocelyne est supposée faire à souper de bonne heure et après ça, je dois l'amener faire un tour à Longueuil avec la petite.

— Qu'est-ce qu'il y a là ?

— Rien de spécial. Ça fait assez longtemps qu'elle m'achale pour que je l'amène traverser le pont-tunnel qui est ouvert depuis un mois. En fin de semaine, on est supposés étrenner notre passeport de l'Expo.

— Si vous allez là, laissez-moi la petite en passant, proposa Laurette.

— Peut-être une autre fois, m'man, mais Jocelyne veut qu'on l'amène voir ça aussi.

— Elle a même pas quatre mois, tenta de le raisonner sa mère. Vous avez pas peur qu'il lui arrive quelque chose avec toute la foule qu'il y a là. Je regardais ça aux nouvelles hier soir, c'est noir de monde.

— Si c'est trop de trouble de traîner un enfant, je vous garantis qu'on va la faire garder la prochaine fois… s'il y en a une. J'ai pas grand temps pour m'amuser depuis un mois ou deux. Ou je cours des contrats ou je suis poigné pour remplacer un de mes chauffeurs en congé.

Quelques minutes plus tard, Richard quitta l'appartement de ses parents, les laissant en tête-à-tête.

— Il faudrait ben que tu téléphones pas trop tard à la famille pour que personne aille pour rien à Notre-Dame-de-la-Merci, lui suggéra Laurette.

Après une brève hésitation, Gérard s'approcha du téléphone et se mit à faire quelques appels. Il rejoignit facilement ses beaux-frères Armand, Bernard et Rosaire qui venaient de rentrer à la maison pour le souper. Tous se déclarèrent enchantés de le savoir de retour chez lui. Rosaire lui proposa même de revenir dès le samedi suivant pour continuer à laver les voitures mises en vente à son garage. Gilles montra la même joie tandis que Denise lui promit une courte visite en compagnie de Pierre et de ses enfants pour le soir même. Gérard raccrocha et s'alluma une cigarette avant de se diriger vers la salle de télévision alors que sa femme, assise à table, épluchait les pommes de terre qui seraient servies au souper.

— T'appelles pas Carole ?

— Elle doit pas être encore revenue de son ouvrage.

— Qu'est-ce que t'en sais ? Elle m'a dit qu'elle finissait à quatre heures et demie tous les jours. Il est presque cinq heures. Jean-Louis est à la veille d'arriver.

— Je l'appellerai une autre fois, s'esquiva le père de famille en entrant dans la pièce voisine pour allumer le téléviseur. De toute façon, elle risque pas de faire le voyage pour rien à Notre-Dame-de-la-Merci, elle est venue me voir juste une fois.

Laurette ne dit rien, mais elle voyait bien que son mari n'avait pas apprécié que sa cadette l'ait pratiquement ignoré pendant toute sa convalescence.

Un peu après sept heures, Denise se présenta chez ses parents en compagnie de ses trois enfants.

— Où est-ce que Pierre est passé? lui demanda sa mère.

— Il fait le tour par en arrière pour jeter un coup d'œil à la Chevrolet de p'pa. Jean-Louis lui a dit avant-hier qu'elle roulait mal.

— Ça tombe ben. Ton père est justement là avec ton frère. Entrez. Et vous autres, les enfants, comment ça se fait que vous avez pas encore embrassé votre grand-mère? J'ai du sucre à crème. Si vous êtes pas plus fins que ça, vous en aurez pas, les menaça-t-elle pour rire.

— Voyons, m'man, vous les gâtez ben trop! protesta Denise. Vous leur avez donné des poules en chocolat pour Pâques pas plus tard que la semaine passée.

— J'espère qu'ils ont fini de les manger, dit Laurette en faisant les gros yeux aux trois enfants qui venaient de l'embrasser. Elles étaient toutes petites.

— Ayez pas peur. Le soir même, il en restait pas le moindre morceau. Il y en a même qui avaient mal au cœur d'avoir voulu manger leur chocolat trop vite, pas vrai, Alain?

Le gamin jeta un coup d'œil de reproche à sa mère, mais il ne dit rien. Au même moment Pierre Crevier, suivi de son beau-père et de son beau-frère, entra dans la cuisine par la porte arrière. Laurette déposa sur la table une assiette de sucre à la crème et servit des rafraîchissements.

— Puis, vous devez ben être à la veille de retourner à votre chalet dans le Nord ? demanda-t-elle à sa fille et à son gendre.

— Pas avant une grosse semaine, madame Morin, répondit Pierre. Je viens de poigner un petit contrat de menuiserie en dehors de mes heures d'ouvrage au port.

— Je pense même, m'man, que ça va vous intéresser, poursuivit Denise.

— Comment ça ? s'étonna Laurette.

— Carlo Vaccaro, un gars qui travaille avec moi, a dit à son père que je me débrouillais pas mal en menuiserie, dit Pierre.

— Puis ?

— Ben. Son père a acheté une vieille maison de la rue Champagne, l'année passée. Il m'a demandé de changer les cadrages des fenêtres du logement d'en bas parce qu'ils sont tout pourris.

— C'est la rue où je restais quand j'étais fille, tint à préciser Laurette.

— Attendez, m'man, il y a mieux que ça, dit Denise. Continue, Pierre.

— Le logement que le père Vaccaro veut que je répare, c'est le 2429. Denise m'a dit que sa grand-mère avait resté à cette adresse-là. Est-ce que c'est vrai ?

— Je comprends que c'est vrai ! s'exclama sa belle-mère. Mon Dieu ! Juste entendre l'adresse, ça me donne des frissons. Je pense que ça fait au moins vingt ans que je suis pas passée devant la maison, ajouta-t-elle, mélancolique.

— Le temps a pas dû lui faire du bien, fit remarquer Gérard en éteignant son mégot dans le cendrier posé sur la table. C'était déjà une vieille cabane dans les années trente quand je fréquentais ma femme.

— Elle est pas si mal que ça, monsieur Morin, lui dit son gendre. Je suis allé la voir hier pour calculer la quantité de bois que je vais être obligé d'acheter pour faire les cadrages. À part les fenêtres, elle est ben conservée. On voit qu'elle a été assez ben entretenue.

— Comme ça, t'as pu entrer dans le logement ? lui demanda Laurette, très intéressée.

— Oui. Le père Vaccaro m'a laissé la clé de l'appartement, le temps de faire l'ouvrage.

— Comment ça ? Les locataires peuvent pas t'ouvrir la porte ? lui demanda son beau-père.

— Il y a plus de locataires depuis quinze jours, expliqua Pierre Crevier. Si j'ai ben compris, c'est un vieux couple qui vivait là depuis une quinzaine d'années. Le propriétaire m'a dit que la femme était morte au commencement de l'automne passé et un des enfants a fini par convaincre son père d'aller vivre chez eux. Ça fait que le logement est vide, et je peux vous dire que c'était pas quelqu'un de malpropre. On voit que tout a été nettoyé comme il faut avant de partir. D'après moi, il y a pas ben longtemps que ce logement-là a été peinturé.

— Qu'est-ce qui t'a pris de prendre ce contrat-là ? lui demanda son beau-père.

— L'argent, monsieur Morin. Ça a l'air de rien, mais construire un chalet qui a du bon sens, ça coûte cher et les matériaux s'achètent pas avec des prières. En plus, c'est de l'ouvrage sous la table, sans impôt à payer.

— T'en as pour combien de temps ?

— Une semaine par les soirs, pas plus.

Un étrange silence tomba sur la cuisine des Morin. Dans la pièce voisine, la voix de Jean-Paul Nolet décrivait la cérémonie protocolaire qui avait eu lieu le matin même lorsque le maire Jean Drapeau et le premier ministre Daniel Johnson avaient accueilli des dignitaires étrangers sur le site de « Terre des hommes ».

— Alain, va donc éteindre la télévision à côté, demanda la grand-mère à l'aîné de ses petits-fils. C'est effrayant ce que tu me rappelles des souvenirs quand tu me parles de cet appartement-là, poursuivit-elle à l'adresse de son gendre. Ça fait tellement longtemps que je l'ai pas vu.

— Écoutez, madame Morin, lui dit ce dernier. Si ça vous fait plaisir, venez faire un tour pour voir ce qu'il a l'air. Je vais être là à partir de cinq heures tous les soirs, cette semaine.

— Ça te dérangera pas ?

— Pantoute. Venez. Gênez-vous pas.

La journée du lendemain sembla interminable à Laurette. D'abord, elle n'avait jamais eu l'habitude de voir quelqu'un traîner dans la maison toute la journée à ne rien faire, et cela l'énervait prodigieusement. Si elle ne tenait pas compte du pénible séjour des petits-cousins Parenteau, au début de son mariage, ce n'était jamais arrivé. Même durant les quelques mois de chômage de son mari, plusieurs années auparavant, ce dernier quittait la maison pratiquement tous les jours pour se chercher un emploi.

— Bonyeu, Gérard, installe-toi quelque part où je suis pas obligée de te tasser pour faire mon ouvrage ! finit-elle par dire, à bout de patience, à son mari, au milieu de l'avant-midi. T'es toujours dans mes jambes !

— Cybole ! Lâche-moi un peu ! T'arrêtes pas de me déranger avec ton balai. Je m'assois dans la salle de télévision, t'arrives tout de suite pour balayer. Bon. Je m'installe sur le balcon, tu viens étendre du linge. Là, je commence à lire mon journal dans la cuisine, tu me fais lever les pieds pour la deuxième fois avec ton maudit balai. Finis-en et laisse-moi tranquille.

Laurette finit par se calmer, mais il était clair que la présence de son mari dans l'appartement durant le jour dérangeait sérieusement sa routine. Bien sûr, elle avait prié avec ferveur pour qu'il revienne le plus rapidement possible de Notre-Dame-de-la-Merci, mais elle désirait le voir retourner au travail.

Après le souper, elle parvint à persuader son mari d'aller faire une petite promenade pour sortir de la maison. Ce dernier était passablement réticent à l'idée d'aller marcher sans but dans le quartier alors qu'il pouvait s'installer à son aise, dans son fauteuil, devant le téléviseur.

— Il y a plus de hockey et il fait beau dehors, plaida-t-elle. Viens donc! Ça va nous faire du bien, tu vas voir, lui promit-elle. On a passé la journée enfermés dans la maison.

Gérard quitta la maison en ronchonnant. À l'extrémité de la rue Emmett, Laurette suggéra de tourner à gauche et de passer devant le parc Bellerive, comme ils le faisaient si souvent durant leurs fréquentations.

— Maudit, tu remontes à Mathusalem, lui fit remarquer son mari, sarcastique, en prenant tout de même la direction du parc.

Le couple longea lentement le parc dont les érables arboraient déjà leurs nouvelles feuilles d'un vert tendre. Les quelques bancs étaient presque tous occupés et des enfants sillonnaient les allées asphaltées, montés sur leurs tricycles. La rue Notre-Dame, envahie par les camions et les automobiles, était bruyante.

Coin Dufresne, Laurette tourna vers le nord et son mari la suivit, persuadé qu'elle avait l'intention de se limiter à faire le tour du quadrilatère qui les ramènerait rue Fullum. Cependant, lorsqu'ils arrivèrent au coin de la rue Sainte-Catherine, Laurette s'arrêta un bref moment pour lui demander:

— Est-ce que ça te dérange qu'on aille voir l'ancien appartement où je restais quand j'étais jeune ?

— Ah ! C'est pour aller là que tu tenais tant à ce qu'on aille faire une marche, fit son mari qui venait de comprendre.

Laurette ne nia pas. Ils traversèrent la rue, franchirent la centaine de pieds qui les séparait de la rue Champagne et tournèrent à droite en face de l'hospice Gamelin. Aux yeux de la quinquagénaire, la petite artère entre Dufresne et Poupart semblait avoir conservé son charme d'antan. La seule différence venait peut-être du nombre d'automobiles stationnées des deux côtés de la rue.

Trois fillettes jouaient à la corde à danser sur le trottoir, à courte distance du 2429. Cette scène lui rappela l'époque lointaine où elle s'amusait au même jeu en compagnie de Suzanne Tremblay et des sœurs Cholette, ses amies inséparables. Pendant un court moment, elle s'attendit même à voir apparaître sa mère sur le pas de la porte pour lui ordonner de rentrer mettre le couvert pour le souper.

— Mon Dieu, que le temps passe vite, ne put-elle s'empêcher de murmurer au moment où Gérard sonnait à la porte.

Pierre Crevier vint leur ouvrir un instant plus tard, sa chemise couverte de bran de scie.

— Un peu plus, je vous entendais pas sonner, s'excusa-t-il. J'étais en train de scier sur le balcon en arrière. Entrez. Venez voir de quoi ça a l'air.

Laurette entra dans l'appartement avec un serrement de cœur. À première vue, rien n'avait changé depuis sa dernière visite, soit le jour où elle avait fini de disposer des maigres possessions de sa mère avec l'aide de ses deux belles-sœurs et de ses frères.

Les pièces vides résonnaient étrangement sous ses pas. Le salon, à gauche de l'entrée, n'avait pas plus changé que la chambre des maîtres, en face. Son ancienne chambre avait été repeinte d'une autre couleur, mais sa fenêtre donnait toujours sur le passage voûté de la porte cochère. Elle découvrit aussi une salle de bain de la même taille qu'autrefois, mais dotée maintenant de l'eau chaude et d'une baignoire plus moderne. L'ancienne chambre de Bernard et Armand, dont la fenêtre ouvrait sur le balcon arrière, lui parut plus vaste qu'auparavant. Enfin, le seul changement notable dans la cuisine consistait en de nouvelles armoires et un linoléum moins défraîchi que dans son souvenir.

— Puis, madame Morin, est-ce que ça vous rappelle des souvenirs ? lui demanda Pierre qui montrait l'état des cadrages des fenêtres à changer à Gérard.

— Tu peux pas savoir comment, répondit Laurette, émue. C'est ben plus grand que dans mon souvenir, admit-elle en poussant la porte arrière de l'appartement.

— Je suppose que c'est toujours comme ça quand il y a pas de meubles dans une maison, lui fit remarquer Gérard.

Le balcon avait été reconstruit en bois traité à la créosote, mais le véritable changement était que l'ancienne écurie qui avait si longtemps servi à abriter le cheval et la voiture de son père avait disparu. Le vieux bâtiment avait été remplacé par un hangar qui ressemblait beaucoup à celui que les Morin avaient, rue Emmett.

— T'avais ben raison, dit-elle à son gendre en rentrant. C'est vieux, mais c'est un logement pas mal propre.

— On voit qu'il a été ben entretenu, reconnut Pierre. Même dans la cave, il y a pas une traînerie. Pour moi, le père Vaccaro aura pas de misère à le louer quand je vais avoir fini les réparations.

— C'est vrai que si le propriétaire met de l'argent à le faire réparer, il pense certainement pas à faire démolir la maison.

— Ça me surprendrait pas mal, dit son gendre.

— D'après toi, est-ce qu'il va demander cher pour le loyer ?

— J'en n'ai pas la moindre idée, madame Morin. Mais si ça vous intéresse, je peux toujours lui demander.

Laurette jeta un coup d'œil à son mari qui crut deviner ce qu'elle avait en tête.

— Ah non ! J'espère que tu t'es pas mis dans la tête qu'on pourrait venir rester ici dedans.

— Ben non ! Mais ça coûte rien de s'informer, rétorqua Laurette. Bon. On va te laisser travailler, Pierre, dit-elle à son gendre. On t'a assez fait perdre de temps.

Le couple rentra en silence à son appartement de la rue Emmett. À voir la figure pensive de Laurette, il était évident qu'elle mijotait quelque chose.

— Ils sont chanceux ceux qui restent en haut de Sainte-Catherine, dit-elle en mettant de l'eau à bouillir dans la bouilloire pour préparer des tasses de café. Eux autres ont pas à se demander tous les mois si on viendra pas les sacrer dehors parce qu'on démolit la maison.

Son mari ne dit rien. Il se contenta de replier *La Presse* qu'il avait laissée sur la table avant leur promenade.

— C'est sûr que les loyers doivent être un peu plus chers que dans notre coin, mais il faut reconnaître que les logements sont pas mal mieux entretenus.

— C'est certain qu'ils sont plus chers, dit Gérard sur un ton cassant. Tout ce que je sais, c'est qu'on n'a pas pantoute les moyens d'aller rester ailleurs, ajouta-t-il, l'air buté.

— Il y a personne qui te parle de déménager, fit Laurette. Mais même si tu continues à te boucher les yeux et à dire qu'ils vont pas démolir la maison avant des années, il reste que la compagnie nous fera pas encore signer de bail cette année parce qu'elle a toujours dans la tête de jeter la maison à terre. C'est ça qui va arriver, que tu le veuilles ou non, maudit verrat ! Il sera pas nécessaire de déménager, persifla-t-elle, ils vont nous sacrer dehors avec nos guenilles. On a juste à attendre d'être dans la rue pour se réveiller. C'est pas plus grave que ça...

— Calvaire que tu peux être fatigante quand tu t'y mets ! explosa Gérard en prenant la tasse de café qu'elle venait de déposer devant lui, sur la table. Bon. On a assez parlé de ça à soir. Là, je veux regarder la télévision tranquille.

L'obscurité venait de tomber lorsque Jean-Louis rentra. Il déposa les clés de la Chevrolet sur le rebord de la fenêtre avant de se verser un verre de cola.

— J'ai mis du *gas* dans le char, dit-il à son père, qui venait d'entrer dans la salle de télévision.

Le jeune homme prit place à table, la mine sombre. Depuis le retour de son père, la veille, il avait dû renoncer à utiliser la Chevrolet comme si elle lui appartenait. Il lui fallait maintenant demander la permission de l'utiliser quand il en avait besoin, comme l'été précédent.

Sa mère, installée à l'autre extrémité de la table, était occupée à confectionner sa provision de cigarettes pour la semaine. Comme d'habitude, elle avait étendu le contenu d'une boîte de tabac sur une feuille de journal pour le faire sécher un peu et elle utilisait un tube métallique pour fabriquer ses cigarettes.

Devant le silence persistant de son fils, Laurette finit par lever la tête et remarqua son air préoccupé.

— Qu'est-ce qui se passe ? On dirait que t'as perdu un pain de ta fournée.

— Ah ! rien, répondit-il, évasif.

— Dis-moi pas qu'il se passe rien quand t'as le visage long comme un jour de carême.

— C'est Marthe, finit-il par avouer à contrecœur.

— Qu'est-ce qu'elle a ?

— Ben, à soir, je suis arrêté voir Carole pour lui dire que p'pa était revenu à la maison, dit le jeune homme à voix plus basse.

— Puis ?

— Marthe m'a dit qu'elle allait peut-être retourner à Rivière-du-Loup où son père et sa mère restent.

— Pour tout le temps ?

— On le dirait. Il paraît qu'une de ses cousines l'a appelée hier soir pour lui dire qu'il y aurait une bonne *job* pour elle à la caisse populaire. Elle a l'air pas mal tentée.

— Qu'est-ce qu'elle ferait de son appartement ? Je pense pas que Carole ait les moyens de rester là toute seule.

— C'est sûr que Carole serait obligée de se trouver autre chose.

— Je trouve que ce serait de valeur que Marthe parte, finit par déclarer Laurette après un moment de réflexion. C'est une fille qui a ben de l'allure… et elle est loin d'être laide, à part ça.

— C'est vrai, reconnut son fils.

— On dirait que ça te fait pas grand-chose qu'elle s'en aille.

— Ça me fait quelque chose, finit-il par avouer, l'air piteux.

— Lui as-tu dit au moins ? lui demanda sa mère en train de perdre patience.

— Ben…

— Ben quoi ? Oui ou non ? Depuis le temps que vous vous voyez, je pensais que c'était ta blonde et que tu l'aimais.

— Je l'aime aussi.

— Écoute donc, Jean-Louis Morin ! Lui as-tu dit que tu l'aimais, bonyeu ?

— C'est gênant de dire des affaires comme ça à une fille, admit son fils, apparemment très mal à l'aise.

— Là, j'ai mon voyage ! s'exclama sa mère. J'aurai tout entendu ! Aïe, réveille-toi ! T'es plus un petit gars. T'as trente-deux ans. Tu devrais savoir depuis longtemps qu'une fille aime pas avoir à deviner ces affaires-là. Tu dois lui dire ! Maudit verrat, veux-tu finir ta vie tout seul dans ton coin, comme un chien ? Ton père et moi, on sera pas toujours là. Quand on va être partis, veux-tu passer toutes tes soirées tout seul, enfermé dans ta chambre sans avoir personne à qui parler ?

— Ben non.

— Ben, si c'est pas ça que tu veux, je te conseille de te grouiller avant que ta Marthe disparaisse parce qu'une fois partie, t'en trouveras pas une autre aussi fine. Ça, je peux te le garantir, mon garçon. Demande-toi donc pourquoi et pour qui tu vas travailler toute ta vie si t'as pas une famille.

Jean-Louis ne dit rien de plus. Il se leva, alla déposer son verre vide sur le comptoir, souhaita une bonne nuit à ses parents et gagna sa chambre à coucher. Après avoir entendu la porte de la chambre se refermer derrière lui, sa mère rangea soigneusement les cigarettes qu'elle avait confectionnées dans la boîte métallique jaune de tabac Matinée avant de remettre dans l'armoire ce qui lui avait servi à les fabriquer. Elle s'alluma ensuite une cigarette avant d'aller rejoindre son mari dans la salle de télévision.

— Tiens, t'as fini ton sermon ? lui demanda ce dernier sur un ton narquois au moment où elle prenait place dans son fauteuil.

— À ce que je vois, toi, t'haïs pas trop ça écouter en cachette, répliqua-t-elle sur le même ton.

— Cybole ! j'écoutais pas en cachette, se défendit Gérard. Tu parlais assez fort pour qu'on t'entende de loin.

— Ben, tant mieux ! J'ai dit à notre garçon des affaires que toi, son père, t'aurais dû lui dire depuis longtemps. En plus, tu peux pas prétendre que j'ai pas raison.

— Moi, j'appelle ça du tordage de bras. T'as l'air de vouloir absolument le caser.

— Mais c'est en plein ça, affirma la mère de famille avec force. Je veux qu'il se marie et je trouve que Marthe est en plein le genre de fille qu'il lui faut. Viens pas me faire accroire que t'aimerais pas l'avoir comme bru ?

— Pour ça, t'as raison, admit Gérard. Elle est pas pire pantoute.

Cette nuit-là, le sommeil fuit longtemps la mère de famille. Elle ne cessait de songer au problème de Jean-Louis. Quand elle parvenait à distraire son esprit de l'avenir de son fils aîné, c'était pour imaginer toutes sortes de scénarios dans lesquels elle parvenait à convaincre son mari d'emménager rue Champagne. À deux heures du matin, désespérant de s'endormir, elle se leva et alla fumer dans la cuisine. Elle ne s'endormit finalement qu'un peu après quatre heures.

À son réveil, le lendemain matin, elle trouva la maison étrangement calme. Lorsqu'elle regarda l'heure à l'horloge murale de la cuisine, elle se rendit compte qu'il était près de dix heures. Évidemment, Jean-Louis avait quitté depuis longtemps la maison. Il avait même pris la peine de laisser un court billet sur la table pour signaler qu'il ne rentrerait pas souper ce soir-là. Elle laissa Gérard faire la grasse matinée et ne le réveilla que pour dîner.

L'après-midi lui sembla interminable. Elle ne parvenait pas à chasser l'appartement de la rue Champagne de ses pensées pendant qu'elle occupait ses mains à fixer des boutons à deux chemises de son mari. Ce dernier, installé dans la pièce voisine, regardait un vieux film de Luis Mariano présenté au Canal 10.

Soudain le téléphone sonna et Laurette se précipita pour répondre.

— Bonjour, madame Morin, c'est Pierre.

— Bonjour.

— Vous m'avez demandé hier soir de m'informer pour le logement de la rue Champagne. J'ai téléphoné tout à l'heure à monsieur Vaccaro. L'appartement est pas encore pris. Il veut le louer seulement quand j'aurai fini de le réparer.

— Je comprends ça.

— Il m'a dit qu'il allait demander cinquante piastres par mois pour le loyer.

— Tant que ça ! s'exclama Laurette, dépitée.

— Il faut comprendre, madame Morin, que c'est un cinq et demi, au premier étage et avec une cour et...

— Je veux ben croire, l'interrompit sa belle-mère, mais c'est tout de même une vieille maison. Je pense à mon frère Bernard. Son logement de la rue Logan, c'est aussi un cinq et demi, et la maison est pas mal plus neuve. Il paye juste quarante par mois.

— Vous avez raison, mais oubliez pas que votre frère reste au deuxième étage.

— Je suis ben déçue, reconnut Laurette, penaude.

— Écoutez, madame Morin. J'ai dit au bonhomme Vaccaro que je connaissais des gens qui seraient des ben bons locataires s'il voulait baisser un peu son loyer. Des gens ben propres et qui font pas de bruit. En plus, je lui ai dit aussi qu'ils seraient prêts à signer un bail d'au moins deux ou trois ans.

— Puis ? demanda Laurette dont le timbre de voix laissait percevoir un regain d'espoir.

— Ça lui a pris du temps avant de se décider, mais il a fini par me dire qu'il pourrait peut-être leur laisser le loyer pour quarante-cinq piastres par mois s'ils signaient un bail de trois ans. Qu'est-ce que vous en pensez ?

— Donne-moi dix minutes, lui demanda sa belle-mère. J'en parle à mon mari et je te rappelle.

Laurette raccrocha, prit une profonde inspiration et pénétra dans la salle de télévision où Gérard venait d'éteindre le téléviseur pour lire son journal en paix.

— Fatigue-toi pas, lui dit-il d'entrée de jeu au moment où elle prenait place dans son fauteuil, à ses côtés. J'ai tout entendu. C'était Pierre ?

— En plein ça, reconnut-elle. Le propriétaire demande juste quarante-cinq piastres par mois pour son logement. Qu'est-ce que t'en dis ?

— Je dis qu'on n'a pas les moyens de payer autant, déclara Gérard sur un ton sans appel.

— C'est juste cinq piastres de plus par mois qu'ici dedans, plaida sa femme.

— Cinq piastres, c'est cinq piastres. Et on les a pas. T'arrêtes pas de te plaindre que t'as de la misère à payer tous les comptes. Imagine-toi avec cinq piastres de moins, t'arriveras jamais.

— Depuis qu'on est mariés, je suis toujours arrivée à tout payer, tu sauras.

— Non. Je vois pas pourquoi on irait payer plus cher pour une cabane aussi vieille que celle où on reste.

— Maudit verrat, Gérard Morin, ouvre-toi les yeux ! s'emporta sa femme. Même si tu t'entêtes à pas le croire, ils vont démolir la maison. Comprends-tu ça, bout de viarge ? Ils vont nous sacrer dehors, peut-être la semaine prochaine. On le sait pas. Moi, je suis plus capable de vivre avec ça qui me pend au bout du nez.

— Ça fait des années qu'ils nous chantent la même rengaine, dit Gérard sur un ton où commençait à percer l'impatience.

— Je veux ben le croire, mais là c'est pas la même chose. On n'a pas de bail. On n'a rien pour se protéger. Ils peuvent nous mettre dans la rue avec nos guenilles demain matin si ça leur tente et on n'aura rien à dire.

— On verra dans ce temps-là.

— Rue Champagne, on serait sûrs de pas avoir d'augmentation de loyer pendant les trois prochaines années. On signerait un bail de trois ans.

— Je l'espère ben. C'est déjà deux fois trop cher pour ce que ça vaut.

— As-tu pensé que tu pourrais parquer ton char dans la cour et que pas un enfant pourrait venir le grafigner parce que la cour est barrée par une porte ?

— …

— En plus, c'est frais peinturé. T'aurais pas de peinture à faire avant deux ou trois ans au moins. Ça a l'air de rien, mais ça coûte cher, peinturer.

— …

— Il y a dans l'appartement une fournaise à l'huile deux fois plus grosse qu'on a ici dedans. Avec les nouveaux cadrages que Pierre est en train de poser, ça va faire un appartement pas mal chaud l'hiver, un appartement qui va certainement coûter moins cher à chauffer.

— …

— Aïe ! Un appartement où il y a pas de vermine, pas de rats. Un appartement propre dans une rue ben tranquille, proche de Sainte-Catherine.

— Maudite fatigante ! explosa Gérard. Toi, quand t'as quelque chose dans la tête, tu l'as pas dans les pieds. Envoye ! Appelle Pierre et demande-lui si on peut aller le voir, son bonhomme Vaccaro.

Peu après sept heures trente ce soir-là, une Laurette radieuse quittait la biscuiterie Vaccaro de la rue Hochelaga en compagnie de son mari. Elle venait de ranger le nouveau bail signé dans son sac à main.

Antonio Vaccaro s'était bien fait tirer un peu l'oreille avant de leur rabattre cinq dollars sur les cinquante qu'il avait l'intention de demander pour l'appartement du 2429, rue Champagne, mais il avait finalement accepté cette exigence de ses nouveaux locataires.

— Il reste huit jours avant le premier mai, avait-il déclaré avec son accent chantant avant de leur serrer la main. Vous pourrez entrer dans l'appartement dès que votre gendre aura fini son ouvrage.

À la suggestion de Laurette, le couple s'était arrêté quelques instants à l'appartement où Pierre travaillait pour lui apprendre la bonne nouvelle. Ce dernier accepta sans hésitation que ses beaux-parents viennent faire un peu de ménage dans leur nouveau nid dès le lendemain.

— Toi, mon Pierre, j'oublierai pas que cette idée-là vient de toi, lui dit Gérard en feignant la rancune.

— Mais j'ai fait ça pour ben faire, moi, monsieur Morin, plaida le colosse, mi-sérieux.

— Je suis pas sûr de ça pantoute, moi, rétorqua son beau-père.

À leur retour à la maison, Laurette s'empressa de téléphoner à chacun de ses enfants pour lui communiquer la grande nouvelle. Ils furent tous enchantés d'apprendre que leur mère allait pouvoir retourner vivre dans la maison de son enfance. Par ailleurs, Gilles et Richard lui promirent de venir aider à laver les plafonds et les murs le lendemain soir, après le souper.

Quand Laurette apprit la nouvelle à ses frères, ceux-ci furent stupéfaits.

— Sacrifice ! s'exclama Armand. Si l'appartement avait été libre le printemps passé quand on est déménagés, je l'aurais loué, moi, au lieu de venir rester rue Parthenais où je m'habitue pas. En tout cas, quand vous serez prêts à déménager, téléphone-moi, on va tous aller vous donner un coup de main.

Le lendemain soir, Gilles et Richard étaient fidèles au rendez-vous.

— Avoir su que vous vouliez déménager, m'man, lui fit remarquer Gilles en jetant une bonne dose de Spic'n Span dans son seau d'eau chaude, on n'aurait pas fait un grand ménage de printemps sur la rue Emmett.

— Je le sais ben, dit sa mère sur un ton d'excuse. Mais là, la chance était trop belle.

— En tout cas, si ça continue comme ça, reprit Richard, debout sur un escabeau, en train de laver le plafond de la pièce voisine, je suis à la veille d'aller chercher ma carte de compétence de laveur.

— P'pa, vous, avec ce que vous faites là, vous avez pas besoin d'autres exercices pour votre bras, dit Gilles en regardant son père en train de laver les murs du couloir.

— Pantoute.

— Aïe, vous trois ! les interpella Laurette. Si vous jacassiez un peu moins et travailliez un peu plus, on finirait plus de bonne heure.

— Oui, *boss* ! se moqua Richard.

Le samedi matin suivant, Laurette était debout bien avant le lever du soleil. Elle alla préparer le déjeuner avant de réveiller son mari et son fils. Pendant que les deux hommes s'habillaient, elle souleva le rideau qui masquait la fenêtre de sa chambre pour regarder longuement la petite rue Emmett encore éclairée par son unique lampadaire. Elle se sentit brusquement nostalgique à la pensée qu'elle ne reverrait plus cet endroit.

— Envoye, Laurette, viens déjeuner, la houspilla Gérard, enfin habillé. Si on traîne, ils vont arriver avant qu'on ait fini de manger.

Elle le suivit dans la cuisine et y trouva Jean-Louis qui revenait du balcon.

— Il fait doux à matin, dit-il à ses parents. Il y a pas un nuage. Pour moi, on va avoir une belle journée pour déménager. Je vais me dépêcher à manger. Après, si vous me passez votre char, p'pa, je vais aller chercher Carole.

— Elle a dit qu'elle allait venir nous aider? demanda Gérard, surpris.

— Ben oui, Gérard, dit Laurette. C'est normal. Elle fait partie de la famille.

Il était à peine plus de sept heures quand Jean-Louis revint en compagnie de Carole et de Marthe.

— Ah ben, de la belle visite! s'exclama Laurette en les apercevant.

— J'espère que vous acceptez n'importe qui pour vous aider, plaisanta Marthe en l'embrassant sur une joue. Bonjour, monsieur Morin, dit-elle à Gérard.

— Bonjour, mademoiselle.

— Si je m'attendais à te voir à matin, reprit Laurette, surprise.

— P'pa, vous pouvez ben dire «tu» à Marthe. Elle va faire bientôt partie de la famille.

Devant le regard étonné de ses parents, Jean-Louis sentit le besoin de préciser ses paroles.

— J'ai oublié de vous dire que Marthe et moi, on a décidé de se fiancer à la fin de l'été prochain, ajouta-t-il, un peu solennel.

— C'est pas vrai! s'écria Laurette, heureuse de la nouvelle.

— C'était le seul moyen de l'empêcher de retourner dans le Bas-du-Fleuve, dit le jeune homme, apparemment heureux.

— C'est une ben bonne nouvelle, dit Laurette. Qu'est-ce que t'en penses, Gérard ?

— Moi, une belle bru de plus, ça fait toujours mon affaire, déclara son mari avec le sourire.

Durant les minutes suivantes, Pierre, Denise, Jocelyne, Gilles et Florence arrivèrent les uns après les autres et se mirent à charger l'énorme camion rouge que Richard avait stationné devant la porte de l'appartement.

Peu après, Armand et Pauline firent leur apparition en compagnie de leur fille Suzanne ainsi que de Bernard et Marie-Ange qu'ils avaient fait monter en passant rue Logan.

— Mais il manque personne, dit Laurette, contente de voir autant des siens venir aider.

— Louise vient de nous appeler pour nous dire qu'elle arrivait, fit Pauline, l'air morose.

Quelques minutes plus tard, Carole déposait une boîte de vaisselle dans la benne du camion de son frère lorsqu'elle aperçut la Corvair brune de Serge Vermette s'immobiliser derrière la Malibu de son beau-frère. Elle s'arrêta, attendant que sa cousine et son compagnon sortent du véhicule et se dirigent vers elle.

— Bonjour, Carole. Ça fait longtemps qu'on s'est pas vues, dit Louise Brûlé en l'embrassant. Je te présente mon ami Serge.

Carole les embrassa tous les deux avant de les entraîner dans l'appartement en pleine effervescence.

— Je vous amène encore de l'aide, annonça Carole à la ronde.

Le visage de Pauline se rembrunit, mais Laurette fit comme si elle ne reconnaissait pas l'ancien vicaire de la paroisse et accueillit le couple en déclarant :

— Tous les bras sont bienvenus à matin.

Les frères Morin imitèrent leur mère et tendirent la main à Serge Vermette avant de l'entraîner au travail avec eux.

Vers dix heures, tous les effets des Morin avaient été chargés dans le camion de Richard et les bénévoles, au volant de leur automobile, formèrent un important cortège derrière le gros véhicule pour se rendre rue Champagne.

Demeurés seuls derrière, Gérard et Laurette visitèrent une dernière fois chaque pièce de leur appartement maintenant vide, autant pour vérifier s'ils n'y avaient rien oublié que pour en garder un dernier souvenir.

— Il va falloir y aller, dit Gérard. Il faudrait pas qu'ils mettent les meubles n'importe où. Il reste juste à laisser la clé aux Bélanger, à côté.

Laurette sortit de l'appartement. Quand son mari verrouilla pour la dernière fois la porte derrière lui, elle ressentit un pincement au cœur. Elle avait la nette impression qu'une tranche importante de sa vie venait de prendre fin.

Gérard sonna chez les Bélanger. Laurette les salua et les invita à venir les voir rue Champagne. Mis à part Rose Beaulieu, sa voisine à l'étage, les Bélanger étaient les seuls voisins à qui elle avait parlé fréquemment. Comme elle le répétait souvent, Laurette n'avait jamais été très «voisineuse».

Le couple quitta la rue Emmett après avoir jeté un dernier regard vers la vieille maison qui l'avait abrité de si nombreuses années.

Le premier geste de Gérard en arrivant à son nouvel appartement fut de déverrouiller la porte cochère si souvent empruntée par son beau-père à l'époque où il était livreur de blocs de glace. Il stationna la Chevrolet dans le passage voûté avant d'aller prêter main-forte aux déménageurs qui avaient déjà entrepris d'entrer les meubles et les boîtes à l'intérieur du logis.

Le travail fut mené si rondement qu'à midi tout avait été mis en place dans la maison. Laurette, ainsi que Carole, Marthe et Louise préparèrent une quantité impressionnante de sandwichs aux œufs et à diverses viandes froides pour nourrir les travailleurs affamés.

Au milieu de l'après-midi, les derniers bénévoles quittèrent la maison. Gérard et Laurette se retrouvèrent seuls dans leur appartement. Ils se regardèrent un instant, un peu dépaysés dans ce nouvel environnement.

— Bon. Ben, je pense que je vais aller faire un somme en attendant l'heure du souper, dit le quinquagénaire à sa femme.

Laurette, satisfaite, le vit pénétrer dans leur nouvelle chambre à coucher. Elle n'avait pas envie de dormir. Elle était trop excitée de se retrouver dans la maison de son enfance. Elle prit sa vieille chaise berçante et la plaça exactement là où sa mère mettait la sienne, devant la fenêtre de la cuisine. Elle s'y assit lourdement, sentant pour la première fois la fatigue de cette longue journée.

Soudain, à la vue du reflet de sa figure dans la vitre de la fenêtre, elle réalisa qu'elle avait maintenant presque le même âge que sa mère quand elle était décédée et les larmes lui vinrent aux yeux.

— Ben, m'man, comme tu peux le voir, je suis revenue, dit-elle à voix basse en se passant une main lasse sur le front.

Épilogue

En ce début de soirée du 13 novembre, une petite neige folle tombait doucement sur Montréal au moment où une grosse Ford Crown Victoria 1982 bleu nuit vint s'immobiliser lentement devant le 2429 de la rue Champagne.

— J'en ai pas pour longtemps, dit Richard à sa femme en s'extirpant de sa voiture.

Le quadragénaire aux tempes grises fit quelques pas et alla sonner à la porte. Un instant plus tard, son père vint lui répondre et le fit entrer.

— Ta mère est presque prête, lui dit Gérard en endossant son paletot.

À soixante-douze ans, Gérard Morin était demeuré assez alerte, même s'il s'était légèrement voûté avec les années. Il ne lui restait plus qu'une mince couronne de cheveux blancs et sa vue avait encore baissé.

— J'arrive, dit Laurette en sortant de sa chambre à coucher.

La femme de soixante-dix ans vêtue d'une robe rouge vin s'avança lourdement dans le couloir. Avec l'âge, elle s'était peut-être un peu tassée, mais elle n'avait toujours pas perdu de poids. Elle avait conservé son épaisse chevelure maintenant blanche et, depuis quelques années, elle devait porter en tout temps ses lunettes.

— T'es pas tout seul, j'espère? dit-elle en acceptant l'aide de son fils pour mettre son manteau.

— Non, m'man. Jocelyne est dans le char.

— Et les enfants?

— Catherine et Daniel aimaient mieux aller passer la soirée chez des amis d'école, répondit Richard en ouvrant la porte.

— Il me semble qu'ils auraient ben pu laisser faire les amis pour venir fêter le cinq centième char que leur père a vendu, intervint Gérard, réprobateur.

— Vous le savez aussi ben que moi, p'pa. On fait pas ce qu'on veut avec les enfants, aujourd'hui.

Richard et Jocelyne n'avaient pourtant pas trop à se plaindre de leurs deux enfants. Catherine, qui allait avoir seize ans le mois suivant, était une adolescente studieuse et obéissante. Il en allait tout autant de Daniel, le garçon à qui Jocelyne avait donné naissance deux ans après l'adoption de Catherine.

Richard donna le bras à sa mère pour l'escorter jusqu'à la voiture pendant que son père verrouillait la porte de l'appartement.

— Barre ben la porte, dit Laurette à son mari. Il manquerait plus qu'on se fasse voler à cette heure.

— Ben oui, ben oui, fit Gérard, légèrement exaspéré.

— Verrat! C'est pas chaud à soir, dit-elle aux deux hommes en réprimant difficilement un frisson.

Richard ouvrit la portière arrière de sa voiture et sa mère se glissa péniblement sur la banquette. En plus de ses ennuis avec le diabète, la septuagénaire faisait face à des problèmes d'arthrite depuis deux ou trois ans. «C'est normal que j'aie poigné ça, disait-elle, résignée. J'ai vécu toute ma vie dans un logement où on passait nos hivers à geler tout rond, bonyeu!»

Gérard vint rejoindre sa femme à l'arrière de la voiture. Richard se mit au volant et démarra lentement pour ne pas inquiéter sa mère qui était toujours aussi craintive quand elle prenait place à bord d'une automobile.

— On aurait ben pu fêter ça à la maison, dit Laurette au moment où la voiture arrivait au coin des rues Sainte-Catherine et Dufresne. J'ai un bon jambon dans le frigidaire. Ça vous aurait éviter de gaspiller de l'argent pour rien.

— Ben non, madame Morin, fit Jocelyne en tournant la tête vers sa belle-mère. Richard tient absolument à fêter au restaurant son cinq centième char vendu.

Richard se contenta de hocher la tête. Le cadet des fils de Laurette pouvait se vanter d'avoir bien réussi. Son acharnement au travail et son goût du risque avaient rapporté des dividendes. Propriétaire de quatre camions en 1970, il avait soudainement décidé de tout vendre pour proposer à son oncle Rosaire de lui racheter son fonds de commerce. Ce dernier, aux prises avec des problèmes de santé, avait fini par accepter l'offre de son neveu. Dès le départ, Jocelyne avait abandonné son emploi à la MacDonald Tobacco pour s'occuper de la comptabilité du garage. Au début, le couple n'avait pas roulé sur l'or, mais au fil des années, la vente de voitures usagées était devenue si rentable que son propriétaire avait décidé d'investir et de devenir un concessionnaire Ford. Les affaires allaient bien et les modèles 1982, qui venaient d'apparaître sur le marché, « se vendaient comme des petits pains chauds », affirmait Richard à ses proches.

— Où est-ce que vous nous amenez souper ? finit par demander Gérard en voyant que son fils se dirigeait vers l'est.

— À L'Étoile de l'Est, rue Ontario, laissa tomber le conducteur.

— C'est quoi, ce restaurant-là ? fit Laurette, curieuse.

— Un petit restaurant ben ordinaire, madame Morin, répondit sa bru. Vous connaissez votre garçon, c'est pas le genre à garrocher son argent par les fenêtres.

— C'est ça, dit Richard en feignant d'être fâché. Dis tout de suite que je suis séraphin...

— Ben non, dit Jocelyne sur un ton apaisant. Je disais ça pour t'agacer.

Quelques minutes plus tard, la voiture s'arrêta devant un restaurant qui ne payait pas de mine. Aucun des quatre adultes qui descendaient du véhicule ne remarqua alors qu'un rideau légèrement écarté à l'une des vitrines du restaurant venait de retomber.

— Chut ! Taisez-vous ! ordonna Gilles en circulant rapidement au milieu de la quarantaine de personnes massées dans la pénombre de la salle de réception de L'Étoile de l'Est. Ils arrivent !

Les chuchotements se turent presque instantanément et on attendit dans le plus parfait silence l'entrée des jubilaires. La porte s'ouvrit soudain et chacun put entendre clairement Laurette demander :

— Veux-tu ben me dire, bonyeu, où tu nous amènes là ? Il y a même pas de lumière.

Richard Morin n'eut pas à répondre à sa mère. Gilles alluma subitement les plafonniers de la salle et la septuagénaire découvrit, ébahie, toute sa famille rassemblée devant elle. Elle s'étreignit la poitrine de saisissement.

— Ben, voyons donc ! s'exclama-t-elle. Qu'est-ce qui se passe ? demanda-t-elle, stupéfaite, à son mari, debout à ses côtés.

— Vous pensiez tout de même pas qu'on était pour laisser passer votre cinquantième anniversaire de mariage sans rien faire, intervint Denise en invitant sa mère et son père à se débarrasser de leur manteau.

Au moment où chacun s'avançait vers Gérard et Laurette pour leur souhaiter un bon anniversaire, Alain, l'aîné de Denise, fit tourner *L'Hymne à l'amour* interprété par Édith Piaf. C'était la chanson préférée de sa grand-mère.

Un brouhaha extraordinaire remplaça rapidement le silence qui régnait dans la pièce quelques instants plus tôt.

— Richard Morin, t'es un bel hypocrite, l'accusa sa mère devant la dizaine de personnes qui la cernaient. Vous savez pas ce qu'il nous a dit à midi ? Je viens vous chercher à cinq heures pour vous amener souper au restaurant. On fête à soir la vente de mon cinq centième char. Et moi, belle niaiseuse, je l'ai cru. Une chance qu'il m'a dit de m'habiller comme du monde.

— J'ai pas dit ça, m'man, intervint le vendeur de voitures en riant.

— Non, mais tu m'as dit que le restaurant était pas mal chic, par exemple.

Catherine se fraya un chemin vers sa grand-mère, l'embrassa sur une joue et la prit par la taille. L'adolescente ressemblait beaucoup à sa tante Denise avec son visage fin, ses yeux noisette et ses cheveux bruns bouclés. Laurette la regarda avec beaucoup de tendresse. Personne n'ignorait dans la famille Morin que Catherine était sa petite-fille préférée.

— Bon, c'est ben beau tout ça, mais on n'est pas pour passer la soirée debout devant la porte, déclara Gilles en faisant signe à son frère Jean-Louis de jouer son rôle de maître de cérémonie.

Le gérant de banque fit un signe de la tête indiquant qu'il avait compris et alla à l'avant de la salle s'emparer du micro.

— J'inviterais tout le monde à prendre place autour des tables, fit-il. Nous allons boire une coupe de vin à la santé des jubilaires.

Marthe, sa femme, conduisit ses beaux-parents à la table d'honneur placée à la droite du micro. La quadragénaire sourit à son mari avant d'aller rejoindre André et Serge, leurs deux fils assis sagement à l'une des tables, en compagnie de leur tante Carole.

La plupart des membres de la famille avaient été étonnés de la voir apparaître à cette fête organisée pour célébrer le cinquantième anniversaire de mariage de ses parents. L'unique célibataire chez les Morin boudait habituellement les réunions de famille. Toujours à l'emploi de la Société de transport de Montréal à près de quarante ans, la cadette de Laurette Morin vivait à quelques pas de l'appartement de la rue Saint-Denis où habitaient Jean-Louis et sa petite famille. À ce qu'on en savait, elle n'était proche que de sa belle-sœur Marthe, qui avait presque dû la supplier de participer à la célébration.

La crainte qu'un jour ou l'autre Carole manifeste le désir de se rapprocher de sa fille adoptée par Richard et Jocelyne, et lui apprenne la vérité, était encore bien vivante chez certains, même si rien dans le comportement de la mère ne le laissait présager. Si la famille se fiait à ce que disait Marthe, Carole n'avait plus qu'une passion : le cinéma.

Des serveuses déposèrent sur chaque table une bouteille de vin. Gilles, installé un peu plus loin en compagnie de Florence et de leur fille, Véronique, servit du vin même à l'adolescente. Jean-Louis attendit patiemment que chacun remplisse sa coupe avant de porter un toast en l'honneur de ses parents. Tout le monde se leva et but à la santé de ces derniers.

— C'est votre père qui aurait ben aimé être ici à soir, fit Pauline d'une voix attristée.

Sa fille Louise échangea un regard avec Serge, son compagnon, et sa sœur Suzanne, mais elle ne dit rien. Armand Brûlé avait été emporté en quelques semaines, l'année précédente, par un cancer du cerveau. Elle se contenta de passer la main sur la tête du jeune fils de sa sœur Suzanne dont le mari, un policier, n'avait pu assister à cette fête.

— Votre mari aurait pas aimé que vous soyez triste à une soirée de fête, madame Brûlé, dit Serge Vermette d'une voix compatissante.

Pauline lui adressa un sourire de reconnaissance.

— Calvinus! J'aime mieux une bonne bouteille de bière que du vin, déclara avec bonne humeur Bernard Brûlé, assis à la table voisine avec Marie-Ange, leur fils Germain et sa conjointe.

— Voyons, p'pa, fit le jeune architecte de vingt-cinq ans, vous devriez vous habituer à boire du vin. C'est bien meilleur pour la santé.

— Dis ça à ta mère, mon garçon, répliqua le gros homme. C'est elle qui a toutes les maladies. Moi, je suis pas malade et j'aime pas ça. Je trouve que ça goûte les remèdes, cette affaire-là.

Pour leur part, Denise et Pierre Crevier s'étaient installés à la même table que Colombe et Rosaire Nadeau. Cheveux bleutés et savamment maquillée, la sœur de Gérard était demeurée une grande femme élancée aux manières précieuses. En abandonnant le cigare quelques années auparavant, son mari avait peut-être pris du poids, mais il avait conservé son air jovial.

La fille aînée de Laurette aurait préféré être assise avec ses enfants, venus accompagnés à la fête offerte à leurs grands-parents, mais Denis, Alain et Sophie avaient faussé compagnie à leurs parents dès leur arrivée au restaurant pour se réfugier à la dernière table, au fond de la salle. De temps à autre, la mère de famille jetait un regard sévère vers sa fille qui serrait d'un peu trop près son ami de cœur, à son avis.

— Denise trouve que je devrais couper ma moustache, déclara Pierre, devenu un quinquagénaire à l'épaisse chevelure grise le mois précédent.

— Je lui répète tous les jours que ça le rajeunirait, dit sa femme à sa tante Colombe.

— Je suis pas sûr de ça pantoute, fit le débardeur à la stature toujours aussi impressionnante.

— En tout cas, ça aurait au moins l'avantage de me donner l'impression d'embrasser autre chose qu'une brosse, rétorqua Denise en riant.

— Je vous dis qu'elle est fine à soir, elle, répliqua Pierre en prenant Rosaire Nadeau à témoin.

Ce dernier éclata de rire devant l'air faussement dépité de son neveu par alliance. Un moment plus tard, Denise se leva et se dirigea vers la table occupée par les jeunes. Elle se pencha à l'oreille de Sophie pour lui ordonner de se tenir mieux avant de demander à Alain, chargé de la musique, d'aller baisser un peu le son pour permettre aux gens de se parler sans avoir à crier.

Peu après, Gilles se rendit compte que ses parents risquaient de trouver le repas passablement ennuyeux s'ils demeuraient seuls à la table d'honneur. Il s'approcha de Jean-Louis, l'organisateur et le trésorier de cette soirée, pour lui chuchoter quelques mots. Le gérant de banque hocha la tête avant de se diriger vers sa tante Pauline, son oncle Bernard et sa femme.

— Est-ce que ça vous dérangerait de venir manger à la table d'honneur? leur demanda-t-il.

— Moi, ça me fait rien d'y aller en autant que ta mère vienne pas piger dans mon assiette, plaisanta Bernard en se levant.

Dès que le frère et les belles-sœurs de Laurette se furent installés à table, des serveuses déposèrent devant chacun une assiette. Pendant un court moment, Laurette, un peu boudinée dans sa robe rouge vin, en fixa le contenu sans se décider à prendre son couteau et sa fourchette. Gérard remarqua son hésitation et se pencha vers elle pour lui demander à voix basse :

— Qu'est-ce qu'il y a ? T'aimes pas ça ?

— Maudit verrat, c'est juste un quart de poulet, ça ! chuchota-t-elle.

— Ben oui, reconnut son mari.

— Où est-ce qu'ils pensent qu'on va aller avec deux bouchées de viande ? fit-elle avec humeur. Il y a juste des os là-dedans. Je vais ben m'écraser de faiblesse avant la fin de la soirée si je mange juste ça.

— T'as juste à te bourrer avec du pain si t'as si faim que ça, dit Gérard, un peu excédé. Ce que t'as devant toi, c'est une portion normale.

— Arrête donc, toi ! rétorqua-t-elle sur un ton incrédule.

Le repas se prit dans une atmosphère agréable. On frappa à plusieurs reprises sur les tables pour que les jubilaires se lèvent et s'embrassent.

— Là, c'est la dernière fois que je me lève, chuchota Laurette à son mari. Si ça continue, j'aurai même pas la force de me rendre jusqu'à la porte pour sortir avec ce qu'ils nous ont servi.

Au moment du dessert, Jean-Louis demanda à l'assistance un peu de silence, le temps de lire une adresse et d'offrir un cadeau à ses parents.

Les serveuses cessèrent de circuler entre les tables et le silence tomba sur la salle. Alain arrêta la musique au moment où Catherine, un parchemin à la main, se dirigeait vers la table d'honneur, encadrée par sa cousine Véronique et son cousin André. Ces deux derniers portaient une gerbe de fleurs et une bourse en velours rouge.

Attendris, les grands-parents virent leurs trois petits-enfants prendre place derrière le micro.

— Juste à les voir aussi stylés, il y a du Florence là-dedans, chuchota Laurette à sa belle-sœur Pauline, assise à sa droite.

Catherine déroula le parchemin qu'elle tenait et lut avec beaucoup d'aplomb un texte relatant les moments forts de la vie de ses grands-parents. Elle insista autant sur leur courage que sur leur générosité et l'amour qu'ils avaient su donner à leurs enfants et petits-enfants. Pour faire bonne mesure et amener les gens à sourire, elle n'oublia pas de rappeler certaines aventures cocasses qu'ils avaient vécues durant leur longue vie commune.

Laurette, émue au-delà de toute expression, ne put retenir ses larmes et s'empressa d'embrasser sa petite-fille quand cette dernière vint lui présenter le parchemin à la fin de sa lecture. Toutes les personnes présentes applaudirent.

Richard, debout sur le côté de la salle, scrutait le visage de sa sœur Carole pendant le discours de sa fille. Il n'avait décelé aucun signe de regret chez sa sœur. Mais il y avait toujours un doute qui subsistait en lui. La peur que la «vraie» mère de Catherine cherche à se faire connaître.

Véronique, la fille unique de Gilles, tendit ensuite à ses grands-parents l'imposante gerbe de roses qu'elle tenait dans ses bras depuis plusieurs minutes. Ses grands-parents la remercièrent et l'embrassèrent.

Enfin, André, le fils aîné de Jean-Louis, remit à son grand-père la bourse que lui avait confiée son père avant le souper.

— Qu'est-ce que c'est? demanda Laurette à son mari en le voyant en tirer une enveloppe.

— Donne-moi une chance de l'ouvrir et tu vas le savoir, répondit Gérard en ouvrant l'enveloppe.

Il lut la feuille qu'il venait de déplier en ne donnant pas l'impression d'avoir très bien compris ce qui était écrit. Les gens présents dans la salle attendaient patiemment de savoir ce qu'il en était. Ceux qui étaient au courant avaient hâte de voir la réaction des jubilaires.

— Puis ? demanda Laurette.

Jean-Louis, de retour derrière le micro, se chargea de répondre à la place de son père.

— M'man, on s'est tous cotisés pour vous offrir, à vous et à p'pa, un séjour d'une semaine à Miami, en Floride, cet hiver. Voici vos billets d'avion et votre réservation dans un motel, ajouta-t-il en sortant une pochette plastifiée de son veston.

— Ben voyons donc ! s'écria Laurette. C'est ben trop ! On n'a jamais pris l'avion, ton père et moi...

— C'est ben pour ça qu'on vous donne ça.

Un tonnerre d'applaudissements éclata dans la salle et certains se mirent à scander : « Un discours ! Un discours ! » Laurette regarda son mari au moment où Jean-Louis leur tendait le micro.

— Parle, toi, moi, je suis pas capable, lui dit-elle, la gorge serrée par l'émotion.

Gérard jeta un coup d'œil un peu affolé à tous les siens réunis devant lui avant de dire d'une voix un peu tremblante :

— C'est ben la première fois que ma femme me laisse parler à sa place, dit-il. Merci, merci beaucoup.

— Oui, merci, reprit Laurette en s'emparant du micro à son tour. C'est ben trop. Ça en est gênant.

On applaudit encore le couple de septuagénaires qui entreprit alors de faire la tournée des tables pour remercier leurs enfants et petits-enfants d'être venus les fêter. Dès que les tables furent débarrassées, les jeunes et les moins jeunes se mirent à danser.

— Puis, êtes-vous contents de votre petite fête ? demanda Richard à ses parents, qui venaient de s'arrêter à la table où il était assis avec Jean-Louis et Gilles.

— Vous avez fait des folies, les enfants, dit Laurette. Vous auriez pas dû autant dépenser.

— Ben non, m'man, je suis sûre que vous allez aimer ça, Miami, intervint Denise en s'approchant du groupe en compagnie de sa sœur, Carole.

— Ce qui me fait peur, c'est qu'on dit pas un maudit mot d'anglais, votre père et moi, avoua-t-elle.

— Là, m'man, vous vous faites des peurs pour rien, intervint Richard avec un large sourire. On vous l'a pas dit, mais Jocelyne et moi, on y va avec vous autres au mois de janvier. On y est déjà allés, tous les deux. Vous allez voir que c'est ben le *fun* de se faire chauffer la couenne au soleil quand on sait que le monde gèle au Québec.

Quelques minutes plus tard, les jubilaires remercièrent les Nadeau de s'être déplacés pour venir les fêter. Laurette avait retardé le plus longtemps possible le moment d'avoir à adresser la parole à sa belle-sœur qu'elle n'avait jamais beaucoup aimée.

— Tu vas voir ça, Laurette, tu vas adorer Miami, lui dit Colombe de sa voix précieuse. Rosaire et moi, on y va passer tout le mois de janvier depuis une dizaine d'années. Je vais te téléphoner pour te donner notre adresse. On va pouvoir se voir pendant votre séjour.

— C'est une bonne idée, se contenta de répondre Laurette sans grande conviction.

Dès que le couple eut complété la tournée des tables, Catherine vint s'asseoir près de sa grand-mère et ne la quitta plus. Pendant que Gérard parlait avec ses beaux-frères Bernard et Rosaire, l'aïeule et sa petite-fille s'entretenaient à voix basse, comme deux complices. De temps à autre, un éclat de rire les secouait.

— Est-ce que tu vas venir veiller à la maison vendredi prochain ? lui demanda Laurette.

— Dites-moi pas que vous voulez encore vous faire battre aux cartes, grand-mère, plaisanta l'adolescente en lui adressant un regard plein d'affection. Si vous m'invitez à coucher, vous pouvez être sûre que je vais y aller, ajouta-t-elle.

— Je vais t'attendre, mais va pas t'imaginer que je vais te laisser gagner aux cartes comme la semaine passée, par exemple, rétorqua sa grand-mère en lui donnant une tape sur la main.

Assise depuis quelques minutes à la même table que sa sœur, Denise, et ses belles-sœurs, Marthe et Jocelyne, Carole n'avait rien perdu de la scène. Son visage avait pris un air de profonde tristesse durant un bref moment avant de détourner les yeux.

Richard, qui allait inviter sa femme à danser, avait suivi le regard de sa sœur et perçu son changement d'expression. Il décida plutôt d'inviter Carole plutôt que Jocelyne. Un peu réticente, cette dernière accepta de le suivre sur la piste de danse.

— Comment t'aimes la fête ? lui demanda-t-il.

— Elle est bien réussie.

— Tu regrettes pas d'être venue ?

— Non.

— Tu regrettes rien ? insista-t-il.

— Même si je regrettais, il est bien trop tard pour revenir en arrière, pas vrai ? Comme dirait m'man, « ce qui est fait est fait ». Ça sert à rien de regarder en arrière.

Rassuré sur les intentions de sa sœur, Richard se tut. Carole ne chercherait jamais à révéler la vérité à sa fille.

À la fin de la soirée, au moment d'endosser leur manteau, Laurette et Gérard eurent un regard ému pour les leurs en train de se préparer à quitter la salle.

— C'est rare qu'on les voit tous ensemble, dit Laurette. C'est donc de valeur que la maison soit pas plus grande pour tous les recevoir en même temps durant les fêtes.

Gérard hocha la tête. Ils saluèrent une dernière fois tous les gens présents avant de se diriger vers la porte. Richard et sa famille les attendaient déjà dans leur voiture, stationnée devant la porte du restaurant.

À leur arrivée rue Champagne, le couple invita Richard et les siens à venir boire quelque chose, mais le conducteur prétexta la fatigue pour refuser. Catherine descendit de voiture pour accompagner sa grand-mère jusqu'à la porte.

— Oublie pas ce que tu m'as promis, prit soin de lui rappeler la septuagénaire.

— Pas de danger, grand-mère.

L'adolescente embrassa ses grands-parents avant de revenir prendre place dans la Crown Victoria.

— Cette enfant-là, c'est une vraie soie, dit Laurette sur un ton pénétré en enlevant son manteau. C'est tout mon portrait quand j'étais jeune.

— Ça devait être quand t'étais ben jeune, se moqua Gérard.

Fin de la saga

Sainte-Brigitte-des-Saults
mars 2009

Table des matières

Réimprimé en septembre 2009
sur les presses de Transcontinental-Gagné,
Louiseville, Québec.